16.95

JUN 1 3 2017

DU MÊME AUTEUR

La Mort dans les bois
Michel Lafon, 2008
réédité sous le titre
Écorces de sang
« Points Thriller », n° P2192

Comme deux gouttes d'eau
Michel Lafon, 2009
et « Points Thriller », n° P2461

Les Lieux infidèles
Calmann-Lévy, 2011
et « Points Thriller », n° P2745

La Maison des absents
Calmann-Lévy, 2013
et « Points Thriller », n° P3172

Tana French

LA COUR
DES SECRETS

ROMAN

*Traduit de l'anglais (Irlande)
par François Thibaux*

Calmann-Lévy

TEXTE INTÉGRAL

TITRE ORIGINAL
The Secret Place
ÉDITEUR ORIGINAL
Hodder & Stoughton, Londres, 2014
© original : Tana French, 2014

ISBN 978-2-7578-5705-2
(ISBN 978-2-7021-5723-7, 1ʳᵉ publication)

© Calmann-Lévy, 2015, pour la traduction française

Pour Dana, Elena, Marianne et Quynh Giao,
qui heureusement ne furent jamais comme cela.

NOTE DU TRADUCTEUR

En Irlande, la dernière année de l'enseignement primaire correspond à notre sixième.

L'enseignement secondaire s'étale sur six ans, de l'équivalent de notre cinquième à la terminale, et est sanctionné par le Leaving Certificate, comparable à notre baccalauréat.

Prologue

Il y a cette chanson qui passe sans cesse à la radio, mais dont Holly ne capte jamais que des bribes. *Remember oh remember back when we were…* Une voix féminine limpide et passionnée, un rythme léger et rapide qui la fait se dresser sur la pointe des pieds et accélère les battements de son cœur quand elle cherche à le suivre. Aussitôt, la mélodie s'en va. Dès que Holly s'apprête à demander aux autres : « C'est quoi ? », elle s'étiole au milieu des blagues, au moment où les filles parlent d'un sujet important ou courent pour attraper le bus. Lorsque le calme est revenu, elle est partie. Seul demeure le silence, détruit parfois par le vacarme assourdissant de Rihanna ou de Nicki Minaj.

Ce jour-là, elle vient d'une voiture à la capote rabattue pour absorber le plus de lumière possible, cette soudaine explosion de l'été qui pourrait avoir disparu demain. Elle franchit la haie du jardin public, jusqu'à l'aire de jeux où les filles tiennent leurs glaces à demi fondues éloignées de leurs achats de la rentrée. Sur la balançoire, la tête en arrière pour admirer le ciel et, à travers ses cils, le soleil qui oscille en même temps qu'elle, Holly se redresse pour écouter.

– Cette chanson, murmure-t-elle, qu'est-ce que…

À ce moment-là, Julia laisse tomber un morceau de sa glace dans sa chevelure et jaillit du tourniquet en beuglant :

– Merde !

Elle saisit le mouchoir en papier que lui tend Becca, emprunte la bouteille d'eau de Selena pour le mouiller et nettoyer ses mèches en affirmant, uniquement pour faire rougir Becca, ce que confirme son clin d'œil salace à Holly, qu'elle a l'air d'avoir taillé une pipe à un benêt qui visait mal. Quand elle a fini, la voiture n'est plus là.

Holly termine sa glace avant de se suspendre aux chaînes de la balançoire. Prenant garde à ce que l'extrémité de ses cheveux ne balaye pas le sol, elle observe les autres de bas en haut et de côté. Renversée sur le tourniquet, Julia le fait lentement tourner avec ses pieds. Il grince : couinement paresseux, régulier, apaisant. À plat ventre à côté d'elle et lui laissant faire le travail, Selena explore nonchalamment son sac d'achats. Perchée sur le jeu d'escalade, Becca picore sa glace du bout de la langue, s'efforçant de la faire durer le plus longtemps possible. Le chahut de la circulation et des cris de garçons filtrent à travers la haie, amoindris par le soleil et la distance.

– Plus que douze jours ! s'exclame Becca.

Elle jette un regard aux autres, pour voir si toutes partagent sa joie. Julia brandit son cornet comme si elle portait un toast. Selena trinque en le heurtant avec un cahier de maths.

Holly contemple, ravie, son grand sac en papier posé contre la balançoire. Elle a envie d'y plonger son visage et ses mains, de palper, de respirer ces fournitures neuves : le classeur immaculé, les beaux crayons assortis aux mines si effilées qu'elles pourraient faire couler le sang, la règle aux graduations minuscules qu'aucun doigt n'a encore usée, ni salie. Et d'autres merveilles, cette année : des serviettes jaunes, moelleuses, enveloppées de rubans ; une housse de couette aux larges bandes jaune et blanche, lisse sous son plastique.

Bravant la canicule, un oiseau chante à en perdre le souffle. Le ciel est presque blanc. Tout se fige. Les yeux levés, Selena n'est plus qu'une masse de cheveux tournoyant sans hâte et un sourire béat.

– Filets de lessive ! crie soudain Julia, brisant la torpeur.

– Mmm ? grommelle Selena derrière l'éventail de pinceaux qu'elle tient à la main.

– Sur la liste de ce que doivent apporter les internes. «Deux filets de lessive pour la buanderie.» On trouve ça où ? Et qu'est-ce qu'on en fait ? Je crois que je n'en ai jamais vu, moi.

– Ça sert à grouper tes fringues dans la machine à laver, répond Becca, qui, comme Selena, est pensionnaire depuis le début, alors que toutes avaient douze ans. Pour ne pas te retrouver avec les culottes dégueulasses d'une autre nana.

– Ma mère m'en a acheté un la semaine dernière, précise Holly en se redressant sur la balançoire. Je pourrai lui demander où.

Elle sent tout à coup l'odeur du linge sortant tout chaud du séchoir, chez elle, se revoit face à sa mère, secouant un drap avant de le plier au son d'un concerto de Vivaldi. Alors, une oppression subite lui serre le cœur. L'internat, elle n'en veut pas. Elle n'a qu'une envie : appeler papa et maman, s'agripper à eux, les supplier de la garder pour toujours à la maison.

– Hol, lui dit gentiment Selena, lui souriant alors que le tourniquet l'éloigne d'elle. Ce sera super.

– Oui, chuchote Holly, sous l'œil inquiet de Becca, toujours en équilibre sur le jeu d'escalade. Je sais.

Et son angoisse s'en va. Elle n'en garde qu'une sensation lovée au creux de sa poitrine. *Il est encore temps de changer d'avis. Fais-le avant qu'il ne soit trop tard. Cours, cours jusque chez toi, enfouis ta tête sous l'oreiller.*

L'oiseau s'égosille de plus belle, invisible et moqueur.

– Je me réserve un lit près de la fenêtre, assène Selena.

– Et puis quoi ? rétorque Julia. Pas question de réserver quoi que ce soit alors qu'on ne sait même pas, Hol et moi, à quoi ressemblent les piaules. Tu devras attendre qu'on s'installe.

Selena lui rit au nez, tandis qu'elles tournent, toujours aussi lentement, à l'ombre des feuilles.

– T'as déjà vu une fenêtre. Tu réserves ou tu réserves pas.

– Je déciderai quand j'y serai. T'auras qu'à t'écraser.

Le front baissé, rongeant distraitement son cornet, comme un lapin, Becca dévisage toujours Holly, qui dit :

– Je réserve le lit le plus éloigné de celui de Julia.

Les élèves de troisième partagent une chambre à quatre ; elles seront donc toutes les quatre ensemble. Holly ajoute :

– Elle ronfle comme une pocharde.

– Ça me ferait mal au sein. Je ne ronfle jamais. Je dors comme une délicate princesse de conte de fées.

– Tu parles, glousse Becca, rougissant de sa propre audace. La dernière fois que je t'ai entendue, toute la chambre en tremblait.

Julia lui fait un doigt d'honneur. Selena éclate de rire. Enfin rassérénée, Holly lui sourit d'une oreille à l'autre, se demandant comment elle pourra patienter jusqu'à la semaine prochaine.

L'oiseau chante une dernière fois, faiblement, comme épuisé. Puis il se tait.

1

Elle est venue jusqu'à moi. La plupart des gens gardent leurs distances. Un murmure inaudible sur la ligne extérieure réservée aux indics, aux délateurs ou aux témoins de dernière heure : « En 95, j'ai vu… » Pas de nom, communication coupée si on cherche à le connaître. Une lettre tapée à la machine et postée dans une autre ville, le papier et l'enveloppe nettoyés de leurs empreintes. Si on veut les coincer, on doit partir en chasse. Mais elle… Elle, elle me cherchait.

Je ne l'ai pas reconnue. J'avais grimpé l'escalier quatre à quatre en direction de la salle commune. En ce matin de mai, il faisait aussi chaud qu'en été. Se déversant par les fenêtres de la réception, le soleil éclaboussait le plâtre craquelé des murs. Dans ma tête tournait un air que je fredonnais peut-être sans m'en rendre compte.

Je l'ai vue, bien sûr. Sur le canapé de cuir miteux isolé dans un coin. Bras repliés, remuant ses chevilles croisées. Longue queue-de-cheval platine ; uniforme de collégienne bien coupé, kilt vert et bleu marine, blazer lui aussi bleu marine. La fille d'un gros bonnet attendant que papa l'accompagne chez le dentiste, pensai-je. En tout cas, une môme plus friquée que moi. Pas seulement à cause de l'écusson armorié cousu sur son blazer. On le devinait aussi à la grâce de sa pose, à son menton levé de façon presque méprisante, comme si l'endroit

13

lui appartenait, à supposer qu'elle ait daigné se plonger dans la paperasse. Je passai devant elle. Salut rapide, au cas où elle aurait été la fille du patron. Je poursuivis mon chemin.

Me reconnut-elle ? Peut-être pas. Sept ans s'étaient écoulés. À l'époque, elle n'était qu'une petite fille. Quant à moi, je n'avais aucun signe particulier, hormis ma tignasse rousse. Elle avait peut-être oublié. Ou alors, elle m'avait remis d'emblée et restait sur son quant-à-soi pour des raisons connues d'elle seule.

Elle laissa notre administratrice m'interpeller en pointant son stylo sur le sofa :

– Inspecteur Moran, une personne voudrait vous voir. Mlle Holly Mackey.

Le soleil m'éblouit lorsque je pivotai. Bien sûr. J'aurais dû repérer ses yeux immenses, d'un bleu éclatant, l'arc délicat de ses paupières : un chat alangui, une pâle jeune fille couverte de bijoux dans un tableau ancien, un mystère.

– Holly, dis-je en lui tendant la main. Comment va ? Ça fait longtemps.

Elle me jaugea sans ciller, captant tout de moi sans rien me livrer d'elle-même. Puis elle se leva. Elle serrait encore la main comme une gamine, se dégageant trop vite.

– Bonjour, Stephen.

Elle avait une bonne voix, posée et claire, loin des piailleries de dessins animés propres aux filles de sa génération. Son accent me frappa : huppé, mais sans les affreuses intonations snobinardes des beaux quartiers. Si elle les avait importées chez elle, son père aurait réagi au quart de tour : le blazer à la décharge et Holly à l'école publique, comme tout le monde.

– Que puis-je pour toi ?

Elle répondit très bas :

– J'ai quelque chose à vous remettre.

Sa phrase me dérouta. En uniforme à neuf heures et demie du matin : elle avait fait le mur, s'était tirée d'un collège où l'on ne tarderait pas à signaler son absence. Il ne s'agissait pas du mot de remerciement qu'elle avait oublié de m'écrire des années plus tôt.

– Je t'écoute.

– Pas ici, s'il vous plaît.

Son coup d'œil à l'administratrice indiqua : « En privé. » Avec une adolescente, on fait gaffe. Avec la fille d'un inspecteur, on fait gaffe deux fois. Mais avec Holly Mackey, si on lui impose une présence indésirable, on est cuit.

– Allons parler dans un endroit tranquille, lui dis-je.

Je travaille aux Affaires classées. Les témoins qui prennent contact avec nous espèrent que leurs révélations n'auront pas d'importance. À leurs yeux, il ne s'agit plus d'une véritable enquête criminelle, avec des menottes et des flingues, qui pourrait chambouler leur existence. Ils s'attendent à un entretien paisible sur une histoire oubliée depuis longtemps. Nous jouons le jeu. Notre salle d'interrogatoire principale ressemble à une coquette salle d'attente de dentiste : canapés moelleux, stores vénitiens, tables de verre encombrées de magazines feuilletés cent fois. Thé et café insipides. Nos interlocuteurs ne sont pas obligés de remarquer la caméra vidéo dans un coin ou le miroir sans tain caché derrière d'autres stores s'ils n'y tiennent pas, et ils n'y tiennent jamais. Tout se passera en douceur, monsieur. Juste quelques minutes et vous rentrerez chez vous.

Ce fut là que je conduisis Holly. Une autre ado se serait agitée, aurait tourné dix fois la tête d'un air inquiet. Pas elle. Elle connaissait les lieux et me suivit dans le couloir comme si elle était chez elle.

J'en profitai pour la détailler. Elle était devenue une jolie jeune fille. Taille moyenne, ou un peu en dessous. Mince, très mince, mais c'était naturel : pas de maigreur liée à un régime délirant. Des formes discrètes, en deve-nir. Pas un canon, pas encore, mais rien de laid chez elle ; pas de boutons, pas d'appareil dentaire, pas d'attitude sournoise. Et ses yeux, qui la distinguaient des blondes interchangeables, vous forçaient à la contempler de plus près.

Un petit copain qui l'avait frappée ? Pelotée, violée ? Holly venant vers moi au lieu de se confier à un inconnu de la brigade des mœurs ?

Quelque chose à me remettre. Une preuve ?

D'un geste vif du poignet, elle referma la porte. Regarda autour d'elle.

Machinalement, je mis en marche la caméra avant de lui proposer un siège. Elle resta debout. Passa un doigt sur le vert pelé du sofa.

– Cette pièce est plus chouette que celles d'avant.

– Comment va la vie ?

Elle continua d'examiner la salle, comme si je n'étais pas là.

– Très bien.

J'attendis. Elle murmura :

– Vous avez vieilli. Vous ressembliez à un étudiant.

– Et toi à une petite fille qui amenait sa poupée aux interrogatoires. Clara, c'est ça ?

Elle posa enfin les yeux sur moi.

– Disons que nous avons grandi tous les deux.

Pour la première fois, elle sourit. Sourire bref, presque triste, comme celui qui m'avait ému jadis et qui, cette fois encore, m'alla droit au cœur.

– Je suis heureuse de vous revoir.

À neuf ou dix ans, Holly avait été témoin lors d'une affaire criminelle. Je ne dirigeais pas l'enquête, mais ce fut moi qu'on chargea de l'interroger. Je pris sa déposi-tion, la préparai à témoigner au procès. Elle ne voulait pas. Elle s'y résolut quand même, peut-être sur les ordres de son père. Peut-être. Je ne me berçai d'aucune illusion :

là-dessus, elle ne m'avouerait rien. Face à cette gamine de neuf ans, je ne faisais pas le poids.

– Moi de même, répondis-je.

Une brève inspiration souleva ses épaules, suivie d'un léger hochement de tête, comme si elle acceptait mon compliment. Elle posa son cartable par terre, coinça un pouce sous le revers de sa veste pour me montrer l'écusson et me dit, les yeux dans les yeux :

– Je suis à Kilda, maintenant.

Sainte-Kilda : le genre d'établissement dont les prolos dans mon genre sont censés n'avoir jamais entendu parler, ce qui, pour moi, aurait été le cas sans la mort d'un gosse.

Collège de filles, privé, dans une banlieue pleine d'espaces verts. Bonnes sœurs. Un an plus tôt, deux nonnes se promenant tôt le matin étaient tombées sur un adolescent gisant dans un bosquet, au fond du parc du collège. D'abord, elles le crurent endormi, ivre, peut-être. Elles décidèrent de lui passer un savon, de découvrir quelle précieuse vertu il avait déflorée. Elles clamèrent d'une seule voix :

– Jeune homme !

Il ne bougea pas.

Christopher Harper, seize ans, élève du collège de garçons situé une rue et deux hauts murs plus loin. Au cours de la nuit, quelqu'un lui avait défoncé le crâne.

Assez de personnel mobilisé pour construire un immeuble, assez d'heures supplémentaires pour rembourser l'emprunt immobilier, assez de paperasse pour endiguer une rivière. Un gardien louche, portier ou homme à tout faire : éliminé. Un copain de classe qui s'était battu avec la victime : éliminé. Des étrangers à la mine patibulaire aperçus dans les parages : éliminés.

Ensuite, rien. Plus de suspects, aucune raison pour que Christopher se soit aventuré dans le parc de Sainte-Kilda. Moins d'heures supplémentaires, un personnel de plus en plus réduit, et toujours rien. Même si on ne peut l'avouer, surtout si la victime est à peine sortie de l'enfance, on classa l'affaire. L'ensemble des dossiers se retrouva aux archives de la Criminelle. Tôt ou tard, les huiles seraient interpellées par les médias et le cas atterrirait chez nous, à la brigade de la dernière chance.

Holly replia son revers.

– Vous savez ce qui est arrivé à Chris Harper. Exact ?

– Exact. Tu étais à Sainte-Kilda, à l'époque ?

– Oui. J'y suis entrée dès la cinquième, il y a trois ans.

Elle se tut, me laissant l'initiative. Une question mal placée et elle tournerait les talons, me fourrant dans le même sac que les autres adultes, qui ne comprennent rien à rien. J'avançai sur la pointe des pieds.

– Tu es pensionnaire ?

– Oui, depuis l'année dernière. Uniquement du lundi au vendredi. Je rentre chez moi le week-end.

Je ne me souvenais plus de la date du meurtre.

– Tu te trouvais là lorsque c'est arrivé ?

– La nuit où Christopher a été tué.

Éclat d'exaspération dans son œil bleu. Elle était bien la fille de son père : aucune indulgence pour le non-dit, du moins de la part des autres.

– Oui, admis-je. La nuit de l'assassinat. Tu étais là ?

– Pas sur les lieux. Mais j'étais au collège, oui.

– As-tu vu, entendu quelque chose ?

De nouveau cet air excédé, cette fois plus prononcé.

– Les inspecteurs de la Criminelle me l'ont déjà demandé. Ils nous l'ont demandé à toutes, au moins mille fois !

– Mais tu aurais pu, depuis, te souvenir d'un détail. Ou regretter d'avoir conservé un élément pour toi.

– Je ne suis pas idiote ! Je sais comment ça se passe. Vous vous rappelez ?

Elle s'était braquée, prête à s'en aller.

Changement de tactique.

– Tu connaissais Chris ?

Elle se détendit.

– Sans plus. Nos collèges font des choses en commun. On finit par se connaître. Nous n'étions pas proches, mais nos bandes traînaient ensemble de temps en temps.

– Comment était-il ?

Haussement d'épaules.

– Un type.

– Tu l'aimais bien ?

Second haussement d'épaules.

– Il était là.

Je connais un peu le père de Holly : Frank Mackey, des Infiltrés. Si on l'attaque bille en tête, il esquive et vous prend à revers. Si on l'aborde de biais, il charge comme un taureau.

– Tu es venue ici, assénai-je, parce que tu désirais me confier quelque chose. Je ne vais pas me lancer dans un jeu de devinettes que je suis sûr de perdre. Si tu n'es pas certaine de vouloir me mettre au courant, va-t'en et réfléchis-y jusqu'à ce que tu aies pris ta décision. Si tu l'es maintenant, crache le morceau.

Mon langage lui plut. Elle en sourit presque.

– Au collège, nous avons un tableau : un panneau d'affichage installé au dernier étage, face à la salle d'arts plastiques. On l'appelle l'endroit des secrets. Si on a un secret, par exemple si l'on déteste ses parents ou si on est amoureuse d'un garçon, on peut l'écrire sur une carte et l'épingler.

Inutile de demander pourquoi des gamines éprouveraient le besoin de crier leurs secrets sur les toits. Personne ne pigera jamais les adolescentes. J'ai des sœurs. J'ai appris à faire avec.

– Hier soir, on a travaillé sur un projet, mes amies et moi, dans la salle d'arts plastiques. J'ai oublié mon téléphone en partant, mais je ne m'en suis aperçue qu'après l'extinction des feux. Je n'ai donc pas pu le récupérer. Je suis allée le chercher le lendemain à la première heure, avant le petit déjeuner.

Elle avait débité le tout trop vite, d'une traite, sans la moindre hésitation. De la part d'une autre fille, j'aurais conclu à un bobard. Mais Holly avait de l'expérience ; et elle avait son père. Tel que je le connaissais, il devait la cuisiner sans relâche chaque fois qu'elle se pointait en retard à la maison.

– J'ai jeté un coup d'œil sur le tableau, poursuivit-elle en se penchant vers son cartable avant de l'ouvrir d'un coup sec. Juste en passant.

Nous y étions : la main hésitant au-dessus de la chemise verte, le bref instant où elle maintint la tête penchée sur son cartable, sa queue-de-cheval masquant ses traits. Le trouble que je guettais. Elle n'était pas si maîtresse d'elle-même, après tout.

Elle se redressa et m'affronta, de nouveau impassible. Elle me tendit la chemise, la lâcha dès que je la touchai, si vite que je faillis la laisser tomber.

– C'était sur le tableau.

Elle avait gribouillé sur le dossier : « Holly Mackey, 2ᵈᵉ L, Instruction civique. » À l'intérieur : une pochette en plastique transparent. Dans la pochette : une punaise, qui avait dégringolé dans un coin, et un morceau de carton.

Je reconnus le visage bien plus vite que celui de Holly. Il avait trôné pendant des semaines à la une des journaux, sur tous les écrans de télévision et les tableaux d'affichage de toutes les brigades.

Ce cliché-là était différent ; printanier. Le gamin regardait par-dessus son épaule, contre un fouillis de feuillage. Il riait. Beau gosse. Cheveux bruns luisants rabattus, style boys band, sur d'épais sourcils qui, s'inclinant à leur extrémité, lui donnaient l'air d'un gentil chiot. Teint clair, joues roses ; rares taches de rousseur sur les pommettes. Une mâchoire qui serait devenue puissante s'il avait eu le temps de vieillir. Son sourire épanoui plissait ses yeux et son nez. À la fois effronté et attendrissant. Jeune, avec tout ce que cela suggérait : amourettes d'été, héros du petit frère, chair à canon.

Des mots barraient son T-shirt bleu, collés sur la photo ; extraits d'un livre, espacés comme les termes d'une demande de rançon, découpés au ciseau de façon parfaite.

Je sais qui l'a tué.

Holly me scrutait en silence. Je retournai la pochette. Carton blanc ordinaire, comme celui où l'on imprime des photos. Aucune inscription. Rien.

– Tu l'as touchée ? demandai-je.

Elle leva les yeux au plafond.

– Bien sûr que non. Je suis allée dans la salle d'arts plastiques prendre cette pochette et un cutter. J'ai enlevé la punaise. Je l'ai glissée dans la pochette, avec la photo.

– Bien joué. Ensuite ?

– Je l'ai cachée sous ma chemise de nuit. Ensuite, je l'ai mise dans le dossier. J'ai dit que je me sentais patraque et je me suis recouchée. Après la visite de l'infirmière, je me suis faufilée dehors et je suis venue ici.

– Pourquoi ?

– Parce que, répondit-elle d'un ton accablé, je pensais que vous et vos collègues auriez envie de savoir ! Si ça ne vous intéresse pas, balancez le cliché à la poubelle et laissez-moi regagner le collège avant qu'on remarque mon absence.

– Ça m'intéresse. Je suis ravi que tu l'aies découvert. Je me demande quand même pourquoi tu ne l'as pas apporté à l'un de tes professeurs, ou à ton père.

Elle consulta l'horloge murale, remarquant la caméra vidéo au passage.

– Merde ! Ça me rappelle que l'infirmière doit repasser pendant la récré. Si je ne suis pas là-bas, les bonnes sœurs vont péter les plombs. Pourriez-vous appeler le collège, vous faire passer pour mon père et certifier que je suis avec vous ? Annoncez que mon grand-père est mourant et que, lorsque vous m'avez téléphoné pour me l'apprendre, je suis partie en courant sans prévenir personne parce que je refusais qu'on m'envoie pleurnicher sur l'épaule de la conseillère d'orientation.

– Entendu. Je vais appeler tout de suite. Mais je ne me ferai pas passer pour ton père. Je dirai, poursuivis-je sans tenir compte de son soupir excédé, que tu voulais nous remettre quelque chose d'important et que tu as bien agi. Cela te couvrira. Ça te va ?

– D'accord. Pouvez-vous quand même dire que je dois garder le secret ? Pour qu'on ne me casse pas les pieds ?

– Pas de problème.

Chris Harper riait toujours sous mon nez, image même de la joie de vivre, de la vitalité. Je replaçai sa photo dans la pochette.

– As-tu parlé de ceci à quelqu'un ? À ta meilleure amie, peut-être ? Tu en avais le droit. Simplement, je dois le savoir.

– Non, murmura-t-elle d'un air étrangement absent. Je n'ai rien révélé à personne.

– Parfait. Je vais téléphoner. Ensuite, je prendrai ta déposition. Tu souhaites qu'un de tes parents soit à tes côtés ?

Elle retrouva ses esprits.

– Oh, mon Dieu, non. Faut-il vraiment qu'il y ait quelqu'un ? Ne pouvez-vous pas faire ça tout seul ?

– Quel âge as-tu ?

Elle hésita, comme si elle songeait à mentir.

– Seize ans.

– Il nous faut un adulte agréé. Pour m'empêcher de t'intimider.

– Vous ne m'intimidez pas.

Je m'en étais aperçu.

– Je sais bien. Mais c'est le règlement. Reste là, prépare-toi une tasse de thé si tu en as envie. Je reviens dans deux minutes.

Elle s'affala sur le canapé. Elle s'y blottit, les jambes sous elle et les bras repliés, mordillant le bout de sa queue-de-cheval plaqué contre sa bouche. En dépit de la chaleur, elle paraissait avoir froid. Elle ne me regarda pas m'en aller.

Il y avait à la brigade des mœurs, deux étages plus bas, une assistante sociale de garde. Je la fis venir, pris la déposition de Holly en sa présence. Je la priai ensuite, dans le couloir, de reconduire la petite à Sainte-Kilda. Holly me fusilla du regard.

– Ainsi on saura, au collège, que tu étais vraiment avec nous, que tu n'as pas demandé à ton petit copain de téléphoner. On ne t'embêtera pas.

Elle me toisa avec un dédain qui signifiait : « Je ne suis pas une menteuse. » Elle ne me posa aucune question sur ce qui allait arriver ensuite, ce que nous allions faire. Visiblement, elle s'en moquait. Elle se contenta de me dire :

– À bientôt.

– Merci d'être venue. Tu as eu raison.

Sans répondre, elle me gratifia d'un petit rictus, sarcastique mais poli.

Elle s'éloigna dans le couloir en compagnie de l'assistante sociale qui, trottinant près d'elle, cherchait à engager la conversation. Je pensai soudain : *Elle ne m'a pas répondu.*

– Holly ?

Elle se retourna, rajustant les bretelles de son cartable sur ses épaules.

– Tout à l'heure, je t'ai posé une question. Pourquoi t'es-tu adressée à moi ?

Elle me fixa longuement, me mettant mal à l'aise, comme ces personnages qui, dans un tableau, vous suivent des yeux.

– À cause de votre attitude d'autrefois, lâcha-t-elle enfin. Pendant un an, tout le monde a marché sur des œufs. Comme si, au premier mot de travers, j'allais piquer une crise de nerfs, baver, être bonne pour l'asile. Même mon père. Il prétendait ne se faire aucun souci, mais je voyais bien qu'il tremblait comme une feuille.

Les mains en avant, les doigts recourbés, elle poussa un cri d'horreur, comme dans un film.

– Ahhh ! C'était ça, l'ambiance. Vous avez été le seul être humain à ne pas me considérer comme une pétocharde. Vous m'avez traitée normalement. Vous saviez que je claquais des dents. Mais vous m'avez mise en confiance. Comme si vous me disiez : « D'accord, c'est dur. Mais des drames, des tas de gens en connaissent, tout le temps. Ils survivent. Maintenant, on reprend. »

J'ai été un gosse, moi aussi. Contrairement à d'autres, je m'en souviens. Je n'ai pas besoin d'ateliers de psychologie ou de présentations en PowerPoint pour interroger un jeune témoin. Quand on se trouve face à une enfant terrorisée qui a assisté à l'innommable, la traiter en égal tout en la rassurant, ce n'est pas la mer à boire.

– Holly, témoigner constitue une épreuve pour n'importe qui. Tu t'es montrée à la hauteur. Bien plus que n'importe quel adulte.

Cette fois, aucun sarcasme dans son sourire. Plein de choses, mais pas de sarcasme. Elle lança à l'assistante sociale, qui ne savait plus où se mettre :

– Pourrez-vous leur jurer, au collège, que je ne suis pas une pétocharde ? Pas même un tout petit peu ?

Et elle s'en alla.

Une chose à mon sujet : j'ai des projets.

À peine après avoir dit au revoir à Holly et à l'assistante sociale, je me plongeai, sur l'ordinateur central, dans le dossier Harper.

Responsable de l'enquête : Antoinette Conway.

Qu'une femme travaille à la Criminelle ne devrait scandaliser personne, ni même susciter le moindre commentaire. Mais nombre de vétérans sont vieux jeu ; et certains blancs-becs le sont plus encore. L'égalité, c'est très beau sur le papier. Dans la réalité, c'est de la foutaise. Selon la rumeur, Conway a obtenu son poste en couchant avec un ponte, avant de s'imposer par son autoritarisme et son physique austère, bien éloigné des bonnes vieilles trognes de patate irlandaises : teint cireux, traits anguleux, cheveux corbeau strictement coiffés en arrière. Dommage qu'elle ne soit pas en chaise roulante, ricanent les mauvaises langues ; elle serait déjà commissaire principal.

Je l'ai connue, du moins de vue, avant qu'elle ne devienne célèbre. À l'école de police, elle était deux années derrière moi. Grande, bâtie comme une coureuse, membres longs et musclés. Le menton haut, toujours, les épaules droites. Au cours de sa première semaine, nombre de types lui tournèrent autour, histoire de l'aider à s'installer, de se montrer galants. Qu'ils n'aient pas agi de même avec les filles qui ne lui ressemblaient pas n'était que pure coïncidence. Quoi qu'elle leur ait répondu, ils cessèrent de la draguer et lui firent la gueule.

Deux ans derrière moi à l'école. Elle quitta la police en tenue un an après moi. Intégra la Criminelle au moment où j'étais muté aux Affaires classées.

Les Affaires classées, c'est une promotion. En tout cas pour un Dub dans mon genre, issu d'un quartier ouvrier de Dublin, premier de sa famille à avoir passé son bac au lieu d'entrer en apprentissage. J'ai quitté la police en tenue à vingt-six ans, je suis devenu inspecteur, c'est-à-dire enquêteur sur le terrain à vingt-huit ans, grâce à la recommandation du père de Holly. La semaine de mes trente ans, je me suis retrouvé aux Affaires classées, espérant qu'il n'y ait eu aucune intervention, et redoutant qu'il y en ait eu une. Aujourd'hui, j'en ai trente-deux. Il est temps de viser plus haut.

Les Affaires classées, c'est bien. La Criminelle, c'est mieux.

Même s'il le voulait, le père de Holly ne pourrait pas me pistonner pour m'y faire admettre. Le patron de la brigade le hait. Il ne m'apprécie pas beaucoup non plus.

Lors de l'affaire où Holly fut mon témoin, c'est moi qui ai coffré le coupable. Je lui ai lu ses droits en lui passant les menottes, signé le rapport d'arrestation. J'étais simple stagiaire. J'aurais dû rester à ma place, confier le boulot à un supérieur, regagner la salle d'opérations comme un bon garçon, me contenter de taper des dépositions sans intérêt. J'ai quand même coffré le mec. Je l'avais mérité.

Cette arrestation, suivie du coup pouce de Frank Mackey, m'a fait monter en grade. M'a permis d'entrer aux Affaires classées. Et m'a fermé la porte de la Criminelle.

Au moment même, *clic*, où je menottais les poignets du meurtrier en lui déclarant : «Vous pouvez garder le silence», j'ai su que je serais, jusqu'à nouvel ordre, considéré là-bas comme indésirable. Pourtant, sans cette arrestation, j'aurais continué à végéter, à taper les dépositions de gens qui n'avaient rien vu, rien entendu. «Ce que vous direz pourra être retenu contre vous.» *Clic*.

Quand la chance passe à ta portée, tu la saisis. Je savais qu'un jour où l'autre, les portes de la brigade s'ouvriraient.

Sept ans plus tard, le hasard me donnait raison.

La Criminelle, c'est une écurie de pur-sang. La Mecque, le saint des saints, la reine des batailles, un club inaccessible, une équipe de gladiateurs, un corps d'élite où l'on te dit : «Tu es des nôtres. Tu fais donc partie des meilleurs.»

La Criminelle, c'est mon but.

J'aurais pu transmettre la photo et la déposition de Holly à Antoinette Conway avec une note, point barre. Mieux encore, j'aurais pu, si j'avais été bien élevé, lui téléphoner à l'instant même où Holly me remettait le cliché, lui refiler le bébé en lui envoyant la petite.

Plutôt crever. C'était ma chance. La mienne, et seulement la mienne.

Second nom dans l'affaire Harper : Thomas Costello. Deux siècles à la brigade, à la retraite depuis deux mois. Dès qu'une ouverture se présente à la Criminelle, je le sais. Antoinette Conway n'avait pas encore choisi de nouvel équipier. Elle travaillait donc en solo.

Je suis allé trouver mon patron. L'affaire dont je m'occupais ne le passionnait pas. Et la perspective d'être impliqué dans une enquête de haut vol lui plaisait, d'autant que cela aurait peut-être des conséquences bénéfiques sur son prochain budget. En plus, il m'aimait bien ; pas assez, toutefois, pour me regretter. Il ne vit aucune objection à ce que j'aille en personne présenter mes hommages et la photo de Chris Harper à la dame Conway. «Prenez votre temps», ajouta-t-il. Si la Criminelle me voulait, il ne s'y opposerait pas.

Il y avait peu de chance pour que Conway me veuille. Mais elle m'avait déjà sur le dos.

Elle était «en entretien». Je m'assis devant un bureau inoccupé dans la salle commune de la brigade, échangeai quelques blagues avec les gars. Ça n'alla pas bien loin. À la Criminelle, on bosse. Sonneries de téléphone, cliquetis de clavier, incessants va-et-vient. Aucune précipitation, mais on ne perd pas de temps. Certains me lancèrent quand même quelques piques. Ils étaient tous un peu plus âgés que moi, et bien mieux sapés.

– Tu veux voir Conway ? Tu tombes bien. Il y a une semaine qu'elle n'a pas broyé une paire de couilles. Tu es volontaire ? Tu as ton fouet et ta combinaison latex ? Merci de te sacrifier pour nous.

Je leur souris, faisant mine de les trouver drôles.

Elle entra en serrant contre elle une liasse de papiers, claqua la porte d'un coup de coude, gagna son bureau.

Toujours cette foulée de joggeuse : tu suis ou tu te casses. Aussi grande que moi. Un mètre quatre-vingt, grâce à ses talonnettes carrées. Un choix calculé. Ensemble pantalon noir pas vraiment bon marché moulant ses longues jambes, son cul serré. Sa façon de traverser la salle ressemblait à une provocation lancée à ceux qui la lorgnaient : «Tu bandes, toto ?» L'un d'eux lui demanda :

– Il a avoué ?

– Non.

– Tu perds la main…

– Il n'est pas suspect, connard.

– Ça t'arrête ? Un coup de genou dans les burnes et il aurait craché le morceau.

On sentait de l'agressivité dans l'air. À la Criminelle, tout est différent. Les paroles sont plus tranchantes, le nœud autour du cou se serre davantage. Un faux pas et on dégage.

Conway s'assit, ouvrit un fichier sur son ordinateur.

– Ton amoureux est là, ma belle.

Elle ne réagit pas.

– Il n'a pas droit à un bisou ?

– De qui tu causes ?

Le plaisantin me désigna du pouce.

– De lui.

Elle me dévisagea. Regard glacé, bouche close. Pas de maquillage.

– Oui ?

– Stephen Moran. Affaires classées.

Je m'avançai vers elle, lui tendis la pochette. Grâce à Dieu, je ne lui avais jamais fait de gringue à l'école de police.

– On me l'a transmise aujourd'hui.

Lorsqu'elle vit le carton, elle demeura impassible. Elle prit son temps pour l'examiner des deux côtés, puis pour parcourir la déposition.

– Celle-là, grommela-t-elle en lisant le nom de Holly.

– Vous la connaissez ?

– Je l'ai interrogée l'année dernière. Deux fois. Je n'ai rien pu en tirer. Une sale petite snobinarde. Elles le sont toutes, dans ce collège. Mais elle, c'est la pire. Il aurait fallu lui arracher les dents.

– Elle savait quelque chose, à votre avis ?

De nouveau ce regard polaire.

– Pourquoi s'est-elle confiée à vous ?

– Holly Mackey a témoigné lors d'une enquête dont je me suis occupé en 2007. Nous nous sommes bien entendus. Bien mieux que je ne l'aurais cru.

Elle leva les sourcils. Elle avait entendu parler de l'affaire. Donc, elle avait entendu parler de moi.

– Bien, conclut-elle, toujours aussi réfrigérante. Merci.

Elle recula sa chaise, tapota sur son téléphone, coinça le récepteur sous sa mâchoire tout en relisant la déposition.

« De la racaille », aurait dit ma mère. Sans la juger, elle, mais en se fiant à son accent et à sa façon d'être, typiques des quartiers misérables de Dublin où l'on pisse au pied d'immeubles lépreux couverts de graffitis tracés par des tocards qui se prennent pour des héros de l'IRA. Peut-être à quelques rues, mais à des années-lumière de l'endroit où j'ai grandi. Des junkies, des malfrats illettrés passés maîtres dans l'art de calculer le montant des allocations chômage et qui n'auraient sûrement pas apprécié le choix de carrière de Conway.

Ces voyous sont à la mode. Certains aiment leur sauvagerie, leur argot. Ils trouvent ça très « tendance ». Cette brutalité paraît moins sexy aux prolos dont les familles ont lutté toute leur vie afin de ne pas devenir comme eux, nageant tels des chiens affolés pour garder la tête hors de l'eau. J'aime la douceur ; le velours.

– Sophie ? C'est Antoinette.

Sa bouche s'humanisait lorsqu'elle parlait à quelqu'un qu'elle aimait bien. On y discernait même l'ombre d'un sourire. Cela la rajeunissait, la rendait presque accessible : une fille qu'un tombeur téméraire aurait osé aborder dans un pub.

– Oui, très bien. Et toi ? On vient de m'apporter une photo… Non, l'affaire Harper. Il me faudrait des empreintes. Pourrais-tu aussi étudier la photo elle-même ? Découvrir avec quoi on l'a prise, quand, où et sur quelle imprimante on l'a tirée ? Tout ce que tu pourras me donner. Il y a aussi une inscription. Des mots découpés, comme une demande de rançon. Essaye de savoir d'où ils viennent. D'accord ? Oui, je sais. Mais fais un miracle. À plus.

Elle raccrocha. Sortit un smartphone de sa poche et prit des clichés du carton : face, pile, de près, de loin, puis se focalisant sur des détails. Marcha jusqu'à une imprimante. Revint à son bureau avec son tirage papier et me vit. Je ne baissai pas les yeux.

– Vous êtes encore là ?

– Je veux travailler avec vous sur cette affaire.

Elle ricana.

– Vous croyez au Père Noël ?

Elle se rassit, extirpa une enveloppe d'un tiroir.

– Vous m'avez avoué vous-même, lui dis-je, que vous n'aviez abouti à rien avec Holly Mackey et ses copines. Mais elle m'apprécie assez, ou me fait assez confiance pour m'avoir apporté ça. Si elle me parle, cela déliera la langue des autres.

Conway réfléchit un instant. Fit basculer sa chaise.

– Qu'avez-vous à perdre ? insistai-je.

Ce fut peut-être mon accent qui emporta le morceau. La plupart des flics sont nés à la campagne, dans de petites villes. Ils n'aiment guère les bêcheurs de Dublin qui se prennent pour le centre du monde, ce qui les fait marrer. Or, en dépit de nos différences, j'en étais un, comme elle. Ou alors, ce qu'elle avait entendu dire de moi lui plaisait. Peu importe.

Elle griffonna un nom sur l'enveloppe, y glissa le carton.

– Je vais faire un saut jusqu'au collège, jeter un œil sur ce panneau, avoir quelques petites conversations. Vous pouvez venir si vous voulez. Si vous m'êtes d'une utilité quelconque, nous envisagerons la suite. Dans le cas contraire, vous déguerpirez. Retour aux Affaires classées, la queue entre les jambes.

Je me gardai bien de manifester mon enthousiasme.

– Ça me va.

– Faut-il que vous téléphoniez à votre maman pour la prévenir que vous ne rentrerez pas ce soir ?

– Mon patron est au courant. Il n'y a pas de problème.

– Parfait, conclut-elle en laissant retomber sa chaise. Je vous raconterai tout en chemin. C'est moi qui conduis.

Un inspecteur siffla tout bas tandis que nous nous dirigions vers la porte. D'autres émirent une sorte de hennissement. Conway ne se retourna pas.

2

L'après-midi du premier samedi de septembre, les pensionnaires regagnent Sainte-Kilda. Elles reviennent sous un ciel dont le bleu, sans le vol en V des oiseaux migrateurs s'entraînant pour le grand départ, évoquerait encore l'été. Les filles poussent des cris de joie, s'étreignent dans les corridors qui ont conservé la fraîcheur des volets clos et sentent la peinture fraîche. Elles arrivent bronzées ou pelées, avec des récits de vacances, de nouvelles coupes de cheveux et des seins plus rebondis, ce qui, au premier abord, les rend méconnaissables et distantes, même pour leurs meilleures amies.

Mlle McKenna leur a souhaité la bienvenue. Son discours achevé, on a enlevé les fontaines à thé, les biscuits succulents. Baisers des parents, ultimes recommandations plus assommantes les unes que les autres. Quelques bleusailles ont fondu en larmes. Une fois les affaires oubliées déposées à l'entrée, les autos sont reparties. Le bruit des moteurs s'est estompé le long de l'allée avant de se dissoudre, absorbé par le monde extérieur. Il ne reste que les internes, la surveillante générale, les deux ou trois enseignants malchanceux désignés pour assurer le bon déroulement de cette rentrée. Et le collège, livré à lui-même.

Pour Holly, tout est si déroutant qu'elle doit se persuader qu'elle ne rêve pas. Elle a tiré sa valise dans le couloir menant à l'aile des pensionnaires, vers sa nouvelle chambre. Le vacarme des roues sur le carrelage résonnait jusqu'au plafond, très haut au-dessus de sa tête. Elle a suspendu ses serviettes, étalé sur son lit sa couette aux rayures blanche et jaune qui, encore marquée par ses plis, sentait toujours le plastique. Julia et elle ont hérité des lits proches de la fenêtre. Finalement, Selena et Becca leur ont laissé le choix. Vu sous ce nouvel angle, le parc paraît différent : un jardin rempli de recoins secrets, attendant d'être exploré.

Même la cantine déconcerte Holly. Elle ne l'a connue qu'à l'heure du déjeuner, bondée, étouffante, les filles s'interpellant bruyamment, mangeant d'une main et tapant des textos de l'autre. Au dîner, l'excitation de la rentrée est retombée. Les pensionnaires marchent lourdement, par petits groupes, entre les longues rangées de tables vides. Une fois assises, penchées sur leurs boulettes de viande et leur salade, elles parlent bas. La lumière semble plus terne qu'au déjeuner. L'odeur est plus forte, mélange de viande cuite et de vinaigre, à la fois savoureuse et écœurante.

Quelques internes, cependant, élèvent la voix. Joanne Heffernan, Gemma Harding, Orla Burgess et Alison Muldoon sont installées deux tables plus loin, mais Joanne tient pour acquis que tout le monde, où qu'elle se trouve, veut entendre chaque mot qu'elle prononce. Et quand elle dit une ânerie, personne n'a le courage de le lui faire remarquer.

– Eh, c'était dans *Elle*. T'as pas lu ? C'est censé être super génial. En fait, c'est bidon, à mon avis. On peut faire ça avec un exfoliant, tu crois pas, Orls ?

– Putain ! s'écrie Julia en grimaçant et en se bouchant une oreille. Jurez-moi qu'elle ne hurle pas comme ça au petit déjeuner. Je suis pas une fille du matin.

– C'est quoi, un exfoliant ? demande Becca.

– Un machin pour la peau, répond Selena.

33

Joanne et sa bande font tout ce que conseillent les magazines pour le visage, les cheveux, la cellulite.

– On croirait plutôt un truc de jardin.

– Ou une arme de destruction massive, s'exclame Julia. Et elles, elles sont l'armée des droïdes exfoliants qui obéissent aux ordres, comme des moutons. Exfolions, exfolions !

Elle a pris une voix caverneuse de Dalek et s'est exprimée assez fort pour que Joanne et les autres se tournent brusquement vers elle. Toutefois, elles n'ont pas réagi assez vite. Elles ne voient que Julia brandir une boulette de viande fichée au sommet de sa fourchette avant de demander à Selena s'il s'agit d'un œil-de-bœuf, sans prêter la moindre attention à Joanne. Joanne la considère avec mépris, se détourne en rejetant ses cheveux en arrière, comme si des paparazzis guettaient ses moindres gestes, puis triture le contenu de son assiette.

– Exfolions, exfolions ! répète Julia sur le même ton.

Elle retrouve aussitôt sa voix normale.

– À propos, Hol, ta mère les a trouvés, ces filets de linge sale ?

Elles gloussent toutes les trois. Alors, Joanne lance sèchement :

– Pardon, tu m'as parlé ?

– Ils sont dans ma valise, répond Holly à Julia. Quand je la déferai, je… Qui ? Moi ?

– Toi ou une autre. Y a un problème ?

Julia, Holly et Selena ne bronchent pas. Becca fourre la moitié d'une pomme de terre dans sa bouche pour ne pas pouffer.

– Les boulettes te débectent ? improvise Julia.

Elle s'esclaffe avec une seconde de retard. Joanne rit à son tour, tout comme les autres Daleks, mais ses yeux restent froids.

– T'es une marrante, toi.

Julia retrousse son nez du bout de son majeur.

– Merci. J'adore plaire.

– T'as raison, rétorque Joanne. Continue.

Et elle se remet à manger.

– Exfol…

Cette fois, Joanne est prête à l'insulter. Selena s'interpose à temps.

– Les filles, j'ai des filets de linge sale en trop. Si vous en voulez…

Elle tourne le dos à Joanne pour lui cacher ses mimiques. Mais sa voix est posée, aimable, sans la moindre ironie. Le regard au laser de Joanne les foudroie toutes les quatre puis s'attarde sur les autres tables, défiant quiconque oserait lui chercher des poux dans la tête.

Becca a avalé sa nourriture trop vite. Elle exhale un énorme rôt. Elle devient cramoisie, ce qui donne à ses amies le prétexte qu'elles attendaient avec impatience. Elles hurlent de rire, s'agrippent les unes aux autres, le front contre la table.

– Vous êtes vraiment dégueulasses, grommelle Joanne.

Dociles, ses suivantes singent sa moue écœurée. Leur servilité ne fait qu'accentuer l'hilarité des copines. Tout à coup, la viande de Julia lui remonte dans le nez. Cramoisie à son tour, elle l'évacue en se mouchant avec une serviette en papier. Ses amies en tombent presque de leur chaise.

Lorsque leur fou rire s'apaise, leur désir de provoquer Joanne et sa bande s'est évanoui. Elles ont toujours eu de bons rapports avec elles, ce qui est la sagesse même.

– C'était quoi, ce délire ? chuchote Holly à Julia.

– C'était quoi ? Si elle n'avait pas arrêté de nous les casser avec ses cosmétiques à la con, elle m'aurait crevé les tympans. Et, bingo, ça a marché.

Penchées sur leurs plateaux, les Daleks jettent alentour des regards soupçonneux, en chuchotant.

— Mais tu vas te la mettre à dos, murmure Becca en arrondissant les yeux.

Julia hausse les épaules.

— Et alors ? Elle va me flinguer ? Tu crois qu'elle me fait peur ?

— Calme-toi, intervient Selena. Si tu veux te battre avec Joanne, tu as toute l'année. Pas besoin de commencer ce soir.

— Pourquoi pas ? On n'a jamais été intimes.

— On n'a jamais été ennemies non plus. Et tu vas devoir vivre avec elle.

— Exact, conclut Julia en faisant pivoter son plateau pour attraper sa salade de fruits. Je crois que je vais bien m'amuser, cette année.

Tout près, de l'autre côté d'une rue encadrée de hauts murs et bordée d'arbres, les internes de Colm sont eux aussi de retour. Chris Harper a jeté sa couette rouge sur son matelas, fourré ses vêtements dans son armoire en beuglant, d'une voix qui vient de muer, la version obscène de l'hymne du collège, applaudissant lorsque ses camarades de chambrée ont repris le refrain avec des gestes sans équivoque. Il a collé deux posters au-dessus de son lit, placé sur sa table de nuit une photo de famille au cadre neuf. Il a enveloppé le sac plastique plein de promesses dans une vieille serviette de toilette, l'a dissimulé au fond de sa valise qu'il a ensuite plaquée contre le mur, au sommet de son armoire. Après avoir vérifié dans le miroir les ondulations de sa frange, il descend en courant vers le réfectoire avec Finn Carroll et Harry Bailey. Tous les trois crient, s'esclaffent et occupent toute la largeur du couloir, faisant des bras de fer, s'empoignant pour savoir lequel s'est le plus musclé cet été. Chris Harper a hâte de commencer cette année. Il a des projets.

Il lui reste huit mois et deux semaines à vivre.

– Et après, qu'est-ce qu'on fait d'habitude ? demande Julia lorsqu'elles ont avalé leur salade de fruits et rangé leur plateau dans le râtelier.

Du fond de la cuisine leur parviennent des bruits de vaisselle, des engueulades proférées dans une langue qui pourrait être du polonais.

– Ce qu'on veut jusqu'à l'étude, répond Selena. Parfois, on va au supermarché, ou alors on regarde les mecs de Colm jouer au rugby sur le terrain de sport. Mais, en semaine, on n'a pas le droit de sortir du parc. On peut donc aller dans la salle commune, ou…

Elle se précipite déjà vers la porte du fond, en compagnie de Becca. Holly et Julia les suivent.

Il fait encore jour. Le parc s'étend à perte de vue. Jusqu'à présent, Holly et Julia n'ont pas eu l'occasion de s'y aventurer. Non qu'il leur soit interdit, mais les demi-pensionnaires ne peuvent y accéder qu'après le déjeuner ; et elles n'en ont jamais le temps. Tout, pour Holly, est un émerveillement : le dégradé des verts, les chants d'oiseaux, la pénombre sous les branches.

– Venez ! crie Selena en dévalant la pelouse comme si elle lui appartenait.

Becca se lance derrière elle. Julia et Holly courent pour les rattraper. Au-delà du portail de fer forgé, des sentiers serpentent entre les arbres, s'enfoncent dans une forêt perdue à mille lieues de la ville : taches de lumière, battements d'ailes, rouge éclatant des fleurs mettant en valeur la tresse sombre de Becca et la blondeur de Selena tressautant à l'unisson tandis qu'elles escaladent une colline minuscule plantée de buissons qui semblent avoir été taillés en boules par des elfes. Tout à coup, la pénombre se dissipe. Et le soleil aveuglant oblige Holly à mettre une main devant les yeux.

Aussitôt, l'ombre revient. La clairière est petite. De grands cyprès entourent un cercle d'herbe rase. Ici, l'air est différent : frais, apaisant. Seuls des grésillements d'insectes et le roucoulement paresseux d'une colombe perturbent le silence.

– On vient là, dit Selena, à peine essoufflée.

– Vous ne nous avez jamais amenées ici, réplique Holly.

Selena et Becca échangent un coup d'œil, puis haussent les épaules. Un instant, Holly se sent presque trahie. Même si Selena et Becca sont internes depuis deux ans, elle n'imaginait pas qu'elles partageaient des secrets. Elle se rassure très vite : maintenant, ces secrets sont aussi les siens.

– Si on ne peut pas s'isoler de temps en temps, dit Becca, on devient barge. Ici, c'est notre refuge.

Elle s'affale dans l'herbe en emmêlant ses maigres jambes, lève les paumes vers Holly et Julia, comme si, pour se faire pardonner, elle leur offrait la clairière en cadeau de bienvenue.

– C'est génial, murmure Holly.

Elle hume l'herbe tondue, le parfum de la terre humide entre les cyprès et les senteurs animales, émanations de bêtes sauvages qui, trottant furtivement à ses pieds, chercheraient un havre pour la nuit.

– En dehors de vous, personne ne vient ici ?

– Les autres ont leur propre endroit, précise Selena. Nous, on n'y va pas.

Julia tourne sur elle-même, renverse la tête pour contempler les oiseaux virevoltant dans le ciel bleu.

– J'aime, chuchote-t-elle. J'aime énormément.

Elle s'allonge près de Becca qui, avec un soupir joyeux, lui sourit.

Elles s'étirent, remuent jusqu'à ce que le soleil couchant cesse de les éblouir. L'herbe est lisse, plus douce qu'une fourrure.

– Putain, le discours de McKenna ! ricane Julia. « Vos filles ont déjà si bien démarré dans la vie grâce à l'éducation que vous leur avez donnée, à la culture et aux principes que vous leur avez inculqués, et nous sommes si fiers de prendre la relève en poursuivant votre œuvre, faites passer le sac de vomi. »

– Elle dégoise le même baratin chaque année, dit Becca. Mot pour mot.

– À ma première rentrée, mon père a failli me ramener à la maison à cause de ces salades, ajoute Selena. Il prétend que c'est élitiste.

Son père vit dans une communauté à Kilkenny et porte des ponchos de laine tissés à la main. Sa mère a quand même tenu à l'envoyer à Sainte-Kilda.

– Papa pensait la même chose, enchaîne Holly. Ça se voyait comme le nez au milieu de la figure. J'avais la trouille qu'il balance une insanité à la fin du discours. Heureusement, ma mère lui a broyé les orteils.

– D'accord, c'est complètement élitiste, reconnaît Julia. Et alors ? Y a rien de mal à être élitiste. Certains sont moins débiles que d'autres. Prétendre le contraire, ça n'ouvre pas l'esprit. Ça rend con. Moi, ce qui m'a fait gerber, c'est la lèche. Comme si on était des crottes chiées par nos parents. Et McKenna leur tapote la tête en les félicitant pour leur excellent travail, et eux remuent la queue, lui lèchent la main en pissant sur le plancher. Qu'est-ce qu'elle en sait ? Et si mes parents n'avaient jamais lu un bouquin de leur vie et m'avaient nourri tous les jours avec des Mars frits à la poêle ?

– Elle s'en fout, assène Becca. Elle veut simplement qu'ils soient contents de dépenser un maximum de fric pour se débarrasser de nous.

Silence. Les parents de Becca travaillent la plupart du temps à Dubaï. Ils n'ont pas pris la peine de faire le voyage pour la rentrée, laissant à la gouvernante le soin de l'accompagner.

– Ça fait du bien de vous voir ici, dit Selena.

– Ça n'a pas encore l'air réel, répond Holly.

Ce n'est qu'à moitié vrai. En fait, elle se sent si bien qu'elle a l'impression d'avoir toujours été là.

– Pareil pour moi, dit Becca en contemplant le ciel, d'une voix dont toute tristesse a disparu.

– Ça viendra, réplique Selena. Il faut un peu de temps.

Elles ne bougent plus, comme si elles faisaient corps avec l'herbe, la terre, la quiétude qui les engourdit ; le chant discret d'un oiseau, le clignotement des rayons de soleil dans l'épaisseur des cyprès. Holly se remémore sa journée, ainsi qu'elle le fait chaque après-midi dans le bus qui la ramène chez elle, sélectionnant des épisodes qu'elle pourra raconter : une histoire drôle un peu osée pour son père, un détail susceptible d'impressionner sa mère ou, si elle est en colère contre elle, ce qui lui arrive souvent ces temps-ci, de la choquer et de provoquer de sa part une réaction outrée. Désormais, ce ne sera plus la peine. Ses journées ne se termineront plus par une rigolade de son père ou un haussement de sourcils de sa mère. Elle ne les partagera plus avec eux ; mais avec les autres.

Ce jour où tout a changé, elle s'en souviendra dans cinquante ans. Jamais elle n'oubliera ce soir où Julia a provoqué les Daleks, où Selena et Becca les ont emmenées, Julia et elle, dans la clairière aux cyprès.

– On ferait mieux de rentrer, murmure Becca, sans bouger.

– Il est encore tôt, objecte Julia. Tu nous as dit qu'on avait le droit de faire ce qu'on voulait.

– En principe, oui. Mais les bonnes sœurs aiment bien garder un œil sur les nouvelles. Au cas où elles auraient envie de se faire la malle.

Elles rient. Tout là-haut, des oies sauvages traversent le ciel. Leur cri, la douceur de l'herbe sous les doigts de Holly, les battements de cils de Selena contre le soleil :

cet instant durera toujours. Le reste s'estompe, tel un songe.

Quelques minutes plus tard, Selena proclame :

– Bec a raison ! On devrait y aller. Au cas où on nous chercherait jusqu'ici…

Si une prof découvrait la clairière… Cette idée les fait bondir. Elles se lèvent, s'épousettent. Becca ôte des brins d'herbe des cheveux de Selena, remet son peigne en place.

– De toute façon, dit Julia, je n'ai pas fini de défaire ma valise.

– Moi non plus, renchérit Holly.

Elle pense à l'aile des pensionnaires, aux hauts plafonds qui répercuteront bientôt la voix sévère des nonnes. Elle pense à sa chambre : l'univers de la nouvelle, de la véritable Holly qui vient de naître et qui, comme Julia affrontant Joanne, ne se laissera plus jamais impressionner par personne.

– Tu pourras rentrer à la maison quand tu voudras, lui a affirmé son père un million de fois. De jour comme de nuit : un coup de fil et je viendrai te chercher dans l'heure. Compris ?

– Compris, lui a-t-elle rétorqué un million de fois. Si je change d'avis, je t'appelle et je rentre aussitôt chez nous.

Jusqu'à maintenant, elle n'avait pas imaginé qu'elle n'en aurait peut-être plus envie.

3

Conway aimait ses voitures. Et elle savait s'en servir. Dans le garage, elle marcha droit vers une MG noire de collection, superbe. Par testament, un inspecteur à la retraite avait légué ce bijou, sa fierté, la prunelle de ses yeux, à la brigade. Le gérant du parc automobile n'aurait jamais permis à Conway de la toucher si elle n'avait pas connu son affaire. Il lui aurait dit d'un air navré : « Embrayage défectueux, désolé, inspecteur, mais cette jolie Golf Volkswagen vous tend les bras. » Elle le salua d'un geste de la main, il lui tendit les clés.

Elle manœuvrait la MG comme un poney de polo. Nous avons foncé vers le sud, où vivent les rupins. Conway prenait les virages à la corde et doublait les lambins, klaxonnant à tout va.

– Premier principe, déclara-t-elle. Je mène la danse. Recevoir des ordres d'une femme te pose un problème ?

– Non.

– Ils le disent tous.

– Croix de bois, croix de fer.

– Parfait.

Elle freina pile devant un snack aux vitres crasseuses.

– Va me chercher un café. Noir, sans sucre.

Tout de suite, princesse. Mon ego dans la poche, je bondis hors de la voiture. Deux cafés, s'il vous plaît. La serveuse déprimée me gratifia même d'un sourire.

– Voilà, haletai-je en me faufilant à la place du mort.

Conway but une gorgée.

– De la merde.

– C'est vous qui avez choisi ce bouge. Encore heureux qu'ils ne fassent pas leur pisse de chat avec du soja.

Elle sourit presque, rabattit le couvercle du gobelet.

– Ils l'ont fait. Fous-moi ça à la poubelle. Le tien aussi. Pas question que ma caisse pue.

La poubelle se trouvait de l'autre côté de la chaussée. Dehors de nouveau, zigzags entre les bagnoles, poubelle, zigzags en sens inverse. Je compris pourquoi Conway n'avait toujours pas retrouvé de coéquipier. Elle démarra alors que j'avais encore une jambe à l'extérieur. Puis, à peine radoucie :

– Bien. Tu connais l'essentiel de l'affaire, non ? Tu sais qu'on n'a chopé personne. Les vipères t'ont expliqué pourquoi ?

Les vipères avaient bien rigolé. Je répondis :

– Certaines affaires finissent en eau de boudin.

– On s'est heurtés à un mur. Tu sais comment ça se passe. On a la scène de crime, des témoins, la vie de la victime. D'habitude, on aboutit à quelque chose. Là, que dalle.

Elle repéra devant elle un espace aussi étroit qu'un vélo, s'y engouffra d'un coup de volant.

– Il n'y avait aucune raison pour que quelqu'un veuille tuer Chris Harper. Bon garçon, à tous points de vue. Bien sûr, on dit toujours ça, mais cette fois, c'était vrai. Seize ans, en seconde à Saint-Colm, interne. Sa famille habite à deux pas du collège, mais son père estimait qu'il ne profiterait de ses «multiples avantages» que s'il était pensionnaire. Chez ces gens-là, on se coopte. Celui qui se fait des amis à Colm est sûr, par la suite, de ne jamais gagner moins de cent briques par an.

Son rictus révéla ce qu'elle en pensait.

– Des gamins enfermés ensemble, enchaînai-je, ça peut dégénérer. Brimades, harcèlement. Rien de tel ?

La MG franchit le Grand Canal, pénétra dans Rathmines.

– Nada. Chris était populaire. Des potes à la pelle, aucun ennemi. Quelques bagarres sans conséquences. Pas de petite amie, du moins officiellement. Trois ex. Ils commencent tôt, aujourd'hui. Mais rien de sérieux. On se roule un patin au cinéma et basta. Toutes les ruptures remontaient à plus d'un an et s'étaient déroulées sans disputes. Il s'entendait bien avec ses profs. Ils le trouvaient parfois un peu dissipé : trop d'énergie, mais sans méchanceté. Capacités intellectuelles normales. Ni un génie ni un taré. Travail moyen. Bons rapports avec ses parents, les rares fois où il les voyait. Bonnes relations également avec sa sœur, bien plus jeune que lui. On les a tous cuisinés, non parce qu'on les soupçonnait, mais parce qu'on n'avait rien d'autre. Strictement rien.

– Des penchants illicites ?

– Même pas. Selon ses copains, il fumait de temps en temps, joints et clopes, pendant les sauteries, devenait agressif quand il picolait, ce qui n'arrivait pas souvent. Mais il n'avait pas d'alcool dans le sang au moment de sa mort. Pas de trace de drogue non plus. Et pas de came dans ses affaires. Quelques sites pornos dans l'historique de son ordinateur, chez ses parents. Quoi de plus banal ? Voilà pour ses turpitudes : quelques pétards et des vagins en ligne.

Elle était calme, concentrée sur sa conduite. Cette enquête avortée ne semblait pas la perturber. On tire les mauvaises cartes, c'est la vie. Pas de quoi en faire un drame.

– Pas de mobile, aucune piste, aucun témoin. On a commencé à se mordre la queue. Interrogatoires des mêmes témoins, encore et encore. Toujours les mêmes réponses. On avait d'autres affaires. On ne pouvait pas se permettre de se prendre la tête avec celle-là. J'ai fini par baisser les bras, par la mettre de côté en espérant que quelque chose d'inattendu se produirait, comme ce que tu m'as apporté tout à l'heure.

– Comment en êtes-vous arrivée à la diriger ?

Elle appuya sur le champignon.

– Tu veux dire : comment une petite gonzesse dans mon genre s'est retrouvée en charge d'un gros coup comme celui-là ?

– Non. Mais vous étiez une bleusaille.

– Et alors ? Tu insinues que c'est à cause de ça qu'on s'est plantés ?

La gaffe.

– Pas du tout. Je dis simplement…

– Parce que si c'est le cas, va te faire foutre. Tu peux sortir de ma bagnole et prendre le premier bus pour les Affaires classées.

Si elle n'avait pas été au volant, elle m'aurait fait un doigt d'honneur.

– Non ! Je dis simplement qu'une affaire de ce genre, un gosse, un collège de rupins… En haut lieu, on savait certainement que ce ne serait pas de la petite bière. Costello était le plus ancien. Pourquoi ne s'est-il pas mis en tête de liste ?

– Parce que je le méritais. Parce qu'il me considérait comme une enquêtrice de première. Pigé ?

Au compteur, l'aiguille grimpait toujours, dépassant la vitesse autorisée.

– Pigé, dis-je.

Un instant de répit. Conway leva un peu le pied. Nous avions atteint Terenure Road. La circulation devenant plus fluide, la MG montra ce dont elle était capable. Je murmurai, après un silence raisonnable :

– Ce bolide est une merveille.

– Tu l'as déjà conduit ?

– Pas encore.

45

Mouvement du menton, comme si ma réponse correspondait à l'image qu'elle avait de moi. Puis, levant une main au-dessus de sa tête :

– Quand on va dans un endroit comme Sainte-Kilda, on doit frimer. Inspirer le respect.

Cette pique m'en apprit un peu plus sur Antoinette Conway. Moi, j'aurais pris une vieille Polo cabossée, dix fois repeinte, avec un million de kilomètres au compteur. Si on joue les clodos, les gens oublient de se méfier.

– On vous a bien reçue ?

– Tu parles ! J'ai cru qu'on allait me faire passer par un sas de désinfection pour me débarrasser de mon accent. Ou me jeter un tablier de femme de ménage avant de m'indiquer l'entrée de service. Tu connais les tarifs, là-bas ? On commence à huit briques par an. Uniquement pour les demi-pensionnaires ou les élèves qui ne choisissent aucune activité périscolaire : chorale, piano, théâtre. Tu avais tout ça, à l'école ?

– On jouait au foot dans la cour.

Ma réplique lui plut.

– Un exemple : dans la salle de lecture, j'en appelle une pour l'interroger. Elle minaude : «Impossible, j'ai ma leçon de clarinette dans cinq minutes.»

De nouveau ce rictus. Quoi qu'elle ait répondu à cette fille, elle avait aimé.

– Son interrogatoire a duré une heure. Je déteste qu'on me prenne de haut.

– Ce collège… Snob et coté, ou seulement snob ?

– Même si je gagnais au Loto, je n'y enverrais jamais ma gosse. Toutefois… Classes réduites. Des prix obtenus par de jeunes scientifiques sur tous les murs. Les filles ont des dents parfaites, aucune ne tombe en cloque et toutes les pétasses de la haute y font leurs études. Oui, dirais-je, coté. Enseignement excellent, si tu acceptes que ta fille devienne une snobinarde de mes deux.

– Le père de Holly est flic. Un Dub. Un prolo des Liberties.

– Je sais. Tu crois que ça m'a échappé ?

– Il ne l'aurait pas envoyée là-bas si elle devait devenir une snobinarde de mes deux.

Conway pila devant un feu rouge. Vert. Elle accéléra en trombe.

– Elle te botte ?

Je faillis rire.

– C'était une môme. Elle avait neuf ans lorsque je l'ai rencontrée, dix quand elle a témoigné au procès. Je ne l'ai pas revue, jusqu'à aujourd'hui.

Elle me jeta un coup d'œil dubitatif, comme pour me dire : «Le môme, c'est toi. »

– T'es un naïf. Elle t'a embobiné ?

J'y songeai un instant, me remémorant nos rencontres.

– Pas à l'époque. Elle était franche.

– C'est une menteuse.

– Pourquoi ?

– J'en sais rien. Elle ne m'a peut-être pas menti non plus. Mais les filles de cet âge sont toutes des menteuses.

Elle commençait à me fatiguer.

– Qu'elle mente aux autres, assénai-je, je m'en tape. L'essentiel, c'est qu'elle ne m'ait pas menti à moi.

Conway rétrograda. La MG adora.

– Ah bon ? Qu'est-ce que Holly, ta chérie, t'a raconté sur Chris Harper ?

– Pas grand-chose. C'était un garçon comme un autre. Elle le voyait de loin en loin.

– Tu crois qu'elle te disait la vérité ?

– Je n'y ai pas encore réfléchi.

– Alors, magne-toi et préviens-moi quand tu auras une réponse. En attendant, voilà pourquoi nous nous sommes particulièrement intéressés à Holly et à ses copines. Elles sont quatre : Holly Mackey, Selena Wynne, Julia Harte et Rebecca O'Mara. Inséparables. Comme ça, précisa-t-elle

47

en croisant les doigts. Une fille de leur classe, Joanne Heffernan, nous a affirmé que Chris sortait avec Selena Wynne.

– Vous en déduisez donc qu'il avait rendez-vous avec elle.

– Exact. Un indice que nous n'avons pas révélé et que tu ferais mieux de ne pas mentionner pendant les entretiens : il avait un préservatif dans la poche. Rien d'autre : ni portefeuille ni téléphone ; il les avait laissés dans sa chambre. Uniquement cette capote.

Elle dépassa une Volkswagen à l'allure d'escargot, évita un camion de justesse. Le chauffeur n'apprécia pas. Elle l'injuria sans même le regarder.

– Et il y avait des fleurs sur le corps. Cela non plus, nous ne l'avons pas révélé. Des jacinthes bleues, qui sentent si bon. Quatre. Elles provenaient d'une plate-bande, non loin de la scène de crime. L'assassin aurait pu les mettre là, mais… Un gamin dans le collège de sa petite amie après minuit, avec une capote et des fleurs… Je dirais qu'il était sur un coup.

– Le collège était vraiment la scène de crime ? On ne l'avait pas déposé là après sa mort ?

– Non. Le coup lui a fendu le crâne, projetant du sang partout. À la façon dont il a coulé, le labo a conclu que le gamin est resté immobile après avoir été frappé. Aucune trace indiquant qu'on aurait déplacé le corps. Il n'a pas essayé de ramper pour demander de l'aide, n'a même pas touché sa blessure. Pas une goutte de sang sur ses mains. Bang ! fit-elle en claquant des doigts. Et il est tombé.

– Je parie que Selena a nié avoir projeté de le rejoindre ce soir-là.

– Oh, oui ! Les trois autres ont confirmé. Selena ne le retrouvait nulle part, ne sortait pas avec lui et le connaissait à peine. Que j'aie suggéré une chose pareille les a choquées.

Un soupçon d'ironie dans sa voix. Elle n'était pas convaincue.

– Qu'ont déclaré les amis de Chris Harper ?

– Pour l'essentiel : «Euh, chais pas.» Avec des ados de seize ans, on ne peut s'attendre à mieux. Autant aller au zoo interroger les chimpanzés. L'un d'eux, Finn Carroll, était capable d'articuler deux phrases, mais n'avait pas grand-chose à nous dire non plus. Ils ne se confient pas leurs secrets à longueur de nuits, comme les nanas. Ils ont reconnu que Chris avait Selena dans le collimateur, mais il en lorgnait plein d'autres et des tas de filles le trouvaient elles aussi à leur goût. D'après ce qu'ils savaient, Selena et lui ne sont jamais allés au-delà.

– Rien pour les contredire ? Des contacts par téléphone, sur Facebook ?

– Pas d'appels ni de textos entre eux, rien sur Facebook. Ces mômes ont tous des comptes Facebook, mais les internes ne les utilisent que pendant les vacances. Les deux collèges bloquent les sites de réseaux sociaux sur leurs ordinateurs, interdisent les smartphones. Que Dieu préserve la petite Philippa de se tirer avec un pervers rencontré sur la toile pendant l'année scolaire. Ou, pis encore, le petit Philip. Imagine le procès.

– Donc, on n'a que le témoignage de Joanne Heffernan.

– Tu parles d'un témoignage ! Du vent. «Et alors je l'ai vu la regarder, puis je l'ai vue le regarder et une autre fois il lui a dit quelque chose, donc ils baisaient ensemble.» Ses copines ont juré qu'elles pensaient la même chose, ce qui n'a rien de surprenant. Cette Heffernan est une garce. La reine des abeilles. Les autres sont ses boniches. Elles en ont une trouille bleue et lui obéissent au doigt et à l'œil.

– Holly et sa bande sont aussi à sa botte ?

Conway ralentit en apercevant un nouveau feu rouge, actionna son clignotant.

– Non. Elles gardent leurs distances. D'ailleurs, Heffernan les laisse tranquilles. Elle a enfoncé Selena quand elle a eu l'occasion, en a presque mouillé sa culotte de joie. Toutefois, elle ne les affronte jamais en face. Socialement, elles ne tiennent pas le haut du pavé mais elles ont quand même du biscuit. Autant ne pas leur chercher des crosses.

Je réprimai un sourire.

– Qu'est-ce qu'il y a ?

– Vous parlez d'elles comme s'il s'agissait de deux gangs de furies écumant Los Angeles Est. Avec des lames de rasoir dans les cheveux.

– C'est presque ça, dit Conway en s'engageant brutalement dans une avenue latérale.

Grandes maisons éloignées de la chaussée. Grosses voitures flambant neuves, telles qu'on en voit peu de nos jours, portails électriques partout. Au milieu d'un jardin trônait une sculpture de béton qui ressemblait à une énorme anse de mug.

– Donc, vous avez privilégié Selena ? Ou une personne jalouse de sa relation avec Chris, dans un sens ou dans l'autre ?

Elle ralentit, roulant encore trop vite pour une zone résidentielle, réfléchit.

– Je ne dis pas que je l'ai privilégiée. Tu la verras. À mon avis, elle n'aurait pas eu les nerfs pour accomplir le travail. Quant à Heffernan, elle crevait de jalousie. Normal : Selena est deux fois plus bandante qu'elle. Je ne l'ai pas privilégiée pour autant. Je ne prétends même pas que je l'ai crue. Je dis simplement qu'il y avait quelque chose. Juste quelque chose.

Voilà sans doute pourquoi elle avait accepté que je l'accompagne. Ce petit quelque chose qu'elle n'avait pas réussi à cerner, Costello ne l'avait pas repéré non plus. Un œil neuf, pensait-elle, y verrait peut-être plus clair.

– Une ado aurait-elle pu commettre le meurtre ? demandai-je. En aurait-elle eu la force ?

– Sans problème. L'arme, et cela aussi n'a pas été révélé, était une binette provenant de la cabane du jardinier. Un coup dans le crâne, puis dans le cerveau. Selon le labo, avec un manche aussi long et une lame aussi bien aiguisée, il n'aurait pas fallu des muscles de déménageur. Un gamin aurait pu le faire facilement, s'il avait eu le bon geste.

Je m'apprêtais à lui poser une question lorsque Conway braqua sur la droite de façon si soudaine, sans clignoter, que je me rendis à peine compte que nous avions traversé la chaussée.

Hautes grilles, pavillon de gardien en pierre, arche de fer où brillaient des lettres dorées : « Collège Sainte-Kilda ». Elle freina entre les battants du portail, me laissa jouir du spectacle.

L'allée de gravier ceinturait une immense pelouse qui, taillée au cordeau, montait en pente douce jusqu'au collège. Demeure ancestrale, ancienne maison seigneuriale. On imaginait des valets d'écurie maîtrisant des chevaux d'attelage qui dansaient devant le perron, des dames à la taille de guêpe flânant sur le gazon, bras dessus, bras dessous. Deux cents ans ? Davantage ? Longue bâtisse de pierre gris clair, trois grandes fenêtres en hauteur, une dizaine en largeur. Un portique soutenu par de minces colonnes au sommet orné de moulures ; une balustrade sous le toit, aux piliers aussi délicats que des vases. Une harmonie parfaite, que baignait le soleil.

J'aurais peut-être dû la haïr. J'ai passé mon enfance à l'école communale, dans des préfabriqués miteux. L'hiver, on gardait nos manteaux parce que le chauffage ne marchait jamais, on se servait des cartes de géographie pour cacher les taches de moisissure sur les murs, on se défiait pour savoir qui aurait le courage de toucher les rats crevés dans les chiottes. Peut-être aurais-je dû cracher sur ce collège, aller poser ma pêche entre les colonnes.

C'était beau. J'ai toujours aimé la beauté. Pourquoi détesterais-je ce que je rêve de posséder ?

– Vise-moi ça, dit Conway en se renversant dans son siège. Pour une fois, la seule, je regrette d'être flic, de ne pas pouvoir balancer un cocktail Molotov sur ce tas d'ordures.

Elle se tourna vers moi, guettant ma réaction. Un test.

J'aurais pu abonder dans son sens, railler ces sales gosses de riches, ces West Brits raffolant de tout ce qui est anglais, évoquer les milliers de baffes que j'avais reçues. Après tout, je voulais depuis longtemps intégrer la Criminelle. Autant me faire bien voir. Mais je n'avais aucune envie de devenir complice de Conway. Je répondis :

– C'est sublime.

Elle se redressa en grimaçant. Était-elle déçue ? En tout cas, elle me lança :

– On va t'adorer, ici. Allons-y. On te trouvera bien un joli petit cul West Brit à lécher.

Le pied au plancher, elle s'élança dans l'allée, faisant jaillir le gravier de chaque côté de la voiture.

Le parking se nichait à droite du bâtiment, dissimulé par de grands cyprès vert foncé en forme de bougie. Pas de Mercedes rutilantes. Pas d'épaves non plus. Les enseignants avaient de quoi s'offrir des véhicules décents. Conway se gara sur un emplacement « réservé ».

Personne, à Sainte-Kilda, ne remarquerait la MG, à moins d'avoir regardé par une des fenêtres lorsque nous avions dépassé la grille. Conway le savait. Elle avait donc choisi ce bolide pour son propre plaisir, la satisfaction de pénétrer dans le collège au volant d'un véhicule de luxe et non, finalement, pour impressionner quiconque. Cela me la rendit presque sympathique.

Elle bondit hors de l'auto, le sac à l'épaule. Rien de féminin : sacoche de cuir noir, plus virile que les serviettes des hommes de la brigade.

– Je vais d'abord te montrer les lieux. Pour que tu puisses te repérer. Suis-moi.

Je lui emboîtai le pas, traversant l'ombre des arbres. Un soupir au-dessus de nous. Conway sursauta. Ce n'était que la brise jouant dans les branches. Sur notre gauche, lorsque nous nous sommes de nouveau retrouvés en plein soleil, l'arrière de la maison. À notre droite, une autre pelouse en pente douce, bordée de haies basses.

Deux ailes s'étiraient de chaque côté du bâtiment central. La seconde semblait plus récente. Elle cadrait pourtant avec l'ensemble : même pierre grise, ornements sans ostentation. Pas d'esbroufe. Du goût, uniquement.

– Le collège lui-même, salles de classe, vestibule, bureaux, occupe le bâtiment principal. Là, ajouta Conway en désignant l'aile la plus proche de nous, dorment les religieuses. Accès séparé. Pas de porte communiquant avec le collège. Toutefois, chacune a une clé de l'entrée et sa propre chambre. L'une d'elles aurait pu se glisser dehors et dégommer Chris Harper. Il n'en reste qu'une dizaine. La plupart ont près de cent ans et aucune moins de cinquante. Mais, comme je te l'ai dit, pas besoin d'être un haltérophile pour avoir défoncé le crâne du gamin.

– Un mobile ?

Elle leva les yeux vers les fenêtres. Le soleil reflété par les vitres nous aveugla.

– Ces bonnes sœurs sont des obsédées. L'une d'elles a peut-être vu Chris frôler le sein d'une fille par-dessus son pull, en a conclu qu'il était envoyé par Satan pour corrompre une pucelle innocente.

Elle marcha en diagonale sur la pelouse, s'éloignant du bâtiment. Aucune pancarte n'indiquait «Pelouse interdite», mais c'était tout comme. Deux intrus foulant l'herbe sans vergogne : je m'attendais à voir surgir, de derrière les arbres, un gardien lançant ses chiens à nos trousses.

– Les pensionnaires couchent dans l'aile gauche, aussi verrouillée la nuit que la chatte des nonnes. Les filles n'en ont pas la clé. Barreaux aux fenêtres du rez-de-chaussée. Une porte à l'arrière, mais elle est protégée, après l'extinction des feux, par une alarme. Pourtant, une autre porte donne sur le rez-de-chaussée du collège. C'est là que ça devient intéressant. Les fenêtres n'ont pas de barreaux. Et il n'y a pas d'alarme.

– Cette porte est verrouillée ?

– Bien sûr. Jour et nuit. Cependant, en cas d'urgence, par exemple si une interne a oublié ses devoirs dans sa chambre, ou si elle a besoin d'un livre de la bibliothèque pour un projet, elle peut demander la clé. La secrétaire, l'infirmière et la surveillante générale en ont chacune une. Or, en janvier de l'année dernière, quatre mois avant la mort de Chris Harper, celle de l'infirmière a disparu.

– On n'a pas changé la serrure ?

– Tu rigoles ? L'infirmière gardait la clé sur une étagère, au-dessus de sa corbeille à papier. Elle a cru qu'elle était tombée et avait fini dans la poubelle. Elle en a fait faire une autre et a oublié l'incident, tralala, tout va très bien Madame la marquise, jusqu'à ce que nous l'interrogions. Franchement, je ne sais pas qui est le plus naïf : les gamines ou le personnel. Imagine qu'une interne se procure cette clé. Elle pourrait se faufiler toutes les nuits dans le bâtiment central, sauter par une fenêtre et faire ce qu'elle voudrait jusqu'au petit déjeuner.

– Il n'y a pas de gardien ?

– Si. Le «veilleur de nuit», comme elles disent. Ça doit leur paraître plus distingué. Il habite le pavillon que nous avons aperçu près de la grille et effectue une ronde toutes les deux heures. Mais, vu la taille du parc, il ne doit pas être bien difficile de l'éviter. Par ici.

Dans la haie, un portillon aux fioritures de fer forgé. Il grinça lorsque Conway l'ouvrit. Au-delà, un court de tennis, un terrain de sport. Ensuite, le prolongement du parc, cette fois moins entretenu, comme si on avait voulu lui conserver un aspect presque sauvage. Fouillis d'arbres centenaires, bouleaux, chênes, sycomores. De petits sentiers de gravier serpentaient entre des plates-bandes où dominaient le jaune et le bleu ; des fleurs de printemps, à la senteur délectable.

Conway claqua des doigts devant mon nez.

– Concentre-toi.

– Comment sont logées les pensionnaires ? Dans des dortoirs ou des chambres individuelles ?

– Cinquièmes et quatrièmes dans des dortoirs de six lits. Troisièmes et secondes dans des chambres de quatre. Premières et terminales, deux par chambre. Donc, si elle veut se tirer, une fille doit au moins se préoccuper d'une coturne. Un bémol quand même : dès la troisième, les élèves choisissent leurs camarades de chambrée. Il y a donc une chance pour qu'elles ferment les yeux sur les escapades d'une de leurs copines.

Nous longions le court de tennis. Filet affaissé, quelques balles dans un coin.

– Combien de pensionnaires ?

– Une soixantaine. Mais nous avons resserré la fourchette. Un mardi matin, l'infirmière a donné la clé à une ado, qui l'a rapportée aussitôt. Pendant le déjeuner du vendredi, une autre l'a demandée. Elle s'était volatilisée. L'infirmière ferme son bureau quand elle s'absente, pour éviter que les filles ne viennent se servir en médicaments. Donc, si l'une d'elles a barboté la clé, elle l'a fait en sa présence, entre le mardi et le vendredi.

Elle écarta une branche et s'engagea dans un des sentiers, dans le fouillis du parc. Des oiseaux chantaient joyeusement, des abeilles butinaient un pommier en fleur.

– Selon le registre de l'infirmière, il y en a eu quatre. Emmeline Locke-Blaney, une gosse de cinquième, pensionnaire. Elle avait si peur de nous qu'elle a carrément pissé sous elle. Je ne la crois pas capable de dissimuler quoi que ce soit. Catríona Morgan, première, externe, ce qui ne la disculpe pas. Elle aurait pu passer la clé à une amie interne. Toutefois, les externes et les pensionnaires ne se mêlent guère.

Un an plus tard, elle connaissait les noms par cœur, les citait sans hésitation. Chris Harper avait dû la marquer.

– Alison Muldoon, troisième, interne : une des petites putes de Heffernan. Et Rebecca O'Mara.

– De nouveau la bande de Holly Mackey.

– Oui. Tu comprends pourquoi je ne suis pas convaincue que ta protégée t'ait tout raconté ?

– Les raisons pour lesquelles elles sont allées voir l'infirmière ? On a vérifié ?

– Emmeline était la seule à avoir un motif sérieux : elle s'était foulé la cheville en jouant au hockey, au polo ou un truc de ce genre ; il lui fallait un bandage. Les trois autres se plaignaient de migraine, de règles douloureuses, de vertiges ou autres broutilles. C'était peut-être vrai. À moins qu'elles n'aient cherché un prétexte pour quitter la classe. Ou alors… Elles prennent un calmant puis s'allongent quelques instants tout près de l'étagère où se trouve la clé.

– Et elles ont toutes juré qu'elles n'y avaient pas touché.

– Sur la tête de leur mère. Ainsi que je l'ai dit, j'ai cru Emmeline. Les autres…

Le soleil filtrant à travers les branches dessinait sur ses joues comme des peintures de guerre.

– La directrice a poussé de hauts cris. Jamais une de ses élèves n'aurait fait une chose pareille ! La clé était certainement tombée dans la corbeille. Elle a quand même changé la serrure de la porte communicante. Mieux vaut tard que jamais.

Elle s'arrêta, tendit le bras.

– Regarde. Tu vois ce qu'il y a, là-bas ?

Une longère à notre droite, derrière les arbres, dotée d'une petite cour. Jolie. Ancienne. On avait ravalé sa façade de brique.

– Autrefois, c'étaient les écuries. Pour les chevaux de Leurs Altesses. À présent, elles servent de remise aux jardiniers. Il en faut trois pour entretenir ce parc. La binette était là, avec les autres outils.

La cour était déserte. Je me demandais depuis le début où était passé tout le monde. Ce collège devait compter plusieurs centaines de personnes. Or, pas un mouvement, pas un bruit, hormis un cliquetis métallique dans le lointain.

– La remise était fermée à clé ?

– Non. À l'intérieur, on conserve, dans un placard, le désherbant, le produit contre les guêpes et autres poisons. Celui-là, on le verrouille. Mais l'écurie elle-même ? Entrez, servez-vous. Il n'est jamais venu à l'esprit de cette bande de crétins que tout, là-dedans, pouvait devenir une arme. Bêches, pelles, binettes, taille-haies. Il y avait de quoi massacrer la moitié d'un collège. Ou se faire payer un bon prix par un receleur.

Conway chassa un nuage de moucherons, continua le long du sentier.

– Je l'ai dit à la directrice. Tu sais ce qu'elle m'a répondu ? « Personne, chez nous, n'a ce genre de mentalité, inspecteur. » Avec une mine outrée, comme si j'avais souillé son tapis. Pauvre idiote. On a assassiné un ado et elle me décrit un univers de Frappuccinos et de leçons de violoncelle, où personne n'a de mauvaises pensées. Tu comprends ce que je veux dire par « naïf » ?

– Ce n'est pas naïf. C'est délibéré. Dans ce genre d'institutions, tout part du sommet. Si la directrice affirme que tout est parfait et que quelqu'un prétend le contraire, rien ne va plus.

Elle me dévisagea avec curiosité, comme si elle me découvrait. C'était un plaisir de marcher aux côtés d'une femme dont la taille et le pas s'accordaient aux miens. Je me sentais détendu. Un instant, je rêvai d'une forme d'amitié entre nous.

– Tu veux dire : c'est mauvais pour l'enquête, ou en général ?

– Les deux. En tout cas, c'est dangereux.

Je redoutais un rire méchant, un sarcasme sur cette sentence mélodramatique. Mais elle murmura :

– Tu n'as pas tort.

Le sentier bifurquait, quittait un groupe d'arbres touffus, débouchait sur une pente tachetée de soleil.

– C'est ici, me dit Conway. Les fleurs venaient de là.

Un bleu tel que je n'en avais jamais vu, au parfum enivrant. Des milliers de jacinthes disséminées sous les branches, comme tombées d'un gigantesque panier sans fond. Conway ajouta :

– J'ai mis deux agents en tenue sur cette plate-bande. Ils ont inspecté chaque tige, à la recherche de celles qu'on avait brisées. Ils y ont passé deux heures. Ils doivent toujours me haïr mais je m'en fous, parce que ces tiges, ils les ont trouvées. Quatre, juste là, au bord. Le labo les a comparées avec les fleurs posées sur le corps de Chris. Elles correspondaient. Pas de certitude à cent pour cent, mais presque.

Chris Harper était venu là, dans cet endroit où rien de mal, semblait-il, ne pouvait arriver à personne. Dans l'obscurité qui l'entourait, il avait respiré ces jacinthes, ultimes vestiges de couleur au milieu de la nuit. Que cherchait-il ?

– Où était-il ?

– Là-bas.

Elle désigna, à dix mètres du sentier, en haut de la pente, au-delà de l'herbe rase et de buissons taillés en boule, un bosquet des mêmes cyprès que ceux du parking, hauts, denses et sombres : une dizaine, entourant une clairière. On avait, en son centre, laissé l'herbe croître, se couvrir d'inflorescences.

Elle contourna le bord de la plate-bande, remonta vivement la pente. Les cuisses lourdes, j'eus du mal à la rattraper. Dans la clairière, l'air était plus frais. Ombreux.

– Il faisait sombre ?

– Non. Tu connais Cooper, le légiste ? Selon lui, Chris est mort vers une heure du matin, à une ou deux heures près. Demi-lune, nuit claire, bonne visibilité. La lune aurait atteint son zénith un peu après une heure.

Des images me vinrent à l'esprit. Chris se redressant, un bouquet à la main, cherchant à repérer la silhouette furtive dans la pâle lumière. Sa petite amie, ou… ? En face, la silhouette s'immobilisait parmi les fleurs, surveillait Chris qui tournait la tête de gauche à droite au milieu des cyprès, attendait qu'il ait fini de scruter la pénombre. Elle, lui ?

Pendant ce temps, Conway attendait elle aussi, et m'observait. Elle me rappela Holly. Ni l'une ni l'autre n'auraient aimé cette comparaison. Pourtant, ces yeux plissés, cette attention soutenue, comme au jeu de l'oie… Fais gaffe. Un bon coup de dé et tu avances d'une case ; un mauvais et tu es mort.

– Sous quel angle la binette l'a-t-elle frappé ?

Bonne question. Conway me saisit fermement le bras, m'entraîna vers le centre de la clairière. Elle me plaça en face des jacinthes et du sentier, le dos aux cyprès.

– Il était à peu près ici.

On percevait, dans le lointain, un ronronnement tenu : un bourdon, ou une tondeuse. Des pissenlits frôlaient mes tibias.

– Quelqu'un s'est approché de lui par-derrière, ou l'a forcé à se retourner. Quelqu'un qui se tenait à peu près là.

Derrière moi, tout près. Je tournai la tête. Conway leva une binette imaginaire au-dessus de son épaule gauche, à deux mains, la rabattit violemment avec un léger sifflement provoqué par le mouvement de ses bras. Même si je savais qu'elle ne tenait rien, je tressaillis. Elle ouvrit les paumes. Je murmurai :

– Et il est tombé.

– Il a reçu le coup ici.

Elle appuya le revers de sa main contre le bas de mon crâne, à gauche, remonta vers la droite.

– Chris avait une dizaine de centimètres de moins que toi : un mètre soixante-quinze. Pas besoin d'être très grand pour le tuer. L'assassin mesurait plus d'un mètre cinquante-cinq, moins d'un mètre quatre-vingt. C'est tout ce que Cooper a pu déterminer d'après l'angle de la blessure. Probablement droitier.

Elle s'éloigna de quelques pas en faisant bruisser l'herbe.

– Cette herbe était-elle aussi haute qu'aujourd'hui ?

Encore une bonne question. Bravo, Moran.

– Non. On l'a laissée pousser par la suite. Peut-être en mémoire de la victime, ou parce que l'endroit effrayait les jardiniers. Va savoir. Personne ne vient ici. Donc, je présume que cette friche ne nuit pas à la sacro-sainte image du collège. Toutefois, à l'époque, elle était tondue, comme partout ailleurs. Avec des chaussures souples, on pouvait traverser la pelouse sans être entendu.

Et sans laisser de traces, du moins exploitables par le labo. Pas de traces non plus sur le gravier des sentiers.

– Où avez-vous trouvé la binette ?

– Dans la remise. On l'a repérée parce qu'elle correspondait à la description de l'arme donnée par Cooper. Il a fallu cinq secondes au labo pour le confirmer. Le meurtrier, ou la meurtrière, a essayé de la nettoyer, l'a plantée deux ou trois fois en terre là-bas, sous un cyprès, puis l'a frottée dans l'herbe. Malin. Plus futé que de l'essuyer avec un linge, dont il aurait fallu se débarrasser ensuite. Mais la lame était encore maculée de sang.

– Des empreintes ?

– Uniquement celles de jardiniers. Pas d'épithéliums de quelqu'un d'autre non plus, donc pas d'ADN. Nous en avons conclu qu'elle portait des gants.

– Elle ?

– C'est ce que j'ai : un paquet de « elle » et peu de « il ». L'année dernière, certains ont échafaudé une hypothèse : un pervers se serait introduit dans le parc pour se branler sous les fenêtres des filles, jouer avec leurs raquettes de tennis, ou quelque chose dans le genre. Chris, en route pour son rendez-vous, l'aurait surpris. La bite dans une main et la binette dans l'autre ? Ça ne tient pas debout. Pourtant, cette hypothèse a plu à nombre de gens. Plutôt un détraqué qu'une mignonne petite fille riche, élève de ce merveilleux collège.

De nouveau son regard acéré. Encore un test. Frappées par un rayon de soleil, ses prunelles virèrent à l'ambre, comme celles d'un loup.

– L'assassin ne venait pas de l'extérieur, dis-je. Pas avec la photo et le message sur le tableau. Si cela avait été le cas, pourquoi ce secret ? Pourquoi la fille ne vous aurait-elle pas simplement téléphoné pour vous révéler ce qu'elle savait ? Si elle n'a pas tout inventé, elle a appris quelque chose sur quelqu'un d'intérieur au collège. Et elle a peur.

– Et nous sommes passés à côté la première fois.

Elle avait parlé d'une voix sinistre. Elle n'était pas dure seulement avec les autres, Conway.

– Peut-être pas, répondis-je. Ces filles sont jeunes. Si l'une d'elles a vu ou entendu quelque chose, elle n'a peut-être pas compris ce que cela signifiait. Pas à l'époque. Surtout si cela avait un rapport avec le sexe ou les relations amoureuses. Techniquement, les ados de cette génération sont imbattables. Ils naviguent sur les sites pornos, connaissent probablement plus de positions que vous et moi réunis. Toutefois, confrontés à la réalité, ils perdent pied. Une gamine a pu assister à une scène, savoir que c'était important, mais sans comprendre pourquoi. Maintenant qu'elle a un an de plus, elle a mûri et a peut-être saisi.

– Possible, admit Conway, d'un ton toujours aussi lugubre. Peu importe. Même si cette fille ignorait qu'elle détenait une information, nous aurions dû le savoir pour elle. C'était notre travail. Elle était là, face à nous. Nous l'avons interrogée et nous l'avons laissée s'en aller. Je ne suis pas fière de moi.

Silence. Au bout d'un moment, comme elle n'ajoutait rien, je me tournai vers le sentier. Conway ne bougea pas. Les mains dans les poches, bien calée sur ses pieds, elle fixait les arbres comme s'ils étaient ses ennemis. Elle murmura enfin, sans me regarder :

– On m'a confié la direction de l'enquête parce que nous pensions que ce serait du gâteau. Le premier jour, alors que les types de la morgue n'avaient même pas enlevé le corps, nous avons déniché cinq cents grammes d'ecstasy dans les écuries, au fond du placard à poisons. Un des jardiniers est apparu dans l'ordinateur central : déjà condamné pour trafic de drogue. Or, à Saint-Colm, lors de la soirée de Noël, on avait chopé deux gamins avec de l'ecstasy. On n'a jamais identifié le fournisseur. Les gamins n'ont rien balancé. Chris n'était pas du lot, mais enfin... Nous avons cru que c'était notre jour de chance : deux affaires résolues pour le prix d'une. Chris s'introduit dans le parc pour acheter de la came au jardinier, une bagarre éclate au sujet du fric, et paf.

Silence de nouveau, hormis, comme tout à l'heure, la brise dans les arbres.

– Costello, soupira Conway. Il était compétent. À la brigade, tout le monde le charriait, le traitait de nul. Mais il était réglo. Il m'a dit : « Prends cette affaire en main. Joue ta carte. » Il devait savoir qu'il partirait à la retraite cette année. Il n'avait pas besoin d'un coup d'éclat. Moi, si.

Je l'écoutai sans l'interrompre. Elle poursuivit, d'une voix de plus en plus lasse :

– Le jardinier avait un alibi. Il avait reçu des potes dans sa piaule pour un poker. Assommés par la bière, deux d'entre eux avaient pioncé sur son canapé. On l'a coffré pour possession de stupéfiants. Mais le meurtre… J'aurais dû savoir que ce ne serait pas simple. J'aurais dû le savoir…

Une abeille se posa sur son chemisier. Elle baissa la tête. Le reste de son corps se figea. L'abeille rampa le long du tissu jusqu'au dernier bouton, cherchant la peau. Conway respirait lentement, sans à-coups. Soudain, sa main jaillit de sa poche, prête à s'abattre.

Prudente, l'abeille s'envola dans le soleil. Du bout des ongles, Conway épousseta son chemisier. Puis elle pivota, descendit la pente, dépassa les jacinthes et regagna le sentier.

4

Le Court. Le plus vaste, le meilleur centre commercial des environs. Mirage grandiose, aimant géant qui attire et fascine. Les élèves de Sainte-Kilda et de Saint-Colm peuvent s'y rendre à pied, s'y côtoyer loin du regard inquisiteur des adultes. Là, pendant les instants de liberté entre la fin des cours et le dîner, tout devient possible. En une seconde, dans la lumière d'un blanc aveuglant, au milieu des rires, des effluves sucrés des donuts venus de la cafète toute proche et dont on lèche les restes sur ses doigts, la vie peut basculer. Un mot suffirait pour que les rêves les plus fous se réalisent, pour que tout ce qu'on a imaginé devienne réalité si l'on tourne la tête au bon moment, si l'on croise le bon regard, si l'on discerne au milieu du brouhaha la voix unique, bouleversante, qui vous transpercera le cœur.

Début octobre. Chris Harper feint de se battre avec Oisín O'Donovan sur le rebord de la fontaine, au centre du magasin. Tous deux hurlent de rire, encouragés par les autres garçons de Saint-Colm qui les entourent. Chris n'a plus que sept mois à vivre.

Becca, Julia, Selena et Holly se sont groupées sur le rebord opposé de la fontaine avec, entre elles, quatre paquets de bonbons ouverts. Tout en ne perdant pas les garçons de vue, Julia raconte, toute excitée, comment, cet été, elle, une Anglaise et deux jeunes Français sont entrés au culot dans une boîte hyperchic de Nice. Holly l'écoute d'un air dubitatif en mangeant des Skittles. Allongée sur le marbre noir de la fontaine, le menton entre les paumes, Selena laisse pendre ses cheveux. Becca se penche pour les cueillir à deux mains avant qu'ils ne touchent, par terre, la crasse et les chewing-gums écrasés.

Becca méprise le Court. Au début de la cinquième, alors que les nouvelles internes devaient attendre un mois avant d'être autorisées à franchir les limites du parc, jusqu'à ce qu'elles soient sans doute assez matées pour ne pas chercher à s'enfuir, elle n'a entendu parler que du Court. Oh, le Court, le Court, le Court, ce sera extra quand on pourra y aller. Les yeux s'illuminaient, comme s'il s'agissait d'un château de conte de fées, avec une piste de roller et des cascades de chocolat. D'autres filles en revenaient triomphantes, poisseuses, sentant le cappuccino et le rouge à lèvres de démonstration, balançant au bout d'un doigt des sacs remplis de vernis à ongles, dansant encore au rythme d'une musique à crever les tympans. Le Court : le lieu magique, miraculeux, où l'on oubliait les profs sinistres, le dortoir, les commentaires fielleux ; l'endroit qui balayait tout.

Cela se passait avant que Becca ne rencontre Julia, Selena et Holly. À l'époque, elle avait un tel cafard qu'elle téléphonait tous les matins à sa mère en sanglotant, la suppliant de venir la chercher. Sa mère soupirait, lui promettait qu'elle connaîtrait bientôt des moments merveilleux, lorsqu'elle se serait fait des amies avec qui parler de garçons, de pop stars et de mode. Becca raccrochait, encore plus déprimée. Et le Court lui apparaissait comme la seule lueur d'espoir dans ce monde sans joie.

Enfin, un jour, elle y est allée. Le Court ? Un supermarché minable. Alors que les autres filles de cinquième en bavaient d'admiration, elle se planta devant cette masse de béton sans fenêtre des années quatre-vingt-dix et songea : « Si je me roule en boule par terre en refusant de bouger, on me renverra peut-être à la maison en me traitant de folle. »

Alors, la fille blonde qui se trouvait à côté d'elle, Serena ou quelque chose d'approchant, car elle était trop perturbée pour retenir son prénom, examina longuement le sommet du Court et déclara :

– En fait, il y a une fenêtre. Tu la vois ? Je parie que si on arrive à grimper là-haut, on verra tout Dublin.

Elles l'ont fait. Et elles ont pu admirer, déployé sous elles, le vrai monde, cet univers plein de promesses, lumineux et calme. Des draps séchaient sur des cordes à linge, des enfants jouaient au swingball dans un jardin, des fleurs rouges et jaunes tapissaient un grand parc vert. Un vieux monsieur et une vieille dame discutaient sous un réverbère de fer forgé tandis que leurs chiens, ravis, entortillaient leurs laisses. La fenêtre se cachait entre une borne de péage du parking et une énorme corbeille à papiers. Des adultes réglant leur stationnement les considérèrent d'un air soupçonneux. À la fin, un agent de sécurité les prit par la peau du cou et les mit dehors, sans savoir exactement pourquoi. Mais ça valait vraiment la peine.

Pourtant, deux ans plus tard, Becca déteste toujours le Court. Elle hait la façon dont des centaines d'yeux plus agressifs que des punaises vous épient, ces filles qui jaugent votre haut, ces garçons qui lorgnent plus bas. Au Court, personne ne se tient tranquille. Tout le monde s'agite, guettant les regards, prenant la pose la plus avantageuse. Il faut jacter sans cesse pour ne pas passer pour une ringarde, mais on ne peut pas avoir de conversation normale parce que tout le monde pense à autre chose. Au bout d'un quart d'heure, Becca a l'impression que quiconque la touchera mourra électrocuté.

Au moins, quand elles avaient douze ans, ses copines se contentaient, comme elle, d'enfiler leur manteau avant de partir pour le Court. Cette année, elles se pomponnent comme si elles allaient recevoir un Oscar. Le Court est l'endroit où l'on exhibe ses seins qui poussent, où l'on déambule en faisant des selfies pour que le monde entier puisse dire à quel point ils sont canons. Personne ne doit s'entendre dire : « T'es zéro de chez zéro. » Tout le monde doit s'extasier sur tes cheveux bouffants ou tirés à mort, ton fond de teint, ton Rimmel, tes jeans super moulants, tes Uggs ou tes Converse, sinon t'es qu'une tocarde. Au moment du départ, Lenie, Jules et Holly se remettent du fard sur les joues, s'examinent sous tous les angles dans la glace tandis que Becca trépigne devant la porte de leur chambre. Elle, elle ne se maquille pas pour aller au Court, parce qu'elle déteste le maquillage et que l'idée de se peinturlurer pendant une demi-heure pour s'asseoir sur un mur en face d'un marchand de donuts lui paraît complètement débile.

Elle y va parce que les autres y vont. Pourquoi elles tiennent à s'y pavaner demeure pour elle un mystère. Elles font toujours semblant de s'amuser comme des folles, crient, se donnent de grands coups d'épaule, s'esclaffent pour un rien. Mais Becca sait comment elles se comportent quand elles sont heureuses, et ce n'est pas comme ça. Lorsqu'elles regagnent le collège, elles ont les traits tirés. Elles semblent vieillies, comme épuisées par la comédie qu'elles viennent de jouer.

Ce jour-là, Becca est encore plus nerveuse que d'habitude. Elle consulte l'heure toutes les deux minutes sur son téléphone, change de position sur le marbre qui lui fait mal aux os. Julia lui a déjà dit deux fois :

– Putain, tu vas te calmer ?

Becca bredouille :

– Désolée.

Mais, au bout de trente secondes, elle remue de nouveau.

Elle se sent mal à cause de la présence sur le rebord de la fontaine, deux mètres plus loin, des Daleks. Becca les vomit. Elle ne supporte pas la bouche béante d'Orla, la façon dont Gemma tortille du cul en marchant, l'air de bébé apeuré d'Alison, le simple fait que Joanne existe. Aujourd'hui, elle les hait encore davantage parce que trois types de Colm sont venus s'asseoir près d'elles, les rendant plus imbuvables que les autres soirs. Dès qu'un des ados risque une vanne oiseuse, toutes les quatre éclatent de rire et font mine de tomber du rebord pour qu'ils les rattrapent. Alison renverse la tête, expose sous le nez d'un blondinet le bout de sa langue qui pointe entre ses dents. On dirait une détraquée.

– À ce moment-là, poursuit Julia, Jean-Michel nous montre du doigt, Jodi et moi, et gueule : «Ce sont les Candy Jinx ! Elles viennent de remporter le X Factor irlandais !» C'était futé. Comme le X Factor irlandais n'existe pas, les autres connards ne pouvaient pas savoir qui l'avait gagné. Mais c'était pas très finaud non plus, parce que ça risquait de virer grave. Et, bingo, ces empaffés s'exclament : «OK, on veut les entendre chanter.»

– Et alors ? s'enquiert mollement Becca.

Elle essaie d'ignorer les Daleks et de se concentrer sur Julia. Les histoires de Julia sont toujours poilantes, même s'il faut en prendre et en laisser.

– Relax, Becs, je sais que je chante comme une casserole. Donc, on est là, Jodi et moi, complètement paumées. Qu'est-ce qu'on doit chanter ? On aime bien Lady Gaga, mais on va quand même pas dire que le premier single des Candy Jinx est *Bad Romance*.

Selena rigole. Les types de Colm tendent l'oreille.

– Heureusement, Florian est moins con que Jean-Michel. Il répond : «Vous rigolez ? Elles sont sous contrat. Si elles chantent une seule note, ça va coûter un bras.»

Holly ne rit pas, comme si elle n'avait pas entendu. La tête de côté, elle écoute quelqu'un d'autre.

– Hé, dit Selena. Ça va ?

D'un mouvement du menton, Holly désigne les Daleks.

Julia garde le reste de son histoire pour plus tard. Toutes les quatre font mine de choisir avec soin des bonbons dans les paquets et écoutent.

– Bien sûr qu'il est accro, affirme Joanne en donnant un petit coup de pied dans la jambe d'Orla.

Orla glousse en rentrant la tête dans les épaules.

– Regarde-le ! Il te couve des yeux. C'est pathétique.

– Il n'est pas accro.

– Ah non ? Il l'a dit à Dara qui me l'a dit.

– Andrew Moore ne sera jamais mordu de moi. Dara t'a menée en bateau.

– Pardon ?

Le ton de Joanne est devenu polaire. Becca change encore de position sur la fontaine. Elle a honte d'être à ce point terrifiée par Joanne, mais elle n'y peut rien.

– Tu insinues que Dara se fout de moi, c'est ça ?

– Jo a raison, intervient paresseusement Gemma. Andrew est dingue de toi.

Allongée, la tête sur les genoux d'un des garçons, elle cambre le dos, mettant sa poitrine en valeur. Le garçon fait des efforts inouïs pour ne pas avoir l'air de ne s'intéresser qu'à ses nibards.

Orla se trémousse d'aise en mordillant sa lèvre inférieure.

– Il est trop timide pour te l'avouer, renchérit Joanne, de nouveau tout sucre, tout miel. C'est ce que m'a dit Dara. Il ne sait pas quoi faire. Pas vrai ? ajoute-t-elle en se tournant vers le grand brun à côté d'elle.

– Sûr, bégaye l'autre, espérant avoir répondu ce qu'il fallait.

Joanne lui sourit, comme pour lui dire : « T'es un bon toutou. »

– Il croit qu'il n'a aucune chance avec toi, insiste Gemma. Mais il en a, hein ?

– Il te botte, non ?

Orla émet une sorte de miaulement.

– Bien sûr qu'il te botte ! C'est Andrew Moore !

– Le plus beau gosse du monde !

– Moi, il me fait craquer.

– Moi aussi.

Joanne donne un petit coup de pied à Alison.

– Toi aussi, hein, Ali ?

Ali cligne des paupières.

– Euh, oui.

– Tu vois ? Je suis jalouse !

Même Becca connaît Andrew Moore. De l'autre côté de la fontaine, il monopolise l'attention des gus de Colm. Blond, des épaules de rugbyman, il parle plus fort que les autres, en brassant du vent. Le mois dernier, pour la soirée de son seizième anniversaire, son père a embauché Pixie Geldof comme disc-jockey.

Orla réussit à bafouiller :

– Il me plaît bien. Enfin…

– Bien sûr qu'il te plaît.

– Il plaît à tout le monde.

– Sacrée veinarde !

Orla sourit d'une oreille à l'autre.

– Tu pourrais donc… ? Oh, bordel ! Tu pourrais demander à Dara de parler à Andrew ?

Joanne secoue la tête d'un air désolé.

– Ça ne marchera pas. Il sera encore trop timide pour faire le premier pas. Il faut que tu t'adresses directement à lui.

De plus en plus émoustillée, Orla minaude en plaquant les mains sur son visage :

– Oh, p'tain, je peux pas ! P'tain !

Joanne et Gemma n'ont jamais paru aussi sérieuses. Alison semble gênée. Les ados de Colm, eux, pouffent de rire. Leur tournant le dos, Holly écarquille les yeux en grimaçant, comme pour dire : « J'y crois pas. »

– La salope, chuchote Julia, trop bas pour que Joanne l'entende. Avec des copines comme ça…

Becca comprend avec un temps de retard.

– Tu crois qu'elles lui racontent un bobard ?

Joanne n'a nul besoin de ne pas blairer quelqu'un pour être immonde. Elle débite des ignominies à la cantonade, sans raison, puis jouit de la mine déconfite de celle qu'elle a humiliée. Mais cette fois, c'est différent. Orla est son amie.

– Hé, redescends sur terre. Bien sûr qu'elles mentent. Tu crois qu'Andrew Moore sortirait avec ce boudin ?

Elle montre Orla qui, rouge comme une pivoine et couinant comme une souris, n'est guère à son avantage.

– C'est répugnant, s'indigne Becca en froissant un paquet de Skittles. On peut pas faire ça !

– Vraiment ? Regarde-les.

– Elles cherchent à les bluffer, dit Holly en montrant les trois ados. Elles friment.

– Et ça les impressionne ? Ils aiment que des filles fassent ça à leurs propres amies ?

Holly hausse les épaules.

– S'ils trouvaient ça dégueu, ils réagiraient.

– C'est l'occasion ou jamais, assure Joanne en gratifiant le grand brun d'un sourire de connivence. Lève-toi et va lui dire : « Oui, moi aussi, tu me plais. » Tu n'as rien d'autre à faire.

– Non, je peux pas. Je peux pas !

– Mais si, tu peux. On est au XXIᵉ siècle. La libération des femmes, tu connais ? On n'a pas à attendre que les mecs viennent nous chercher. Fais-le. Imagine à quel point tu vas le faire kiffer.

– Ensuite, il va t'emmener derrière le Court, égrène Gemma en se frottant langoureusement contre le rebord de la fontaine. Il t'enlacera et commencera à t'embrasser…

Orla glousse de plus en plus.

– Cinq euros qu'elle y va, dit Julia. Qui parie ?

Selena rétorque posément :

– Si elle y va, il va la massacrer.

– Ce sera un carnage, approuve Julia.

Elle fourre deux Mentos dans sa bouche, comme au cinéma, tout en suivant la scène avec intérêt.

– On dégage, dit Becca. Je ne veux pas voir ça. C'est horrible.

– Moi, je parie. Et je reste.

– Tu ferais mieux de te dépêcher, intime Joanne en donnant un nouveau coup de pied à Orla. Il ne va pas t'attendre jusqu'à la saint-glinglin, même s'il t'a dans la peau. Si tu n'y vas pas tout de suite, il en choisira une autre.

– Tant pis pour les cinq euros, dit Holly. Hé, Orla !

Orla se retourne, toujours cramoisie, souriant comme une demeurée.

– Elles se foutent de toi. Si Andrew Moore a envie de se taper une meuf, tu crois qu'il est trop timide pour la draguer ? Sérieux ?

– Pardon ? assène Joanne en toisant Holly avec un mépris souverain. Je t'ai demandé ton avis ?

– Tu permets ? Tu hurles au milieu du Court. Si je suis obligée d'entendre, j'ai le droit d'exprimer une opinion. Et je crois, moi, qu'il ne sait même pas qu'Orla existe.

– Et *moi*, je me contrefous de ce que pense une bolosse dans ton genre.

– Génial, ricane le type qui a la tête de Gemma sur les genoux. Elles vont s'entre-tuer.

– Enfin du spectacle ! s'exclame le grand brun.

– Le père de Holly est inspecteur de police, leur explique Julia. Il a arrêté la mère de Joanne pour racolage. Elle n'a pas digéré.

Les garçons se gondolent. Joanne se redresse, prête répliquer par une vacherie bien sentie. Becca en tremble

72

déjà. Soudain, de l'autre côté de la fontaine, des cris fusent. Andrew et trois de ses potes balancent un autre garçon au-dessus de l'eau, le tenant par les poignets et les chevilles. Tous surveillent les filles, pour être bien sûrs qu'elles les ont remarqués.

– Merde ! crie Joanne à Orla en la bousculant si violemment qu'elle en tombe presque à la renverse. T'as vu ? Il n'arrête pas de te guigner !

Silencieusement, Orla interroge Holly, qui hausse les épaules. Orla écarquille les prunelles, pétrifiée. Julia l'interpelle.

– Pourquoi tu me zieutes ? Je suis là que pour le show.

– Holly a raison, Orla, murmure gentiment Selena. Si tu lui plaisais, il te le dirait.

Gemma écoute, amusée, depuis les genoux de son chevalier servant.

– En fait, t'es jalouse.

– Bien parlé ! martèle Joanne. Jamais Andrew Moore ne toucherait une de ces grognasses. C'est toi qu'il veut. Tu vas croire qui ? Nous, ou elles ?

Orla ouvre grand la bouche. Un instant, son regard stupide et désespéré croise celui de Becca, qui brûle de la mettre en garde. « Ne le fais pas. Il va te tailler en pièces devant tout le monde. »

– Parce que si tu leur fais plus confiance qu'à nous, siffle Joanne, tu peux aller tout de suite rejoindre leur bande.

Orla reprend ses esprits. Même elle est capable de comprendre la menace.

– Non ! Je ne leur fais pas confiance ! J'ai confiance en toi ! En toi !

Ses lèvres frémissent. Elle pleure presque. Joanne la dévisage un long moment, toujours glaciale. Puis elle se radoucit, redevient la grande sœur qui pardonne tout.

– Je sais bien. T'es quand même pas complètement débile. Alors, tu y vas.

D'un dernier coup de pied, elle la chasse du rebord. Affolée, Orla ne bouge pas, comme statufiée. Joanne, Gemma et Alison l'encouragent d'un signe. Enfin, elle contourne la fontaine, d'un pas si craintif qu'elle semble marcher sur la pointe des pieds.

Joanne décoche au grand brun un petit sourire satisfait. Il sourit à son tour, glisse une main sur sa taille, descend vers sa hanche. Tous deux observent Orla, qui s'approche d'Andrew Moore.

Becca s'allonge sur le marbre collant et froid. Pour ne pas assister à ce qui va suivre, elle contemple le dôme du Court, au-delà des quatre étages où les gens qui se pressent le long des galeries semblent minuscules. De l'autre côté de la fontaine lui parviennent les rires graveleux, les quolibets. «Courage, Andy, les plus moches sont les meilleures ! Baise-la ! Baise-la !» Et, plus près, l'hilarité écœurante de Joanne, de Gemma, d'Alison.

– J'ai gagné mon pari, conclut Julia.

Becca fixe le dernier étage, où se dissimulent les bornes de péage du parking et où s'insinue encore une parcelle de jour. Elle espère que deux élèves de cinquième admirent par la fenêtre, loin de toute mesquinerie, le monde sans violence qui s'étale sous elles. Elle espère qu'on ne les mettra pas dehors. Elle espère qu'en s'en allant, elles enflammeront un bout de papier et le jetteront dans la corbeille, incendiant le Court jusqu'à la dernière poutre.

5

Conway poussa la lourde porte d'entrée, d'un bois patiné et sombre. Au fond d'un vestibule désert au carrelage usé et nimbé de soleil, un escalier circulaire au bois également sombre, désert lui aussi, menait aux étages.

Tout à coup, une cloche retentit dans tout le bâtiment. D'autres portes s'ouvrirent avec fracas, déversant, dans un grand bruit de course, une nuée de filles en uniforme bleu marine et vert qui parlaient toutes à la fois.

– Merde ! jura Conway en élevant la voix pour que je puisse l'entendre. On tombe mal. Amène-toi.

Elle s'engagea dans l'escalier, ramassée comme un boxeur, jouant des coudes contre la vague de corps et de livres. Je la suivis, environné de cheveux flottants, de rires. Le soleil dévalait la rampe tel un torrent, faisait éclater les couleurs. Il m'enrobait, me soulevait, me rendait aussi gai que ces adolescentes heureuses de vivre, comme si ce jour m'appartenait, comme si mon destin, avec son lot de danger et de chances, allait se jouer ici, à pile ou face.

Je n'avais jamais pénétré dans un tel endroit. Pourtant, j'avais l'impression de rentrer chez moi. J'éprouvais la même griserie qu'à l'époque où, gamin rêveur, dégingandé et gauche, je dévorais des bouquins à la bibliothèque de l'Ilac Center avec le sentiment de braver un interdit, loin de mon quartier pour que personne ne me reconnaisse, certain que je me retrouverais un jour entre des murs semblables à ceux-là.

— On commence par la directrice, m'annonça Conway sur le palier. McKenna. Une connasse. Tu sais ce qu'elle nous a demandé, à Costello et à moi, sur la scène de crime ? « Pourriez-vous empêcher les médias de révéler le nom du collège ? » Tu te rends compte ? La victime, le coupable, rien à foutre. Un seul souci : la réputation de son établissement.

Des filles nous bousculaient, hors d'haleine. « Pardon, pardon. » Seules deux ou trois nous jetèrent un bref regard. Les autres couraient trop vite pour s'intéresser à nous. Des casiers claquaient. Même les couloirs étaient superbes, avec leurs hauts plafonds aux moulures de plâtre, les tableaux et le vert doux des murs. Conway s'arrêta devant une porte.

— C'est ici. Compose-toi la tête de l'emploi.

Elle entra sans frapper. Une blonde frisée farfouillant dans un classeur se retourna, esquissa un sourire de commande.

— Salut, lui dit Conway.

Elle passa devant elle, marcha à grandes enjambées jusqu'à la porte intérieure, qu'elle referma derrière nous.

Dans la pièce, tout était calme. Tapis épais. Mobilier à l'ancienne, décor choisi : bureau de style tapissé de cuir vert, étagères bourrées de livres, portrait à l'huile, au cadre pesant, d'une nonne revêche. Seuls éléments fonctionnels : le fauteuil de direction et l'ordinateur portable dernier cri.

La femme assise derrière le bureau posa un stylo et se leva.

— Inspecteur Conway. Nous vous attendions.

— Preuve de votre éblouissante intelligence, railla Conway en se tapotant la tempe.

Elle saisit deux chaises alignées contre le mur, les tira jusqu'au bureau et s'assit.

– Ravie d'être de retour.

La femme ignora sa saillie.

– Et ce monsieur est… ?

– Inspecteur Stephen Moran, répondis-je.

– Ah… C'est vous qui avez téléphoné ce matin à notre secrétaire.

– En effet.

– Merci de nous avoir tenues informées. Mademoiselle Eileen McKenna. Directrice.

Elle ne tendit pas la main. Donc, je ne le fis pas non plus.

– Parfois, un œil neuf nous paraît utile, dit Conway en accentuant son accent racaille. Un expert. Ça vous gêne ?

Mlle McKenna ne broncha pas. Elle se rassit, croisa les mains sur le cuir vert. J'étais resté debout, par politesse. Je m'assis à mon tour. Elle déclara enfin :

– Que puis-je pour vous ?

Imposante, Mlle Eileen McKenna. Pas grosse ; charpentée, telles que le deviennent certaines femmes de pouvoir après la cinquantaine, prêtes à affronter les pires tempêtes sans même se mouiller. Menton charnu, sourcils fournis. Cheveux argentés, lunettes à monture d'acier. Je ne m'y connais pas en toilette féminine, mais je sais reconnaître la qualité. Le tweed verdâtre de son tailleur n'était pas du bas de gamme. Quant à son collier de perles, il ne venait pas de chez Penneys.

– Comment va le collège ? demanda abruptement Conway, renversée dans sa chaise, jambes étales et coudes écartés, comme si elle tenait à occuper l'espace.

– Très bien, merci.

– Vraiment ? Je me souviens quand même de votre panique. Toutes ces années passées à maintenir une

77

tradition d'excellence qui risquait de tourner en eau de boudin si des plébéiens de notre acabit insistaient pour faire leur travail… J'en avais des remords. Je suis ravie de constater qu'il n'en a rien été.

Négligeant Conway, Mlle McKenna se tourna vers moi.

– Je ne vous cacherai pas que de nombreux parents ont hésité à laisser leur fille dans un établissement où un meurtre avait été commis. Que le coupable n'ait pas été identifié n'a pas arrangé les choses.

Petit sourire perfide à Conway, qui ne réagit pas.

– Paradoxalement, la présence envahissante de la police et les multiples interrogatoires, qui auraient dû donner l'impression d'une situation sous contrôle, ont empêché tout retour à la normale. Le harcèlement des médias, auquel la police, trop occupée, n'a pu mettre un frein, n'a fait qu'aggraver les choses. Trente-trois couples de parents ont retiré leur fille du collège. Presque tous les autres ont menacé de le faire. Toutefois, j'ai pu les persuader que ce ne serait pas dans l'intérêt de leur enfant.

Je la crus sur parole. Cette voix tranchante, sans réplique : une Maggie Thatcher irlandaise, ne souffrant aucune contestation et devant qui on se serait empressé de s'excuser, même sans raison. Seul un père aux couilles de bronze aurait osé la contredire.

– Pendant plusieurs mois, nous avons été à deux doigts de fermer. Mais Sainte-Kilda, depuis plus d'un siècle, a surmonté de multiples épreuves. Nous avons survécu à celle-là.

– Merveilleux, ricana Conway. Et s'est-il produit, pendant ces temps difficiles, un événement ou un incident dont nous aurions dû avoir connaissance ?

– Nous vous en aurions immédiatement informés. À ce propos, inspecteur, je pourrais vous poser la même question.

– C'est-à-dire ?

– Je présume que votre visite a un lien avec le fait que, ce matin, Holly Mackey s'est absentée sans autorisation pour aller vous parler.

De nouveau, elle s'adressait à moi. Je rétorquai :

– Nous ne pouvons entrer dans les détails.

– Bien entendu. Mais, de même que vous êtes en droit de savoir ce qui pourrait se révéler capital pour votre travail, d'où mon empressement à permettre à la police d'interroger nos élèves, j'ai le droit, et même le devoir, de savoir ce qui pourrait être crucial pour le mien.

Légère menace.

– Je vous l'accorde. Soyez certaine que nous vous informerons de chaque élément important.

Lueur glacée derrière les lunettes.

– Malgré tout le respect que je vous dois, inspecteur, je crains que vous ne soyez susceptible de juger de ce qui est important ou non. Vous n'êtes pas en mesure de prendre une décision de cet ordre à propos d'un collège et d'une élève dont vous ignorez tout.

Cette fois, je me trouvai pris entre deux feux. D'un côté, la directrice cherchant à me déstabiliser ; de l'autre, Conway qui m'observait à la dérobée, mesurant ma résistance.

– Je conçois que ma réponse vous déçoive, conclus-je. Mais c'est le mieux que je puisse faire.

Mlle McKenna me scruta un instant. Persuadée qu'elle n'obtiendrait rien d'autre de moi, elle me sourit.

– Eh bien, nous nous en contenterons.

Conway remua, à la recherche d'une position plus confortable.

– Et si vous nous parliez du panneau des secrets ?

Dehors, la cloche explosa une seconde fois. Appels lointains ; nouveaux pas précipités. Les portes des classes se refermèrent. Enfin, le silence.

Je discernai un éclair de méfiance dans les yeux de Mlle McKenna. Mais son visage resta de marbre.

– L'endroit des secrets est un tableau d'affichage.

Elle prit son temps, pesant ses mots.

– Nous l'avons inauguré en décembre. Les élèves y épinglent des cartes, utilisent des images et des légendes pour transmettre anonymement leurs messages. Nombre de ces cartes témoignent d'une créativité certaine. Cela permet aux élèves de libérer des émotions qu'elles n'oseraient pas dévoiler ailleurs.

– Bref, intervint Conway, un endroit où elles peuvent, en toute impunité, dégommer celles qu'elles ont dans le nez, répandre n'importe quelle rumeur. Je ne suis peut-être pas assez raffinée pour apprécier la subtilité de votre démarche et vos jeunes demoiselles n'auraient peut-être jamais un comportement aussi vulgaire, mais cela me paraît la plus mauvaise idée dont on m'ait parlé depuis longtemps.

Sourire de piranha.

– Soit dit sans vous offenser.

– Nous avons estimé, enchaîna la directrice, imperturbable, qu'il s'agissait d'un moindre mal. L'automne dernier, un groupe d'élèves a créé un site Internet qui remplissait la même fonction. Cela a abouti aux dérives que vous décrivez. Le père d'une de nos pensionnaires a mis fin à ses jours il y a quelques années. Sa mère nous a signalé le site. Quelqu'un avait posté une photo de l'élève en question, avec cette légende : « Si ma fille était aussi moche, moi aussi je me tuerais. »

Les yeux de Conway sur moi. *Des lames de rasoir dans les cheveux. Tu les trouves toujours aussi exquises ?*

Elle avait raison. L'évidence me frappa de plein fouet, me fit tressaillir comme une écharde plantée sous un ongle. Cela n'était pas venu de l'extérieur, comme Chris Harper. Cela avait grandi ici, entre ces murs.

– La mère et la fille, ajouta Mlle McKenna, ont été profondément choquées, ce que je comprends.

– Et alors ? coupa Conway. Bloquez le site.

– Et le suivant vingt-quatre heures plus tard, et puis un autre, et encore un autre ? Nos élèves ont besoin d'une soupape de sécurité, inspecteur. Vous souvenez-vous qu'une semaine après l'incident…

Conway gloussa : incident.

– … qu'une semaine après l'incident, donc, des internes affirmèrent avoir vu le fantôme de Chris Harper ?

– Dans les toilettes des filles, précisa Conway à mon intention. Normal. Ce serait le premier endroit qu'irait explorer un ado s'il devenait invisible, pas vrai ? Dix gamines hurlant à pleins poumons, s'accrochant en tremblant les unes aux autres. J'ai presque dû les gifler avant qu'elles me racontent ce qui se passait. Elles voulaient que j'aille dans les gogues avec mon flingue et que je le descende. Il a fallu des heures pour les calmer.

– Après cette crise, reprit Mlle McKenna, se tournant de nouveau vers moi, nous aurions pu interdire à quiconque de mentionner Chris Harper. Et le « fantôme » serait réapparu, sans doute pendant des mois. Au lieu de cela, nous avons mis sur pied une cellule d'assistance psychologique pour toutes nos élèves, centrée sur les différentes manières d'exprimer leur peine. Ensuite, nous avons installé une photo de Christopher Harper sur une petite table, à la sortie de la salle de réunion, devant laquelle elles pouvaient dire une prière, déposer une fleur ou une carte. Ainsi, elles ont extériorisé leur chagrin avec dignité.

– La plupart ne le connaissaient même pas, me dit Conway. Elles n'avaient aucun chagrin à exprimer. Elles cherchaient simplement un prétexte pour perdre la boule. Elles méritaient un bon coup de pied au cul, pas une caresse attendrie sur la joue.

– Peut-être, admit la directrice. Mais le « fantôme » ne s'est plus jamais manifesté.

Elle eut un sourire satisfait. Tout était rentré dans l'ordre.

D'après ce que m'avait dit Conway, je m'étais attendu à une grande perche efflanquée aux cheveux teints en blond et au sourire figé, jacassante, stupide et snob. Or, cette femme n'avait rien d'une gourde.

– Donc, reprit-elle, nous avons suivi la même approche avec le panneau d'affichage. Nous avons canalisé, contrôlé les impulsions. Et, là encore, les résultats ont été pleinement satisfaisants.

Elle n'avait pas bougé depuis qu'elle s'était rassise. Dos droit, mains croisées. Massive.

Conway jouait avec un Montblanc noir et or qu'elle avait saisi sur le bureau.

– Contrôlé ? De quelle façon ?

– Le panneau est surveillé. Nous l'inspectons, à la recherche de messages inappropriés, avant l'entrée en classe, pendant la récréation, à l'heure du déjeuner et une dernière fois après les cours, en fin de journée.

– Vous avez trouvé des messages inappropriés ?

– Bien sûr. Mais pas souvent.

– Quel genre ?

– Généralement, diverses versions de « Je déteste tel ou telle ». Il s'agit d'ordinaire d'une autre élève ou d'un professeur. Nous prohibons l'emploi des noms ou les détails permettant d'identifier une personne. Bien sûr, certaines transgressent ces règles. Transgressions la plupart du temps inoffensives : le prénom d'un garçon que la rédactrice du message trouve à son goût, un serment d'amitié éternel. Mais elles sont parfois cruelles, même si elles témoignent d'un désir d'aider plutôt que de nuire. Il y a quelques mois, nous avons découvert une carte ornée de la photo d'une ecchymose, avec ce commentaire : « Je crois que le père d'Untelle la frappe. »

Nous avons immédiatement retiré le message. Et nous avons réglé la question avec l'élève impliquée. En toute discrétion, bien entendu.

Conway fit tourner le stylo en l'air, le rattrapa avec dextérité.

– Bien entendu. En toute discrétion.

– Pourquoi un tableau ? demandai-je. Pourquoi ne pas avoir tout simplement créé un site Internet de votre cru avec un professeur pour le modérer, en spécifiant que tout ce qui pourrait blesser quelqu'un ne serait jamais posté ? N'aurait-ce pas été plus sûr ?

Mlle McKenna me considéra avec soin : manteau de bonne facture mais vieux de deux ans, cheveux convenablement coupés quoiqu'un peu longs. Sans doute se demandait-elle à quel genre d'« expert » elle avait affaire. Elle décroisa les mains, les recroisa. Elle ne se méfiait pas encore de moi, mais se tenait sur ses gardes.

– Nous avons effectivement envisagé cette solution. Plusieurs professeurs y étaient favorables, pour les raisons que vous venez de mentionner. Je m'y suis opposée. En partie parce que cela aurait exclu nos pensionnaires, qui n'ont pas librement accès à Internet. Mais surtout, inspecteur, parce que les adolescentes glissent facilement d'un monde à l'autre. Elles perdent vite le sens des réalités. Je ne crois pas qu'il faille les encourager à utiliser Internet plus que nécessaire, encore moins d'en faire le déversoir de leurs secrets les plus intimes. Je crois que nous devons les enraciner fermement dans le monde réel.

Conway eut une mimique sarcastique. *Ça, le monde réel ?*

La directrice ne releva pas la raillerie. De nouveau ce sourire satisfait.

– Je ne me suis pas trompée. Il n'y a plus eu de sites. En fait, les élèves raffolent des complications du monde réel : la nécessité d'attendre un moment avant d'épingler un message sans être vue, de trouver un prétexte pour filer au troisième étage sans se faire remarquer. Les filles aiment avoir leurs petits secrets. D'un autre côté, elles aiment les révéler. Le tableau offre un parfait équilibre entre les deux.

– Avez-vous déjà essayé de découvrir qui avait déposé un message ? Si une fille avouait « Je me drogue », vous chercheriez certainement à savoir de qui il s'agit. Comment feriez-vous ? Par exemple, le tableau est-il équipé d'une caméra de surveillance ?

– Une caméra de surveillance ?

Elle parut à la fois amusée et surprise, comme si je venais de lui parler en chinois.

– C'est un collège, inspecteur. Pas une prison. Et nos filles n'ont aucun goût pour l'héroïne.

– Combien d'élèves compte votre établissement ?

– Presque deux cent cinquante. De la cinquième à la terminale ; deux classes par année, environ vingt élèves par classe.

– Le tableau existe depuis à peu près cinq mois. Statistiquement, dans ce laps de temps, quelques-unes de vos deux cent cinquante élèves ont forcément vécu des épreuves dont vous auriez souhaité être informée : agression, trouble du comportement alimentaire, dépression.

J'avais raison. Pourtant, j'eus l'impression de tenir des propos scandaleux, de cracher sur le tapis. Je poursuivis quand même :

– Or, ainsi que vous venez de le dire, les adolescentes brûlent de révéler leurs secrets. Et vous m'affirmez que vous n'avez rien trouvé de plus grave que « Le cours de français me saoule » ?

Mlle McKenna baissa les yeux vers ses mains, réfléchit un instant.

– Quand une identification devient indispensable, dit-elle, nous avons nos méthodes. Nous sommes tombés sur une carte où figurait un crayon dessinant un ventre féminin. Le dessin avait été tailladé en plusieurs endroits avec une lame effilée. La légende disait : « J'aimerais l'arracher de mon corps. » Nous devions absolument identifier cette élève. Notre professeur d'arts plastiques a proposé des suggestions basées sur le style du dessin. D'autres professeurs ont émis des hypothèses d'après l'écriture manuscrite de la légende. Le soir même, nous avions un nom.

– Elle se tailladait pour de bon ? murmura Conway.

Infime signe de tête. Oui.

– Le problème a été résolu.

Ni dessin ni écriture manuscrite sur notre carte. La fille qui se tailladait voulait qu'on la découvre. La nôtre, non. En tout cas, elle n'avait pas l'intention de nous faciliter les choses.

Mlle McKenna déclara, cette fois à nous deux :

– Cela prouve que le tableau joue un rôle positif. Même les messages du genre « Je hais Diana » sont utiles. Ils nous permettent de repérer les élèves susceptibles de subir ou d'infliger de mauvais traitements. Ce tableau, inspecteurs, nous ouvre une fenêtre sur la vie intime de nos élèves. Si vous connaissiez les adolescentes, vous comprendriez à quel point c'est inestimable.

– Magnifique, dit Conway, jouant toujours avec le stylo. A-t-on inspecté cet inestimable tableau hier soir, après la fin des cours ?

– Comme chaque jour à la même heure.

– Qui l'a fait hier ?

– Demandez-le aux professeurs. Ils s'attribuent la tâche à tour de rôle.

– Nous n'y manquerons pas. Les filles savent-elles à quel moment on examine le panneau ?

– Elles savent, j'en suis sûre, qu'il est surveillé. Elles voient les professeurs le parcourir. Nous agissons au grand jour. Toutefois, si telle est votre question, nous ne leur avons pas communiqué les horaires précis.

Notre inconnue ignorait donc qu'ils nous permettaient peut-être de la confondre. Elle pensait pouvoir se fondre dans le flot joyeux de filles déboulant dans le couloir.

– Après la fin des cours, des élèves ont-elles regagné le bâtiment principal ? s'enquit Conway.

Silence encore. Puis :

– Vous savez peut-être que l'année de transition, la seconde, comporte de nombreux travaux pratiques : projets collectifs, expériences scientifiques, etc. Souvent, les élèves de seconde doivent, pour leurs devoirs, utiliser les sources de documentation dont dispose le collège : salle d'arts plastiques, ordinateurs.

– Donc, en déduisit Conway, des élèves de seconde étaient ici hier soir. Qui et à quelle heure ?

Les deux femmes se mesurèrent. Cheftaine contre flic. La directrice répondit :

– Votre conclusion me semble un peu hâtive. J'ignore qui, hier soir, se trouvait dans le corps de logis principal. Mlle Arnold, la surveillante générale, détient une clé de la porte reliant l'aile des pensionnaires au bâtiment des classes et note le nom de chaque élève ayant reçu l'autorisation de s'y rendre après les heures de cours. Renseignez-vous auprès d'elle. Je vous dis simplement que, n'importe quel soir, quelques élèves de seconde auraient pu y pénétrer. Inspecteur, votre métier vous pousse à voir le mal partout. Cependant, croyez-moi, on ne peut prêter de sombres desseins à des gamines travaillant à un exposé sur les techniques de communication.

– Nous sommes là pour nous en assurer.

Conway se dressa de toute sa taille, les bras au-dessus de la tête.

– Ce sera tout pour l'instant. Il nous faudra la liste des filles qui ont eu la permission d'accéder au bâtiment central après les cours. Rapidement. Entre-temps, nous allons étudier cet inestimable tableau.

Elle jeta le stylo sur le bureau, comme un caillou dans une mare. Il roula sur le cuir vert, s'immobilisa à cinq centimètres des mains de la directrice. Mlle McKenna ne broncha pas.

Le collège avait retrouvé sa quiétude, ses bruits familiers. Quelque part, des filles chantaient un madrigal : des bribes aux belles harmonies, interrompues et reprises toutes les trois mesures, lorsque le professeur corrigeait une faute. *Now is the month of maying, when merry lads are playing, fa la la la…*

Conway savait où nous allions. Elle m'entraîna au dernier étage, suivit un couloir, passa devant des portes de classe fermées. Au fond, une fenêtre ouverte laissait entrer une brise tiède charriant un parfum de verdure.

– Nous y voilà, dit-elle en s'arrêtant devant une niche.

Le panneau était là : un mètre de haut, deux de large. Il surgissait de la niche et nous frappait en plein visage, tel un flipper aux lumières colorées clignotant toutes à la fois. Chaque centimètre était occupé : photos, dessins et peintures se chevauchaient, se bousculaient au milieu de visages soulignés au marqueur, de légendes gribouillées à la main ou découpées en caractères d'imprimerie.

On lisait au sommet, en grandes lettres noires plus tarabiscotées que le titre d'un roman d'heroic fantasy : L'ENDROIT DES SECRETS.

En dessous, en plus petit et sans fioritures : « Bienvenue dans l'endroit des secrets. N'oubliez pas que le respect des autres est une des valeurs fondamentales du collège. N'abîmez pas et n'enlevez pas les cartes des autres. Celles identifiant qui que ce soit ou contenant des propos insultants ou obscènes seront enlevées. Si l'une d'elles vous pose un problème, parlez-en à votre professeur principal. »

Je dus fermer les yeux avant de discerner, dans ce fouillis, des images nettes. Un labrador noir : «Je voudrais que le chien de mon frère meure pour que je puisse avoir un chiot. » Un index dressé : «ARRÊTE DE TE CURER LE NEZ APRÈS L'EXTINCTION DES FEUX CAR J'ENTENDS TOUT !!! » Un cornet de Cornetto collé avec du Scotch : «C'est à ce moment-là que j'ai su que je t'aimais… Et j'ai si peur que tu le saches aussi. » Un enchevêtrement d'équations découpées et collées les unes sur les autres : «Ma copine me laisse copié parsk je comprends rien. » Le dessin au crayon de couleur d'un bébé béat : «Tout le monde a accusé son frère, mais c'est moi qui ai appris à mon cousin à dire Va te faire f… ! »

— La photo, énonça Conway, était épinglée au-dessus d'une autre, composée de deux moitiés de cartes postales : la Floride en haut, Galway en bas. Elle dit : «Je raconte à tout le monde que c'est mon endroit préféré parce qu'il est cool… En fait, c'est mon endroit préféré parce que personne, là-bas, ne sait que je suis censée être cool. » Comme j'aime Galway moi aussi, je la regarde de temps en temps en passant. C'est pour ça que j'ai remarqué la photo de Chris.

Il me fallut un moment pour piger : la déposition de Holly, mot pour mot, telle que je l'avais rédigée. Devant mon expression sidérée, Conway me lança d'un ton sarcastique :

— Tu me croyais débile ?

— Je ne pensais pas que vous aviez une mémoire d'éléphant.

— On apprend à tout âge.

Elle s'éloigna du tableau pour en avoir une vue d'ensemble.

Grande bouche barbouillée de rouge à lèvres, toutes dents dehors : «Ma mère me déteste parce que je suis grosse. » Ciel bleu sombre, collines verdoyantes, une fenêtre illuminée par le couchant : «Je veux rentrer chez

moi je veux rentrer chez moi je veux rentrer chez moi. »
À l'étage du dessous, la mélodie délicate du madrigal recommençait sans cesse.

– Là, dit Conway.

Elle écarta légèrement la photo d'un homme nettoyant une mouette mazoutée : « Vous pouvez continuer à me dire que je dois devenir avocate, mais moi je ferai ÇA ! » Puis elle pointa son doigt. Moitié Floride, moitié Galway. L'extrémité gauche du tableau, tout en bas.

Elle se rapprocha un peu plus, se pencha.

– Trou de punaise. Ta chérie n'a donc pas fabriqué la carte elle-même.

Si elle avait monté un bobard, Holly n'aurait pas oublié de le percer, ce trou. Je répondis quand même :

– Ça m'en a tout l'air.

Inutile d'y prélever des empreintes. Pour prouver quoi ? Il y en aurait tellement… Conway reprit, citant toujours Holly :

– « Je n'ai pas regardé la carte postale de Galway hier soir, alors que nous nous rendions dans la salle d'arts plastiques. Je ne me rappelle pas quand je l'ai fait pour la dernière fois. La semaine dernière, peut-être. »

– Si les professeurs chargés d'inspecter le panneau ont fait leur boulot, nous pourrons nous limiter aux filles qui se sont trouvées récemment dans le bâtiment après les cours. Sinon…

– Sinon, au milieu d'un tel fatras, une carte pourrait rester accrochée pendant des jours sans que personne ne la remarque. Impossible d'avoir une idée, même approximative, du moment où on l'a épinglée.

Conway laissa la mouette reprendre sa place, recula une nouvelle fois pour contempler le panneau en entier.

– Que McKenna s'extasie tant qu'elle voudra sur sa magnifique soupape de sécurité. Pour moi, c'est un foutoir.

Difficile de la contredire.

– Nous allons être obligés de les inspecter toutes.

Je devinai ce qu'elle avait en tête : à moi de décrocher les cartes, à elle de les passer en revue. Elle était la patronne.

– Le plus rapide, proposa-t-elle, serait de les enlever au fur et à mesure. Ainsi, on n'en manquera aucune.

– On ne pourra jamais les remettre exactement comme elles étaient. Vous tenez à ce que les filles sachent que nous les avons étudiées ?

– Bordel ! Toute l'affaire a été comme ça : se casser le cul à marcher sur des œufs. Mieux vaut les laisser où elles sont. Tu commences par ce côté, je prends l'autre.

Il nous fallut une demi-heure. Pour rester concentrés, nous ne parlions pas. Une seconde de distraction et il nous aurait fallu tout reprendre depuis le début. De quoi devenir chèvres.

Nous avons bien travaillé, sans hâte, au même rythme. Les points de vue divergents de Conway et McKenna se rejoignaient sur un point : nous étions bien loin de ma bonne vieille école prolo. Une fille chapardait dans les magasins. Boîte de mascara : « Je l'ai volée, je demande pardon. » Une deuxième avait des envies de meurtre. Photo d'un paquet de laxatifs : « J'aimerais mettre ça dans ta tisane pourrie. » Certains messages étaient attendrissants. Un enfant ravi serrait un ours en peluche mordillé des milliers de fois : « Mon ourson me manque !! Mais ce sourire me console. » Nœud de six rubans de différentes couleurs aux extrémités scellées à la carte avec de la cire creusée par des empreintes de pouce : « Amies pour toujours. » Certaines étaient de véritables œuvres d'art, notamment celle qui représentait, découpé au ciseau comme de la dentelle, ce qui avait dû prendre des heures, l'encadrement d'une fenêtre pleine de flocons de neige. Derrière ce rideau, une fille au visage flou hurlait : « Tout le monde croit connaître ma vérité ! »

Rien de grave : des filles qui s'ennuyaient, appelaient au secours. Au fur et à mesure de notre inspection, Conway et moi nous étions rapprochés. J'aurais pu sentir son parfum, si elle en avait eu. Je ne respirai que l'odeur de son savon.

– À votre avis, lui demandai-je, qu'y a-t-il de vrai, là-dedans ?

– La majeure partie. Pourquoi ?

– Vous m'avez assuré qu'elles mentaient toutes.

– Oui, elles mentent. Elles le font pour se tirer d'affaire, attirer l'attention ou paraître sûres d'elles-mêmes. Mais si elles s'expriment de façon anonyme, comme ici, elles se livrent en toute innocence. Toutefois, certaines légendes sont de purs fantasmes. Comme celle-là.

Elle tapota la photo d'un des héros de *Twilight*. «Je l'ai rencontré pendant les vacances. On s'est embrassés, c'était dément, on doit se revoir l'année prochaine. »

– D'autres messages, poursuivit-elle, sont codés. Ils contiennent des allusions qui permettent aux autres filles de savoir qui les a écrits. Les plus perfides sont des attaques en règle, que seules les élèves peuvent comprendre.

Le professeur de chant avait réussi. Le madrigal s'éleva jusqu'à nous, pur, sans une fausse note. *The spring, clad all in gladness, doth laugh at winter's sadness, fa la la la la…*

– En dépit de la surveillance ?

– Les profs peuvent scruter le tableau tant qu'ils veulent. Ils ignorent ce qu'ils doivent chercher. Les filles sont finaudes. Si elles veulent déclencher une guerre, elles emploient des ruses que les adultes ne devineront jamais. Une copine te révèle un secret ? Tu le dévoiles ici. Tu as une fille dans le nez ? Tu fabriques un faux message et tu fais croire qu'il vient d'elle. Celui-là, par exemple…

Conway m'indiqua la bouche barbouillée de rouge à lèvres.

– Tu prends en douce un cliché de la maman dont une fille garde le portrait sur son casier. Et c'est parti. Tu peux la martyriser en lui répétant à longueur de journée que sa mère la prend pour une truie et la méprise. Le coup sera encore plus grandiose si tout le monde reconnaît la photo et croit que la malheureuse raconte sa vie.

– Charmant, murmurai-je.

– Je t'avais prévenu.

Fie, then, why sit we musing, youth's delight refusing, fa la la la la…

– Et notre carte ? Bidon, ou pas ?

Je me posais la question depuis le début, sans oser l'aborder. Je refusais d'imaginer que l'affaire pourrait se terminer en deux heures par l'exclusion d'une mouflette en larmes et mon retour aux Affaires classées avec une petite tape sur la tête.

– Cinquante, cinquante, répondit Conway. Si une gamine a voulu provoquer des dégâts, c'est bien joué. Pourtant, nous devons prendre le message pour argent comptant. Tu as fini ? La cloche va sonner d'un moment à l'autre et on va être étouffés par des dizaines de collégiennes.

– J'ai terminé.

Resté trop longtemps debout, j'avais mal aux pieds.

Deux cartes méritaient d'être prélevées. La photo d'une main sous l'eau, livide et floue : « Je sais ce que tu as fait. » La seconde d'une parcelle de terre nue sous un cyprès, rageusement marquée d'une croix au stylo à bille. Pas de légende.

Conway les glissa dans deux sachets d'indices sortis de sa serviette, où elle les rangea.

– Nous interrogerons quiconque a, hier, inspecté le tableau. Ensuite, nous nous procurerons la liste des élèves qui se trouvaient là. Et on va les tanner. Cette liste, on a intérêt à nous la filer vite fait. Sinon, ça va cogner.

Nous sommes partis. Devant nous, le couloir désert s'étirait à l'infini. Je crus entendre, couvrant le brouhaha des classes et les trémolos des *fa la la la la*, le tableau déverser derrière nous ses plaintes et ses cris.

6

Derrière le Court s'étend un terrain vague surnommé par dérision, en raison de ce qui s'y déroule, « le pré des soupirs » ou, tout simplement, « le Pré ». Là devait s'élever une extension du Court qui aurait abrité un magasin de fringues Abercrombie & Fitch. Mais la récession est arrivée. Clôturé de barbelés, le Pré est donc resté en l'état, couvert de mauvaises herbes et zébré, comme par des cicatrices, de parcelles de terre aux endroits où les bulldozers avaient commencé les travaux. Seuls vestiges de ce projet abandonné : des tas de parpaings menaçant de s'effondrer à force d'être escaladés et les restes rouillés d'une mystérieuse machine. Un des barbelés a été fixé de façon trop lâche à son poteau. Il suffit de le soulever pour se faufiler dans le terrain vague si l'on n'est pas trop gros ; les obèses, de toute façon, n'ont rien à y faire.

Le Pré est la cour des miracles du Court, le havre où l'on peut se livrer à tout ce qui est prohibé dans le supermarché. Les garçons de Colm et les filles de Sainte-Kilda contournent le bâtiment en sifflotant d'un air innocent puis se glissent entre les herbes folles au milieu d'autres ados, comme ces gus en noir qui font brailler les Death Cab for Cutie sur leur iPod. Si tu as acheté une bouteille de vodka à l'épicier du coin en bluffant sur ton âge ou chouravé un paquet de clopes à papa, si tu as des joints ou des pilules barbotées à maman, tu les apportes.

L'herbe est tellement haute que personne ne te verra depuis la clôture si tu t'assieds ou t'allonges, ce qui est toujours le cas.

La nuit, il s'en passe de belles. Certains après-midi, on y découvre des préservatifs usagés, des seringues éparpillées. Un jour, des jeunes sont tombés sur une longue traînée de sang sur la terre nue, à côté d'un couteau. Ils n'ont rien dit. Le lendemain, le couteau s'était envolé.

Fin octobre ; un après-midi radieux, embellie miraculeuse entre d'interminables jours de pluie. Le Pré s'est à nouveau peuplé. Par l'intermédiaire d'un grand frère, des élèves de seconde de Colm se sont procuré des bouteilles de cidre et un max de sèches. La nouvelle s'est vite répandue. Une vingtaine d'ados sont à présent perchés sur les blocs de parpaings ou affalés au milieu des fleurs sauvages, au soleil.

La boutique MAC du Court lançant une nouvelle gamme de cosmétiques, toutes les filles se sont outrageusement maquillées. Figeant leur sourire pour ne pas faire craquer leur fard, elles ressemblent à des princesses hautaines, inaccessibles. Près d'elles, les garçons ont l'air de nourrissons. Pour compenser leur aspect juvénile et glabre, ils parlent fort, se traitent d'homos plus souvent qu'à leur tour. Certains balancent des cailloux sur la tronche hilare qui, dessinée à la bombe, tire la langue sur le mur du fond du Court, hurlant et donnant des coups de poings dans le vide chaque fois que l'un d'eux atteint sa cible. D'autres se bousculent sur la machine rouillée. Pour bien leur signifier qu'elles ne les regardent pas, les filles prennent avec leur téléphone des clichés du nouveau look de leurs copines. Juchées sur une pile de parpaings, les Daleks font la gueule. Julia, Holly, Selena et Becca se cachent dans l'herbe.

Derrière elles, son T-shirt bleu contre le bleu du ciel, bras tendus, en équilibre sur un autre amoncellement de parpaings, Chris Harper cherche à s'attirer les bonnes grâces d'Aileen Russell en riant de ce qu'elle vient de dire. Il se trouve à deux mètres de Holly et de Selena qui s'enlacent en avançant leurs lèvres pourpres, comme si elles allaient se rouler un patin. Faussement choquée, Becca arrondit sa bouche rouge vif et ses yeux aux cils alourdis par son nouveau mascara tandis que Julia prend la photo.

– Oh oui, sexy ! J'en veux plus ! s'exclame Chris.

Elles ne lui prêtent aucune attention. Même si elles ont perçu sa présence, sa gaieté, son énergie, elles seraient bien incapables de l'appeler par son nom. Il lui reste six mois, trois semaines et un jour à vivre.

James Gillen se glisse près de Julia, lui tend une bouteille de cidre.

– Un p'tit coup ?

C'est un jeunot aux cheveux sombres coiffés en arrière. Le pli ironique de sa bouche te met sur la défensive. Il a toujours l'air de se foutre de toi. Des tas de filles l'ont dans la peau. Caroline O'Dowd en est tellement mordue qu'elle a acheté son déodorant Lynx Excite et s'en asperge une mèche chaque matin pour pouvoir respirer son odeur. Il faut la voir renifler ses cheveux en cours de maths, la lippe pendante, comme si elle avait le QI d'une pintade.

– Salut, dit Julia. Que me vaut l'honneur ?

Il tapote son téléphone.

– T'es canon. T'as pas besoin d'une photo pour le savoir.

– Sans déconner, Sherlock. J'ai pas besoin de toi non plus.

Il répond sans se démonter, lorgnant ses nibards :

– Je bécoterais bien ces deux-là.

Il s'attend à ce qu'elle pique un fard puis soulève son sweat, ou pousse un cri outragé. Dans les deux cas, il aurait gagné. Becca en rougit pour elle. Mais Julia ne se laisse pas impressionner.

– Crois-moi, Ducon. Y en a trop pour toi.

– Ils sont pas si gros.

– Tes mains non plus. Et tu sais ce qu'on dit sur les mecs aux petites mains.

Holly et Selena gloussent. James s'écrie :

– Putain ! T'es plutôt précoce, toi.

– C'est mieux que d'être une sainte-nitouche, morveux.

Julia ferme son téléphone et le fourre dans sa poche, prête à ce qui va suivre.

– T'es vraiment obscène, lui dit Joanne depuis son bloc de parpaings, en fronçant joliment le nez. J'arrive pas à croire qu'elle puisse débiter des insanités pareilles, ajoute-t-elle à l'intention de James.

Ce n'est pas son jour de chance. James n'a d'yeux que pour Julia, pas pour elle, du moins aujourd'hui. Il tend à Julia la bouteille de cidre.

– Alors, t'en veux ?

Julia savoure son triomphe. Elle décoche à Joanne, par-dessus l'épaule de James, un sourire exquis.

– Volontiers, répond-elle en saisissant la bouteille.

Elle n'aime pas James Gillen. Mais ici, au Pré, ça n'est pas le sujet. Au Court, ce que guette une fille, c'est le coup de foudre, l'amour avec un grand A, le prince charmant avec qui elle partagera tous ses secrets et qui lui confiera les siens, le garçon délicat qui posera un baiser sur ses cheveux et, les doigts mêlés aux siens, la bercera au son de son air favori. Au Pré, ce qu'on attend n'a rien à voir avec l'amour. C'est une révélation d'un autre ordre, beaucoup plus brutale, un éblouissement des sens, une ivresse qui, au milieu de la fumée, de l'alcool et des chansons beuglées plein pot, te fera perdre la tête. Tout le monde affirme que Leanne Naylor n'est pas revenue au collège au début de la première parce qu'elle s'est fait mettre en cloque au Pré sans même savoir par qui.

Donc, que Julia n'aime pas James Gillen importe peu. Ce qui compte pour elle, c'est le retroussis de ses lèvres, la barbe naissante sur ses joues ; et le frisson qui court le long de son poignet lorsque leurs doigts se touchent autour de la bouteille. Elle soutient son regard. Du bout de la langue, elle lèche une goutte de cidre sur le goulot, lui sourit.

– On y a droit nous aussi ? s'enquiert Holly.

Sans se retourner, Julia lui passe la bouteille. Holly en boit une gorgée avant de la proposer à Selena.

– Tu veux une taf ? demande James à Julia.

– Pourquoi pas ?

– Merde, dit-il sans prendre la peine de tapoter sa poche. J'ai dû laisser tomber mon paquet par là-bas.

Il se lève, lui tend la main.

– Je vais t'aider à le retrouver, répond-elle après une brève hésitation, pour la forme.

Elle attrape sa main, le laisse l'aider à se redresser. Elle arrache la bouteille à Becca, profite de ce qu'elle tourne le dos à James pour cligner de l'œil. Puis ils s'enfoncent, côte à côte, dans les hautes herbes.

Il ne reste que la lumière du soleil, où ils ont disparu. Prise de panique, Becca leur crie presque de revenir, avant qu'il ne soit trop tard. Holly ricane :

– James Gillen. J'hallucine.

– Si elle sort avec lui, murmure Becca, on ne la reverra jamais. Comme Marian Maher : elle ne parle plus à ses copines et passe son temps à envoyer des textos à son chéri.

– Elle ne va pas sortir avec lui, réplique Holly. Avec James Gillen ? Tu rigoles.

– Mais quoi ? Quoi, alors ?

Holly hausse les épaules. Trop compliqué à expliquer.

– T'inquiète. Ils vont se peloter, c'est tout.

– Moi, je ferai jamais ça. Pas avec un type pour qui je n'éprouverais rien.

Silence. Un cri puis un éclat de rire, quelque part au fond du pré. Une fille de première poursuit un type qui agite ses lunettes de soleil au-dessus de sa tête. Un hurlement de victoire : un gus vient d'envoyer son caillou entre les yeux de la tronche peinte à la bombe.

– Parfois, déclare Holly, je rêve que tout redevient comme il y a cinquante ans. Personne ne faisait l'amour avant le mariage ; et embrasser un type, c'était déjà du sérieux.

Allongée, sa veste lui servant d'oreiller, Selena parcourt ses photos.

– Et si tu t'envoyais en l'air, ou même si tu te comportais comme si tu en avais l'intention, on t'enfermait dans un couvent de la Madeleine jusqu'à la fin de tes jours.

– Je ne prétends pas que c'était un monde parfait. Je dis simplement que chacun savait que ça arriverait le moment voulu. On n'y pensait pas toute la journée.

D'ordinaire, Becca adore le cidre. Cette fois, pourtant, elle a un goût de pomme éventée dans la bouche.

– Alors, décide de ne jamais baiser avant ton mariage. À ce moment-là, tu sauras ce que c'est. Pas besoin de gamberger avant.

– Bien parlé, approuve Selena. On a le choix. Tu veux aller avec un mec, tu y vas. Tu veux pas, t'y vas pas.

– Ouais, répond Holly, pas convaincue. Mais si t'y vas pas, on te traite de frigide.

– Je suis pas frigide, proteste Becca.

– Je sais bien, rétorque Holly en effeuillant une fleur de séneçon. Mais pourquoi le faire parce qu'on ricane si tu refuses alors que tout est permis ? Autrefois, on s'abstenait parce qu'on pensait que c'était un péché. Je ne crois pas que c'en soit un. Simplement, j'aimerais… Laisse tomber, conclut-elle après un silence, en arrachant le dernier pétale. Ce crétin de James Gillen aurait pu nous laisser le cidre. Ça m'étonnerait que Julia et lui le boivent.

Selena et Becca restent muettes.

– Chiche ! braille Aileen Russell derrière elles. T'es pas cap !

Sa voix se fond dans le soleil. Becca jurerait avoir senti l'odeur du Lynx Sperminator, ou quel que soit le nom qu'on lui donne.

– Salut, chuchote une voix tout près d'elle.

Elle pivote.

Le gamin boutonneux vient de surgir des herbes. Il a besoin d'une coupe de cheveux et semble avoir onze ans, tout comme elle. Il doit être en quatrième, peut-être même en cinquième. Ça la rassure. Il n'est sans doute pas en quête d'une séance de tripotage. Peut-être va-t-il lui proposer d'aller rejoindre ses potes pour jeter des cailloux sur la tronche peinte à la bombe ?

– Salut, répète-t-il.

– Salut, répond Becca.

– Ton père était cambrioleur ?

– Pourquoi ?

Il articule très vite :

– Sinon, qui a volé les deux étoiles qui brillent dans tes yeux ?

Il lui jette un regard plein d'espoir. Elle le fixe à son tour, ne sachant quoi répondre. Le gamin prend ce silence pour un encouragement. Il se faufile plus près, cherche sa main au milieu des herbes.

Elle la retire et dit :

– Ça a déjà marché pour toi, ce baratin à la con ?

Vexé, il bafouille :

– Ça marche pour mon frère.

Elle a compris. Il croit qu'elle est, ici, l'unique fille assez complexée pour se laisser embrasser, la seule à sa portée. Elle a envie de marcher sur les mains ou de le provoquer à la course, de lui prouver qu'elle est plus rapide que lui, qu'elle a un corps de gymnaste capable de faire la roue ou un saut périlleux, d'escalader n'importe quel mur. Hélas, en cet instant précis, une seule chose compte : elle est plate comme une planche. Inutile de parler de ses jambes : des allumettes.

Tout à coup, le gamin boutonneux se penche vers ses lèvres. Elle se détourne juste à temps, lui met des cheveux plein la bouche.

– Non !

Il recule, déconfit.

– Mais pourquoi ?

– Parce que.

– Excuse, bégaye-t-il.

– À mon avis, ton frère s'est payé ta tête, lui dit gentiment Holly. Je crois pas qu'un truc aussi débile puisse marcher avec qui que ce soit. C'est pas ta faute.

– Possible, bafouille le gosse, devenu cramoisi.

Il reste là, pétrifié à l'idée de regagner, tête basse, le groupe de ses copains. Becca voudrait rentrer sous terre comme une taupe affolée, se couvrir de mauvaises herbes jusqu'à ce qu'il s'en aille.

– Tiens, dit Selena en tendant son téléphone au gamin. Prends-nous en photo. Ensuite, tu pourras aller retrouver tes amis. Tu auras simplement l'air de nous avoir rendu service.

– D'accord, s'empresse-t-il de répondre, éperdu de gratitude.

– Bec, ordonne Selena en tendant le bras. Viens-là.

Becca hésite, puis se rapproche. Lenie la prend par la taille, Holly se presse contre son épaule. Elle sent la chaleur de leur peau à travers leur sweat et leur capuche, la respire avec avidité.

Le gamin boutonneux se met à genoux.

– Cheese ! clame-t-il, beaucoup plus gai que tout à l'heure.

– Minute, interrompt Becca.

Elle passe le dos de sa main sur sa bouche et trace sur son visage, d'une joue à l'autre, une peinture de guerre.

– Voilà. Cheese !

Elle entend le *clic* articiel du faux déclencheur de l'appareil photo tandis que le gamin presse le bouton. Derrière lui et les filles, Chris Harper hurle :

– Je plonge !

Aileen Russell pousse un cri strident au moment où il se dresse sur les parpaings, s'élance avant de faire un flip-flap. Il atterrit sur les mains, chancelle, roule, s'affale sur le dos. Et il reste là, dans le vert et l'or qui vibrent autour de lui, face au bleu immaculé du ciel, riant à en perdre le souffle.

7

Cette fois, lors du changement de classe, les collégiennes ne se dispersèrent pas dans les couloirs, ne dévalèrent pas les marches. Elles se serrèrent par petits groupes contre les murs, se détournant et murmurant sur notre passage. Notre présence avait été signalée ; on s'était passé le mot.

Nous sommes descendus jusqu'à la salle des professeurs, où les enseignants déjeunaient sur le pouce. Belle salle : décor pimpant pour égayer l'atmosphère, machine à café, posters de Matisse. La prof d'éducation physique avait été chargée, la veille, du panneau des secrets. Elle jura qu'elle l'avait examiné avec soin après les cours. Elle avait noté deux nouvelles cartes, le labrador noir et celle d'une fille annonçant qu'elle économisait son argent de poche pour se faire refaire les seins. Maigre moisson, dit-elle. Rien de plus normal. Après l'installation du panneau, cela avait été la folie : des dizaines de messages par jour. Ensuite, la frénésie était retombée. S'il y avait eu une troisième nouvelle carte, elle l'aurait remarquée.

Nous avons quitté la salle sous les regards intrigués des élèves. À mesure que nous remontions l'escalier, les commentaires baissaient d'intensité puis s'estompaient, après des « Chut » propagés d'un groupe à l'autre.

– Bonne nouvelle, déclara Conway, insensible à cette curiosité. Cela devrait restreindre notre champ d'investigation.

– Elle aurait pu l'accrocher elle-même, suggérai-je.

Conway grimpa les marches quatre à quatre, vers le bureau de Mlle McKenna.

– La prof de gym ? Aucune chance, à moins d'être idiote. Pourquoi se mettre elle-même sur la liste ? Il lui aurait suffi de l'épingler un jour où elle n'était pas de corvée, pour que quelqu'un d'autre la découvre sans pouvoir remonter jusqu'à elle. Donc, elle est hors de cause. Du moins pour l'instant.

La secrétaire bouclée de McKenna avait préparé la liste à notre intention, dactylographiée et imprimée. Elle me la tendit avec un sourire : Orla Burgess, Gemma Harding, Joanne Heffernan, Alison Muldoon : autorisées à passer la première étude du soir dans la salle d'arts plastiques (18 heures à 19 h 15). Julia Harte, Holly Mackey, Rebecca O'Mara, Selena Wynne : autorisées à passer la seconde étude du soir dans la classe d'arts plastiques (19 h 45 à 21 heures).

– Parfait, dit Conway en me l'arrachant des mains et en s'adossant au bureau de la secrétaire pour l'étudier de près. Je vais devoir les interroger toutes les huit, séparément. Je veux qu'on les retire de leur classe sur-le-champ et qu'on ne les lâche pas d'une semelle jusqu'à ce que j'aie terminé.

Pas question de leur laisser le temps d'inventer des bobards ou de dissimuler des preuves, à supposer qu'elles ne l'aient pas déjà fait.

– Les entretiens auront lieu dans la salle d'arts plastiques, en présence d'une enseignante. Mettons Houlihan, la prof de français.

La salle était disponible et Houlihan nous rejoindrait le plus rapidement possible, dès qu'elle aurait trouvé une remplaçante pour poursuivre son cours. Mlle McKenna avait donné des ordres : se plier à toutes les exigences des flics.

Nous n'avions nul besoin de Houlihan. Si l'on veut cuisiner un suspect mineur, on doit le faire en présence d'un adulte agréé. Pour un témoin du même âge, l'enquêteur a toute liberté. S'il tient à lui parler seul à seul, c'est son droit. Un gosse lui confiera peut-être des secrets qu'il n'aurait jamais révélés devant sa mère, ou un professeur.

Si, néanmoins, on insiste pour l'interroger en présence d'un adulte, c'est qu'on a ses raisons. J'avais demandé à l'assistante sociale d'assister à la déposition de Holly parce que j'étais seul face à une adolescente, et à cause de son père. En réclamant la présence de Houlihan, Conway avait elle aussi ses raisons. Et elle avait choisi la salle d'arts plastiques pour un motif bien précis.

– Ça, dit-elle devant la porte, en désignant, de l'autre côté du couloir, l'endroit des secrets. Lorsque la fille que nous aurons convoquée passera devant le panneau, elle le regardera.

– À moins d'avoir une grande maîtrise de soi.

– Si elle avait autant de sang-froid, elle n'aurait pas épinglé la carte.

– Elle en a eu assez pour attendre un an.

– Sûr. Mais elle a craqué.

Inondée de soleil, la salle était propre comme un sou neuf. Tableau noir impeccable, longues tables vertes sans un grain de poussière. Éviers étincelants, deux tours de potier. Chevalets, cadres de bois empilés dans un coin. Odeur de peinture et de craie. Au fond, deux grandes fenêtres donnaient sur la pelouse et le parc. Il faisait chaud.

Conway avait certainement connu une classe de ce genre. Avec des gestes vifs, elle disposa trois chaises en cercle au milieu de l'allée centrale, extirpa des pastels d'un tiroir, les répandit sur les tables. Depuis la porte, j'assistai à son manège. Elle précisa, comme si je l'avais questionnée :

– La dernière fois, j'ai foiré. Nous avons procédé aux interrogatoires dans le bureau de McKenna, avec elle comme adulte agréé. Nous étions trois assis derrière son bureau, raides comme la justice face aux gamines terrorisées.

Elle vérifia la disposition des chaises dans l'allée, fit deux pas vers le tableau noir, dénicha un bâton de craie jaune, gribouilla n'importe quoi sur l'ardoise.

– C'était l'idée de Costello. « Rendons la scène solennelle, comme si les filles étaient accusées de vol, ou même pire. Foutons-leur les jetons. » Ça paraissait sensé. « Des mômes habituées à obéir. Si on les terrifie, elles cracheront le morceau. »

Elle jeta le bâton sur le bureau de la prof, effaça ses gribouillis sur le tableau, y laissant des traces s'étirant dans tous les sens. De la poussière de craie voleta autour d'elle, dans le soleil.

– Dès le début, j'ai su qu'il faisait fausse route. J'étais là, le cul serré, assistant à notre échec. Mais tout a été si vite que je n'ai pas pu intervenir. Même si je dirigeais officiellement l'enquête, il m'était impossible de le contredire.

Elle arracha des feuilles d'une rame de papier blanc, les froissa avant de les lancer au hasard dans la pièce.

– Dans cette salle, les filles se sentent chez elles, choyées, rassurées. Elles n'auront aucune raison de se méfier, surtout en présence de cette pauvre Houlihan qui n'a aucune autorité et à qui elles n'arrêtent pas de demander le mot français pour *testicle*, histoire de la faire bisquer. Ce n'est pas elle qui les effraiera.

Elle tenta d'ouvrir une fenêtre, qui résista, tira violemment les deux battants. Un peu d'air frais, charriant un parfum d'herbe tondue, pénétra dans la pièce.

– Cette fois, martela Conway, j'agirai selon mes méthodes.

Je sautai sur l'occasion.

– Si vous les voulez détendue, laissez-moi les interroger.

Elle pressa ses reins contre le rebord de la fenêtre, mâchonna ses joues en me jaugeant de la tête aux pieds. Derrière elle, des exclamations étouffées montaient du terrain de sport.

– D'accord. Tu parles. Si j'ouvre la bouche, tu la boucles jusqu'à ce que j'aie fini. Si je te demande de fermer la fenêtre, cela signifiera que tu es hors jeu. J'embraye et tu ne dis plus un mot jusqu'à ce que je t'ordonne de reprendre. Pigé ?

Je ne me fis pas prier. Enfin, je tenais ma chance.

– Pigé.

– Je veux qu'elles racontent ce qu'elles ont fait hier soir. Ensuite, qu'elles soient frappées par la carte jaillissant comme un diable de sa boîte, pour que nous constations leur réaction. Si elles répondent : « C'était pas moi », je veux savoir qui, à leur avis, l'a épinglée. Tu peux faire ça ?

– En les ménageant, oui.

– Bon Dieu, gémit-elle comme si elle n'en croyait pas ses oreilles. Tu vas te mettre à plat ventre pour leur lécher les pieds ?

– Si je leur fourre la carte sous le nez, ça fera immédiatement le tour du collège.

– Tu crois que je ne le sais pas ? C'est précisément ce que je recherche !

– Vous n'avez pas peur ?

– Que notre tueur s'affole et s'en prenne à celle qui a écrit le message ?

– Oui.

Elle tapota le bas du store, qui frémit.

– Je veux qu'il se passe quelque chose. Et ça, ça va faire du grabuge.

Elle s'écarta du rebord de la fenêtre, remonta l'allée centrale vers les trois chaises, en retourna une, la plaça face à une table.

– Tu t'inquiètes pour la fille qui a accroché la carte ? Trouve-la avant que quelqu'un d'autre ne le fasse.

Un coup discret. Apeuré, le museau de lapine de Houlihan se profila dans l'entrebâillement de la porte.

– Inspecteurs, zézaya-t-elle, vous désiriez me voir ?

Joanne Heffernan et ses copines avaient été les premières à tourner autour du panneau des secrets. Nous avons donc commencé par elles. Orla Burgess fut convoquée la première.

– Ne pas avoir la priorité va mettre Joanne dans tous ses états, dit Conway, une fois Houlihan partie chercher Orla. Sa fureur la rendra moins coriace. Quant à sa boniche, elle a autant de cervelle qu'un chien écrasé. Bien secouée, elle se mettra à table. Quoi ? Qu'est-ce qu'il y a ?

Ma mimique narquoise ne lui avait pas échappé.

– Je croyais que, cette fois, nous agirions en douceur. Sans intimidation.

Elle ne put s'empêcher de sourire.

– D'accord, je suis une teigne. Tu devrais être content. Si j'avais été une crème, je n'aurais pas eu besoin de toi.

– Je ne me plains pas.

– T'as intérêt. Sinon, je suis sûre qu'il existe une affaire non résolue des années soixante-dix où tes méthodes de bisounours feront merveille. Tu tiens à mener l'interrogatoire, alors assieds-toi. Je vais observer Orla quand elle arrivera, voir si elle cherche sa carte.

Je m'installai dans l'allée, sur une des chaises, fonctionnelle mais jolie. Conway alla jusqu'à la porte.

Pas nerveux dans le couloir. Orla entra en se tortillant, essayant de ne pas glousser. Petite, hanches lourdes, pas de cou, nez épais. Pas belle, mais s'efforçant de le paraître. Cheveux blonds défrisés, bronzage artificiel. Elle avait fait quelque chose à ses sourcils.

Derrière elle, d'un bref signe de tête, Conway m'annonça qu'elle n'avait pas consulté subrepticement le panneau des secrets. Puis, à Houlihan :

– Merci de votre coopération. Pourquoi n'iriez-vous pas vous asseoir là-bas ?

Sans lui laisser le temps de proférer un son, elle l'entraîna vers le fond de la pièce et la tassa sur une chaise isolée dans un coin.

Je pris aussitôt la parole.

– Orla, je suis l'inspecteur Stephen Moran.

Cette fois, la fille gloussa, comme si je venais de prononcer une phrase du plus haut comique. Je lui indiquai la chaise opposée à la mienne.

– Assieds-toi.

Conway s'appuya contre une table, près de mon épaule, mais un peu en retrait. D'habitude, elle impressionne. Pourtant, Orla sembla ne pas la reconnaître. Elle s'assit, tira sa jupe sur ses genoux.

– C'est encore à propos de Chris Harper ? C'est pas vrai, vous avez découvert qui… ? Qui l'a… ?

Voix nasillarde, haut perchée, à la limite du couinement. Et cet accent d'aujourd'hui, comme une mauvaise actrice imitant les intonations américaines.

– Pourquoi ? Aurais-tu quelque chose à nous dire sur lui ?

Elle bondit presque de sa chaise.

– Non ! Bien sûr que non !

– Parce que si tu as un nouvel élément à nous révéler, c'est le moment. Tu t'en rends compte ?

– Oui. Si je savais quelque chose, je vous le dirais. Mais je sais rien. Sur la tête de ma mère.

Rictus mécanique, involontaire, chargé d'espoir et de crainte.

Quand on veut apprivoiser un témoin, on cherche à deviner ce qu'il souhaite. Ensuite, on le lui donne à la pelle. À ce jeu-là, je suis bon.

Orla voulait qu'on l'apprécie, qu'on s'intéresse à elle. Elle ressemblait à toutes les filles avec qui j'avais grandi, à des millions d'années-lumière d'ici. Même médiocrité, même mesquinerie, avec, comme seules différences, son faux accent et, grâce au pognon de papa, des dents en meilleur état. Elle n'avait rien de spécial. Rien.

Séduit par l'atmosphère du collège, les plafonds gigantesques, le parc sous le soleil, les jacinthes qui embaumaient, je m'étais naïvement fait une haute idée des élèves de Sainte-Kilda. Cette gourde minaudant devant moi me réfrigéra. Je sentis que Conway l'avait deviné. J'évitai de la regarder, pour ne pas affronter son sarcasme.

Je me penchai vers Orla.

– Pas de souci, murmurai-je, plein de sollicitude. J'espérais, c'est tout. Au cas où. Tu comprends ?

J'accentuai mon sourire, jusqu'à ce qu'elle me sourie à son tour.

– Oui.

Sa gratitude me fit de la peine. Quelqu'un, sans doute Joanne, s'en servait comme souffre-douleur, passait ses rages sur elle.

– Nous n'avons que quelques questions à te poser. Simple routine. Rien de grave. Tu pourrais nous répondre ? Me donner un coup de main ?

– OK. Bien sûr.

Elle souriait toujours. D'un mouvement souple, Conway se hissa sur le coin de la table, sortit son calepin.

– Tu es une perle, repris-je. Parlons donc un peu d'hier soir. Lors de la première étude, tu étais dans la salle d'arts plastiques ?

Tout à coup sur la défensive, Orla regarda furtivement Houlihan.

– On avait l'autorisation.

Sa seule crainte au sujet de la veille au soir : être punie.

– Je sais. Comment avez-vous obtenu cette autorisation ?

– On l'a demandée à Mlle Arnold, la surveillante générale.

– Qui ? Et quand ?

Pupille terne.

– C'était pas moi.

– Qui a eu l'idée de venir passer l'heure d'étude ici ?

Prunelle glauque.

– C'était pas moi non plus.

Je la crus. De toute évidence, aucune idée ne venait jamais d'elle.

– Pas de problème. Raconte-moi. L'une d'entre vous s'est fait remettre la clé de la porte communicante par Mlle Arnold.

– Moi. Juste avant le début de l'étude. Et on est montées ici. Moi, Joanne, Gemma et Alison.

– Ensuite ?

– On a travaillé sur le projet. On doit mélanger l'art et un autre sujet. Le nôtre, c'est l'art et l'informatique. Il est là-bas.

Elle désigna, calé dans un coin, le portrait d'une femme haut d'un mètre cinquante, un préraphaélite que j'avais déjà vu quelque part, sans me rappeler où. Il était à demi terminé. La première moitié se composait de petits carrés de papier glacé ; l'autre était encore une grille vide, avec un code minuscule dans chaque carré pour indiquer aux élèves quelle couleur y appliquer. Le collage avait rendu torves les yeux rêveurs de la femme, la transformant en folle furieuse.

– C'est pour montrer, euh, comment les gens se voient différemment à cause des médias et d'Internet.

111

Ou un truc comme ça ; c'était pas mon idée. On a divisé le tableau en carrés sur l'ordinateur. Maintenant, on découpe des photos dans des magazines pour les coller sur les carrés. Ça prend des plombes. Voilà pourquoi on a été obligées d'y travailler le soir. Ensuite, à la fin de la première étude, on est retournées dans l'aile des internes et j'ai rendu la clé à Mlle Arnold.

– L'une d'entre vous a-t-elle quitté la salle pendant que vous y étiez ?

La bouche béante, Orla essaya de se souvenir.

– Je suis allée aux toilettes, déclara-t-elle enfin. Et Joanne aussi. Et Gemma est sortie dans le couloir pour téléphoner à quelqu'un à qui elle voulait parler. En privé…

Ricanement : un garçon.

– Alison est elle aussi allée passer un coup de fil. Mais à sa mère.

Elles étaient donc toutes sorties.

– Dans quel ordre ?

Vide abyssal.

– Pardon ?

– Qui est sortie la première ? Tu t'en souviens ?

Bouche béante encore une fois. Gros effort.

– Peut-être Gemma ? Ensuite moi, puis Alison, et enfin Joanne. Peut-être, j'en suis pas sûre.

Conway remua. Je me tus, mais elle ne prit pas ma suite. Elle se contenta d'exhumer de sa poche un cliché de la carte postale, me la tendit. Elle se rassit sur la table, le pied sur le dossier d'une chaise, retourna à son calepin.

Je fis jouer la photo entre mes doigts.

– En venant ici, tu es passée devant l'endroit des secrets. Tu l'as de nouveau longé sur le chemin des toilettes, à l'aller et au retour. Et encore une fois lorsque vous êtes toutes parties à la fin de l'heure d'étude. Exact ?

– C'est ça.

À peine un regard à la photo. Pas la moindre connexion.

– Tu t'es arrêtée pour y jeter un œil, une de ces trois fois ?

– Oui. En revenant des toilettes. Juste pour voir s'il y avait quelque chose de nouveau. J'ai touché à rien.

– Et il y avait quelque chose de nouveau ?

– Euh, non. Rien.

Le labrador et le message sur les seins refaits, selon la prof de gym. Si Orla ne les avait pas remarqués, elle aurait pu en manquer d'autres.

– Et toi ? As-tu déjà épinglé des cartes sur le tableau ? Elle eut une moue de sainte-nitouche.

– Possible.

Je lui décochai mon plus beau sourire.

– Je sais que c'est privé. Je ne te demande pas de détails. Dis-moi simplement : c'était quand, la dernière fois ?

– Disons il y a un mois.

– Donc, ce n'était pas celle-là.

Je lui mis promptement la photo dans la main, la prenant par surprise.

Pourvu, pensai-je, *que ce ne soit pas la sienne.*

Je devais montrer à Conway ce dont j'étais capable. Cinq minutes d'interrogatoire et une réponse vite obtenue ne m'auraient rien rapporté, hormis un retour en auto-stop aux Affaires classées. Il me fallait un combat. Mais pas avec cette godiche qui puait le déodorant et les cancans minables. Autant confisquer son hamster obèse à un bambin. Il me fallait un prédateur à ma portée, contre qui donner toute ma mesure.

Orla contempla longuement la photo. Puis elle poussa une sorte de vagissement, semblable à celui d'une poupée qui dit « maman ».

– Orla, assénai-je avant qu'elle reprenne ses esprits, as-tu accroché cette carte sur le panneau des secrets ?

– P'tain, non ! Parole d'honneur ! Je sais rien de ce qui est arrivé à Chris Harper. J'le jure devant Dieu !

Je la crus. Elle tenait la photo à bout de bras, comme si elle avait peur de se brûler. Ses yeux exorbités roulaient frénétiquement de Conway à Houlihan, cherchant de l'aide. Ce n'était pas elle. Pour mes débuts, le dieu des flics m'avait envoyé une proie facile.

– Alors, repris-je, une de tes amies l'a fait. Qui était-ce ?

– J'en sais rien ! J'ignore tout de cette histoire ! J'le jure pour de vrai !

– L'une d'elles t'a-t-elle fait part d'une hypothèse au sujet de Chris ?

– Jamais. On pensait que c'était le jardinier. Il nous souriait tout le temps, il était effrayant. Et vos gus l'ont arrêté pour possession de drogue, non ? Nous, on sait strictement rien. Moi, en tout cas. Et si les autres savent quelque chose, elles m'ont rien dit. Demandez-leur.

– Nous le ferons.

Sourire apaisant.

– Ne t'inquiète pas. Tu n'es soupçonnée de rien.

Elle se calma peu à peu. Elle fixait la photo, comme si elle désirait la garder. Je la lui laissai un instant.

« Souviens-toi, me dis-je. Mieux vaut avoir affaire à des gens que tu n'aimes pas. Ils te posséderont moins facilement que ceux qui te sont sympathiques. »

Tout à coup, Orla eut une illumination.

– C'était peut-être même pas l'une d'entre nous. Julia Harte et toute sa bande ont travaillé ici juste après nous. Elles l'ont peut-être fait.

– Tu crois qu'elles savent ce qui est arrivé à Chris ?

– Possible. Non, à mon avis. Mais elles auraient pu tout inventer.

– Pourquoi auraient-elles fait ça ?

– Parce que. Elles sont si... si bizarres.

– Ah oui ?

Buste incliné, mains jointes, captivé, avide d'entendre le ragot.

– Vraiment ?

– Euh, avant, elles étaient OK, mais c'était il y a très longtemps. Maintenant, on n'est plus tellement copines.

– Bizarres, dis-tu. Quel genre de bizarrerie ?

J'en demandais trop. Elle se ferma, comme si je cherchais à lui soutirer des confidences.

– Bizarres, c'est tout.

J'attendis.

– Comme si elles se croyaient au-dessus des autres. Comme si elles pouvaient faire tout ce qu'elles voulaient.

Pour la première fois, ses traits s'animèrent. Je connaissais bien ce qu'ils exprimaient : la méchanceté. J'attendis encore.

– Par exemple, vous auriez dû les voir au bal de la Saint-Valentin. P'tain, elles avaient l'air complètement à l'ouest. Rebecca était en jean ! Et Selena portait des frusques… Oh, m'Dieu, je sais même pas ce que c'était… Comme si elle jouait dans une pièce de théâtre !

Encore ce gloussement, de plus en plus aigu.

– Les autres filles leur disaient : « Ça va pas, la tête ? » Tous les types de Colm étaient là, à les lorgner. Et Julia et sa bande se comportaient comme si ça n'avait aucune importance ! C'est à ce moment-là qu'on a compris qu'elles étaient frappées.

Je feignis d'être passionné.

– C'était en février ?

– Oui. L'année dernière.

Avant Chris.

– Et c'est allé de pire en pire. Cette année, Rebecca n'est même pas venue au bal de la Saint-Valentin. Elles se maquillent pas. Bien sûr, ajouta-t-elle avec un regard vertueux en direction de Houlihan, on n'a pas le droit de le faire au collège. Mais quelquefois, elles se maquillent même pas pour aller au Court, le centre commercial. Et un jour, il y a quelques semaines, alors qu'il y avait plein de filles là-bas, Julia nous annonce qu'elle retourne au collège. Vous imaginez ? Un des types lui demande : « Qu'est-ce qui t'arrive ? » Et elle répond, j'vous jure, elle répond qu'elle a mal au ventre parce que…

Elle se mordit la lèvre, rentra la tête dans les épaules.

– Elle avait des règles douloureuses, dit Conway.

Orla pouffa, devint rouge comme une pivoine. Elle s'écria :

– Elle a balancé ça tout de go ! Tous les types se marraient. Julia a agité la main et elle est partie. Comme ça. Vous voyez ce que je veux dire ? Elles croient qu'elles peuvent balancer n'importe quoi. Aucune n'a de petit ami. C'est pas étonnant. De toute façon, elles ont l'air de s'en foutre. Et vous avez vu les cheveux de Selena ? Vous savez quand elle les a coupés ? Juste après le meurtre de Chris. P'tain, quelle poseuse !

Cette fois, elle commençait à m'intéresser.

– Continue. Elle s'est coupé les cheveux pour frimer, c'est ça ? À propos de quoi ?

Elle prit un air entendu.

– Pour montrer qu'elle sortait avec Chris. Comme si elle était en deuil. Mais tout le monde s'en tape !

– Tu viens de me dire qu'aucune n'avait de petit ami. Qu'est-ce qui te fait croire que Selena sortait avec Chris ?

Nouvelle expression sur ses traits : méfiance.

– On le pense toutes.

– Ah oui ? Vous les avez vus s'embrasser ? Se tenir la main ?

– Euh, non. Ils se seraient jamais affichés.

– Pourquoi ?

Soudain, Orla eut la trouille. Elle s'était foutue dedans. Du moins elle le craignait.

– Je sais pas. En tout cas, si ça les avait pas dérangés que tout le monde les voie ensemble, ils n'auraient pas gardé le secret, par le fait.

116

– Mais s'ils gardaient le secret en ne se comportant jamais comme s'ils étaient ensemble, comment en êtes-vous venues, toi et tes amies, à croire qu'ils étaient ensemble, par le fait ?

Là, un fusible sauta.

– Pardon ?

J'articulai doucement, et très distinctement :

– Pourquoi penses-tu que Chris et Selena sortaient ensemble ?

Mutisme. Orla ne prendrait plus de risque.

– Pourquoi auraient-ils gardé le secret si c'était vrai ?

Regard bovin, haussement d'épaules.

– Et toi ? demanda Conway. Tu as un petit ami ?

Orla eut un rire niais.

– Tu en as un ?

Elle se trémoussa.

– Si on veut. P'tain… C'est si compliqué !

– Qui ?

Même rire stupide.

– Je t'ai posé une question.

– Un type de Colm. Graham Quinn. On sort pas vraiment ensemble, mais… Je crierais pas sur les toits que c'est mon petit ami. Un peu quand même, enfin je…

– Je vois, coupa Conway, assez cassante pour se faire comprendre même d'Orla, qui se tut.

Je pris le relais.

– Si tu pouvais me décrire Chris Harper en un mot, quel serait-il ?

Encore cette mine hébétée, que je supportais de moins en moins.

– Comme quoi ?

– N'importe quoi. Ce qui, à ton avis, le définit le mieux.

– Euh, il était super ?

Dernier gloussement. Je lui repris la photo.

– Merci, cela nous est très utile.

Je gardai le silence un instant. Orla n'ajouta rien. Conway non plus. Elle écrivait sur son calepin, ou griffonnait, pour donner le change. Houlihan s'éclaircit la gorge, sans doute pour manifester sa présence. Je l'avais complètement oubliée. Conway ferma son carnet.

– Orla, dis-je, nous devrons peut-être te parler à nouveau. Entre-temps, si tu penses à quoi que ce soit qui pourrait nous aider, voici ma carte. Tu peux m'appeler à tout moment. D'accord ?

Elle considéra la carte comme si j'étais un pédophile l'invitant à monter dans son camping-car.

– Nous nous reverrons bientôt, conclut Conway.

Puis, à Houlihan, qui se leva d'un bond :

– Au tour de Gemma Harding.

Souriant jusqu'au bout à Orla, je les raccompagnai toutes les deux à la porte.

– Euh… Tu déconnes ! lança Conway.

– P'tain, j'le jure pour de vrai ! répliquai-je.

Nous nous sommes presque regardés. Nous avons presque ri.

– Ce n'est pas elle, dit Conway.

– Aucune chance.

Je patientai. Je ne lui posai pas la question, refusant de lui donner cette satisfaction. Pourtant, il fallait que je sache.

– Tu t'es bien débrouillé, reconnut-elle enfin.

Je réprimai un soupir de soulagement. Je rangeai la photo dans ma poche, prête pour l'interrogatoire suivant.

– Que devrais-je savoir sur Gemma ?

Conway s'exclama joyeusement :

– Elle se prend pour une bombe sexuelle. Elle n'arrêtait pas de se pencher pour montrer son décolleté à Costello. Le malheureux ne savait plus où poser ses mirettes.

Elle précisa moins gaiement :

– Mais celle-là n'est pas une gourde. Loin de là.

Gemma ressemblait à Orla, version longiligne. Grande, mince sans en avoir la morphologie. Elle avait dû essayer tous les régimes amaigrissants. Plus que jolie. Toutefois, sa mâchoire lui sculpterait, avant trente ans, un visage d'homme. Cheveux blonds défrisés, bronzage artificiel, sourcils effilés. Elle n'avait pas accordé un regard au panneau des secrets. Mais Conway m'avait assuré qu'elle avait oublié d'être bête.

Elle se dirigea vers la chaise d'une démarche chaloupée de mannequin, s'assit, croisa ses longues jambes en prenant son temps, la poitrine en avant.

Malgré ce que m'avait raconté Conway, il me fallut un moment pour percevoir son manège. Du haut de ses seize ans et dans son uniforme qui n'avait rien d'affriolant, elle cherchait à m'aguicher. Non parce que je lui plaisais, ce qui ne lui avait même pas traversé l'esprit ; mais parce que j'étais là, sans plus.

J'avais connu, en classe, des dizaines de filles dans son genre. Je n'étais jamais entré dans leur jeu.

Sentant dans mon dos la présence pesante de Conway, j'offris à Gemma un sourire alangui, flatteur.

– Gemma, c'est ça ? Je suis l'inspecteur Stephen Moran. Je suis vraiment ravi de faire ta connaissance.

Elle apprécia le compliment. Petit plissement au coin de la bouche, vite réprimé.

– Nous avons quelques questions de routine à te poser.

– Pas de problème. Tout ce que vous voudrez.

Elle insista sur le « tout », se lécha les lèvres. Elle débita la même histoire qu'Orla, avec le même faux accent américain, d'une voix traînante et lasse, balançant les pieds et m'observant à la dérobée, pour s'assurer que je ne la quittais pas des yeux. Si l'évocation de la soirée de la veille la perturba, elle ne le montra pas.

– Tu as passé un coup de fil lorsque tu te trouvais ici, lui dit Conway.

– Oui. J'ai appelé mon amoureux.

Elle prononça le dernier mot avec gourmandise, en se tournant légèrement vers Houlihan : de toute évidence, les appels téléphoniques étaient interdits pendant l'étude.

– Son nom ?

– Phil McDowell. Il est à Colm.

Bien entendu. Conway se rassit.

À mon tour.

– Et tu es sortie pour l'appeler.

– Je suis allée dans le couloir. On avait des trucs à se dire. Des trucs privés.

Œillade complice, comme si j'étais dans le secret, ou comme si j'aurais pu l'être. Elle reçut la même de ma part.

– As-tu consulté l'endroit des secrets ?

– Non.

– Ça ne t'intéresse pas ?

Elle haussa les épaules.

– C'est débile. Rien que de la daube, du genre : « Tout le monde est si mesquin avec moi alors que je suis tellement unique ! » Des clous. De toute façon, quand il y a quelque chose de marrant, tout le monde en parle. J'ai pas besoin de regarder.

– Tu y as déjà mis une carte de ton cru ?

Deuxième haussement d'épaules.

– Au début, quand on a installé le panneau, juste pour rire. Je me souviens même pas de toutes. On en a inventé.

Dans son coin, Houlihan manifesta un certain émoi. Amusée, Gemma se donna une petite tape sur le poignet.

– Vilaine fille !

– Et que penses-tu de celle-là ?

Je lui passai la photo. Elle cessa de balancer son pied. Puis, très lentement :

– Oh… Mon… Dieu.

Elle en oublia sa comédie de la séduction. Son souffle s'accéléra, ses traits se figèrent. Elle était réellement choquée. Ce n'était pas notre suspecte. Deuxième fille hors de cause.

– C'est toi qui as épinglé ça? murmurai-je quand même.

Elle secoua la tête, fixant toujours la carte d'un air incrédule.

– Juste pour rire?

– Je suis pas idiote. Mon père est avocat. Je sais que c'est pas une blague.

– Qui l'a fait, à ton avis?

– J'en sais rien. Parole d'honneur. Ça m'étonnerait que ce soit Joanne, ou Orla, ou Alison, mais je peux pas jurer qu'elles ne l'ont pas fait. En tout cas, aucune ne m'en a parlé.

Deux collégiennes sur deux prêtes à impliquer leurs amies intimes pour sortir de la pièce blanches comme neige. Charmant.

– Mais d'autres filles sont venues ici hier soir. Après nous.

– Holly Mackey et ses copines.

– Exact.

– Comment sont-elles?

Ma question la troubla. Elle me rendit la photo.

– Allez savoir. On leur parle pas vraiment.

– Pourquoi?

Troisième haussement d'épaules. Je lui clignai de l'œil.

– Laisse-moi deviner. Vous me donnez l'impression, toi et tes amies, d'avoir beaucoup de succès auprès des garçons. Holly et sa bande vous ont mis des bâtons dans les roues?

– On n'a rien en commun, c'est tout.

Bras croisés. Gemma ne mordait pas à l'hameçon.

On touchait du doigt l'essentiel. Qu'Orla eût été sincère ou non en s'offusquant de l'accoutrement de Selena au bal de la Saint-Valentin, Gemma s'en moquait. Pour elle, le conflit se situait ailleurs. Il s'était passé autre chose entre les deux bandes.

Si Conway voulait pousser l'interrogatoire plus loin, elle n'avait qu'à le faire elle-même. Ce n'était pas mon boulot. J'étais Monsieur Gentil, l'homme à qui l'on pouvait se confier. Si j'abandonnais ce rôle, Conway n'aurait plus aucune raison de me garder dans la course.

Elle resta silencieuse.

– Bien. Parlons de Chris Harper. Tu as une idée de ce qui lui est arrivé ?

Quatrième haussement d'épaules.

– Un psychopathe. Le jardinier, j'ai oublié son nom, celui que vos hommes ont arrêté. Ou un rôdeur. Qu'est-ce que j'en sais ?

Elle croisait toujours les bras. Je me penchai. Puis, d'un ton enjôleur :

– Gemma, aide-moi. Pense à quelque chose que tu pourrais m'apprendre sur Chris Harper. Quelque chose d'important.

Elle réfléchit. Décroisa les jambes, caressa son mollet. Son jeu recommençait. Je la regardai faire, ostensiblement, pour qu'elle s'en aperçoive. Mais je brûlais d'envie de reculer ma chaise. J'aurais embrassé Conway pour la remercier de m'avoir prévenu. Gemma était un danger public ; et elle le savait.

– Chris, répondit-elle, était la dernière personne dont on aurait souhaité la mort.

– Pourquoi ?

– Tout le monde l'aimait ! Tout le collège avait le béguin pour lui. Certaines filles le niaient, parce qu'elles cherchaient à se singulariser, ou étaient sûres de n'avoir aucune chance de l'allumer. Et chaque type de Colm rêvait de devenir son meilleur pote. Voilà pourquoi je crois qu'il a sans doute été tué par un rôdeur. Personne ne s'en serait pris à lui exprès.

– Il te plaisait ?

Cinquième haussement d'épaules.

– Comme à tout le monde, je vous l'ai dit. Mais des tas d'autres mecs me plaisent.

Éclair de connivence, aussi fugitif que le mien.

– Tu es sortie avec lui ?

– Non.

Réponse instantanée, définitive.

– Pourquoi ? Puisque tu le trouvais, toi, à ton goût…

J'avais appuyé sur le «toi», comme pour lui souffler : «Puisque tu peux t'envoyer qui tu veux.»

– Il n'y avait aucune raison. Il ne s'est rien passé entre Chris et moi. Point barre.

Elle se défilait de nouveau. Là aussi, il y avait quelque chose.

Conway ne poussa pas plus loin, moi non plus. Voici ma carte, si un détail te revient en mémoire, merci, à bientôt. Conway demanda à Houlihan de nous amener Alison Muldoon. Dernier sourire de ma part à Gemma, à la limite de l'indécence, alors qu'elle ondulait des hanches en regagnant la porte et vérifiait que je ne perdais rien du spectacle.

Je soupirai, m'essuyai la bouche pour effacer ce sourire grotesque.

– Ce n'est pas elle, déclarai-je.

– C'est quoi, ce bazar à propos d'un détail au sujet de Chris ?

Conway avait eu un an pour le connaître. Moi, je ne disposais que de quelques heures. Tout ce je que je pourrais récolter serait le bienvenu.

Pourtant, le sens de sa remarque ne m'échappa pas. Pourquoi chercher à connaître Chris ? Ce n'était pas mon affaire, ni ma victime. Je n'étais là que pour jouer de la prunelle, sourire au bon moment, mettre les collégiennes en confiance.

– C'est quoi, rétorquai-je, ce bazar à propos de leurs petits amis ?

Elle sauta de la table, se planta devant moi.

– Tu m'interroges ?

– Simple question.

– Les questions, c'est moi qui les pose. Pas l'inverse. Tu vas aux gogues, je te demande si tu t'es lavé les mains si ça me chante. Tu piges ?

On était loin du rire presque partagé. Je répondis :

– J'ai besoin de savoir ce que ces gamines éprouvaient pour Chris. Je ne vois pas l'intérêt de chanter ses louanges et de clamer qu'il mérite justice si je m'adresse à une ado qui le hait.

Elle me scruta longuement. Je ne bronchai pas, songeant aux six filles qui restaient, me demandant comment elle les gérerait sans moi et priant pour qu'elle pense la même chose.

Nonchalamment, elle alla se rasseoir sur la table.

– Alison, dit-elle. Elle a peur de tout, moi compris. Je vais la fermer, sauf si tu foires. Ne foire pas.

Alison ressemblait à un modèle réduit de Gemma. Courte, maigre, les épaules rentrées. Doigts agités triturant sa jupe. Cheveux défrisés elle aussi, bronzage artificiel, sourcils affinés. Pas un regard au panneau des secrets.

En tout cas, elle reconnut Conway qui, dès son entrée, s'effaça et tenta de se rendre invisible. Alison fit quand même un écart pour s'en éloigner.

– Alison, attaquai-je tout de suite pour la distraire, je suis Stephen Moran. Merci d'être venue.

Sempiternel sourire, cette fois apaisant.

– Assieds-toi.

Pas de sourire en retour. Très droite sur sa chaise, elle me dévisagea. Petit minois chiffonné, gerbille, souris blanche. J'ajoutai doucement :

– Juste quelques questions de routine. Cela ne prendra que quelques minutes. Peux-tu me raconter ta soirée d'hier, en commençant par la première heure d'étude ?

– On était ici. Mais on n'a rien fait ! Si quelque chose a été volé, cassé ou quoi que ce soit, c'était pas moi. Je le jure !

Voix geignarde, proche de la plainte, en accord avec son physique. Conway avait raison : Alison avait peur. Peur de se prendre les pieds dans le tapis, de parler, d'agir ou de penser de travers. Elle voulait que je la rassure, que je lui affirme qu'elle se comportait comme il fallait. Cette angoisse, je l'avais perçue au lycée, puis chez des milliers de témoins qu'il fallait amadouer en leur donnant une petite tape sur la tête tout en prononçant les mots qu'ils attendaient.

– Ne t'inquiète pas, lui dis-je, presque paternel. Aucun objet ne manque. Et il n'y a pas eu de dégradation. Personne n'a rien fait de mal. Nous recherchons uniquement une information. Pour cela, nous devons passer en revue le déroulement de ta soirée d'hier. C'est tout. Peux-tu faire ça pour moi ?

Hochement de tête.

– OK.

– Merveilleux. Ce sera comme une interrogation orale dont tu connaîtrais toutes les réponses et où tu ne pourrais pas commettre la moindre erreur. Ça te va ?

Sourire minuscule. Pas infime vers la confiance.

Il fallait qu'Alison se détende, comme l'avaient fait Orla et Gemma, avant que je sorte cette photo. Elle me débita la même histoire que les deux autres, mais par bribes que je dus lui soutirer sans la brusquer. Cela n'aboutit qu'à la paniquer davantage. Impossible de déterminer si c'était pour une bonne raison, une mauvaise, ou sans raison aucune.

Elle confirma le récit d'Orla sur l'ordre dans lequel les filles avaient quitté la salle : Gemma, Orla, elle, Joanne. Elle se montra bien plus précise que sa camarade de classe.

– Tu es très observatrice. C'est une qualité rare. Tu sais que j'ai prié, en arrivant ici, pour que nous tombions sur une personne comme toi ?

Nouveau sourire minuscule. Un autre pas.

– Ce qui me comblerait, c'est que tu aies jeté, lorsque tu es sortie, un œil sur l'endroit des secrets. Tu l'as fait ?

– Oui. En revenant des toilettes.

Bref regard en direction de Houlihan.

– Enfin, une seconde. Ensuite, j'ai regagné directement la salle, pour travailler au projet.

– Magnifique ! C'est ce que j'espérais entendre. Tu as remarqué de nouvelles cartes ?

– Oui. Il y avait une avec un chien absolument craquant. Et une fille en avait épinglé une de…

Rictus nerveux.

– Vous savez bien.

J'attendis. Alison se tortilla.

– De… d'une femme. De sa poitrine. Avec un haut ! Pas…

Couinement aigu.

– Elle disait : « J'économise pour pouvoir, le jour de mes dix-huit ans, m'en payer des comme ça ! »

Toujours ce sens de l'observation, lié à sa peur, telle une proie sans cesse aux aguets.

– C'est tout ? Rien d'autre de nouveau ?

– Rien.

Si elle disait la vérité, cela corroborait ce que nous pensions déjà : Orla et Gemma étaient hors de cause.

– Parfait. Dis-nous : as-tu déjà épinglé des cartes sur le tableau ?

Regard flou.

– Il n'y aurait rien de mal à l'avoir fait, précisai-je. Après tout, ce tableau est là pour ça. Ce serait du gaspillage si personne ne l'utilisait.

Encore une ébauche de sourire.

– Euh, oui. Quelquefois. Uniquement… Quand quelque chose me perturbait et que je pouvais en parler à personne, parfois je… Mais j'ai arrêté il y a longtemps. Je le faisais en douce. J'avais toujours peur qu'une fille devine que les messages étaient de moi et soit fâchée parce que je m'étais servie du tableau au lieu de me confier à elle. Donc, j'ai arrêté. Et j'ai enlevé celles que j'avais mises.

« Une fille… » Une de sa bande, qui l'effrayait.

Elle était aussi détendue qu'elle ne le serait jamais : pas beaucoup. Tant pis.

– Est-ce que cette carte fait partie des tiennes ?

La photo. Alison en eut le souffle coupé. Elle plaqua sa main libre contre sa bouche, puis gémit.

L'effroi, toujours. Impossible, toutefois, à interpréter. Épouvante à la perspective d'avoir été démasquée, à l'idée qu'il y avait un tueur ou une tueuse dans les parages, que quelqu'un savait qu'il s'agissait d'elle ? Simple stupeur ? Comment savoir ? « Elle a peur de tout », avait dit Conway.

– Est-ce toi qui as épinglé cette carte ?

– Non ! Non ! C'est pas moi ! Je le jure devant Dieu !

Je me penchai, lui repris doucement la photo.

– Alison, regarde-moi. Si c'est toi, tu n'as rien fait de répréhensible. D'accord ? Quelle que soit l'élève qui l'a accrochée, elle a bien agi et nous lui en sommes reconnaissants. Nous souhaitons uniquement nous entretenir avec elle.

– C'était pas moi ! S'il vous plaît…

Je n'obtiendrais rien d'autre. Inutile de pousser plus loin. Cela ne ferait que m'envoyer dans les cordes ; et mon rôle s'arrêterait là. Conway, qui jouait toujours les femmes invisibles tout en ne perdant pas une miette de l'interrogatoire, ne me ferait pas de quartier.

– Alison. Je te crois. Mais il fallait que je te pose la question. Pure routine. Sans plus. D'accord ?

Elle leva enfin les yeux vers moi.

– Donc, ce n'était pas toi. Tu as une idée de qui cela pourrait être ? Une élève t'a-t-elle fait part de soupçons sur ce qui est arrivé à Chris ?

Elle secoua la tête.

– Se pourrait-il que ce soit une de tes amies ?

– Je crois pas. Je sais pas. Non. Demandez-leur.

La panique la submergeait de nouveau.

– C'est tout ce que j'ai besoin de savoir. Tu es très coopérative. Dis-nous : bien sûr, tu connais Holly Mackey et ses copines ?

– Oui.

– Parle-moi d'elles.

– Elles sont bizarres. Vraiment bizarres !

Elle entoura sa taille de ses bras. Surprise : la bande de Holly la terrifiait.

– C'est ce que j'ai cru comprendre. Mais personne n'a été capable de nous préciser de quel genre de bizarrerie il s'agit. À mon avis, tu es la seule à pouvoir la décrire.

Silence.

– Alison… Tu dois me révéler ce que tu sais. Elles ignoreront toujours que c'est venu de toi. Tout le monde l'ignorera. Je te le promets.

Elle rapprocha sa tête de la mienne et chuchota, pour ne pas être entendue de Houlihan :

– Ce sont des sorcières…

Voilà qui était nouveau. Je devinai le commentaire intérieur de Conway : « C'est quoi, cette salade ? »

– Bien. Comment l'as-tu découvert ?

Houlihan se dressa sur sa chaise, tentant de suivre la conversation. Impossible pour elle de s'avancer vers nous. Conway l'en aurait empêchée.

Alison respirait plus vite, sous le choc de ce qu'elle venait de dire.

– Avant, elles étaient normales. Et puis, elles sont devenues bizarres. Tout le monde s'en est aperçu.

– Quand ?

– Au début de l'année dernière. Il y a un an et demi, à peu près.

Avant Chris. Avant le bal de la Saint-Valentin, où Orla avait remarqué quelque chose.

– On a raconté des tas de trucs sur elles…

– Quel genre ?

– Des trucs. Elles sont lesbiennes, ou elles ont été violées quand elles étaient petites. J'ai entendu ça. Mais nous, on pensait qu'elles étaient des sorcières.

– Pourquoi ?

– Je sais pas. Parce que. C'est ce qu'on croyait.

Elle se pencha davantage, son front frôlant le mien.

– Peut-être que j'aurais pas dû vous raconter ça.

Son chuchotement était presque inaudible. Conway avait arrêté d'écrire, pour ne pas couvrir sa voix. Soudain, je compris : Alison redoutait qu'on lui jette un sort.

– Alison, tu fais bien de te confier à nous. Cela te protégera.

Cela ne la rasséréna guère.

Tout en continuant à se taire, ainsi qu'elle me l'avait promis, Conway remua, assez bruyamment pour que je m'en aperçoive.

– Encore deux ou trois questions. Tu sors avec un garçon ?

Alison rougit jusqu'aux oreilles, bredouilla des mots incompréhensibles.

– Tu peux répéter ?

Elle fit non de la tête, baissa les yeux et se voûta, les bras autour de la taille, comme tout à l'heure. Elle croyait que j'allais rire d'elle parce qu'elle n'avait pas d'amoureux.

– Tu n'as pas rencontré celui qu'il te faut ? Tu as sacrément raison d'attendre. Tu as tout le temps.

Elle bafouilla autre chose.

Je changeai de sujet. Au diable Conway. Elle avait sa réponse, j'allais avoir la mienne.

– Si tu avais une seule chose à me dire à propos de Chris, ce serait quoi ?

– Euh… Je le connaissais à peine. Vous pouvez demander ça aux autres ?

– Je le ferai, bien sûr. Mais tu es mon observatrice. J'adorerais entendre ce dont tu te souviens le mieux.

– Si vous y tenez… Les gens le remarquaient. Pas seulement moi. Tout le monde.

– Pour quelles raisons ?

– Il était si beau ! Et il était bon en tout ; au rugby, au basket. Et il parlait aux gens, faisait rire tout le monde. Un jour, je l'ai entendu chanter. Il était vraiment doué. Tout le monde lui a dit qu'il aurait dû passer une audition pour X Factor. Il n'y avait pas que ça. Il était différent. Il avait une présence. Dans une pièce où il y avait cinquante personnes, on ne voyait que lui.

Voix mélancolique, pleine de nostalgie. Gemma avait raison : tout le monde avait eu le béguin pour Chris.

– À ton avis, qu'est-ce qui lui est arrivé ?

Elle frissonna.

– J'en sais rien.

– Je n'en doute pas. Je te pose la question par principe, au cas où. Tu es mon observatrice, ne l'oublie pas.

Fantôme de sourire.

– Tout le monde dit que c'était le jardinier.

Pas d'opinion personnelle. Ou alors, elle se défilait.

– C'est ce que tu crois, toi ?

Elle se détourna.

– Possible.

Je laissai le silence s'installer ; elle aussi. Inutile de m'obstiner.

Carte, laïus, dernier sourire. Alison se précipita vers la porte comme si la salle était en feu. Houlihan la suivit avec la même hâte.

– Celle-là est toujours dans la course, décréta Conway.

Elle regardait la porte, pas moi. Je ne distinguais pas ses traits. Pas moyen de savoir si cela signifiait : « Tu as foiré. »

– La pousser dans ses retranchements, expliquai-je, n'aurait rien donné de bon. J'ai établi le début d'une relation. Si je lui parle à nouveau, je pourrai aller plus loin, avoir peut-être une réponse.

Elle eut un rictus sardonique.

– Si tu lui parles à nouveau…

– Bien entendu.

Elle ouvrit une page vierge sur son calepin.

– Joanne Heffernan. C'est une garce. Bien du plaisir.

Joanne était un mélange des trois. Je m'attendais à un canon, à une beauté époustouflante. Rien de tel. Taille moyenne. Ni mince ni enveloppée. Visage banal. Cheveux blonds défrisés, bronzage artificiel, sourcils effilés. Pas un regard au panneau des secrets.

Seuls son maintien et sa démarche conquérante, le menton en avant, stipulaient : « On ne me la fait pas. C'est moi qui commande. » Elle cherchait à m'intimider, à me faire admettre son importance. Je me levai à son approche.

– Joanne, je suis Stephen Moran. Merci d'être venue.

Mon accent. Commun, conclut-elle en me toisant avec dédain, comme si elle me prenait pour le dernier des pouilleux.

– J'avais vraiment le choix ? Soit dit entre parenthèses, j'avais des choses à faire pendant la dernière heure de cours. J'avais pas besoin de la perdre à poireauter devant le bureau de la directrice sans même avoir le droit de parler.

— Je suis navré. Nous n'avions pas l'intention de te faire attendre. Si j'avais su que les autres entretiens dureraient aussi longtemps… Assieds-toi, ajoutai-je en modifiant la position de la chaise à son intention.

En passant, elle salua Conway d'une mimique peu aimable : Encore vous.

— Bien, repris-je une fois Joanne assise. Nous te demanderons de répondre à quelques questions de routine. Nous les avons posées à beaucoup de monde, mais ton avis m'intéresserait énormément. Il pourrait nous être précieux.

Respectueux, mains jointes, comme si elle était la princesse de l'Univers nous accordant une faveur.

Elle me scruta une nouvelle fois de ses yeux bleu pâle, fixes, un peu trop larges, hocha la tête avec bienveillance.

— Merci, dis-je.

Grand sourire, serviteur très humble. Derrière moi, Conway eut une sorte de spasme, comme si elle avait envie de vomir.

— Si tu n'y vois pas d'inconvénient, pourrions-nous commencer par la soirée d'hier ? Accepterais-tu de me la détailler, depuis le début de la première heure d'étude ?

Elle nous servit la même histoire que les autres, d'une diction appliquée et lente, avec des phrases courtes, pour les prolos que nous étions. À Conway, qui gribouillait :

— Vous pigez ? Ou dois-je parler moins vite ?

Conway eut un sourire radieux.

— Si je désire quelque chose de toi, tu le sauras. Crois-moi.

— Merci Joanne, dis-je. C'est très délicat de ta part. Venons-en au fait : lorsque tu étais ici, as-tu consulté l'endroit des secrets ?

– Je me suis arrêtée une seconde devant le panneau en allant au petit coin. Juste pour voir s'il y avait quelque chose d'intéressant.

– Et alors ?

– Rien. Les mêmes inepties. Nul.

Ni labrador ni seins refaits.

– Certaines cartes sont de ton cru ?

– Non.

– Tu en es sûre ?

– Absolument.

– Je te le demande parce qu'une de tes amies a mentionné que tu en avais inventé quelques-unes.

Elle se durcit subitement.

– Qui a balancé ça ?

J'ouvris les mains, toujours humble.

– Je ne peux pas te donner cette information. Désolé.

Le visage de biais, elle mordillait l'intérieur de sa bouche. Toutes les autres allaient le payer.

– Si elle prétend que je l'ai fait seule, elle ment. Ces cartes, on les a bidonnées toutes ensemble. En plus, on les a enlevées après. Et puis quoi ? Vous avez l'air d'en faire un fromage. C'était juste pour rigoler.

Conway avait raison : ce panneau contenait autant de bobards que de secrets. McKenna l'avait installé pour ses propres desseins ; les filles l'utilisaient pour les leurs.

– Et celle-là ?

Je posai la photo dans sa paume. Sa mâchoire s'affaissa. Elle recula jusqu'au dossier de sa chaise, un poing écrasant ses lèvres.

– Mon Dieu !

Sa stupeur, son cri, tout sonnait faux. Cela ne signifiait rien. Il y a des gens comme ça : chacune de leurs paroles ressemble à un mensonge. Non qu'ils soient des menteurs de génie ; mais ils sont incapables du moindre accent de sincérité. Dès lors, on ne distingue jamais, chez eux, le vrai craque du faux.

Nous avons attendu la fin de son numéro. Tout en gémissant, elle nous surveillait en douce, pour voir si nous étions impressionnés. Quelques instants plus tard, je repris le cours de l'entretien.

– As-tu épinglé cette carte sur le panneau ?

– Moi ? Bien sûr que non ! Vous voyez pas que je suis en état de choc ?

Sa main libre crispée sur sa poitrine, elle haletait. Conway et moi l'observions avec intérêt.

Houlihan s'agita puis se leva, affolée.

– Vous pouvez vous rasseoir, lança Conway. Elle va très bien.

Joanne lui lança un regard empoisonné, cessa de haleter.

– Même pas pour rire ? insistai-je. Il n'y a rien de mal à ça. Ce n'est pas comme si tu avais juré de ne pas révéler un véritable secret. Nous souhaitons simplement savoir.

– Je vous l'ai dit. Non. OK ?

Elle me considéra avec un mépris incommensurable.

– Très bien, admis-je en reprenant la carte. Je tenais à m'en assurer. Donc, selon toi, laquelle de tes copines l'a fait ?

Pour la première fois, son visage trahit un sentiment authentique : la fureur. Elle se détendit très vite, redevint sûre d'elle-même.

– Aucune.

Son ton catégorique sous-entendait : « Elles n'oseraient jamais. »

– Alors, qui ?

– En quoi est-ce mon problème ?

– En rien. Mais, de toute évidence, tu es au courant de tout ce qui se passe dans cet établissement. S'il y a bien un avis qui vaut le coup d'être entendu, c'est le tien.

Petit sourire satisfait. Joanne acceptait l'hommage.

– Si c'est une fille qui était au collège hier soir, alors c'est l'une de celles qui ont travaillé ici après nous : Julia, Holly, Selena et l'autre, machin chose.

– Vraiment ? Tu crois qu'elles ont des informations sur la mort de Chris ?

Geste vague.

– Peut-être.

– Intéressant. Qu'est-ce qui t'a amené à cette conclusion ?

– J'ai aucune preuve. C'est votre boulot. Je donne mon opinion, c'est tout.

– Je vais te la demander à propos d'autre chose. Toute idée émanant de toi nous sera d'un grand secours. À ton avis, qui a tué Chris ?

– C'était pas Zigounette, le jardinier ? Je connais pas son vrai nom. Tout le monde l'appelle comme ça à cause de la rumeur… On prétend qu'il a proposé de l'ecstasy à une nana si elle…

Houlihan se tortilla dans son coin. Elle n'avait pas l'air à la fête et semblait en apprendre de belles.

– Que ce soit un pervers ou un simple dealer, continua Joanne, dans les deux cas, beurk ! Je croyais que vous étiez persuadés de sa culpabilité, sans en avoir la preuve.

Même discours qu'Alison. Ce pouvait être ce qu'elle pensait réellement, ou une manière intelligente de se dédouaner.

– Et cette preuve, à ton avis, Holly et ses amies pourraient la détenir ? Comment ?

Elle tira une mèche de sa queue-de-cheval et l'examina, cherchant des fourches.

– Je suis sûre que vous les prenez pour des anges. Jamais elles toucheraient à la drogue. Oh, non ! Regardez Rebecca. Elle est tellement innocente, pas vrai ?

– Je ne l'ai pas encore rencontrée. Elles se droguent ?

– Je dis pas ça. Je dis pas non plus qu'elles ont fait des choses avec Zigounette. Je dis seulement qu'elles sont fêlées et qu'on peut s'attendre à n'importe quoi de leur part. C'est tout.

Elle aurait été ravie de jouer à ce jeu toute la journée, distillant des insinuations comme autant de boules puantes.

– Donne-moi un détail à propos de Chris. N'importe lequel, qui te semble important.

Elle réfléchit. Ses lèvres se retroussèrent de façon déplaisante.

– J'aimerais pas en dire du mal.

Expression sournoise. Je me penchai. Grave, pressant, quémandant l'aide de la noble jeune fille dépositaire du secret qui pourrait sauver le monde.

– Joanne. Je sais que tu n'es pas le genre de personne à médire des morts. Parfois, pourtant, la vérité doit l'emporter sur la gentillesse. C'est le moment.

Je devinai que, derrière moi, Conway luttait contre le fou rire.

Joanne respira profondément, comme si elle s'armait de courage, résolue à sacrifier sa conscience sur l'autel de la justice. Plus fausse que jamais, à tel point que j'eus l'impression de vivre une farce, d'avoir, même, inventé le personnage de Chris Harper. Joanne poussa un soupir triste, presque compatissant.

– Pauvre Chris. Pour un type aussi craquant, il avait vraiment un goût de chiottes.

– Tu fais allusion à Selena Wynne ?

– Je voulais pas donner de nom, mais puisque vous êtes déjà au courant…

– Le problème, c'est que personne n'a jamais vu Chris et Selena se comporter comme un couple, s'embrasser, se tenir par la main, ni même marcher côte à côte. Alors, qu'est-ce qui te fait croire qu'ils sortaient ensemble ?

Battements de cils.

– Je préférerais ne pas le dire.

– Joanne, je respecte tes scrupules. Mais tu dois me révéler ce que tu as vu ou entendu. Tout.

Elle était ravie de constater que je me démenais pour la convaincre, jubilait à l'idée qu'elle en valait la peine. Elle fit semblant de se concentrer, passa sa langue entre ses lèvres, ce qui l'enlaidit.

– D'accord, lâcha-t-elle enfin. Chris aimait plaire aux filles. Il faisait tout pour que, dans une pièce, elles le dévorent des yeux. Et puis soudain, il les ignore. Comme ça, du jour au lendemain. Sauf une : Selena Wynne. Je voudrais pas être dégueulasse avec elle, mais je vais parler franchement parce que je suis comme ça. Elle est pas bandante. Elle fait comme si, mais excusez-moi, je connais pas beaucoup de mecs qui en pincent pour les…

Elle écarta largement les mains.

– Les grosses, quoi. Au début, j'ai cru qu'il la faisait marcher, histoire de se marrer avec ses potes. Mais il avait l'air tellement…

– Cela ne signifie pas qu'ils sortaient ensemble. Même s'il avait le béguin pour elle, ce n'était peut-être pas réciproque.

– Ça m'étonnerait. Une chance pareille, quand on est moche, on se jette dessus. De toute façon, Chris n'était pas du genre à perdre son temps s'il n'était pas sûr de… Vous voyez ce que je veux dire.

– Pourquoi garder leur relation secrète ?

– Sans doute parce qu'il refusait qu'on sache qu'il sortait avec ça ! On peut pas le lui reprocher.

– Est-ce pour cette raison que vous ne vous entendez pas, tes amies et toi, avec Selena et sa bande ? Parce que Chris et elle étaient ensemble ?

De nouveau ce regard glacial, mais chargé d'une telle violence que je reculai presque.

– Je vous demande pardon ? Je me foutais pas mal que Chris se tape ce boudin. Je trouvais ça hilarant, mais c'était pas mon problème. Vu ?

Je hochai humblement la tête. Plusieurs fois. Mille excuses. Elle m'avait remis à ma place, je ne me pousserais plus du col.

– Bon. Alors, pourquoi ne t'entends-tu pas avec elles ?

– Parce qu'aucune loi n'oblige à s'entendre avec tout le monde. Parce que je choisis qui je fréquente. Les boudins et les détraquées, non merci.

Une petite garce ordinaire, semblable à celles que j'avais connues en classe et telle qu'on en trouve à la pelle dans toutes les écoles du monde. Il n'y avait aucune raison pour que celle-là me débecte plus que les autres.

– Je comprends, approuvai-je avec un sourire de demeuré.

– Tu as un petit ami ? demanda Conway.

Joanne prit son temps. Ai-je bien entendu ? Elle pivota lentement vers Conway qui, elle, eut un sourire mauvais.

– Excusez-moi, c'est ma vie privée.

– Je croyais que tu étais prête à nous aider dans notre enquête.

– Je le suis. Mais qu'est-ce que ma vie privée vient faire là-dedans ? Vous pourriez me l'expliquer ?

– Non. Et inutile de me raconter des craques. Il me suffira de me renseigner à Colm pour connaître la vérité.

J'intervins immédiatement.

– Je n'imagine pas Joanne nous forçant à en arriver là, inspecteur. D'autant qu'elle sait que toute information venant d'elle nous sera infiniment précieuse.

Dans le mille. Joanne retrouva son visage vertueux et énonça d'un ton affable, en s'adressant à moi :

– Je sors avec Andrew Moore. Son père est Bill Moore. Vous en avez sans doute entendu parler.

Promoteur immobilier, un de ceux qu'on voit au journal télévisé, qui font faillite le matin et redeviennent milliardaires le soir. J'eus l'air réellement bluffé. Joanne consulta sa montre.

– Vous tenez à apprendre autre chose sur ma vie amoureuse ? Ou est-ce enfin terminé ?

– Bye bye, dit Conway.

À Houlihan :

– Rebecca O'Mara.

Je raccompagnai Joanne, lui tins la porte. Houlihan courut pour la rattraper dans le couloir. Joanne ne daigna pas se retourner.

– Une autre toujours dans la ligne de mire, déclara Conway.

Sa voix ne trahissait rien : ni approbation ni reproche à mon égard. J'avais soutiré à Joanne des détails qu'elle et Costello n'avaient pu obtenir. Je m'abstins de le souligner. Elle le savait.

Je fermai la porte.

– Joanne a été sur le point de nous divulguer certains éléments qu'elle a finalement gardés pour elle. Cela cadre avec la fille qui a épinglé la carte.

– Oui. À moins qu'elle n'essaie simplement de nous faire croire qu'elle ne nous a pas tout dit. Ou le contraire, en prétendant, par exemple, qu'elle sait de source sûre que Chris et Selena sortaient ensemble alors qu'elle n'a rien.

– On peut la rappeler. La tanner un peu plus.

– Pas maintenant. On la met de côté pour plus tard.

Elle me regarda regagner ma chaise, puis m'asseoir, avant de grommeler d'un ton bourru :

– Tu as été bon avec elle. Meilleur que moi.

– L'habitude de lécher le cul. Ça sert, à la longue.

Une lueur amusée éclaira sa pupille, et s'éteignit aussitôt.

– On passe à l'autre bande. Rebecca en est le maillon faible. D'une timidité maladive. Elle rougissait et tremblait comme une feuille uniquement en s'entendant appeler par son nom. Elle n'a jamais réussi à s'exprimer autrement qu'en murmurant. Mets tes gants de velours.

De nouveau la cloche. Éclats de voix, pas précipités. Il était grand temps de déjeuner. J'aurais volontiers dévoré un énorme hamburger bourré de calories, ou tout autre plat qu'on servait à la cantine, sans doute du filet de bœuf sans hormones et de la roquette. J'attendis que Conway me le propose. Elle n'en fit rien.

– Avec celles-là, me dit-elle, marche sur des œufs jusqu'à ce que tu les sentes à ta main. Elles ne sont pas du même tabac.

8

Un soir de début novembre. Chargé d'une délicieuse odeur de feux de jardin, l'air commence à fraîchir. Réunies toutes les quatre dans la clairière aux cyprès, Holly, Selena, Julia et Becca savourent le moment de liberté privilégié qui sépare la fin des cours du dîner. Très loin d'elles, de l'autre côté du mur de clôture, Chris Harper, totalement absent de leurs pensées, n'a plus que cinq mois, une semaine et quatre jours à vivre.

Couchées dans l'herbe, sur le dos, elles croisent les genoux, remuent mollement les pieds. Elles portent des sweats à capuche, des écharpes et des Uggs ; mais elles ont décidé d'attendre encore quelques jours avant d'enfiler leur manteau d'hiver. Il fait jour et nuit à la fois : un côté du ciel se teint d'orange et de rose ; dans l'autre, la pleine lune brille faiblement sur un fond bleu sombre. La brise caresse les branches des cyprès. Elles sortent du cours d'éducation physique. Elles ont joué au volley-ball. Leurs muscles se relâchent, alanguis par une fatigue apaisante. Elles parlent de leurs devoirs.

– Vous avez déjà écrit votre sonnet d'amour ? demande Selena.

Julia grogne. Elle a tracé au stylo à bille une ligne en pointillé sur son poignet. En dessous, elle a écrit : « Trancher ici en cas d'urgence. »

– Et si vous estimez, hum, n'avoir pas une expérience, hum, adéquate, de l'amour romantique, ânonne Holly, singeant le ton ampoulé de M. Smythe, alors, peut-être, l'amour d'un enfant pour sa mère ou, hum, l'amour de Dieu serait, hum, serait…

Julia fait mine de s'enfoncer le pouce dans la bouche.

– Je vais dédier le mien à la vodka.

– On t'enverra en consultation chez Sœur Ignatius, répond Becca, se demandant si Julia plaisante ou non.

– Chouette !

– Je sèche sur le mien, avoue Selena.

– Écris une liste de mots, lui conseille Holly en tirant un pied vers son visage pour examiner une marque d'usure sur sa chaussure. «Le vent, la mer, l'étoile, la lune, la pluie ; le jour, la nuit, le pain, le lait, l'ennui.» Le rythme te fera trouver d'instinct ton pentamètre iambique.

– Pentamerde de bique ! beugle Julia. Merci pour le sonnet le plus chiant de l'histoire de la littérature ! Ça vaut un zéro.

Il y a plusieurs semaines que Julia se montre insupportable avec les trois autres, sans distinction, ce qui prouve qu'on ne peut imputer à aucune d'elles en particulier la cause de son agressivité.

– J'ai aucune envie de révéler à Smythe le nom de quelqu'un que j'aime, assène Selena pour poursuivre la conversation.

– Parle d'un endroit, par exemple, lui suggère Holly en se léchant un doigt puis en le passant sur la marque d'usure, qui disparaît. Moi, j'ai décrit l'appartement de mes grands-parents. J'ai même pas précisé qu'il s'agissait du leur. Juste d'un appart.

– Moi, j'ai inventé, dit Becca. Je parle d'une fille et d'un cheval qui vient la nuit sous sa fenêtre. Elle saute dessus et part au galop.

Les yeux écarquillés, elle distingue, dans le ciel, deux lunes translucides qui se chevauchent.

– Quel rapport avec l'amour ? s'étonne Holly.

– La fille est amoureuse du cheval.

– Drôles de mœurs, lâche Julia.

Son téléphone bipe. Elle l'extirpe de sa poche, le lève jusqu'à ses yeux, louchant pour ne pas être gênée par la lumière du crépuscule.

Si le téléphone avait bipé une heure plus tôt, alors qu'elles ôtaient leur uniforme dans leur chambre, chantant un morceau d'Amy Winehouse et se demandant si elles traverseraient la rue pour assister au match de rugby des mecs de Colm, ou une heure plus tard, à la cafétéria, où elles se seraient affalées au-dessus de la table pour récupérer les dernières miettes d'un gâteau sec après avoir humecté de salive le bout de leurs doigts, il ne se serait sans doute rien passé.

Car tout s'est peut-être déclenché à ce moment-là.

Comment pourraient-elles imaginer ce qu'elles vont provoquer ? En y réfléchissant bien longtemps plus tard, alors que le destin aura suivi son cours et que tout sera consommé, Holly en viendra à penser qu'on pourrait dire, dans un sens, que Marcus Wiley a tué Chris Harper.

– Je crois que je vais parler de jolies fleurs, hasarde Selena en couvrant ses yeux d'une mèche de cheveux pour les protéger des derniers rayons du soleil. Ou alors de petits chatons. Ça lui plaira, à votre avis ?

– Je parie que plein de filles vont torcher un sonnet sur les One Direction, ironise Holly.

Tout à coup, Julia pousse un hurlement de fureur et de dégoût. Les trois autres sursautent, se dressent sur un coude.

– Qu'est-ce qui t'arrive ? s'enquiert Becca.

Julia remet brutalement le téléphone dans sa poche, croise les mains derrière la nuque et fixe le ciel, les narines frémissantes, respirant trop vite. Elle est écarlate jusqu'au col de son pull. Or, elle ne rougit jamais.

Les trois autres se regardent. Holly consulte silencieusement Selena, désigne Julia d'un geste du menton. Tu as vu ce que… ? Selena secoue la tête. Holly, alors, s'adresse à Julia.

– Qu'est-ce qu'il y a ?

– Marcus Wiley est un étron. Voilà ce qu'il y a. D'autres questions ?

– Ça, on le savait, affirme Holly.

Julia ne relève pas sa remarque.

– C'est quoi, un étron ? bafouille Becca.

– T'as pas besoin de le savoir, lui répond Holly.

– Jules, murmure doucement Selena en roulant sur le ventre pour se rapprocher de Julia.

Elle a les cheveux en désordre et parsemés de brins d'herbe, le dos du sweater froissé.

– Qu'est-ce qu'il t'a dit ?

Julia se détourne avant de répliquer :

– Il a rien dit du tout. Il m'a envoyé la photo d'une bite. Parce que c'est un enfoiré. OK ? Maintenant, on peut reparler de nos sonnets ?

– Putain ! s'exclame Holly

– Sérieux ? ajoute Selena en arrondissant les yeux.

– Non, je blague. Si, sérieux.

La lumière du crépuscule change, se dilue peu à peu.

– Mais, bredouille Becca, ahurie, tu le connais même pas vraiment.

Julia se redresse brusquement, prête à mordre. Soudain, Holly éclate de rire, aussitôt imitée par Selena. Et Julia elle-même s'esclaffe, laissant retomber sa tête dans l'herbe.

– Qu'est-ce qui vous prend ? geint Becca.

Mais elles sont parties. Elles hoquettent, se tordent.

– Ta façon de le dire ! s'écrie Selena.

– Et la tête que t'avais ! renchérit Holly. « Vous n'avez pas été présentés dans les règles, chérie. Pourquoi, au nom du Ciel, partagerait-il son petit oiseau avec toi ? »

Son faux accent anglais fait piquer un fard à Becca. Pourtant, elle ne peut s'empêcher de glousser. Julia lance vers le ciel, toujours secouée par le fou rire :

– « Je n'arrive pas à croire que nous ayons pris le thé et… et… mangé des sandwiches au concombre ensemble… »

– « On ne doit jamais servir les bites avant les sandwiches au concombre », réussit à articuler Holly.

– Oh, ma Becsie adorée, dit Julia en s'essuyant les yeux, une fois son hilarité calmée, qu'est-ce qu'on ferait sans toi ?

– C'était pas si drôle que ça, bégaye Becca, toujours rougissante, à la fois vexée et ravie.

– Non, reconnaît Julia. De toute façon, la question n'est pas là.

Elle se dresse de nouveau sur un coude, cherche son téléphone dans sa poche.

– Voyons voir, dit Holly en s'asseyant et en se penchant au-dessus d'elle.

– Je le sucre.

– Laisse-nous regarder d'abord.

– T'es une obsédée.

– Moi aussi, clame joyeusement Selena. Si ça t'a effarouchée, on veut l'être aussi.

– Vous êtes des oies blanches ou quoi ? C'est juste la photo d'une bite.

Mais elle appuie sur des touches, trouve le cliché.

– Becs, dit Holly, tu viens ?

– Euh, non.

Becca se détourne pour ne pas apercevoir la photo par mégarde.

– Voilà pour vous, annonce Julia en sélectionnant la photo.

Holly et Selena se pressent contre ses épaules. Julia regarde ailleurs. La gorge sèche, Selena se penche davantage.

Elles ne ricanent ni ne crient, comme lorsqu'elles ont vu en ligne des sexes d'homme. Il ne s'agissait que d'engins en plastique, bien lisses : des bites de poupées Barbie. Impossible de les imaginer collées sur le bas-ventre d'un vrai gus. Celle-là est différente : plus petite, elle se tend vers elles tel un gros doigt, émerge comme une menace d'une touffe gluante et noire. Elles en sentent presque l'odeur.

– Si j'étais un mec et que je n'avais que ça à proposer, énonce posément Holly au bout d'un moment, je ferais pas de pub.

Julia ne réagit pas.

– Tu devrais lui envoyer un texto en retour, dit Selena. « Désolée, pas moyen de savoir ce que ça représente. Bien trop petit. »

– Et recevoir un gros plan ? Non, merci.

– Tu peux t'approcher, Becs, dit Holly. Aucun risque, sauf si t'as un microscope.

Becca sourit, fait non de la tête.

– Bien, conclut Julia. Mes salopes, si vous avez vu assez de bites miniatures pour aujourd'hui…

Elle appuie crânement sur « Supprimer », agite la main vers son téléphone.

– Bye bye.

Bip minuscule. Le cliché disparaît. Julia pose son téléphone à côté d'elle, s'allonge de nouveau. Holly et Selena regagnent leurs places, cherchant quelque chose à dire et ne trouvant rien. Le ciel s'assombrit, l'éclat de la lune s'accentue.

Au bout d'un moment, Holly déclare :

– Hé, vous savez où est Cliona ? À la bibliothèque, à la recherche d'un sonnet inconnu de Smythe, pour le recopier.

– Elle va se faire choper, dit Becca.

– Ça lui ressemble tellement, ajoute Selena. Ce serait pas plus simple d'écrire le sonnet ?

– Très juste, convient Holly. C'est toujours comme ça. Pour éviter de faire ses devoirs, elle rame bien plus que si elle les faisait.

Elles s'attendent à un commentaire de Julia. Mais Julia se tait. La conversation retombe.

La photo n'a pas tout à fait disparu. Son odeur fétide flotte toujours dans l'air. La langue humide, Becca respire par à-coups.

Enfin, Julia s'interroge, comme si elle s'adressait au ciel, dont les ultimes lueurs évoquent une aquarelle :

– Pourquoi les mecs me prennent pour une pute ?

Elle s'empourpre une seconde fois. Selena lui répond gentiment :

– T'es pas une pute.

– Je sais bien. Alors, pourquoi ils se comportent comme si j'en étais une ?

– Ils veulent que t'en sois une, dit Holly.

– Ils veulent qu'on le soit toutes. Mais à vous, ils envoient pas des photos de bites. Moi, ils m'ont dans le collimateur. Depuis que j'ai flirté avec James Gillen.

– C'est pas ça, objecte Becca. Des tas de filles flirtent et les garçons s'en tapent. Ça a commencé avant. Quand tu t'es mise à rigoler avec Finn, Chris et tous les autres. Parce que tu blagues, tu dis des choses…

– Tu me les casses, coupe Julia.

Mais Holly et Selena approuvent d'un signe de tête.

– C'est ça, déclare Selena. Tu dis des trucs dans ce genre.

– Alors, à votre avis, ils veulent que je sois une hypocrite comme Heffernan qui s'est laissé peloter par Bryan Hynes parce qu'il était bourré, mais tire une tronche de bonne sœur quand on balance une blague salace ? Vous pensez que, du coup, ils me respecteront ?

– Exactement, dit Holly.

– Qu'ils aillent se faire foutre. Je ferai pas ça. C'est pas mon genre.

De minuscules nuages passent devant la lune, donnant l'illusion qu'elle bouge, ou que le monde entier vacille.

– Alors le fais pas, dit Selena.

– Et arrêtez vos conneries. Vous avez d'autres idées géniales ?

– C'est peut-être pas pour cette raison, risque Becca, qui s'en veut d'avoir parlé. Peut-être que je me trompe complètement. Peut-être qu'il voulait envoyer un texto à quelqu'un d'autre dont le nom commence par J, Joanne, par exemple, et qu'il a fait une fausse…

Contemplant les nuages qui passent de plus en plus vite devant la lune, Julia l'interrompt à nouveau.

– Quand j'ai flirté avec James Gillen, il a essayé de me caresser les seins. Je m'y attendais. Je comprends pas cette fixation des mecs sur les nichons. Leur mère ne les a pas assez allaités ou quoi ? En tout cas, comme j'ai aucune envie de me faire tripoter par lui et que, pour être franche, je l'embrasse uniquement parce qu'il est mignon et que je veux m'entraîner, je lui dis : « Je crois que c'est à toi », en repoussant sa main vicelarde et moite. Et lui, en parfait gentleman, me plaque contre la barrière, recolle sa main là où elle était et me dit : « Fais pas ton cinéma, tout le monde sait que t'aimes ça. »

Les parents et les profs les ont mille fois mises en garde. « Si vous avez des problèmes de cet ordre, si l'on cherche à vous amener où vous ne voulez pas aller, confiez-vous à un adulte. » *Cause toujours*, pensaient-elles. Là, pourtant, devant la réalité crue qui suscite en elles honte et fureur, elles découvrent une vérité nouvelle, insoupçonnée : leur corps ne leur appartient pas ; pour les autres, pour leurs yeux, leurs mains, il n'est qu'un jouet.

– Sale petit merdeux, halète Holly, le cœur battant à cent à l'heure. J'espère qu'il crèvera d'un cancer.

Selena étend la jambe pour que son pied touche celui de Julia. Julia le repousse violemment.

– T'as fait quoi ? demande Becca. Est-ce que toi et lui, vous avez…

– Je lui envoyé un coup de genoux dans les parties. Si vous vous retrouvez dans la même situation, ça marche, sachez-le. Et quand on est rentrées, j'ai piqué ma crise.

Elles s'en souviennent. Elles n'ont pas fait le rapport avec James Gillen. À présent, elles savent pourquoi Julia était sur les nerfs. *Ça ne valait pas la peine de te mettre dans ces états*, songe Holly. *Ça n'a pas eu plus d'importance que si tu avais embrassé le museau d'un labrador.*

– Vous vous doutez bien que James Gillen n'a pas avoué à tout Colm qu'il avait récolté, au cours de son après-midi, des bleus sur les couilles et rien d'autre. Il leur a raconté que j'étais une nympho qui en redemandait. Voilà pourquoi ce connard de Marcus Wiley s'est mis dans la tête que j'adorerais recevoir une photo de sa queue. Et ça va continuer.

– Ils vont oublier, dit timidement Selena. D'ici quelques semaines…

– Non. Ils n'oublieront pas.

Silence. Holly rêve de découvrir des secrets honteux sur James Gillen, de les diffuser jusqu'à ce que tout le monde hurle de rire sur son passage et le pousse au suicide. Selena l'imagine sur le bûcher, comme au Moyen âge. Becca se demande ce qu'elle pourrait offrir à Julia pour la consoler : chocolats, poèmes rigolos. Julia cherche à reconnaître des animaux dans la forme des nuages, plonge ses doigts dans l'herbe, puis dans la terre, salissant ses ongles.

Toutes les quatre se sentent désarmées contre la grossièreté, la muflerie. Soudain, Julia clame :

– Je toucherai plus un mec de Colm ! Jamais !

– C'est comme si tu jurais de ne plus approcher un type, objecte Holly. Ceux de Colm sont les seuls qu'on côtoie.

– Alors, je m'approcherais plus jamais d'un gus avant l'université. Plutôt rester chaste que d'apprendre qu'un autre de ces petits cons décrit mes nibards à tous ses potes.

Becca redevient écarlate. Selena se rassied.

– Moi non plus.

Julia lui jette un regard féroce.

– Je dis pas ça parce que mon petit ego en a pris un coup. Je suis sérieuse !

– Moi aussi, martèle Selena.

La nuit les galvanise, leur donne toutes les audaces. Même à Becca qui affirme, prête à prendre à témoin tous les saints du paradis :

– Même chose pour moi.

Le frémissement de sa voix trahit quand même sa peur. Légèrement inquiète de la tournure que prennent les événements, Julia lui cligne de l'œil en douce, comme pour lui dire : « C'est pas grave. »

Elles se tournent vers Holly, qui se tait. Elle revoit la mimique goguenarde de son père chaque fois qu'elle tente de le forcer à lui répondre : ne jamais se découvrir à moins d'être sûr à cent pour cent, et encore.

Ses trois amies attendent. L'ombre incurvée sous le menton de Selena, le pli du poignet de Becca appuyée sur une main, le petit rictus de Julia : à cent ans, elle gardera encore en mémoire ces détails, cet instant unique. Quelque chose de grave, de définitif, est en train de se produire. Comment pourrait-elle se dérober ? La gorge nouée, maîtrisant mal son émotion, elle se décide enfin.

– Pour moi aussi.

– Putain ! s'exclame Julia. Je les entends d'ici. Ils vont tous prétendre qu'on est une secte de lesbiennes, qu'on organise des cultes orgiaques.

– Et alors ? objecte Selena. Ils peuvent dégoiser tant qu'ils veulent. Quelle importance ?

Nouveau silence. Elles se rappellent Joanne se trémoussant et minaudant au Court pour allumer les types de Colm, Orla sanglotant sur son oreiller après avoir été ridiculisée par Andrew Moore et ses copains. Elles se remémorent les efforts désespérés qu'elles ont faits, elles, pour se comporter, s'habiller et s'exprimer de façon décente sous le regard graveleux des garçons. Elles en tremblent. Et elles pensent : *Plus jamais ! Mon corps, mon esprit, ma façon de m'habiller, de marcher, de parler, tout ça est à moi, à moi seule.*

– On sera comme les Amazones, dit Becca. Elles n'avaient aucune relation avec les hommes et se fichaient pas mal des réactions des gens. Si un type portait la main sur elles, elles le…

Elles ferment les yeux, se délectent d'images de flèches faisant jaillir le sang.

Julia arbore ce sourire blasé qui n'appartient qu'à elle.

– Relax ! C'est pas pour toujours. C'est simplement jusqu'à ce qu'on quitte le collège et qu'on puisse rencontrer des hommes normaux.

Quitter le collège. Cela n'arrivera pas avant des années, dans un futur lointain, inimaginable. Donc, c'est pour toujours.

– On doit prêter serment, décrète Selena.

– Et puis quoi ? grommelle Julia. Qui fait encore ce genre de trucs ?

Sa voix se perd dans l'obscurité. Personne ne l'a entendue.

Selena tend le bras, la paume au-dessus de l'herbe où se faufilent les insectes nocturnes.

– Je le jure.

Une chauve-souris piaille. Les cyprès s'inclinent et chuchotent, comme s'ils les encourageaient.

– D'accord, dit Julia.

Cette fois, son ton déterminé la surprend. Son cœur cogne. Avec un claquement qui se répercute au fond de la clairière, elle plaque sa main sur celle de Selena.

– Je le jure.

Becca y pose la sienne, plus légère qu'une fleur de pissenlit, en regrettant amèrement de ne pas avoir regardé la photo, de ne pas avoir vu ce qui a tant choqué les autres.

– Je le jure.

Et Holly :

– Je le jure.

Leurs doigts s'entremêlent. Le souffle court, elles rient.

Sous la lune immobile, les cyprès soupirent d'aise.

9

Rebecca se tenait dans l'encadrement de la porte, en équilibre sur un pied, l'autre enroulé autour de la cheville. Queue-de-cheval, longs cheveux sombres, naturellement lisses. Pas de défrisage. Pas de maquillage non plus. Un peu plus grande que Holly. Très mince ; trop, peut-être. Une bonne pizza lui aurait fait du bien. Pas jolie. Mais elle le deviendrait bientôt, lorsque ses traits auraient acquis leur forme définitive. Grands yeux bruns, braqués avec inquiétude sur Conway. Pas un regard au panneau des secrets.

Mal à l'aise ; aucune assurance, peu d'estime de soi, du moins à première vue. Du gâteau pour moi. Je jouerais le grand frère attentionné quémandant son soutien dans une affaire capitale, qu'elle seule pourrait m'aider à résoudre.

– Rebecca, c'est ça ? Merci d'être venue. Assieds-toi.

En dépit de mon sourire engageant, elle ne bougea pas. Houlihan dut la contourner avant de courir vers sa place.

– C'est au sujet de Chris, n'est-ce pas ?

Murmure à peine audible.

– Je m'appelle Stephen Moran. Holly t'a peut-être parlé de moi. Elle m'a donné un coup de main il y a quelques années.

Elle me dévisagea pour la première fois, acquiesça.

Je lui indiquai la chaise. Elle s'écarta de la porte et s'avança d'une démarche traînante, comme si seules ses

153

chaussures la maintenaient au sol. Elle s'assit, croisa les jambes, enfouit ses mains dans les plis de sa jupe.

Connaissant Holly, fort de ce que Conway m'avait dit (« Elles ne sont pas du même tabac ») et des descriptions des autres filles, je me sentis déçu. En fait de « furie » ou de « sorcière », je n'avais devant moi qu'une réplique d'Alison, empruntée et craintive.

Je m'avachis presque, comme un ado, la gratifiai d'un nouveau sourire ; contrit, cette fois.

– J'ai encore besoin d'un coup de main. Bien sûr, je connais mon métier. Pourtant, de temps à autre, je dois m'appuyer sur quelqu'un pour ne pas m'emmêler les pinceaux. J'ai l'intuition que tu pourrais être cette personne. Tu veux bien essayer ?

Elle répéta :

– C'est à propos de Chris ?

Je fis la moue.

– Je t'avoue que je ne sais pas encore trop de quoi il s'agit. Pourquoi ? Il s'est passé quelque chose en rapport avec Chris ?

– Non, mais…

Elle regarda brièvement Conway qui, occupée à se curer les ongles avec le capuchon de son stylo à bille, ne leva pas les yeux.

– Je veux dire… Parce qu'elle est là, je croyais…

– On va essayer d'y voir plus clair ensemble. D'accord ?

Pas de réaction.

– Bien. Commençons par la soirée d'hier. Première heure d'étude : où étais-tu ?

Silence. Puis :

– Dans la salle commune des secondes. C'est obligatoire.

– Ensuite ?

– Il y a eu la pause. Mes amies et moi, on est allées s'asseoir dans l'herbe un moment.

Sa voix, toujours ténue, se raffermit lorsqu'elle prononça : « Mes amies et moi. »

– Quelles amies ? Holly, Julia et Selena ?

– Oui. Et d'autres. Nous sommes presque toutes sorties. Il faisait bon.

– Ensuite a eu lieu la seconde heure d'étude. Tu te trouvais dans la salle d'arts plastiques ?

– Oui. Avec Holly, Julia et Selena.

– Comment obtenez-vous l'autorisation de passer une heure d'étude ici ? Qui l'a demandée, à qui et quand ? Désolé, précisai-je avec un petit rire gêné, je suis un peu novice. Je ne connais pas toutes les procédures.

Prunelle morne. Bravo, grand frère. Tu te débrouilles comme un chef avec les jeunes. Tu les détends, tu les fais parler…

Conway examinait l'ongle d'un de ses pouces dans la lumière du soleil. Ne perdant rien.

– Mlle Arnold, répondit enfin Rebecca. C'est la surveillante générale. Julia lui a demandé la permission avant-hier, au moment du goûter. On voulait la salle pendant la première heure d'étude, mais elle était déjà prise. Mlle Arnold nous l'a donc proposée pour la deuxième heure. La directrice et elle n'aiment pas beaucoup que trop d'élèves restent dans le bâtiment des classes après les cours.

– Donc, pendant la pause, hier soir, les autres filles qui étaient ici vous ont remis la clé de la porte communicante ?

– Non. On n'a pas le droit de se la passer de la main à la main. Celle qui a signé pour l'avoir doit la rapporter à l'heure dite. Les autres filles l'ont donc rendue à Mlle Arnold et après, on est allées la prendre dans son bureau.

– Qui l'a fait ?

Elle pâlit légèrement. Elle avait peur et s'apprêtait à mentir. Elle n'avait aucun motif pour le faire et rien, dans ma question, ne la plaçait dans une situation délicate. Mais c'était dans sa nature. Conway avait dit vrai : cette fille était une menteuse, du moins quand elle était effrayée ; et lorsque, séparée de ses amies, elle se retrouvait seule sur la sellette.

Pas bête, toutefois, effrayée ou non. Il ne lui fallut qu'une seconde pour comprendre qu'un mensonge, en l'occurrence, n'avait pas de raison d'être.

– Moi, dit-elle.

– Alors, vous êtes montées jusqu'à la salle d'arts plastiques. Toutes les quatre ensemble ?

– Oui.

– Qu'avez-vous fait ?

– On a un projet.

Elle exhuma une main des plis de sa jupe et montra, sur une table proche de la fenêtre, une forme volumineuse sous une bâche maculée de peinture.

– Selena faisait la calligraphie, Holly pulvérisait de la craie pour figurer la neige. Julia et moi, on fabriquait des trucs avec du fil de cuivre. On réalise une maquette de l'école il y a cent ans. C'est de l'art et de l'histoire en même temps. C'est compliqué.

– Ça m'en a tout l'air. Donc, vous travaillez en dehors des cours. Qui l'a décidé ?

– Ça a été le cas pour tout le monde. On l'a fait aussi la semaine dernière.

C'était peut-être à ce moment-là qu'une fille avait eu une idée lumineuse.

– Vraiment ? Qui a suggéré de revenir ici hier soir ?

– Je m'en souviens même pas. On savait toutes qu'on devait le faire.

– Et vous êtes restées tout le temps dans la salle, jusqu'à neuf heures du soir ? Aucune d'entre vous n'est sortie ?

Elle ôta ses mains de sa jupe, les plaqua sous ses cuisses. Je posais mes questions à toute allure. Elle devenait de plus en plus tendue, de plus en plus inquiète, tout en ignorant où je voulais en venir. À moins d'être particulièrement retorse, ou si j'étais bouché, elle ne savait rien à propos de la carte.

– Juste un instant.

– Qui est allé où ?

Elle hésita, nous scruta tour à tour, Conway et moi. Assise sur sa table, Conway gribouillait. J'attendis.

– Pourquoi ? En quoi ça vous concerne ?

Je gardai le silence. Elle aussi se tut. Je n'avais plus devant moi une frêle petite chose, mais une fille déterminée, presque agressive. Conway s'était lourdement trompée sur son compte. Ou alors, Rebecca avait beaucoup changé en un an. Elle ne souhaitait pas qu'on la rassure ou qu'on la considère comme une personne exceptionnelle. Elle n'était ni Alison, ni Orla. Je faisais fausse route.

Conway avait relevé la tête. Elle m'observait.

Jetant aux orties ma fausse décontraction, je me penchai vers Rebecca, les mains croisées entre les genoux. Un adulte face à une adulte. Sérieux ; direct.

– Rebecca, il va m'être impossible de te révéler certains détails. Je vais pourtant te demander de me raconter tout ce que tu sais. J'admets que c'est injuste. Mais si Holly t'a parlé de moi, j'espère qu'elle t'a dit que je ne te traiterais pas comme une idiote ou un bébé. Si je peux répondre à tes questions, je le ferai. Témoigne-moi le même respect. Ça te va ?

Quand on fait vibrer la note juste, on l'entend. Rebecca se redressa, abandonna son air buté.

– Oui, répondit-elle au bout d'un moment. D'accord.

Conway cessa de jouer avec son stylo à bille, prête à prendre des notes.

– Magnifique, dis-je. Bon. Qui a quitté la pièce ?

– Julia est retournée dans notre salle commune pour récupérer une de nos vieilles photos, qu'on avait oubliée. Je suis allée aux toilettes ; Selena également, il me

157

semble. Holly est partie chercher de la craie blanche, parce qu'on n'en avait plus. Au labo, je crois.

– Tu te rappelles à quel moment ? Dans quel ordre ?

– On est restées tout le temps dans le bâtiment. On n'a même pas quitté l'étage, sauf Julia, qui s'est absentée à peine une minute.

– Personne ne vous reproche quoi que ce soit, dis-je doucement. J'essaie seulement de découvrir ce que vous auriez éventuellement vu ou entendu.

– On n'a rien vu, rien entendu. On avait mis la radio. On a seulement travaillé à notre projet. Puis on a regagné l'aile des pensionnaires. On a tout laissé tel quel. Au cas où ça vous intéresserait…

Son air de défi ne m'échappa pas.

– Et vous avez rendu la clé à Mlle Arnold.

– Exact. À neuf heures. Vous pouvez vérifier.

Nous le ferions. Mais je m'abstins de le lui dire.

Je sortis la photo.

Rebecca étira le cou, comme aimantée. Je maintins le cliché face à moi, le tapotant d'un doigt.

– En te rendant ici, tu es passée devant l'endroit des secrets. Tu l'as de nouveau longé en te rendant aux toilettes et en revenant. Et une autre fois lorsque tu es partie à la fin de l'heure d'étude. Exact ?

Elle se détourna de la photo et me fit face, à la fois angoissée et intriguée.

– Oui.

– T'es-tu arrêtée pour l'examiner, à un moment ou un autre ?

– Non.

Je ne cachai pas mon scepticisme.

– On était pressées, précisa-t-elle. Il fallait qu'on travaille sur le projet. Ensuite, on devait rapporter la clé à temps. On ne pensait pas à l'endroit des secrets.

Elle libéra une de ses mains plaquées sous ses cuisses, la pointa sur la photo. Doigts longs et fins. Elle serait grande.

– Pourquoi cette question ? Est-ce que…

– Les secrets sur le panneau. Certains sont de toi ?

– Non.

Réplique spontanée, sans une hésitation. Elle ne mentait pas.

– Pourquoi ? Tu n'en as pas ? Ou alors, tu les gardes pour toi ?

– J'ai des amies. Je me confie à elles. Je ne vois pas l'intérêt de divulguer mes secrets dans tout le collège. Même de façon anonyme.

Elle avait haussé le ton. Avec fierté. Sa voix traversa les rayons de soleil, résonna dans la pièce.

– Selon toi, tes amies te racontent les leurs, elles aussi ?

Là, l'ombre d'un doute, qui s'évanouit aussitôt. Elle s'écria, presque joyeusement :

– Je sais tout d'elles !

Je n'avais plus qu'à bien me tenir. «Elles sont d'une autre trempe que Joanne et sa bande», m'avait assuré Conway. Je touchais du doigt ce qui les liait : la solidarité.

– Et vous ne dévoilez vos secrets à personne.

– Non. Aucune d'entre nous ne le ferait. Jamais.

– Donc, dis-je en lui mettant la photo dans la main, ceci ne t'appartient pas.

Elle cessa de respirer, puis poussa un cri.

– Quelqu'un, hier soir, a épinglé cette carte sur le panneau des secrets. Était-ce toi ?

Hypnotisée par le cliché, elle ne répondit pas tout de suite.

– Non, asséna-t-elle enfin.

Sûre d'elle, cette fois, catégorique. Là encore, elle ne mentait pas. Une autre fille hors de cause.

– Tu sais qui l'a fait ?

– C'était pas nous. Ni moi, ni aucune de mes amies.

– Comment en es-tu sûre ?

– Parce qu'aucune d'entre nous ne sait qui a tué Chris.

Elle me rendit la photo. Fin de partie. Elle se redressa et me fixa droit dans les yeux, sans ciller. Je poussai le bouchon plus loin.

– Admettons, à titre purement indicatif, que tu aies ton idée là-dessus. Que dirais-tu ?

– Sur quoi ? La photo, ou… Chris ?

– Les deux.

Elle répliqua par un de ces haussements d'épaules appuyés propres aux ados et qui rendent leurs parents cinglés.

– D'après tes propos, tes amies comptent énormément pour toi. Je me trompe ?

– En effet.

– On va savoir que vous avez peut-être, toutes les quatre, quelque chose à voir avec cette carte. C'est un fait contre lequel on ne peut rien. Si j'avais des amies chères, je ferais tout pour qu'un assassin n'en déduise pas qu'elles possèdent des informations sur lui. Même si cela me forçait à répondre à des questions embarrassantes.

Rebecca soupesa cette possibilité. Calmement. Puis, désignant la photo :

– Je crois que c'est un canular.

– Concocté par qui ? Tu m'as dit que ce n'était aucune d'entre vous. Donc, il ne peut s'agir que de Joanne Heffernan ou d'une de ses copines. En dehors de vous, elles seules se trouvaient dans le bâtiment au bon moment.

– C'est vous qui le dites. Pas moi.

– L'auraient-elles fait ? Auraient-elles tout inventé ?

– Possible.

– Pourquoi ?

Geste dubitatif.

160

– Peut-être qu'elles s'ennuyaient. Elles voulaient qu'il se passe quelque chose. Et maintenant, vous êtes là.

Froncement de nez. «Elles.» Rebecca ne les estimait guère. Pauvre petite chose au premier abord. Mais pas à l'intérieur.

– Et Chris ? Qui l'a tué, à ton avis ?

Réplique immédiate :

– Des mecs de Colm. Je pense que certains d'entre eux se sont faufilés chez nous. Ils projetaient peut-être de faire une blague, comme voler quelque chose, ou peindre Dieu sait quoi. Il y a quelques années, un groupe a tracé à la bombe un dessin sur notre terrain de sport.

Ses joues se colorèrent. Ce dessin, elle ne nous le décrirait pas.

– Je crois qu'ils se sont introduits ici dans le même but. Mais ils se sont disputés et…

Elle ouvrit les mains, nous laissant imaginer la suite.

– Chris était du genre à faire ça ? Sauter le mur de son école pour venir faire une farce chez vous ?

Elle parut se remémorer des scènes qui, un instant, l'éloignèrent de nous. Puis elle se reprit.

– Oui. C'était son genre.

Sa voix s'était altérée. Elle avait éprouvé des sentiments pour Chris Harper. Tendres, ou haineux ? Impossible de le deviner. Mais forts, certainement.

– Si tu avais quelque chose à me dire à son sujet, ce serait quoi ?

Sa réponse me surprit.

– Il était charmant.

– Charmant ? Dans quel sens ?

– Un soir, alors qu'on traînait devant le centre commercial, mon téléphone s'est mis à déconner. J'ai cru que j'avais perdu toutes mes photos. Des types ont ricané : «Oh là, t'avais quoi, là-dedans ? Des photos de… ? » Enfin, des inepties.

Elle rougit encore et poursuivit :

– Chris, lui, n'a pas ri. Il m'a dit : « Laisse-moi voir. »
Il a examiné mon mobile. Les autres trouvaient ça hilarant ! Ça lui était complètement égal. Il l'a réparé, me l'a rendu. Quand je pense à lui, je me souviens de ce soir-là.

Elle soupira. Telle que je la percevais, cette scène aurait pu la frapper au cœur, prendre une importance démesurée.

Conway remua, lui parla pour la première fois.

– Tu as un amoureux ?

– Non.

Presque dédaigneuse, comme s'il s'agissait d'une question aussi stupide que : « Tu as un vaisseau spatial ? »

– Pourquoi ?

– Je suis obligée ?

– Des tas de filles en ont.

– Pas moi.

Affirmation sans réplique. Elle se fichait éperdument de ce que nous pensions. Tout le contraire d'Alison ou d'Orla.

– Nous nous reverrons, dit Conway.

Rebecca s'en alla en glissant ma carte dans sa poche, l'oubliant immédiatement.

– Ce n'est pas elle, conclut Conway.

– Non.

Comme elle ne faisait aucun commentaire, je me crus obligé d'ajouter :

– J'ai eu du mal à trouver mes marques.

– Ce n'est pas de ta faute. Je t'avais mal renseigné.

– Je suis quand même retombé sur mes pieds. Sans trop de dommages, me semble-t-il.

– Possible.

Elle eut l'air songeur, tout à coup, comme plongée dans un souvenir. Enfin, elle s'exclama :

– Ce milieu de merde ! Au moindre pas, on se casse la gueule. Quoi qu'on fasse, on se plante !

Julia Harte. Conway ne m'avait fait aucun laïus sur elle, pas après son cafouillage à propos de Rebecca, mais je sus tout de suite, en la voyant passer la porte, qu'elle était la meneuse de la bande. Petite, cheveux noirs et frisés, au fouillis canalisé tant bien que mal par une queue-de-cheval. Un peu enveloppée comparée aux autres ; des formes plus affirmées, que sa démarche mettait en valeur. Pas belle : visage lunaire, une bosse sur le nez ; mais un menton étroit, arrogant, et des yeux séduisants, noisette, aux longs cils, directs et francs. Pas un regard au panneau des secrets. Il n'y en aurait pas eu de toute façon ; pas avec celle-là.

– Inspecteur Conway, lança-t-elle d'une jolie voix, plus profonde, plus contrôlée que celle des autres, et qui la vieillissait. Nous vous manquions à ce point ?

Insolente. C'était bon pour nous. Les gens insolents parlent souvent quand ils devraient se taire, plus attentifs à l'impact de leurs propos qu'à leur contenu.

Conway lui indiqua la chaise. Elle s'assit, croisa les genoux. M'examina de la tête aux pieds.

– Je m'appelle Stephen Moran. Et toi Julia Harte. C'est ça ?

– À votre service. Que puis-je pour vous ?

– À toi de me le dire. Il y a quelque chose que je devrais savoir, à ton avis ?

– À propos de quoi ?

– De ce que tu veux.

Je lui souris, comme si nous étions de vieux complices n'ayant pas eu depuis longtemps l'occasion de se renvoyer la balle. Elle me rendit mon sourire.

– Ne cueillez les mûres qu'au-dessus du jet du renard. Ne jouez jamais à saute-mouton avec une licorne.

Le ton était donné. Il ne s'agirait pas d'un entretien, mais d'une partie de ping-pong. Sur sa table, Conway se détendit. Quant à moi, je me sentis soulagé.

– Je suivrai tes conseils. En attendant, pourquoi ne me raconterais-tu pas ce que tu as fait hier soir ? En commençant par la première heure d'étude.

Elle soupira.

– J'espérais que nous aurions une conversation intéressante. Y a-t-il une raison pour que nous abordions un sujet aussi gonflant ?

– Tu auras ta réponse lorsque j'aurai eu la mienne. Peut-être. Pour l'instant, pêche interdite.

– Topons-la. D'accord pour le récit soporifique.

Même histoire que Rebecca : le projet artistique, la clé, la photo oubliée, les toilettes et la craie, les quatre filles trop occupées pour s'arrêter devant le panneau. Aucune contradiction. C'était vrai, ou elles étaient très fortes.

J'exhumai la photo, la tapotai d'un doigt, comme d'habitude.

– As-tu épinglé des cartes à l'endroit des secrets ?

Elle ricana.

– Putain, non. C'est pas mon truc.

– Vraiment ?

– Croix de bois, croix de fer.

– Donc, tu n'as pas épinglé celle-là.

– Puisque je n'en ai épinglé aucune…

Je la lui tendis. Elle la prit. Visage impassible. Elle la retourna et se figea, et nous avec elle. Puis elle haussa les épaules et me la rendit, la lançant presque.

– Vous connaissez Joanne Heffernan, non ? Si vous voyez quoi que ce soit qu'elle ne ferait pas pour attirer l'attention, je serais ravie de l'apprendre. Cela implique sans doute YouTube et un berger allemand.

Houlihan poussa un petit cri. Julia la toisa avec une sorte de commisération.

– Julia, dis-je. Arrête de plaisanter une seconde. Si c'était toi, il faut que nous le sachions.

– Je suis capable de faire la différence entre ce qui est sérieux et ce qui ne l'est pas. Je vous l'affirme : c'était pas moi.

Elle n'était pas hors de cause ; presque, mais pas tout à fait.

– Tu estimes que Joanne est derrière tout ça ?

Second haussement d'épaules.

– Qui étaient les seules élèves à poireauter devant le bureau de la directrice ? Nous et les boniches de Joanne. En plus, vous posez des questions sur la soirée d'hier. Il faut donc que ce soit une des filles qui se trouvaient dans le bâtiment des classes à ce moment-là. C'était pas nous, donc il ne reste qu'elles. Et les trois autres ne se grattent jamais le cul sans la permission de Joanne. X'cusez mon langage.

– Comment peux-tu être sûre qu'il ne s'agit pas d'une de tes copines ?

– Parce que. Je les connais.

Son ton exprimait la certitude que j'avais perçue dans celui de Rebecca. Il y avait là quelque chose de particulier. Un lien rare.

Je secouai la tête.

– Tu ne connais pas le fond de leur pensée. Crois-moi. Ça n'arrive jamais.

Elle me scruta d'un air interrogateur, comme pour me dire : « C'est une question ? » Derrière moi, Conway bouillait d'impatience.

– Dis-nous. Tu t'es certainement demandé qui avait tué Chris. Tu as une hypothèse ?

– Ce sont des types de Colm. Ses amis. Ils trouvent poilant de sauter le mur de notre collège pour faire des blagues, piquer quelque chose, écrire « PÉTASSES » sur un mur, n'importe quoi. Et ils trouvent marrant de faire les cons dans le noir avec des bâtons ou des pierres, tout ce qu'ils peuvent trouver de plus dangereux. L'un d'eux s'est un peu excité et…

Elle ouvrit les mains. Même geste que Rebecca. Même version, presque mot pour mot. Elles s'étaient concertées.

– On nous a raconté une histoire de ce genre : les élèves de Colm traçant à la bombe un dessin sur l'herbe, il y a quelques années. C'étaient Chris et ses copains ?

– Allez savoir. Aucun ne s'est fait choper. Personnellement, je répondrais non. On était en cinquième quand ça s'est produit. Chris était donc en quatrième. Aucun gus de quatrième n'aurait eu le culot de faire ça.

– Que représentait ce dessin ?

Nouveau piaillement de Houlihan. Julia agita les doigts dans sa direction.

– Scientifiquement parlant, un grand pénis et ses testicules. Ils ont une imagination débordante, à Colm.

– Tu as une raison de penser que Chris a été tué par accident ?

– Moi ? Je m'interroge, sans plus. Je laisse l'enquête aux professionnels.

Elle battit des cils en rentrant le menton, guettant ma réaction. Rien d'aguichant, comme Gemma. Elle se payait ma tête.

– Je peux m'en aller ?

– Tu sembles pressée de retourner en classe. Studieuse, hein ?

– J'ai pas l'air d'une élève modèle ?

Petite moue provocante. Elle espérait toujours une réaction de ma part.

– Dis-moi quelque chose à propos de Chris. Quelque chose d'important.

Sa moue s'estompa. Elle réfléchit, les yeux baissés, comme une adulte, en prenant son temps, sans se soucier de nous faire lanterner. Elle déclara enfin :

– Son père est banquier. Il est riche, très, très riche.

– Et ?

– C'est sans doute la chose la plus importante que je puisse dire sur lui.

– Il le faisait savoir? Il se poussait du col? Les plus belles fringues et tout le toutime?

Elle secoua lentement la tête, fit claquer sa langue.

– Rien de tout ça. Il était bien moins frimeur que la plupart de ses potes. Mais chez lui, c'était naturel. Évident. Il n'attendait pas Noël ou son anniversaire. Ce qu'il voulait, il l'avait. Tout de suite.

Conway embraya.

– Tu donnes l'impression d'avoir bien connu Chris et sa bande.

– J'avais pas vraiment le choix. Colm est à deux minutes d'ici. On fait plein d'activités ensemble. On se voit.

– Tu es sortie avec l'un d'eux?

– Bien sûr que non! Je serais tombée bien bas.

– Tu as un amoureux?

– Non.

– Pourquoi?

– On rencontre uniquement les types de Colm. Moi, je cherche quelqu'un capable de prononcer un mot de plus d'une syllabe. Je suis si difficile!

– Bien, décréta Conway. Tu peux t'en aller. Si quelque chose te revient, appelle-nous.

J'offris ma carte à Julia. Elle la prit, mais ne se leva pas.

– Pourriez-vous me fournir l'info que je vous ai demandée au début, maintenant que j'ai été une bonne fille et que je vous ai donné les miennes?

– Je ne te promets pas de répondre, mais vas-y. Pose ta question.

– Comment avez-vous entendu parler de cette carte?

– À ton avis?

– Ah! Vous m'aviez prévenue. J'ai apprécié notre conversation, inspecteur. À bientôt.

Elle se leva et pivota, faisant virevolter sa jupe au-dessus des genoux. Puis elle sortit, sans attendre Houlihan.

– Cette carte lui a causé un choc, constatai-je, une fois la prof de français partie.

– Ou alors elle est très forte, répliqua Conway.

Elle fixait la porte, frappant son calepin avec son stylo.

– Et elle l'est.

Selena Wynne.

Une jeune fille en fleur. Immenses yeux bleus légèrement somnolents, visage rose, bouche pleine et douce. Cheveux blonds, naturels ceux-là, courts et bouclés comme ceux d'un nourrisson. Pas grosse, contrairement à ce qu'avait dit méchamment Joanne, elle avait des formes harmonieuses et pleines qui la faisaient paraître plus âgée que ses seize ans. Bref, ravissante. Ce charme, toutefois, risquait de se dissiper avec le temps, de s'évanouir à mesure que se fanerait sa jeunesse.

À mes yeux, elle incarnait ce qui m'avait séduit tout d'abord dans ce collège de petites filles riches ; paisible, rassurant, à mille lieues des cités de banlieue où les bus ne s'aventurent jamais. Pourtant, je commençais à discerner derrière les apparences une menace, un danger permanent. Cette menace n'était pas spécialement dirigée contre moi, pas plus que celle qui émanait des quartiers pauvres de Dublin. Mais elle était là.

Debout à l'entrée de la salle, Selena balançait la porte d'avant en arrière, telle une gamine. Et nous observait.

Houlihan toussa dans son dos, essayant de la pousser vers nous. Elle ne lui prêta aucune attention. Elle dit à Conway :

– Je me souviens de vous.

– Même chose pour moi, lui rétorqua Conway.

D'un coup d'œil, alors qu'elle regagnait sa place, elle m'apprit que Selena n'avait pas consulté l'endroit des secrets. Zéro sur sept. Celle que nous cherchions avait du sang-froid.

– Pourquoi ne t'assieds-tu pas ?

Selena s'avança. Elle s'assit, docile, indifférente. Elle m'examina comme si j'étais un nouveau tableau sur un des chevalets.

– Je suis l'inspecteur Stephen Moran. Selena Wynne, c'est ça ?

Elle acquiesça. Toujours ce regard vague, la bouche entrouverte. Pas d'interrogation sur le motif de cet entretien, aucune inquiétude.

Inutile d'envisager la moindre connivence avec elle. Même en m'acharnant, j'obtiendrais des réponses aussi plates que si je lui avais envoyé une liste de questions par courriel. Selena ne désirait rien de moi. Pour elle, j'étais à peine réel.

Lente, pensai-je. Ou un peu dérangée. Perturbée. Rien à voir, en tout cas, avec une de ces furies qu'avait décrites Joanne.

– Pourrais-tu me raconter ce que tu as fait hier soir ?

Même récit que les trois autres, du moins dans les grandes lignes. Elle ne se rappelait pas avec certitude qui avait demandé l'autorisation, qui avait quitté la salle d'arts plastiques. Elle me considéra d'un œil vague lorsque je lui demandai si elle s'était rendue aux toilettes, me répondit que c'était fort possible, comme pour me faire plaisir, parce que, de toute façon, cela n'avait aucune importance. Et elle n'avait pas consulté le panneau des secrets de toute la soirée.

– Y as-tu épinglé des cartes ?

Geste de dénégation.

– Jamais ?

– L'endroit des secrets ne me passionne pas.

– Pourquoi ? Tu n'aimes pas les secrets ? Ou tu estimes qu'ils doivent le rester ?

Elle remua les doigts et les contempla, fascinée, comme un bébé.

– J'aime pas ça, c'est tout. Ça m'ennuie.

– Donc, dis-je en lui plaquant la photo dans la main, ceci ne t'appartient pas.

Ses doits étaient si lâches que la carte glissa entre eux et se retrouva par terre. Elle la regarda tomber sans régir. Je dus la ramasser moi-même, la lui tendre à nouveau.

Elle prit le cliché et l'examina si longuement, sans la moindre émotion sur son joli visage, que je me demandai si elle saisissait vraiment de quoi il retournait.

– Chris, chuchota-t-elle enfin.

Conway s'agita derrière moi, comme pour me dire : « Ne foire pas, Sherlock. »

– Quelqu'un a accroché cette carte à l'endroit des secrets, poursuivis-je. C'était toi ?

Selena secoua la tête.

– Selena. Si tu l'as fait, personne ne te le reprochera. Mais il faut que nous le sachions.

Elle secoua une nouvelle fois la tête. J'eus l'impression d'avoir affaire à un fantôme. Transparence absolue. Pas une faille, aucun fil à tirer. Pas moyen de l'atteindre.

– Alors, à ton avis, qui l'a fait ?

– J'en sais rien.

Elle parut sidérée, comme si j'avais posé une question totalement incongrue.

– Si tu devais donner ton opinion…

Elle s'efforça de trouver une explication, pour m'être agréable.

– C'était peut-être une blague ?

– Qu'aurait pu faire une de tes amies ?

– Julia, Holly et Becca ? Non.

– Alors, Joanne Heffernan, ou une fille de sa bande ?

– Je sais pas. Je comprends rien à ce qu'elles font.

L'évocation de leur nom la troubla. Mais elle redevint vite impavide.

– Selon toi, qui a tué Chris Harper ?

Elle y réfléchit longtemps. Ses lèvres remuaient de temps à autre, comme si elle s'apprêtait à commencer une phrase qu'elle oubliait aussitôt. Derrière moi, Conway brûlait d'impatience.

– Je crois que personne ne le saura jamais, dit enfin Selena.

Sa voix était forte, claire. Pour la première fois, elle nous regardait comme si elle nous voyait.

– Pourquoi ? s'enquit Conway.

– Il y a des histoires comme ça. Où personne ne sait jamais ce qui est arrivé.

– Ne nous sous-estime pas. Nous avons bien l'intention de le découvrir.

– Tant mieux, articula-t-elle faiblement en me rendant la photo.

– Si tu avais une chose à me dire à propos de Chris, qu'est-ce que ce serait ?

Elle eut l'air absent, comme si elle s'endormait dans les rayons de soleil, au milieu des grains de poussière. J'attendis.

Son mutisme se prolongea. Enfin, elle murmura :

– Parfois, je le vois.

Son ton trahissait une tristesse insondable. Houlihan sursauta. Conway émit une espèce de grognement.

– Vraiment ? dis-je. Où ?

– En différents endroits. Une fois ici, sur le palier du second étage, assis sur le rebord de la fenêtre et envoyant un texto. Faisant des tours de piste autour du terrain de sport de Colm, pendant un match. Une autre fois dans l'herbe, sous notre fenêtre, au milieu de la nuit, jouant avec un ballon. Il s'active toujours. Comme s'il essayait de faire tout ce qui lui sera désormais interdit, le plus vite possible. Ou bien comme s'il essayait de rester parmi nous, comme si, peut-être, il ne se rendait pas compte…

Un spasme souleva sa poitrine.

– Oh, gémit-elle doucement. Pauvre Chris.

Ni lente ni dérangée. Cela ne me venait même plus à l'esprit. Simplement, dessinant des arabesques dans le vide, elle nous entraînait dans son monde.

– Donc, il t'apparaît. Pourquoi ? Vous étiez proches ?

Son visage s'éclaira une seconde. Éclair aussi fugace que le reflet d'une lame, qui se dissipa aussitôt.

– Non.

En cet instant, j'aurais juré qu'au-delà d'un écheveau que nous ne parviendrions jamais à démêler, Selena était au cœur de cette affaire ; et que j'allais enfin avoir mon affrontement.

Je feignis l'étonnement.

– Je croyais que tu sortais avec lui.

– Non.

Rien d'autre.

– Alors, à ton avis, pourquoi le vois-tu ? Si vous n'étiez pas proches ?

– Je n'y ai pas encore pensé.

– Quand tu auras trouvé, fais-le-nous savoir, intervint Conway.

Les yeux de Selena glissèrent vers elle.

– D'accord, répondit-elle, placide.

– Tu as un amoureux ?

– Non.

– Pourquoi ?

– J'en veux pas.

– Pourquoi ?

Rien. Conway ajouta :

– Qu'est-il arrivé à tes cheveux ?

Surprise, Selena porta une main à sa tête.

– Oh, ça… ? Je les ai coupés.

– Pour quelle raison ?

Silence. La bouche humide, elle redevint indifférente, lointaine. Elle ne nous ignorait pas. Simplement, elle n'était plus là.

Nous avions terminé. Nous lui avons donné nos cartes. Elle quitta la pièce avec Houlihan, sans se retourner.

– Une autre que nous ne pouvons pas éliminer, dit Conway.

– Oui.

– Le fantôme de Chris Harper ! tonna-t-elle soudain. Nom de Dieu ! Et McKenna, là-haut, qui se félicite d'avoir mis un terme à tous ces délires avec son cérémonial à la con ! J'aimerais lui raconter ce que nous venons d'entendre, uniquement pour voir sa tronche !

Et, le meilleur pour la fin, Holly.

Son maintien avait changé. Pour Conway, ou pour Houlihan ? En tout cas, elle incarnait à présent la collégienne idéale, bien droite, les mains jointes devant elle. En apparaissant dans l'encadrement de la porte, elle fit presque la révérence.

Je me rendis compte, un peu tard, que j'ignorais totalement ce qu'elle voulait de moi.

– Holly, dis-je, tu te souviens de l'inspecteur Conway. Nous te sommes tous les deux infiniment reconnaissants de nous avoir apporté cette carte. Nous avons juste quelques questions supplémentaires à te poser.

– Bien sûr. Sans problème.

Elle hocha la tête d'un air grave avant de s'asseoir en croisant les chevilles. J'aurais juré que ses yeux s'étaient agrandis, étaient devenus plus bleus.

– Peux-tu nous dire ce que tu as fait hier soir ?

Même histoire que les trois autres, mais plus fluide, sans hésitations ni retours en arrière. Elle la débita comme si elle l'avait répétée, ce qui était sans doute le cas.

– As-tu déjà affiché des secrets sur le panneau ?

– Non.

– Jamais ?

Son geste d'agacement me fit retrouver, derrière son apparence de petite fille modèle, la Holly que je connaissais.

– Les secrets, on ne les dévoile pas. Si on les étale au grand jour, même de façon anonyme, ils deviennent des secrets de Polichinelle. Tout le monde, ici, sait d'où vient la moitié des cartes du tableau.

La vraie fille de son père : regarde toujours derrière toi.

– Donc, à ton avis, qui a épinglé celle-là ?

– Vous êtes arrivés à la conclusion qu'il s'agissait de nous ou de la bande de Joanne.

– Admettons. Alors, qui, selon toi ?

Elle réfléchit, ou fit semblant.

– De toute évidence, ça ne peut pas être moi ou mes amies. Sinon, je vous l'aurais déjà dit.

– Tu es certaine que tu l'aurais su ?

Nouveau geste irrité.

– Oui, j'en suis sûre. Ça vous va ?

– D'accord. Et pour les autres ? Sur qui parierais-tu ?

– Ce n'est pas Joanne, parce qu'elle en aurait fait tout un drame. Elle se serait probablement évanouie devant tout le collège et vous auriez dû aller l'interroger sur son lit d'hôpital. Quant à Orla, elle est bien trop bête pour y avoir pensé. Restent donc Gemma et Alison. Si je devais donner une opinion…

Elle se détendait à mesure qu'elle parlait. Tête basse, Conway ne bronchait pas.

– Je t'écoute, dis-je.

– Bon. Gemma et elle se prennent pour le centre du monde. Si Gemma savait quelque chose, elle ne vous dirait rien du tout. Mais si elle le faisait, ce serait sans détour. Avec son père assis à côté d'elle. Il est avocat.

Je parierais donc pour Alison. Elle a peur de tout ; si elle savait quoi que ce soit, elle n'aurait jamais le courage de s'adresser directement à vous.

Elle jeta un coup d'œil à Conway pour s'assurer qu'elle prenait des notes.

— Ou bien, poursuivit-elle, et vous y avez peut-être pensé, une élève aurait pu charger une fille de la bande de Joanne d'épingler la carte à sa place.

— Laquelle aurait accepté ?

— Pas Joanne. Gemma non plus. Orla, oui, mais elle en aurait d'abord parlé à Joanne. Alison, peut-être. Mais, si elle l'a fait, elle ne vous l'avouera pas.

— Pourquoi ?

— Parce que. Joanne deviendrait dingue si elle découvrait qu'Alison a épinglé cette carte sans le lui dire. Donc, elle le gardera pour elle.

Ses déductions me donnaient le tournis. Conway y mit un terme en martelant :

— Si elle l'a épinglée, nous le découvrirons.

Holly acquiesça, avec la même gravité que tout à l'heure. Elle s'en remettait entièrement aux vaillants inspecteurs, grâce à qui tout rentrerait bientôt dans l'ordre.

— Parlons de la mort de Chris Harper, enchaînai-je. À tes yeux, qui en est responsable ?

Je m'attendais à la fable de la blague de potache ayant mal tourné, qu'Holly aurait agrémentée de détails de son cru. Or, elle asséna :

— Je sais pas !

Elle semblait tellement le regretter que sa sincérité me parut évidente.

— Donc, pas de bagarre entre les élèves de Colm, qui aurait dégénéré ?

— Je sais que certaines personnes le pensent. Toutefois, une bagarre aurait impliqué plusieurs participants. Et, je suis désolée, au moins trois ou quatre garçons réussissant à tenir leur langue, ou accordant leurs violons sans se contredire, pas même une fois ? J'y crois pas.

Elle pivota vers Conway.

– Pas si vous les avez interrogés comme vous nous avez interrogées, nous.

Je brandis la photo.

– Une fille a réussi à la boucler, pendant tout ce temps.

Elle ne dissimula pas son exaspération.

– Tout le monde nous prend pour des pipelettes sans cervelle ! C'est totalement bidon ! Les filles ne divulguent pas les secrets. Ce sont les garçons qui jactent à tort et à travers.

– Des tas de filles bavardent sur le panneau.

– C'est vrai. Mais, s'il n'existait pas, elles se tairaient. Il est là pour ça : pour qu'on vide notre sac. Dans un certain sens, c'est parfois utile, admit-elle aimablement à l'intention de Houlihan.

– Décris-moi Chris. Comment le trouvais-tu ?

Elle respira profondément, comme pour rassembler son courage. Et elle déclara calmement :

– C'était un connard.

Houlihan émit un petit bruit de protestation. Personne ne s'en soucia.

– Explique-toi.

– Il ne s'intéressait qu'à ce qu'il voulait. La plupart du temps, ça ne posait pas de problème, car il souhaitait par-dessus tout que le monde entier l'adore. Donc, il se montrait sympa. Mais quand il cherchait à faire rire en débinant quelqu'un de plus faible que lui ? Ou quand il ne réussissait pas obtenir ce qu'il désirait ? Alors, il se comportait comme un salaud.

– Donne-moi un exemple.

– Un jour, énonça-t-elle, toujours calme mais avec une nuance de colère dans la voix, on était plein de nanas au Court, avec des types de Colm, à faire la queue devant la cafète. Une fille, Elaine, commande le dernier muffin au chocolat. Chris, qui attend derrière elle, lance : « Hé, je veux ça ! » Elaine lui réplique : « Trop tard. » Alors, il hurle, pour que tout le monde l'entende : « Ton cul n'a pas besoin de muffins supplémentaires ! » Tous les types se bidonnent. Elaine pique un fard terrible. Chris lui soupèse les fesses et braille : « T'as assez de muffins là-dedans pour ouvrir ta propre boulangerie. Je peux en mordre un bout ? » Elaine s'enfuit en courant. Les types lui crient : « Remue-les, chérie ! Montre-nous ta gélatine ! » Et tout le monde rigole.

Si je me fiais à ce que m'avait dit Conway, c'était la première fois qu'on parlait de Chris de cette façon.

– Charmant, observai-je.

– Elaine a refusé de croiser les types de Colm pendant des semaines et je crois qu'elle fait toujours un régime. En fait, elle n'était même pas grosse. Et Chris n'avait pas à agir comme ça. Après tout, c'était juste un muffin, pas le dernier billet pour la finale de la Coupe du monde de rugby. Mais Chris estimait qu'Elaine aurait dû se coucher devant lui dès qu'il avait ouvert la bouche. Elle ne l'a pas fait et il l'a punie. Comme si elle le méritait.

– Elaine qui ? demandai-je.

– Heaney.

– Chris a été dégueulasse avec d'autres ?

Haussement d'épaules.

– Je ne tiens pas de journal. Il est possible que la plupart des élèves ne s'en soient pas aperçus, parce que, ainsi que je l'ai dit, ça n'arrivait que de temps en temps et que ça faisait rire les autres. Il tournait ça en plaisanterie. Mais Elaine, elle, a bien vu que c'était de la méchanceté pure. Comme toutes celles à qui il a fait le coup.

– L'année dernière, intervint Conway, tu ne l'as pas traité de connard. Tu nous as dit que tu le connaissais à peine mais qu'il te paraissait réglo.

Holly garda le silence un moment avant de répondre, en choisissant ses mots :

– À l'époque, j'étais plus jeune. Tout le monde trouvait Chris sympa, donc je pensais qu'il l'était. Je n'ai compris que plus tard que c'était un salaud.

Mensonge : ce mensonge que Conway attendait.

Elle montra la photo dans ma main.

– Alors, pourquoi nous as-tu apporté ça ? Si Chris était une telle ordure, pourquoi tiens-tu à ce que son assassin soit confondu ?

Regard de petite fille modèle.

– Mon père est inspecteur de police. Il aimerait que je fasse ce qui est juste. Que Chris m'ait été sympathique ou non.

Nouveau mensonge. Je connais le père de Holly. Pour lui, agir selon sa conscience n'a aucun sens. Il n'a jamais rien fait sans avoir une idée derrière la tête.

« On a dû lui soutirer les mots un à un, m'avait dit Conway. Comme si on lui arrachait les dents. » L'année précédente, Holly ne se souciait pas de l'identité du tueur ; pas assez, du moins, pour se manifester. Cette année, cela lui importait au plus haut point. Il fallait que je découvre pourquoi.

Je me penchai vers elle, plongeai mes yeux dans les siens. C'est moi. Parle-moi.

– Holly, tout à coup, tu souhaites que cette affaire soit résolue. Je dois en connaître la raison. Ton père serait d'accord avec moi : le moindre renseignement venant de toi nous sera utile.

Très droite, elle répliqua sans ciller :

– Je ne vois pas ce que vous voulez dire. Il n'y a aucune raison. J'essaie simplement de faire ce qui est juste.

Elle ajouta, à l'intention de Conway :

– Je peux m'en aller ?

– Tu as un amoureux ?

– Non.

– Pourquoi ?

Visage d'ange.

– Je suis tellement occupée ! Les cours et tout le reste…

– Quelle collégienne de rêve… Tu peux partir.

Conway se tourna vers Houlihan.

– Toutes les huit. Ici.

Lorsqu'elles eurent quitté la salle, elle me demanda :

– Si Holly savait qui a tué Chris, se serait-elle adressée à toi, ou à son père ? Aurait-elle dévoilé directement le pot aux roses ?

Ou aurait-elle fabriqué une carte avant de me l'apporter ?

– Peut-être pas, répliquai-je. Elle a témoigné dans une autre affaire, ce qui a été pénible pour elle. Elle n'aurait peut-être eu aucune envie de revivre cette expérience. Mais si elle avait eu une révélation à faire, elle se serait arrangée pour nous la communiquer. En nous envoyant sans doute une lettre anonyme, avec tous les détails clairement exposés. Pas grâce à cette carte ambiguë.

Conway agita son stylo entre deux doigts.

– Bien raisonné. Laisse-moi quand même te donner mon avis. Ta petite chérie s'exprime comme si la fille qui a épinglé la carte, quelle qu'elle soit, désirait que son message tombe entre nos mains. Holly a estimé qu'il ne s'agissait pas pour elle d'amener une autre élève à se déballonner. Cette fille avait l'intention de nous dire quelque chose, et c'est le meilleur moyen qu'elle ait trouvé.

Ce n'était pas ma Holly. Cela sautait aux yeux ; aux miens, en tout cas. Je gardai cette certitude pour moi.

– Holly, dis-je, a pu se sentir gênée de venir me voir. À son âge, se confier à un adulte prend des proportions démesurées. On devient une balance, le pire crime qui soit. Elle s'est donc persuadée que la fille voulait que sa carte nous parvienne.

– Possible. Ou bien elle sait tout. Dans ce cas, quelles chances avons-nous de lui faire cracher le morceau ?

Pas beaucoup. À moins que Holly n'ait décidé d'attendre le moment propice, dont nous n'avions aucune idée, pour tout nous raconter.

– Je la pousserai à parler, affirmai-je.

Conway eut une moue dubitative.

– En attendant, conclut-elle, je veux que tu les voies toutes ensemble. Cette fois, c'est moi qui mène la danse. Toi, contente-toi de regarder.

Je m'appuyai contre le rebord de la fenêtre. À travers ma veste, le soleil me chauffa le dos. Conway fit les cent pas dans la salle à grandes enjambées, les mains dans les poches de son pantalon, pendant que les filles entraient.

Elles se posèrent comme des oiseaux : la bande de Holly près des fenêtres, celle de Joanne du côté de la porte. Avachies, les coudes sur les tables et gigotant sur leurs chaises ; mines inquiètes, murmures. Elles avaient cru que nous en avions fini avec elles, nous avaient chassés de leur esprit. Du moins certaines d'entre elles.

Conway ordonna à Houlihan, par-dessus son épaule :

– Vous pouvez attendre dehors. Merci pour votre aide.

La prof de français émit son couinement habituel avant de se précipiter dans le couloir. Les filles avaient cessé de murmurer. Le départ de Houlihan les privait de la protection illusoire des autorités du collège. Elles étaient entièrement à nous.

Pour la première fois, je les avais toutes ensemble devant moi. Leurs traits se confondaient, aussi flous que les cartes épinglées sur le panneau des secrets. Je ne distinguais que les écussons de leurs blazers, et tous ces yeux.

– Bien, commença Conway. Une des deux bandes nous a menti aujourd'hui.

Elles se figèrent.

– Au moins l'une d'entre vous, rectifia Conway.

Elle s'immobilisa, sortit la photo de la carte, la brandit.

– Hier soir, l'une d'entre vous a accroché cette carte au panneau des secrets. Puis est venue s'asseoir ici pour nous jurer : « C'était pas moi, j'ai jamais vu cette carte. » Voilà les faits.

Alison clignait des yeux, comme secouée par un tic. Bras croisés, remuant un pied, Joanne jeta à Gemma un coup d'œil qui signifiait : « P'tain, j'arrive pas à croire qu'on soit obligées d'entendre ça. » Orla se mordillait les lèvres, tentant de réprimer un gloussement nerveux.

Holly et ses amies restaient calmes. Elles ne se concertaient pas. Mais on les sentait soudées, prêtes à faire front. Ce petit quelque chose…

– C'est à toi que je m'adresse, reprit Conway. Toi, la fille qui a épinglé cette carte. Toi qui affirmes savoir qui a tué Chris Harper.

Léger frisson parmi les filles.

Conway se remit à marcher, faisant tourner la photo entre deux doigts.

– Pour toi, nous mentir n'est pas plus grave que les craques que tu débites à tes profs lorsque tu prétends avoir oublié tes devoirs dans le bus ou à tes parents quand tu leur dis que tu n'as pas bu une goutte à la discothèque. Erreur. Ça n'a rien à voir. Ce n'est pas un petit bobard sans conséquence qu'on oublie dès qu'on l'a prononcé. C'est un vrai mensonge.

Toutes la suivaient des yeux, comme aimantées.

– Je ne vais pas y aller par quatre chemins. Si tu sais qui a tué Chris, alors, tu es en grand danger. Tu risques de le payer de ta vie.

Elle tapota violemment la photo.

– Tu t'imagines que cette carte va rester secrète ? Si tes copines n'en ont pas déjà parlé à tout le collège, elles le feront avant la fin de la journée. Combien de temps faudra-t-il pour que cela arrive aux oreilles du tueur ? Et combien de temps lui faudra-t-il, à lui ou à elle, pour mettre un nom sur son problème ? Et comment, à ton avis, un assassin résout-il ce genre de problème ?

Elle avait une bonne voix : tranchante, directe, pressante. Une adulte face à une adulte. Elle avait retenu ce qui avait marché pour moi.

– Tu es en danger. Tu le seras ce soir, demain. À chaque seconde, jusqu'à ce que tu nous révèles ce que tu sais. Une fois que tu l'auras fait, l'assassin n'aura plus aucune raison de s'en prendre à toi. Mais jusque-là…

Nouveau frisson. Joanne et ses amies s'observaient à la dérobée. Julia se grattait une jointure, les yeux baissés.

Conway accéléra le pas.

– Si tu as fabriqué cette carte pour rire, tu es également en danger. Le tueur ignore qu'il s'agissait d'une blague. Il, ou elle, ne peut se permettre de prendre de risques. Or, pour lui, ou pour elle, tu représentes une menace.

Elle frappa de nouveau la photo.

– Si cette carte est un canular, tu redoutes sans doute de te faire engueuler, par nous ou par la direction du collège. Ne t'en fais pas. Oui, l'inspecteur Moran et moi, nous te passerons un savon pour avoir fait perdre son temps à la police. Oui, tu seras sans doute collée. Mais il vaut mieux ça qu'être morte.

Joanne se pencha de côté vers Gemma, lui murmura quelque chose à l'oreille, sans même se cacher. Et ricana.

Conway s'arrêta. La fixa.

Joanne eut un sourire narquois. Gemma, hébétée, ne savait pas si elle devait sourire ou non, ni qui elle devait craindre le plus.

Ce ne pouvait être que Conway. Qui bondit, se planta devant la chaise de Joanne et se baissa, prête à lui donner un coup de boule.

– Je te cause ?

Joanne soutint son regard, avec une mimique dédaigneuse.

– Pardon ?

– Réponds à ma question.

Les autres filles avaient levé les yeux, comme lors d'un début de bagarre en classe, quand on attend de voir qui va saigner.

Joanne prit un air interloqué.

– Euh, je vois vraiment pas ce que vous voulez dire.

– Je ne m'adresse qu'à une seule fille, ici. Si c'est toi, ferme-la et écoute. Si ce n'est pas toi, ferme-la aussi, parce que personne ne te parle.

Dans le milieu de Conway et dans le mien, quand un gus se fout de votre gueule, on lui rentre dans le lard tout de suite, avant qu'il ne décèle chez vous un signe de faiblesse. S'il s'écrase, on est vainqueur. Dans les milieux plus policés, même si l'adversaire recule, on n'a pas gagné pour autant. On est simplement catalogué. Racaille, bête sauvage. À éviter.

Conway aurait dû s'en souvenir. Elle était allée trop loin. Cette fille, ce collège, cette affaire, tout cela l'avait excédée. Elle perdait son sang-froid.

Ce n'était pas mon problème. Je me l'étais juré le jour de mon admission à l'école de police : jamais je ne me soucierais de ceux que je coffrerais, même s'ils étaient de mon monde ; jamais je ne m'abaisserais à me comporter comme eux. Je leur passerais les menottes avant de les pousser sur la banquette arrière de ma voiture, sans le moindre état d'âme, parce que nous n'aurions plus rien en commun. Conway voulait cogner ? Libre à elle.

Joanne avait toujours son petit sourire. Conway pivota et prit une grande inspiration, comme si elle se préparait à la frapper. Elle croisa mon regard.

Décidant quand même d'intervenir, je hochai brièvement le menton. Geste de mise en garde, à peine perceptible.

Elle plissa les yeux. Puis, lentement, fit face à Joanne.

Sourire. Voix posée, appliquée, comme si elle sermonnait un bambin idiot :

– Joanne. Je sais que tu souffres de ne pas être le centre de l'attention. Je sais que tu meurs d'envie de piquer un caprice et de beugler : « Que tout le monde me regarde ! » Mais je parie que si tu fais un effort, tu pourras te retenir encore quelques minutes. Et quand nous aurons fini, tes amies t'expliqueront pourquoi cet entretien était important. D'accord ?

L'expression de Joanne devint hideuse.

– Tu peux réussir ça pour moi ? insista Conway.

Joanne se renversa dans sa chaise, roula des yeux.

– Si vous y tenez…

– Tu es une bonne fille.

Les autres apprécièrent : elles avaient leur gagnante. Julia et Holly souriaient d'une oreille à l'autre. Alison semblait terrorisée.

– Bien, reprit Conway à leur intention, Joanne étant définitivement exclue. Toi, qui que tu sois. Tu t'es bien amusée. Pourtant, les faits sont là. Ton problème reste le même. Tu ne prends pas l'assassin au sérieux. Peut-être parce que tu ignores réellement son identité, ce qui fait qu'il, ou elle, n'a pour toi aucune réalité. Peut-être parce que tu la connais, et qu'il, ou elle, ne te semble pas représenter un si grand danger.

Joanne boudait en contemplant le mur, les bras croisés. Les autres buvaient les paroles de Conway. Elle avait réussi. Elle les tenait.

Elle brandit encore, dans le soleil, la photo de Chris qui, radieux, riait.

– Chris pensait sans doute la même chose. J'ai rencontré des tas de gens qui ne prenaient pas les tueurs au sérieux. Le plus souvent, c'était à la morgue.

Sa voix était redevenue grave, implacable. Quand elle se tut, toutes en avaient le souffle coupé. La brise entrant par la fenêtre remuait faiblement les stores.

– L'inspecteur Moran et moi allons déjeuner. Puis nous passerons une heure ou deux dans l'aile des pensionnaires. Ensuite, nous devrons nous rendre ailleurs. Ce que je cherche à te dire, c'est que tu seras en sécurité pendant encore à peu près trois heures. Le tueur ne s'en prendra pas à toi tant que nous serons dans les parages. Mais après notre départ…

Silence. Orla avait la bouche béante.

– Si tu as quelque chose à nous dire, viens nous trouver cet après-midi. Si tu as peur qu'on te voie nous aborder, tu peux nous appeler, ou même nous envoyer un texto. Vous avez toutes nos cartes.

Elle les scruta une à une, en prenant son temps.

– Toi, à qui je viens de parler : c'est ta chance. Saisis-la. En attendant, prends garde à toi.

Elle remit la photo dans la poche de sa veste, qu'elle lissa avec soin.

– À bientôt, dit-elle.

Elle sortit sans se retourner. Elle ne m'avait pas fait signe, mais je la suivis.

Une fois dehors, elle tendit l'oreille vers la porte. Les filles chuchotaient, trop bas pour qu'elle les entende.

– Je vous les laisse, lança-t-elle à Houlihan, qui errait dans le couloir.

Elle ajouta, lorsque la porte se fut refermée derrière la prof de français :

– Tu vois ce que je voulais dire, à propos de la bande de Holly ? Il y a quelque chose.

– Oui. Je l'ai vu.

– Et alors ? Qu'est-ce que c'est ?

– Je ne suis pas fixé. Il faudra que je passe plus de temps avec elles.

– J'en étais sûre, ricana-t-elle.

Elle s'enfonça dans le couloir, marchant toujours aussi vite.

– Je crève de faim !

10

Au centre du Court, on a asséché la fontaine pour dresser le gigantesque arbre de Noël qui monte jusqu'aux étages et, couvert de guirlandes électriques multicolores, semble vivant. Dans les haut-parleurs, une femme à la voix de bambin gazouille : « J'ai vu maman embrasser le Père Noël. » Un délicieux parfum de cannelle, de pin et de muscade flotte dans l'air, si appétissant qu'on a envie de le mordre. On le sent presque craquer entre ses dents.

Première semaine de décembre. Chris Harper sort de la boutique Jack Wills du deuxième étage. Entouré d'une bande d'admirateurs, un sac rempli de T-shirts neufs sur l'épaule, les cheveux plus luisants que des marrons sous la lumière aveuglante, il discute d'*Assassin's Creed II*. Il lui reste cinq mois et presque deux semaines à vivre.

Selena, Holly, Julia et Becca viennent de faire leurs achats de Noël. Assises sur le rebord de la fontaine, autour du sapin, elles boivent du chocolat chaud en inspectant le contenu de leurs sacs.

– J'ai toujours rien pour mon père, dit Holly en farfouillant dans l'un des siens.

– Je croyais qu'il avait les Stiletto géantes en chocolat, répond Julia en touillant son breuvage, que la cafète a baptisé « Petit lutin du Père Noël », avec un sucre d'orge.

187

– Ha, ha, hashtag : OnDiraitDeLHumourMaisEnFait Non. Chaussures pour ma tante Jackie. Mon père est impossible.

– Putain ! s'exclame Julia en examinant son gobelet d'un air horrifié. Ça a un goût de dentifrice.

– J'échange, dit Becca en lui tendant le sien. J'aime la menthe.

– C'est quoi ?

– Gingembre et moka.

– Non, merci. Au moins, je sais ce qu'il y a dans le mien.

– Le mien est extra, dit Holly. Ce qui lui ferait vraiment plaisir, ce serait un GPS à puce implanté sous ma peau pour qu'il puisse me suivre à la trace vingt-quatre heures sur vingt-quatre. Je sais que tous les parents sont paranos, mais lui, il est carrément fêlé.

– C'est à cause de son boulot, dit Selena. Il voit que des horreurs. Alors, il a peur que ça t'arrive.

Holly roule les yeux.

– Tu parles ! La plupart du temps, il travaille dans un bureau. Ce qu'il voit de pire, ce sont des formulaires. Il est naze, c'est tout. Tu sais ce qu'il m'a balancé la semaine dernière, quand il est venu me chercher ? Je sors, il regarde la façade du collège et beugle : « Ces fenêtres n'ont pas d'alarme ! Je pourrais les forcer en moins de trente secondes ! » Il voulait aller trouver McKenna pour lui dire que le collège était mal protégé et la forcer à installer des scanners d'empreintes digitales sur toutes les fenêtres, ou un truc de ce genre. Je lui ai répondu : « Tue-moi tout de suite. »

Selena l'entend de nouveau : ce son aigu de l'argent sur du cristal, cette note si pure qu'elle traverse la musique sirupeuse et le vacarme environnant. Elle tombe dans sa main : un cadeau, uniquement pour elles.

– J'ai dû le supplier de me ramener simplement à la maison, poursuit Holly. Je lui ai dit : « Il y a un veilleur de nuit, l'alarme de l'aile des pensionnaires fonctionne jusqu'au matin, je te jure que je finirai pas dans un réseau de trafic de blanches et, de toute façon, si tu vas casser les pieds de McKenna, je t'adresserais plus jamais la parole. » Finalement, il a laissé tomber. J'ai ajouté : « Tu te demandes pourquoi je prends le bus au lieu d'accepter que tu viennes me chercher ? Eh bien, c'est pour ça ! »

– J'ai changé d'avis, dit Julia à Becca, en grimaçant et en s'essuyant la bouche. On échange. Le tien peut pas être plus dégueu que le mien.

– Je devrais lui acheter un briquet, reprend Holly. J'en ai marre de faire semblant de pas savoir qu'il fume.

– J'ai pensé à quelque chose, hasarde Selena.

– Beurk, lance Becca à Julia. T'avais raison. On dirait un médicament pour bébé.

– Menthe de merde. Fous-moi ça à la poubelle. On peut partager celui-là.

– Je crois qu'on devrait sortir la nuit, poursuit Selena.

Les autres se tournent vers elle.

– Sortir comment ? s'enquiert Holly. Sortir de nos chambres, de la salle commune ? Ou sortir pour de bon ?

– Pour de bon.

– Mais pourquoi ? rétorque Julia, interloquée.

Selena réfléchit. Elle entend toutes les voix apaisantes qui lui serinaient quand elle était petite : « N'aie pas peur, ni des monstres, ni des sorcières, ni des gros chiens. » Et les mêmes, qui aboient à présent : « Méfie-toi ! Aie peur de tout ! », comme si c'était un devoir absolu. Aie peur de t'empâter, que tes seins soient trop gros ou trop petits. Aie peur de marcher toute seule, surtout dans des endroits si tranquilles que tu pourrais t'entendre penser. Aie peur de porter des vêtements ringards, de dire des âneries, de rire comme une cruche, de paraître godiche. Aie peur de ne pas plaire aux garçons ; aie peur de leurs avances. Aie peur des filles, elles sont toutes perverses et te démoliront en moins de deux. Aie peur des inconnus. Aie peur de ne pas obtenir de bonnes notes à tes examens, de te faire mal voir. Aie peur de toi-même, aie peur d'avoir tout faux. Et tu seras une bonne petite.

En même temps, elle rêve. Elle revoit le clair de lune dans la clairière, se souvient du moment unique qu'elles ont vécu ensemble et qui s'est estompé derrière le morne train-train quotidien.

– Maintenant, plaide-t-elle, nous sommes différentes. Nous devons donc faire quelque chose de différent. Sinon, on redeviendra comme avant. Et il faut le faire en vrai.

– Si on nous chope, objecte Becca, on se fera virer.

– Je sais. Tout le problème est là. On est trop sages. On n'arrête pas de se comporter comme il faut.

– Parle pour toi, ricane Julia en suçant un reste de gingembre au moka dans le creux de sa paume.

– Toi aussi, Jules, tu joues les petites filles modèles. Flirter avec deux ou trois types, se taper une bière et fumer une clope de temps en temps, ça compte pas. Tout le monde le fait. Tout le monde s'attend à ce qu'on le fasse, même les adultes, qui s'inquiéteraient si on le faisait pas. Personne ne trouve ça grave, sauf Sœur Cornelius, mais elle est givrée.

– Et alors ? J'ai aucune envie de dévaliser des banques ou de me shooter à l'héroïne. Si c'est ça être différente, je préfère rester comme je suis.

– Et alors, on fait que ce qu'on est censé faire. Des trucs qu'on est censé faire parce que nos parents ou les profs nous disent de le faire, ou des trucs qu'on est censé faire parce qu'on est des ados et que tous les ados le font. Moi, je veux faire quelque chose qu'on n'est pas censé faire.

– Un péché originel, approuve Holly en mâchant une guimauve. J'aime ça. J'en suis.

– Merde, toi aussi ? Pour Noël, j'ai pas envie d'avoir des copines à la masse.

– Je sens qu'on me critique, répond Holly, la main sur le cœur.

– Bien sûr, toi, tu t'en tapes, contre-attaque Julia. Si tu te fais virer, ton père te donnera sans doute une médaille. Les miens en feront une maladie. Résultat : ils m'enverront Dieu sait où et m'interdiront de vous revoir. Pour toujours.

Becca replie un foulard de soie dont elle sait déjà que sa mère ne le portera jamais.

– Mes parents, eux aussi, piqueront une crise d'enfer. Je m'en bats l'œil.

– Au contraire ! ricane Julia. Ta mère sera aux anges. Si tu arrives à la convaincre que tu as participé à une tournante au fond d'une cave, elle prendra un pied pas possible.

Becca se moque éperdument de l'opinion de ses parents. D'ordinaire, elle se ferme comme une huître dès qu'on aborde le sujet.

– Peut-être, répond-elle. Mais la perspective de me trouver un autre collège les rendra malades. Ils seront obligés de prendre l'avion jusqu'ici. Et ils n'aiment pas qu'on les dérange. Donc, ajoute-t-elle en remettant le foulard dans son sac, ils seront furax. Et je m'en bats le coquillard deux fois. Je veux faire le mur.

– Regardez-moi ça ! clame Julia, amusée, s'appuyant sur une main pour examiner Becca. Qui rue dans les brancards, tout à coup ? Bravo, Becs.

Elle lève son gobelet. Embarrassée, Becca hausse les épaules.

– Soyons claires, précise Julia. Je suis à cent pour cent pour le péché originel. Mais on pourrait pas trouver un truc vraiment dément ? Se faire virer en échange de quoi, exactement ? Se geler la foufoune sur une pelouse où je peux déjà m'asseoir quand ça me chante ? C'est pas ma conception d'un coup d'éclat.

Selena savait que Julia serait la plus difficile à convaincre.

– Écoute, dit-elle. Moi aussi, j'ai peur de me faire choper. Si j'étais virée, mon père s'en foutrait. C'est ma mère qui deviendrait dingue. Mais j'en ai tellement ma claque d'avoir la trouille ! Il faut qu'on fasse quelque chose qui nous terrifie !

– J'ai pas la trouille ! Simplement, je suis pas timbrée ! Est-ce qu'on pourrait pas juste, disons, nous teindre les cheveux en rouge ou…

– Quelle originalité ! rétorque Holly.

– Ta gueule. Ou avoir des tics chaque fois qu'on s'adresse à Houlihan…

Même à elle, cette idée paraît grotesque.

– Ça fait pas peur, objecte Becca. Je veux quelque chose d'effrayant.

– Je t'aimais mieux avant qu'il t'en pousse une paire. Ou, je sais pas, un Photoshop de la tronche ménopausée de McKenna sur une capture d'écran de *Gangnam Style* qu'on collerait sur le…

– On a déjà fait ce genre de truc, remarque Selena. Il faut que ce soit complètement différent.

– Mais quoi ? Qu'est-ce qu'on fera une fois dehors ?

Selena a un geste évasif.

– J'en sais encore rien. Peut-être rien de spécial. C'est pas ça qui est important.

– D'accord. «Papa, maman, désolée, je sais même pas pourquoi j'ai fait le mur, mais teindre mes cheveux en rouge n'était pas assez original…»

– Salut ! lance Andrew Moore.

Il leur sourit, encadré de deux de ses potes, comme si elles l'attendaient, comme si elles lui avaient fait signe de s'approcher. Becca comprend : leur façon de s'affaler sur le rebord de la fontaine, les jambes dans le vide, appuyées sur les mains, ressemble à une invite, à laquelle il a répondu.

Andrew Moore. Ses épaules de rugbyman, ses fringues Abercrombie et ses yeux super bleus dont tout le monde parle. Combien de nanas se pâment devant lui, rêvent de lui offrir leurs seins, leurs jambes, leurs lèvres à baiser ? Combien vendraient leur mère pour se pavaner avec lui main dans la main, le long des allées interminables, reine choisie par le roi du Court, sous les regards envieux des filles délaissées ?

– Salut, répondent Holly, Julia, Becca et Selena, un instant éblouies par cette apparition triomphante.

Le charme se rompt aussitôt. Après tout, ce n'est qu'Andrew Moore, un blaireau qui les laisse de marbre. Il s'avance, toujours souriant, se rengorge pour savourer l'adoration dont il se croit l'objet. Puis il s'assied sur le rebord de la fontaine, à côté de Selena, tandis que ses potes se pressent contre Julia et Holly.

– Alors, les filles ?

Holly lui répond du tac au tac :

– On est en pleine conversation. Accorde-nous une seconde.

Il rit, parce qu'il ne peut s'agir que d'une plaisanterie. Ses acolytes l'imitent.

– Sérieux, dit Julia.

Les comparses continuent à s'esclaffer. Andrew, lui, devine qu'il vit une expérience inédite.

– Oh, oh, est-ce que, par hasard, vous nous demanderiez de dégager ?

– Repassez dans cinq minutes, propose Selena. On a un problème à régler.

Andrew sourit de plus belle. Mais ses yeux super bleus sont beaucoup moins enjôleurs.

– Ragnagnas difficiles, je présume ?

– Quelle finesse ! s'extasie Holly. On parle simplement d'originalité. C'est pas vraiment ton rayon, non ?

Julia pouffe dans le gobelet de Becca. Andrew réplique :

– On discutait justement des filles de Kilda. La moitié d'entre elles sont des gouines, à ce qu'il paraît. Vous en êtes ?

– On peut rester pour regarder ? braille, hilare, un des copains d'Andrew.

– J'ai un doute, dit Julia. Vous, les mecs, ça vous arrive d'avoir des conversations entre vous ? Vous faites quoi, dans vos piaules ? Vous vous taillez des pipes ?

– Allez vous faire mettre, dit l'autre acolyte.

– Entrée en matière démente ! crie Becca à la cantonade. Pour draguer, c'est génial. Vous me bottez de plus en plus.

Julia, Holly et Selena éclatent de rire. Après un moment de surprise, Becca se joint à elles.

– Qui te botte, on s'en branle, grommelle le comparse. Sales pouffiasses.

– C'est pas poli, bégaye Selena, accentuant le fou rire des autres.

– Chans rancune, pouffe Julia, le nez toujours dans le gobelet de Becca. À bientôt.

– Vous êtes tarées, décrète Andrew, trop sûr de lui pour être vexé, mais plein de mépris. Faudrait vous interner. On s'en va, les gars.

Ils se lèvent et s'enfoncent dans le Court, entre des groupes de garçons et de filles qui les suivent des yeux. Même leurs culs semblent choqués.

– Putain, dit Selena, une main devant la bouche. Vous avez vu sa tronche ?

– Une fois qu'il a compris, répond Julia. Mon poisson rouge pige plus vite que lui.

Nouveaux éclats de rire. Becca s'agrippe à une branche de l'arbre de Noël pour ne pas tomber dans le bassin.

– Et leur démarche ! réussit à articuler Holly en les montrant du doigt. Visez-moi leur dégaine ! Comme s'ils disaient : « Nos couilles sont trop grosses pour que ces pucelles les attrapent, on doit même marcher en canard tellement elles sont lourdes. »

Julia se lève et les singe. Cette fois, Becca s'effondre dans le bassin. Elles hurlent tellement de rire que l'agent de sécurité s'approche d'elles pour les calmer. Holly lui raconte que Becca a une crise d'épilepsie. S'il la met dehors, on l'accusera de discrimination envers une handicapée. Il s'en va en grommelant.

Enfin, les rires s'apaisent. Les quatre filles se regardent, sidérées par leur audace.

– Ça, c'était original, dit Julia à Selena. Admettez-le. Et assez flippant.

– Exact, opine Selena. Vous voulez qu'on continue à être capables de le faire ? Ou qu'on se remette à mouiller notre culotte dès qu'un connard comme Andrew Moore daigne s'apercevoir qu'on existe ?

La femme à la voix de bambin demeuré susurre : « Tout ce que je veux pour Noël, ce sont mes deux dents de devant. » Soudain, Holly capte les premières mesures d'une chanson venue de très loin, peut-être de l'extérieur du Court : *I've got so far, I've got so far left to…*

La mélodie meurt. Julia soupire, tend la main pour finir le breuvage au gingembre de Becca et déclare :

– Si vous vous imaginez que je vais descendre le long du mur de notre chambre en m'accrochant à un drap de lit comme une héroïne débile dans un film à la con, vous vous foutez le doigt dans l'œil.

– T'inquiète, rétorque Selena. Tu as entendu ce qu'a dit le père de Holly. Les fenêtres de la façade n'ont pas d'alarme.

Becca le fera. Les autres tenaient pour acquis que ce serait Holly ou Selena, au cas où l'infirmière remarquerait la disparition de la clé ; Holly est la meilleure menteuse et personne n'imaginerait que Selena puisse braver les interdits, alors que Julia est toujours la première à laquelle pensent les profs, même pour des trucs qui ne lui viendraient même pas à l'esprit. Lorsque Becca a dit : « Je veux le faire », elles en sont restées baba. Elles ont essayé de la convaincre, Selena gentiment, Holly délicatement, Julia brutalement, que ce n'était pas une bonne idée et qu'elle devrait laisser ça aux spécialistes, mais elle est restée ferme sur ses positions, arguant qu'on la soupçonnerait encore moins que Selena, étant donné qu'elle n'a jamais rien fait de plus grave que refiler ses devoirs à des copines et que tout le monde la prend pour une bonne lèche-cul, ce qui, pour une fois, pourrait se révéler utile. À la fin, les autres ont compris qu'elle ne changerait pas d'avis.

Une fois les lumières éteintes, elles l'abreuvent de conseils.

– Tu dois paraître assez patraque pour qu'elle te garde un moment dans son bureau, dit Julia, mais pas assez pour qu'elle te renvoie ici. Mettons que tu croies que tu vas dégueuler, mais que tu n'en es pas sûre. Et que tu iras mieux si tu t'allonges un instant.

Elles ont laissé leurs rideaux ouverts. Dehors, il gèle. Le givre dessine des broderies sur les carreaux, le ciel est plein d'étoiles. L'air froid frappe Becca comme s'il traversait les vitres, tel un avant-goût du vaste monde extérieur, magique et sauvage, aux senteurs de renard et de genièvre.

– Mais ne prétends pas que tu vas réellement vomir, ajoute Holly. Ça aura l'air bidon. Laisse-lui entendre que tu fais tout pour te retenir.

– Tu es vraiment sûre de toi ? interroge Selena, dressée sur un coude et tentant d'apercevoir le visage de Becca.

– Sinon, assure Holly, il n'y a pas de problème. Simplement, dis-le-nous maintenant.

– Je vais le faire, réplique Becca. Arrêtez de me tanner.

– Bravo, Becsie, conclut Julia, en se penchant pour taper sa main dans la sienne. Nous sommes fières de toi.

Le lendemain, allongée sur la couche trop étroite dans le bureau de l'infirmière et l'écoutant fredonner un air de Michael Bublé tout en remplissant de la paperasse à sa table, Becca sent le métal froid de la clé au creux de sa paume et respire déjà l'odeur des baies et des renardes galopant dans la nuit, sous les étoiles frigorifiées.

Avant l'extinction des feux, elles étalent leurs vêtements sur leurs lits et commencent à s'habiller. Plusieurs épaisseurs de hauts ; sweat-shirts ; jeans épais ; pyjamas par-dessus, en attendant le moment. Elles plient leurs manteaux sous leurs lits, ce qui leur évitera de faire cliqueter les cintres ou grincer les armoires. Elles alignent leurs Uggs près de la porte pour ne pas être obligées de les chercher à tâtons.

Maintenant que leur projet devient réel, elles ont l'impression d'être plongées dans un jeu de rôles imbécile où on leur donnerait des épées virtuelles pour décapiter des orcs imaginaires. Julia chante *Bad Romance* en se déhanchant et en faisait valser un pull par une manche, comme une strip-teaseuse. Holly l'imite, des leggins sur la tête, Selena secoue frénétiquement ses cheveux. Elles ont le tournis.

– Est-ce que ça va ? demande Becca en ouvrant les bras.

Les trois autres cessent de chanter et l'inspectent : jeans bleu foncé et sweat assorti, rembourré par ce qu'elle porte en dessous, la capuche si serrée que seul en émerge le bout de son nez. Elles se gondolent.

– Qu'est-ce qu'il y a ?

– Tu ressembles à un pilleur de banques obèse, dit Holly, ce qui les fait encore plus marrer.

– T'arrives à bouger ? réussit à articuler Selena.

– Ou à voir ? renchérit Julia. Vaudrait mieux. Au cas où tu pourrais pas longer le couloir sans te cogner contre les murs.

Holly singe Becca, aveugle et titubante. Elles sont tellement hilares qu'elles en ont mal au ventre. Becca pique un fard. Elle leur tourne le dos et essaie d'enlever son sweat, mais la fermeture Éclair est coincée.

– Becs, dit Selena. On rigolait.

– Y a pas de quoi.

– Relax ! crie Julia en roulant des yeux vers Holly.

Becca tire de toutes ses forces sur la fermeture Éclair, au risque de s'abîmer les doigts.

– Si c'est juste une grosse blague, alors pourquoi on fait tout ce cirque ?

Aucune ne répond. Leur enthousiasme retombe. Elles se concertent du coin de l'œil. Et comprennent, toutes les quatre, qu'elles pensent la même chose. Cette escapade est stupide. Mieux vaudrait y renoncer, remettre les vêtements dans les armoires, se débarrasser de la clé et ne plus jamais en parler. Chacune attend que l'une d'elles le dise.

À ce moment-là, une des cheftaines du second étage, chargée de la discipline, ouvre brusquement leur porte et aboie :

– Arrêtez ce boucan et déshabillez-vous ! Extinction des feux dans trente secondes. Si vous n'êtes pas au pieu d'ici là, je fais un rapport !

Elle claque la porte sans leur laisser le temps de prononcer un mot.

Elle n'a même pas remarqué leurs fringues étalées sur les lits, ni que Becca ressemble à un cambrioleur gonflable. Toutes les quatre se regardent puis s'écroulent sur leur lit, hurlant de rire sous leur couette.

Leurs scrupules s'envolent. Plus d'hésitation. Elles vont le faire.

L'extinction des feux les trouve dans leur lit, comme de bonnes petites filles modèles : si la chef de dortoir revient, elle pourrait être d'humeur plus fouineuse. La cloche retentit, faiblit peu à peu, puis se tait.

Jamais elles n'ont guetté avec autant d'intensité, dressant l'oreille avec l'acuité d'animaux nocturnes, les bruits du collège sur le point de s'endormir. Un cri lointain, des gloussements épars, les pantoufles d'une fille se précipitant vers les toilettes. Enfin, le silence.

Lorsque l'horloge, à l'arrière du bâtiment central, sonne une heure, Selena se redresse.

Elles ne parlent pas. Elles n'allument pas de lampe de poche, ni leurs lampes de chevet. N'importe qui descendant le couloir distinguerait la lumière à travers le vasistas. Dehors, la lune est énorme. Elles enlèvent leur pyjama, gonflent leurs oreillers sous leurs couvertures, enfilent leur dernier pull et leur manteau, habiles, synchronisées, comme si elles s'étaient entraînées. Une fois prêtes, elles s'immobilisent au pied de leurs lits, leurs chaussures à la main. Elles se consultent une dernière fois, comme des explorateurs avant un long voyage, jusqu'à ce que l'une d'elles fasse le premier pas.

– Si vous êtes vraiment décidées, dit Julia, allons-y.

Personne ne bondit sur elles depuis une embrasure, aucune marche ne craque. Au rez-de-chaussée, la surveillante générale ronfle. Lorsque Becca introduit la clé dans la porte donnant sur le bâtiment principal, elle tourne comme si on avait huilé la serrure. Au moment où elles atteignent la classe de maths et où Julia soulève la poignée de la fenêtre à guillotine, elles savent déjà qu'aucune alarme ne se déclenchera. Elles savent aussi que le veilleur de nuit dort, ou téléphone, et ne regardera jamais dans leur direction. Elles mettent leurs chaussures, sautent par la fenêtre ; l'une après l'autre, rapides, silencieuses. Et elles se retrouvent dans l'herbe. Dès lors, ce n'est plus un jeu.

Le parc est tranquille, comme prêt pour un ballet, attendant les premières notes de flûte, l'apparition de danseuses éthérées et gracieuses. La lumière blanche éclabousse tout, le gel craque et chante.

Elles courent, effleurent l'herbe, plus légères que des fées. L'air froid coule dans leur bouche comme une source vive, ébouriffe leurs cheveux lorsque leur capuche, qu'elles ne prennent pas la peine de remettre en place, tombe sur leur nuque. Elles sont invisibles. Elles pourraient passer en riant devant le veilleur de nuit, lui arracher sa casquette, le laissant ahuri et pestant contre ces entités inconnues qui le cernent.

Elles s'enfoncent dans l'obscurité des petits sentiers bordés de branches enchevêtrées, frôlent les troncs penchés couverts de lierre, s'enivrent d'un parfum de terre et de feuilles mouillées. Enfin, jaillissant de ce tunnel, elles débouchent sur la clairière immaculée qui les attend.

Jamais elles ne l'ont vue ainsi. Les cyprès luisent comme des torches de glace. Des formes mystérieuses les encerclent. Des cerfs, des loups ? De grands oiseaux tournoient en criant au-dessus de leur tête, ailes déployées.

Toutes les quatre ouvrent les bras, tournoient elles aussi. Le monde vacille. Hors d'haleine, elles dansent encore, jusqu'à épuisement.

Quand elles rouvrent les yeux, elles reconnaissent leur clairière, familière, si calme sous des millions d'étoiles.

Le silence est si fantomatique qu'elles n'osent pas le rompre. Elles se couchent dans l'herbe, attentives à leur respiration, au battement de leur sang. Les rayons de lune les recouvrent, les enrobent. Elles restent ainsi, sans bouger, se laissant envahir par une volupté inconnue.

Selena avait raison. Cela rien à voir avec l'excitation de boire de la vodka au goulot ou de faire bisquer Sœur Ignatius, de flirter dans les buissons ou d'imiter la signature de leur mère pour se faire percer les oreilles. Cela n'a aucun rapport avec ce que des adultes pourraient autoriser ou prohiber. C'est une sensation unique, miraculeuse, qui n'appartient qu'à elles.

Bien plus tard, elles regagnent lentement le collège, décoiffées, la tête bourdonnante. *Toujours*, se disent-elles devant la fenêtre, les chaussures à la main, la lune scintillant au fond des yeux. *Je m'en souviendrai toujours. Oui, toujours. Oh, toujours.*

Le matin, elles découvrent des égratignures sur leurs tibias et leurs phalanges. Elles ne se rappellent même pas où et quand elles se sont écorchées. Ces blessures minuscules ne leur font pas mal. Simplement, elles les ressentent dans les moments les plus inattendus, comme des rappels de ce qu'elles ont éprouvé ; par exemple, lorsque Joanne Heffernan houspille méchamment Holly qui traîne trop dans la queue du petit déjeuner, ou lorsque Mlle Naughton reproche vertement à Becca son inattention. Elles ne comprennent pas tout de suite pourquoi elles provoquent de tels mouvements d'humeur. En fait, elles planent. Holly fixait son toast d'un air hébété ; et aucune des quatre filles n'avait la moindre idée de ce dont parlait Mlle Naughton. Leurs pieds touchaient à peine le sol. Et il leur a fallu un bon bout de temps pour atterrir.

– On le refait bientôt ? demande Selena à la récréation, en sirotant son jus d'orange avec une paille.

Un instant, elles redoutent de répondre oui, au cas où ce ne serait plus pareil. Au cas où cela ne pourrait arriver qu'une fois et que, tentant désespérément de ressentir la même béatitude, elles finiraient assises dans la clairière, se caillant les miches et se regardant comme des imbéciles.

Elles le disent quand même. Quelque chose a commencé. Il est trop tard pour l'arrêter. Becca ôte une brindille des cheveux de Julia et la planque au fond de sa poche, pour la garder.

11

Il était plus de quinze heures. Conway savait où se trouvait la cantine. Elle avisa un homme à tout faire qui polissait l'acier immaculé du comptoir, lui ordonna de nous préparer à manger. Son ton sans réplique lui ôta l'envie de protester. Je le surveillai pendant qu'il bourrait de jambon des sandwiches au fromage, m'assurai qu'il ne crachait pas dedans. Conway se dirigea vers une machine à café, actionna des boutons, piqua au passage deux pommes dans un cageot.

Nous avons emmené notre repas dehors. Je suivis Conway dans le parc, jusqu'à un muret donnant sur le terrain de sport et, plus loin, sur le jardin public. De très jeunes filles jouaient au hockey, encouragées par les cris de la prof de gym. L'ombre de grands arbres les empêchait de nous voir. Filtrant à travers les branches, le soleil me chauffait la tête.

– Dépêche-toi de manger, me dit Conway en se perchant sur le muret. Ensuite, nous fouillerons leurs chambres à la recherche du livre dans lequel on a découpé les mots.

Donc, elle ne me renvoyait pas aux Affaires classées. Pas encore. Et elle était bien décidée à aller jusqu'au bout. Nous n'étions venus, au départ, que pour «jeter un coup d'œil sur le panneau des secrets et avoir quelques petites conversations». Mais nous avions perçu, au cours des entretiens, des non-dits, une pesanteur étrange. Ni elle ni moi n'avions l'intention de nous en aller avant d'avoir fait éclater au grand jour ce qu'on nous cachait.

La piste était mince. Sauf si notre suspecte était idiote, le livre ne se trouvait pas dans sa chambre. Et si elle était futée, ce que tout laissait présager, nous ne le découvririons nulle part. Elle l'avait planqué dans un buisson à des kilomètres d'ici, ou jeté dans une poubelle du centre-ville. Et si elle était encore plus futée, elle avait fabriqué la carte des semaines plus tôt, s'était débarrassée du livre et avait attendu qu'il ait disparu à jamais au fond d'une décharge avant d'exécuter son plan.

Nous avons installé notre nourriture sur le muret, entre nous. Conway défit le film étirable et attaqua son sandwich, le mâchant machinalement, comme s'il n'avait aucun goût. Le mien, à la mayonnaise savoureuse, était bien meilleur que ce que j'escomptais.

– Tu es doué, me dit-elle entre deux bouchées, ce qui ne sonna pas comme un compliment. Tu leur donnes ce qu'elles veulent. Un paquet cadeau pour chacune. C'est touchant.

– C'était mon boulot, il me semble. Les mettre en confiance.

– Tu as réussi. La prochaine fois, propose-leur une séance de pédicure ou un massage de pieds.

Surtout ne pas me vexer. Abonder dans son sens, répliquer posément :

– Je pensais que vous alliez prendre ma suite, les pousser un peu.

Elle me lança un regard mauvais. Je crus que c'était à cause de ma réponse. Mais elle murmura au bout d'un moment, en contemplant le terrain de sport :

– La dernière fois, je les ai interrogées sans relâche.

– Toutes les huit ?

– Non seulement les huit, mais l'ensemble de leur classe. Et celle de Chris. Tous ceux et toutes celles qui

204

pouvaient savoir quelque chose. Pourtant, au bout d'une semaine, les tabloïds se gaussaient. «Les flics prennent des gants avec les petites filles riches, il y a un lièvre.» Quelques-uns ont même insinué qu'on cherchait à étouffer l'affaire. Mais il n'y avait rien de tel. J'ai agi avec ces gamines comme avec n'importe quels voyous des bas-fonds. Exactement de la même façon.

– Je vous crois.

Elle se tourna vivement vers moi, guettant un rictus ironique. Je restai impassible. Elle poursuivit, rassurée par mon attitude :

– Costello était épouvanté. Tu aurais dû voir sa tronche : comme si je montrais mon cul aux bonnes sœurs. Il interrompait presque chaque interrogatoire, m'entraînait dehors pour me passer un savon. Est-ce que je savais ce que faisais ? Je voulais détruire ma carrière avant qu'elle n'ait commencé ? O'Kelly, notre patron, n'était pas en reste. Il m'a convoquée deux fois dans son bureau pour en rajouter une couche. Pour qui prenais-je ces filles ? Qu'est-ce que je croyais ? Que j'avais affaire à la racaille dont j'étais issue ? Pourquoi ne pas m'occuper des SDF et des malades mentaux ? Est-ce que j'avais une idée du nombre de coups de fil que le commissaire principal recevait de pères excédés ? Il allait m'acheter un dictionnaire pour que j'apprenne par cœur la définition du mot «tact».

Le tact, je connais. Je rectifiai avec douceur :

– C'est une autre génération. Ils sont de la vieille école.

– Des clous ! Ils sont de la Criminelle. Ils traquent les assassins. C'est la seule chose qui importe. Du moins, je le pensais à l'époque.

Sa voix trahissait une profonde amertume.

– Je ne me suis pas gênée pour le crier à Costello, et même à O'Kelly. L'affaire était en train de foirer et cela me mettait personnellement en cause, moi, Conway.

J'aurais fait n'importe quoi pour l'empêcher. Mais il était trop tard. J'étais grillée.

Nous avons tous eu des affaires pourries. Toutefois, si on se plante lors de sa première enquête, on ne s'en remet pas. On est catalogué. Pour tout le monde, on porte la poisse.

– Donc, reprit Conway en terminant son café et en posant son gobelet en équilibre sur le mur, j'en suis là. J'ai un dossier rempli de plaintes de rupins pleins aux as, Costello ne me soutient plus et, pour couronner le tout, au bout d'un an, je n'ai toujours pas le moindre indice. O'Kelly rêve de me retirer l'affaire pour la confier à King ou à un tocard du même acabit. La seule raison pour laquelle il ne l'a pas encore fait est qu'il déteste changer d'inspecteur en cours de route. Il prétend que les médias ou la défense en concluraient que l'enquête initiale a échoué. Mais King et McCann sont déjà sur son dos, susurrant qu'un regard neuf pourrait tout changer.

Cela expliquait la présence de Houlihan pendant les interrogatoires. Il ne s'agissait pas de protéger les gamines. Il s'agissait de protéger Conway.

– Cette fois, je joue sur le long terme. Nos interrogatoires n'ont pas été inutiles : nous avons rétréci notre champ d'investigation. Joanne, Alison, Selena, Julia comme outsider. C'est un début. Oui, nous serions peut-être allés plus loin si je les avais bousculées. Je ne peux pas me permettre de prendre ce risque.

Un aboiement supplémentaire sous le nez de Joanne et c'était cuit : coup de fil du papa, excuses de O'Kelly et nous deux virés comme des malpropres.

Pour lui faire oublier sa rancœur, j'abordai un autre sujet.

– Rebecca a changé depuis votre dernier interrogatoire, non ?

– Tu veux dire que je t'ai mal renseigné.

– Votre portrait de la bande de Joanne était parfait. Avec Rebecca, ça datait.

– Je m'en suis aperçue. La dernière fois, elle pouvait à peine ouvrir la bouche. Elle se comportait comme si elle aurait été heureuse de mourir sur place si cela nous avait forcés à la laisser tranquille. Les profs ont affirmé que c'était uniquement de la timidité, qu'elle finirait par surmonter.

– Elle l'a vaincue dans les grandes largeurs.

– Oui. Elle a évolué physiquement. L'année dernière, elle était malingre et paraissait avoir dix ans. À présent, elle commence à devenir elle-même. Cela a pu renforcer sa confiance en elle.

– Et les autres ? Elles ont changé ?

– Pourquoi ? Tu penses que si l'une d'elles sait quelque chose, elle le montrera ?

Cette conversation était un test, tout comme les interrogatoires. Quand on fait équipe avec quelqu'un, on ne cesse de se renvoyer la balle. Si ça marche, on est comme les doigts de la main. Avec Conway, je n'en espérais pas tant. Personne n'avait jamais réussi à fonctionner en symbiose avec elle. Mais une forme de complicité intellectuelle était possible. Un faux pas, cependant, et je dégageais.

– Ce sont des gamines, dis-je. Vous croyez qu'elles pourraient vivre une année entière avec un tel secret, comme si de rien n'était ?

– Peut-être, peut-être pas. Les jeunes évacuent ce qui les traumatise, comme si cela n'avait jamais existé. Et même si elles ont changé, qu'est-ce que ça peut faire ? À cet âge, elles changent de toute façon.

– Elles ont changé ? insistai-je.

Elle mâcha et réfléchit.

– La bande d'Heffernan, non. Elles sont restées identiques, ou sont même devenues pires. Quatre petites salopes blondes, point final. Et les trois chiffes molles sont encore plus terrorisées par Heffernan. Quant à Holly et sa bande, elles étaient déjà excentriques. Mais, même si elle est bête comme ses pieds, Orla a employé le mot juste : maintenant, elles sont bizarres. Selena est celle qui s'est le plus transformée. L'année dernière, elle semblait se réfugier dans un monde de contes de fées. J'avais mis ça sur le compte du choc, surtout si Chris était son petit ami. Pourtant, si je la rencontrais maintenant, je dirais que son papa plein aux as l'a retirée d'un établissement spécialisé.

– Pas moi.

– Tu crois qu'elle fait semblant ?

– Non. Elle plane pour de bon. Mais, à mon avis, ce qui la perturbe est plus profond et elle le cache derrière son côté éthéré.

– Ouais… Je me souviens quand même de ce qu'Orla a raconté à propos de ses cheveux. L'année dernière, elle avait une magnifique chevelure blonde qui lui descendait jusqu'aux reins. N'importe quelle fille aurait tué père et mère pour avoir la même. Combien d'ados de cet âge ont les cheveux aussi courts ?

Je ne suis pas expert en modes adolescentes.

– Pas beaucoup ?

– Quand on retournera là-bas, ouvre l'œil. À moins que l'une d'elles ait un cancer, je parie que Selena est la seule.

Je bus mon café. Il était bon. Je l'aurais trouvé meilleur si Conway avait daigné me demander si je ne le préférais pas noir.

– Et Julia ? m'enquis-je.

– Qu'est-ce que tu en penses ? Une petite garce pas commode, pas vrai ?

– Du caractère. Et futée.

– Exact. L'année dernière, elle était encore plus blindée. Dure comme du bois. Au cours des premiers interrogatoires, la moitié des filles étaient bouleversées ou s'efforçaient de le paraître, qu'elles aient connu Chris ou non. Julia, elle, est entrée en ayant l'air de se demander pourquoi nous lui faisions perdre son temps avec un incident sans intérêt. À la fin de l'entretien, je lui ai dit : « Saurais-tu quelque chose qui nous serait utile ? » Elle m'a répondu mot pour mot, et ce devant McKenna, ne l'oublie pas, qu'elle se foutait comme de l'an mille de celui qui avait tué Chris Harper, que ce devait être un des connards de Colm, où l'on ne risquait pas d'avoir une pénurie d'abrutis. McKenna s'est lancée dans une tirade débile sur le respect et la compassion. Julia a bâillé sous son nez.

– Froide.

– Glaciale. Je te jure qu'elle ne jouait pas la comédie. Mais, cette année, ajouta Conway en finissant son sandwich et en suivant distraitement la partie de hockey, il y a autre chose. Tu te souviens du comportement des filles à notre égard ? Tout juste si elles nous voyaient. L'année dernière, Julia avait la même attitude. Pour elle, Costello et moi n'étions pas des êtres humains. Simplement des adultes. Juste ce bruit de fond qu'il faut supporter pour se consacrer à ce qui compte. À leur âge, j'étais comme ça. Sauf que, ce bruit de fond, je ne le supportais pas.

– Moi, je coupais le son. Sourire, oui, oui, et je faisais ce que je voulais.

– Bonne méthode. Pour en revenir à Julia, cette année, elle nous a considérés, toi et moi, comme de vraies personnes. Je ne sais pas si c'est bon ou mauvais pour nous.

– Et Holly ?

– Holly… Quand tu as eu affaire à elle pour la première fois, elle était comment ?

– Tranchante. Têtue.

– Sur ce point, elle est restée la même. Avec une différence de taille, que tu as remarquée. L'année dernière, nous devions lui arracher les mots de la bouche. Cette année, elle expose ses idées sans se faire prier.

Elle fourra le film étirable de son sandwich dans son gobelet.

– Que dis-tu de son hypothèse selon laquelle une fille a chargé une des huit d'épingler la carte à sa place ?

– Je n'y crois guère. Cette fille souhaite rester anonyme et mettrait dans son jeu une autre élève ? Qui n'est même pas une de ses intimes ?

– Bien raisonné. En fait, ta chérie protège ses amies. Elle nous pousse à enquêter sur tout le collège, sans nous focaliser sur sa bande. Tu sais ce que cela m'incite à faire ?

– À vous focaliser sur sa bande.

– Très juste. Même dans ce cas, admettons que l'une d'elles sache quelque chose et que Holly ne veuille pas que nous l'identifiions. Pourquoi nous apporter cette carte ? Pourquoi ne pas la jeter à la poubelle et donner à sa copine le numéro de la ligne de la brigade réservée aux correspondants anonymes ? Tu ne m'ôteras pas de l'idée que c'est curieux.

Sur cette ligne, on tombe sur un fonctionnaire de service. Or, par l'intermédiaire de la carte, c'était à moi que Holly avait décidé de se confier. Pourquoi ?

– À propos de Holly…, ajouta Conway. Elle va appeler son père ?

Cette perspective me glaça le sang. Frank Mackey est un enfoiré. Même s'il se présente en allié, la main sur le cœur, il faut s'en méfier comme de la peste. Il était la dernière personne que j'avais envie d'impliquer dans cette affaire.

– J'en doute, répondis-je. Elle m'a dit d'entrée de jeu qu'elle refusait qu'il se mêle de cette histoire. Mais McKenna ?

– Tu rigoles ? C'est un parent. Elle est en train d'égrener son chapelet pour qu'aucun d'entre eux n'apprenne notre présence ici jusqu'à ce que nous ayons réglé le problème et foutu le camp.

– Elle aura de la chance. Si une gamine téléphone chez elle…

– Ne tente pas le diable, coupa Conway en écrasant le film étirable au fond de son gobelet. Donne-moi plutôt ton opinion sur la théorie de Julia et Rebecca. Une bande de Colm s'est introduite ici, quelque chose a mal tourné.

– Elle est plausible. Si les garçons projetaient un acte de vandalisme, comme, par exemple, creuser une autre bite et une paire de couilles dans l'herbe, ils auraient pu piquer la bêche dans l'écurie. Ils s'échauffent, se battent ou font semblant, ce qui, à leur âge, revient au même. Et l'un d'eux perd la boule.

– Ça se tient. Et cela désigne Joanne, Gemma ou Orla comme auteurs de la carte. Ce sont elles qui sortent avec des types de Colm.

Dès lors, ses questions sur les amoureux prenaient tout leur sens. J'avais compris, ce qui, à en juger par son regard sardonique, lui fit plaisir.

– Quoi qu'il soit arrivé à Chris, repris-je, cela a traumatisé un des garçons qui a assisté à la scène. Il refuse d'en parler à un adulte, mais s'épanche auprès de sa petite amie.

– Ou bien il lui raconte l'histoire pour se rendre intéressant et parvenir à ses fins avec elle. Ou alors, il invente tout.

– Nous avons éliminé Gemma et Orla. Reste Joanne.

– Son mec, Andrew Moore, s'entendait bien avec Chris. Sale petit con arrogant.

Sa colère réapparut. Une des plaintes venait du père d'Andrew.

– Vous avez découvert comment Chris s'était tiré de Colm ?

– Oui. La sécurité était encore pire qu'ici. Les responsables n'avaient pas à redouter qu'un de leurs petits princes rentre en cloque après une nuit de bamboula. La

211

sortie de secours de l'aile des pensionnaires était dotée d'une alarme. Mais un des ados, Finn Carroll, un as de l'électronique, l'avait neutralisée. Nous avons mis du temps à lui faire cracher le morceau. Il a fini par craquer. Il a été renvoyé, acheva-t-elle avec un grand sourire.

– Quand a-t-il neutralisé l'alarme ?

– Deux mois avant le meurtre. Et il était très lié avec Chris. Il a reconnu que son pote était au courant à propos de la porte, qu'il s'était fait la belle des dizaines de fois. Il a refusé de balancer d'autres noms. Aucune chance, cependant, pour qu'ils n'aient été que deux à profiter de l'aubaine. Julia et Rebecca sont peut-être sur une piste intéressante.

Elle fit reluire sa pomme sur la cuisse de son pantalon.

– Il y a un os. Si Chris avait fait le mur avec ses copains pour se livrer à un acte de vandalisme, pourquoi avait-il un préservatif dans la poche ?

– L'année dernière, avez-vous demandé aux filles si elles avaient des relations sexuelles ?

– Bien sûr. Elles ont toutes répondu non. Avec la directrice dans la pièce, que pouvaient-elles dire d'autre ?

– Vous croyez qu'elles mentaient ?

– Tu t'imagines que je peux le déduire sur leur bonne mine ?

– Mieux que moi, en tout cas.

– Ça nous ramène à nos années de lycée. « Tu crois qu'elle l'a déjà fait ? » On ne parlait que de ça, à leur âge.

– Même chose pour moi.

– Je te crois sur parole. Pour vous, si une fille couchait, c'était une pute. Si elle ne couchait pas, elle était frigide. Dans les deux cas, vous aviez toutes les raisons de la traiter comme une moins que rien.

C'était vrai ; pour moi, en partie seulement.

– Non, objectai-je. Dans les deux cas, elle devenait encore plus excitante. Si elle le faisait, on avait une chance de se l'envoyer, ce qui, pour un jeune, est ce qui compte le plus au monde. Si elle ne le faisait pas, il y avait une chance pour qu'elle nous trouve assez différent des autres pour envisager de le faire avec nous. Et rencontrer une fille qui vous trouve différent, ça aussi, c'est capital.

– Quel beau parleur ! Je parie que tu as fourré ton nez dans des tas de soutiens-gorge.

– Je ne la ramène pas. Mais vous m'avez posé la question.

Elle se tut, mastiquant sa pomme. Décida de me croire ; un peu.

– À cette époque, enchaîna-t-elle, si je m'étais fiée à mon intuition, j'aurais dit que Julia et Gemma avaient sauté le pas, que Rebecca n'avait même jamais flirté et que les autres étaient quelque part entre les deux.

– Julia ? Pas Selena ?

– Pourquoi ? Parce qu'elle a les plus gros nibards, elle est forcément une traînée ?

– Bon Dieu, non ! Je n'ai pas fait attention à ses… Eh merde ! Vous êtes répugnante !

Conway s'esclaffa. Elle avait un bon rire, franc et joyeux.

Elle commençait à m'avoir à la bonne, que ça lui plût ou non. D'ailleurs, la plupart des gens me trouvent sympa. Je ne m'en vante pas. Je constate, c'est tout. Dans ce métier, on doit connaître ses atouts.

Le pire, c'est que je commençais, moi aussi, à l'apprécier.

Elle redevint sérieuse.

– Si je devais me fier à mon intuition aujourd'hui, je dirais la même chose à propos de la bande de Holly.

– Mais encore ?

– Elles sont mignonnes, toutes les quatre, non ?

– Putain, Conway, vous me prenez pour qui ?

– Je ne te traite pas de pervers. Je t'imagine simplement à seize ans. Elles t'auraient plu ? Tu leur aurais demandé de sortir avec toi, tu leur aurais envoyé des déclarations sur Facebook, comme font les jeunes de maintenant ?

À l'époque, j'aurais considéré ces filles comme des pièces de musée. Admire-les tant que tu veux, enivre-toi de leur charme, mais pas touche, à moins que tu aies le culot de briser des vitrines blindées et d'affronter des vigiles armés.

À présent, je les trouvais différentes, surtout depuis que j'avais vu le panneau des secrets. Attirantes, certes, mais dangereuses ; pleines d'échardes.

– Elles sont super, dis-je. Holly et Selena sont à croquer. Elles doivent séduire plein de types, mais pas les mêmes que Joanne et ses copines. Rebecca, elle, sera bientôt jolie. Toutefois, à seize ans, je ne l'aurais pas anticipé, d'autant qu'elle n'a pas l'air très aguicheuse. J'aurais donc passé mon chemin. Julia, elle, n'est pas un canon ; mais elle est pas mal et a du caractère. J'y aurais regardé à deux fois. J'aurais quand même tenté le coup.

Conway opina.

– C'est à peu près ce que j'aurais dit. Alors, pourquoi n'ont-elles pas d'amoureux ? Si mon intuition ne me trompe pas, pourquoi aucune n'est passée à l'acte cette année ?

– Rebecca est une fleur tardive. Les garçons la rebutent encore.

– Et les trois autres ?

– Pensionnaires. Peu de temps libre.

– Ça n'a pas arrêté la bande d'Heffernan. Deux oui, un non, un peut-être. Voilà ce à quoi je m'attendrais de leur part. La bande de Holly ? Non, non, non sur toute la ligne. Aucune n'hésite avant de répondre, aucune n'affirme que c'est compliqué, aucune ne glousse, ni ne rougit. C'est non, point barre.

– Qu'est-ce que vous en déduisez ? Qu'elles sont lesbiennes ?

214

– Toutes les quatre ? Possible, mais peu probable. Cependant, elles forment un groupe très uni. Dégoûte l'une d'elles des mecs et tu effraieras les autres.

– Un type en aurait donc agressé une.

Conway jeta son trognon de pomme. Elle avait le bras puissant. Le trognon plana longtemps entre les arbres avant de s'écraser dans un buisson, affolant trois petits oiseaux qui s'envolèrent à tire d'aile.

– À mon avis, dit-elle, quelqu'un a tourneboulé Selena. Et je ne crois pas aux coïncidences.

Elle sortit son téléphone, désigna ma pomme.

– Finis ça. Je vais consulter mes messages. Ensuite, on s'en va.

Même si elle donnait toujours des ordres, son ton s'était civilisé. J'avais réussi le test. Ou alors, nous commencions à nous entendre.

Quand on imagine son coéquipier idéal, on lui prête toutes les qualités. Le mien aurait eu une enfance de rêve : leçons de violon, bibliothèque croulant sous les livres et montant jusqu'au plafond, chiens de chasse. Il aurait acquis une assurance à toute épreuve, un humour dévastateur avec lequel personne n'aurait pu rivaliser, sauf moi. Tout le contraire de Conway. Et j'aurais mis ma main à couper que le sien n'avait rien à voir avec moi. Mais l'entente était là. Peut-être, pendant quelques jours, pourrions-nous faire du bon travail ensemble.

Je mis le reste de ma pomme dans mon gobelet, sortis à mon tour mon mobile.

– Sophie…, me souffla Conway, le téléphone contre l'oreille. Aucune empreinte nulle part. Selon le labo, les mots viennent d'un bouquin d'une édition courante, vieux, à en juger par la typographie et le papier, de cinquante à soixante-dix ans. L'analyse de la photo montre que Chris n'en était pas le sujet principal. Il ne figurait qu'en arrière-plan et on a gommé le reste. Rien encore sur l'endroit où elle a été prise, mais Sophie est en train de la comparer avec des clichés de la première enquête.

Lorsque je l'ouvris, mon téléphone bipa : un texto. Conway tourna rapidement la tête.

Un numéro que je ne reconnus pas. Le message était si différent de ce à quoi je m'attendais que j'en restai pantois :

« Joanne gardait la clé de la porte bâtiment des classes/ aile des pensionnaires scotchée à l'intérieur de *La Vie de sainte Thérèse*, bibliothèque de la salle commune des troisièmes. Elle n'y est peut-être plus aujourd'hui, mais elle y était il y a un an. »

Je tendis le téléphone à Conway.

Elle rapprocha son mobile du mien, tapa le numéro et examina rapidement son écran.

— Ce n'est pas le numéro d'une de nos filles, ou ça ne l'était pas l'année dernière. Ce n'est pas non plus celui d'un des amis de Chris.

Un an après, elle les avait tous conservés. Sans trancher un fil, même le plus infime.

— Je vais répondre, dis-je. Demander qui c'est.

Elle hésita, puis approuva.

« Salut, merci pour ça. Désolé, je n'ai pas les numéros de tout le monde, qui es-tu ? »

Je passai le SMS à Conway. Elle le lut trois fois, mordillant un reste de pomme collé sur son pouce.

— Vas-y.

J'appuyai sur « Envoi ».

Nul besoin, pour elle comme pour moi, de faire le moindre commentaire. Si le message était authentique, Joanne et au moins une autre fille, davantage, sans doute, avaient trouvé le moyen de se faufiler hors du collège la nuit de la mort de Chris. L'une d'elles avait pu voir quelque chose.

L'une d'elles avait pu faire quelque chose.

Si le message était authentique, la situation venait de changer. Il ne s'agissait plus seulement d'identifier l'auteur de la carte.

Nous avons attendu. Sur le terrain de sport, les joueuses de hockey se montraient distraites, rataient des coups faciles. Elles nous avaient repérés et cherchaient à mieux nous distinguer dans l'ombre des arbres. Des oiseaux piaillaient dans les branches au-dessus de nous, des nuages mouvants cachaient parfois le soleil. Pas de texto en retour.

– J'appelle ? suggérai-je.

– Appelle.

Sonnerie, suivie de la voix impersonnelle de la boîte vocale, me demandant de laisser un message. Je raccrochai.

– C'est l'une des huit.

– Bien sûr, puisqu'elle s'est adressée à toi ! Le contraire serait une coïncidence incroyable. Et ce n'est pas ton Holly. Elle t'a apporté la carte, elle t'aurait apporté la clé.

Elle appela les numéros qu'elle avait inscrits dans son répertoire. « Bonjour, ici l'inspecteur Conway, je voulais simplement m'assurer que nous avions tes coordonnées exactes, au cas nous devrions entrer en contact. » Elle tomba chaque fois sur une annonce enregistrée : en classe, les portables devaient être éteints. Pourtant, tous les numéros étaient les bons. Aucune de nos filles n'en avait changé.

– Tu as un pote chez les opérateurs de mobiles ?

– Pas encore, répliquai-je, comme si j'avouais une faute professionnelle.

– Sophie en a un, dit-elle en pianotant de nouveau sur son clavier. Elle nous dégotera la liste complète des appels venant de ce téléphone. Efficacité garantie. Elle l'aura en fin de journée. Je veux connaître tous les SMS expédiés depuis ce numéro. Si Chris retrouvait une fille, il s'arrangeait pour lui fixer rendez-vous. Nous n'avons jamais découvert comment.

Elle glissa le long du muret, son mobile toujours contre l'oreille.

– En attendant, allons voir si Miss Texto ne nous mène pas en bateau.

McKenna sortit de son bureau, prête à nous dire au revoir. Elle tordit le nez en constatant que nous n'avions aucune intention de nous en aller. Nous étions déjà les vedettes de tout le collège. D'une minute à l'autre, les demi-pensionnaires rentreraient chez elle pour annoncer à leurs parents que les flics étaient de retour, et le téléphone de McKenna commencerait à sonner. Elle s'était réjouie de pouvoir affirmer que ce léger désagrément tirait à sa fin : juste quelques points de détail à préciser, cher monsieur, chère madame, ne vous inquiétez pas pour vos adorables têtes blondes, tout est rentré dans l'ordre. Elle ne nous demanda pas combien de temps nous comptions nous attarder. Nous avons feint de ne pas nous apercevoir que la question lui brûlait les lèvres.

Sur un signe d'elle, la secrétaire bouclée nous donna la clé de l'aile des pensionnaires, les combinaisons des serrures des salles communes et l'autorisation dûment signée de les fouiller. Cette fois, elle le fit sans sourire, sans même nous regarder.

La cloche retentit de nouveau alors que nous quittions le bureau.

– Dépêchons, me dit Conway en allongeant le pas. C'est la fin des cours. La surveillante générale va ouvrir la porte de communication et je veux que personne ne pénètre dans cette salle commune avant nous.

– Des serrures à combinaisons sur les portes des salles communes. Il y en avait déjà l'année dernière ?

– Oui. On les a installées il y a des lustres.

– Pour quelles raisons ?

Depuis les classes nous parvenaient des voix stridentes, des raclements de chaises. Conway dévala l'escalier jusqu'au rez-de-chaussée.

– Les gamines y entreposent leurs babioles. Les chambres ne sont pas verrouillées, en cas d'incendie ou de saphisme. Les tables de nuit ferment à clé, mais elles sont minuscules. Tout un attirail atterrit donc dans les salles communes : CD, livres, j'en passe. Grâce aux combinaisons, si un objet disparaît, seules une dizaine de personnes peuvent l'avoir piqué. C'est plus facile à résoudre.

– Je croyais que personne, ici, ne barbotait quoi que ce soit.

Conway ricana.

– C'est ce que j'ai dit à McKenna. « Vous avez eu des problèmes de vol ? » Elle a répondu sans se démonter : « Pas jusqu'à présent. » J'ai répliqué : « En tout cas, pas depuis l'installation de serrures à combinaisons. Je me trompe ? » Elle a fait mine de ne pas entendre.

La porte communicante était grande ouverte. L'aile des pensionnaires, avec ses murs blancs, me parut différente du collège lui-même : calme, silencieuse. Dans la cage d'escalier stagnait un discret parfum de fleur. Je fus presque tenté de rebrousser chemin, de laisser Conway s'aventurer seule dans ce territoire féminin.

Je la suivis jusqu'au palier où, du fond de sa niche, une Vierge Marie me gratifia d'un sourire énigmatique, puis le long d'un couloir au carrelage usé et rouge, entre des portes blanches fermées.

– Les chambres des quatrièmes et des troisièmes, précisa Conway.

– Une surveillance la nuit ?

– La surveillante générale loge au rez-de-chaussée, avec les petites. Deux cheftaines de terminale veillent sur l'étage, mais quand elles pioncent, pas de problème.

Une fille pas trop empotée pourrait se barrer les doigts dans le nez.

Deux portes de chêne au fond du couloir, une de chaque côté. Conway se dirigea vers celle de gauche, pressa des touches sur la serrure sans avoir besoin de consulter le papier de la secrétaire.

Nous nous sommes retrouvés dans la salle commune des troisièmes. Confortable, accueillante, intime, comme dans un roman pour jeunes filles. Même si je savais, d'après ce que m'avait appris le panneau des secrets, que cette quiétude était trompeuse, j'eus du mal à imaginer, dans un tel décor, la moindre noirceur : une fille exclue avec perfidie d'une conversation, une autre pelotonnée dans un des canapés et rêvant de se charcuter.

De grands sofas orange clair et or, un poêle à gaz. Un vase de freesias sur le manteau de la cheminée. De vieilles tables de bois pour les devoirs. Du bric à brac de fille un peu partout, bandeaux, vernis à ongles, magazines, bouteilles d'eau, rouleaux de bonbons entamés. Dépliée sur le dossier d'une chaise, une écharpe couleur de prairie ornée de pâquerettes blanches, aussi jolie qu'un voile de communiante, ondulait sous la brise entrant par la fenêtre. Une lampe détectrice de mouvement s'alluma avec un claquement sec, non en signe de bienvenue, mais d'avertissement : Toi. Je te surveille. Dans deux niches, des étagères remplies de livres montaient jusqu'au haut plafond.

— Pas même une télé ! pesta Conway.

Tout à coup, des couinements aigus résonnèrent dans le couloir. La porte s'ouvrit avec fracas. Nous avons pivoté, mais les filles étaient plus petites que les nôtres. Elles étaient trois. Serrées dans l'encadrement de la porte, elles me fixaient. L'une d'elles gloussa.

— Dehors ! aboya Conway.

— Je veux mes Uggs !

La gamine les montrait du doigt. Conway les ramassa, les lui jeta.

– Dehors !

Elles battirent en retraite. Les murmures commencèrent avant que j'aie refermé la porte.

– Uggs, grommela Conway en sortant ses gants. Ces marques de merde devraient être interdites.

Elle enfila ses gants. Si le livre et la clé existaient, il fallait surtout en préserver les empreintes.

Une niche chacun. Effleurer d'un doigt le dos des volumes avant de déposer la première rangée par terre et recommencer avec celle du fond. Opérer rapidement, à la recherche de quelque chose de solide affleurant à la surface.

Conway, qui avait remarqué les regards et les glousements des gamines, me dit :

– Méfie-toi. Tout à l'heure, je te charriais, mais je n'en pensais pas moins. À cet âge, elles meurent d'envie de séduire. Elles s'exerceront sur n'importe quel homme consommable passant à leur portée. Tu te souviens de la salle des profs ? Tu crois que c'est un hasard si les enseignants masculins ne sont que des trolls ? C'est pour faire baisser la tension. Plusieurs centaines de filles en fleurs…

– Je ne suis pas Justin Bieber. Je ne vais pas provoquer d'émeutes.

– Pas besoin d'être une star. Tu n'es pas un vieux croûton de soixante balais. C'est tout bon. Elles cherchent à t'allumer, bingo, sers-toi de ça. Mais ne reste jamais seul avec l'une d'elles.

Je pensai à Gemma croisant et décroisant les jambes, à son manège à la Sharon Stone.

– Je n'en ai aucune envie, répondis-je.

– Et voilà ! s'exclama-t-elle soudain.

Étagère du bas, rangée du fond, dissimulé derrière des livres aux couleurs criardes. Vieux volume cartonné, couverture poussiéreuse aux coins cornés. *Sainte Thérèse de Lisieux : la petite fleur et l'humble chemin.*

Conway l'extirpa d'un doigt, avec soin. Photo sépia d'une jeune nonne aux joues rondes, au sourire à la fois joyeux et timide. Le verso de la couverture se fermait mal.

Je pris le livre entre deux doigts, laissant Conway écarter le verso. Un coin avait été replié, puis scotché pour former une pochette triangulaire. En le décollant doucement, Conway y découvrit une clé plate.

Nous ne l'avons pas touchée.

Conway murmura, comme si je le lui avais demandé :

– On ne s'emballe pas. On n'a rien de définitif.

C'était pourtant le moment de faire venir la cavalerie : l'équipe de recherche passant le collège au peigne fin, la police scientifique relevant les empreintes, l'assistante sociale présente à chaque interrogatoire. Il ne s'agissait plus d'une carte à la noix qu'une fille désœuvrée avait peut-être fabriquée pour attirer l'attention. Cette fois, c'était du sérieux : une fille… probablement quatre… ou huit… s'étaient peut-être trouvées sur les lieux du crime. Ça, c'était du concret.

D'un autre côté, si Conway rameutait la cavalerie, elle devrait brandir sous le nez de O'Kelly l'objet miraculeux qui l'obligerait à faire exploser son budget pour une affaire reléguée au fond d'un tiroir. Et, aussi sec, je me retrouverais hors du coup, remplacé auprès d'elle par un vieux briscard, King ou un autre, qui s'attribuerait tout le mérite de la solution, s'il y en avait une. Merci pour votre aide, inspecteur Moran, on se reverra la prochaine fois que quelqu'un déposera un bel indice entre vos mains.

– Nous ignorons si nous avons affaire à la véritable clé de la porte communicante, dis-je.

– Exact. J'en ai une copie au QG. Je pourrai la comparer avec celle-là. En attendant, je ne vais pas déclencher le branle-bas pour ce qui pourrait n'être que la clé du placard où la mère d'une des filles planque son whisky.

– Et nous n'avons que le texto nous indiquant qui l'aurait cachée, et quand. Cette clé pourrait très bien ne pas s'être trouvée là en mai dernier.

– Peut-être pas, répondit Conway en laissant la pochette reprendre sa forme. Je voulais fouiller cette pièce du sol au plafond. Le patron a refusé. Selon lui, nous n'avions aucune preuve de l'implication d'élèves de Kilda dans l'affaire. En fait, il avait peur que les mamans et les papas huppés piquent une crise en imaginant des poulets aux ongles sales tripotant les dessous de leurs petites chéries. Donc, effectivement, pas moyen de savoir si la clé était déjà là.

– Et même... Pourquoi la bande de Joanne l'y aurait-elle laissée pendant tout ce temps ? Pourquoi ne pas l'avoir jetée lorsque Chris a été tué et que l'enquête a commencé ?

Conway referma le livre. Elle avait des gestes délicats, quand elle le voulait.

– Tu aurais dû voir le collège après le meurtre. Les gamines n'étaient pas livrées à elles-mêmes une seule seconde, au cas où Hannibal Lecter aurait surgi d'une armoire pour leur bouffer la cervelle. Aucune n'allait aux gogues sans être accompagnée par cinq copines. Des flics partout, les profs patrouillant dans les couloirs, les bonnes sœurs paniquées, les élèves hurlant comme des sirènes d'alarme dès qu'elles apercevaient quelque chose d'inhabituel... Seule attitude intelligente, ajouta-t-elle en désignant le livre, sans le toucher : laisser la clé où elle était, ne pas risquer de se faire choper en cherchant à la déplacer. Et la fin de l'année scolaire est arrivée quelques semaines plus tard. Quand nos filles sont revenues en septembre, elles étaient en seconde. Plus de code pour cette salle, aucune raison valable d'y pénétrer. Tenter de récupérer la clé aurait été plus dangereux que la laisser. À ton avis, qui lit encore ce livre ? Quelles sont les chances pour qu'on découvre la clé ? Ou pour que celle qui tomberait dessus ait la moindre idée de sa provenance ?

– Si Joanne ou qui que ce soit ne s'en est pas débarrassée, elle n'a pas non plus essuyé le livre.

– Très juste. On aura les empreintes.

Conway sortit un sachet d'indices de sa sacoche, l'ouvrit d'un coup sec.

– Selon toi, qui a envoyé le texto ? Holly et sa bande ne semblent pas porter Joanne dans leur cœur.

Elle maintint le sachet ouvert tandis que j'y glissais le livre, le tenant toujours entre deux doigts.

– « Qui » me paraît secondaire. Ce que j'aimerais savoir, c'est « Pourquoi ».

Elle eut un petit rire en rangeant le sachet dans sa sacoche.

– Ma tirade effrayante n'était pas assez bien sentie pour toi ?

– Elle était parfaite. Toutefois, elle n'a pas influencé la fille qui nous a envoyé ce SMS. De quoi aurait-elle peur ? L'assassin s'en prendrait-il à elle uniquement parce qu'elle connaît la cachette de la clé ?

– À moins, releva Conway en retirant précautionneusement ses gants, un doigt après l'autre, que Joanne soit la meurtrière.

C'était la première fois que nous avancions un nom. Il vibra un instant entre nous, jusqu'à ce que je rompe le silence.

– Vous êtes la patronne. Pourtant, à votre place, je ne l'attaquerais pas bille en tête.

Je m'attendais à une rebuffade. À ma grande surprise, elle abonda dans mon sens.

– Je ne le ferai pas. Si Joanne a planqué la clé, ses boniches l'ont su. Tu commencerais par qui ? Alison ?

– J'opterais pour Orla. Alison est plus nerveuse, mais cela ne nous aiderait en rien. À la première pression, elle irait pleurnicher sur les genoux de son papa et nous l'aurions dans le baba.

Ce «nous» la fit tiquer. Elle ne le releva pas.

– Orla est moins fragile, poursuivis-je, et assez bouchée pour que nous puissions la manipuler. Je tenterais le coup avec elle.

– Pourquoi pas?

Elle allait ajouter quelque chose lorsque des cris la firent bondir vers la porte. Dès qu'elle l'ouvrit, les cris se muèrent en braillements. Une dizaine d'élèves s'étaient agglutinées dans le couloir. Certaines avaient troqué leur uniforme contre des sweats à capuche et des T-shirts. À leurs poignets tressautaient des bracelets bon marché. D'autres endossaient leur manteau, se boutonnaient. Toutes jacassaient: «Mais qu'est-ce qu'il y a? Qu'est-ce qu'il y a?» Au centre du groupe, une fille hurlait.

Plus grands qu'elles, nous distinguions un amas de têtes: Joanne et sa bande, entourées par les autres. Celle qui hurlait, le dos au mur, les mains sur la figure, c'était Alison. Joanne tentait de la calmer en la berçant tel un ange de miséricorde, rôle qui lui allait mal. Peine perdue.

Au centre de l'attroupement, seule Holly ne fixait pas Alison d'un air hébété. Elle scrutait les visages avec les yeux de son père, attendant qu'une des filles se trahisse.

Conway saisit le bras de la gamine la plus proche, une petite brune qui sursauta et cria de plus belle.

– Qu'est-ce qui se passe?

– Alison a vu un fantôme! Elle a vu, elle a dit, elle a dit qu'elle a vu Chris Harper, son fantôme, elle a vu…

Les piaillements redoublèrent. La petite sautait sur place, cherchait à se dégager. Conway beugla, assez fort pour que toutes l'entendent:

– Tu sais pourquoi il revient, hein! Tu le sais!

Bouche bée, la petite écarquilla les yeux, imitée par les autres.

– Parce qu'une fille, ici, sait qui l'a tué ! Il est revenu pour l'obliger à parler. Quand un meurtre a été commis, ça arrive tout le temps. Tout le temps !

Conway se tourna vers moi, pour que je confirme. J'obtempérai :

– Ce n'est qu'un début. Ça va devenir pire.

– Les victimes d'un meurtre, martela Conway, détestent qu'un témoin empêche qu'on leur rende justice. Chris n'est pas content. Il ne reposera pas en paix tant que vous ne nous aurez pas, toutes autant que vous êtes, dit ce que vous savez.

La gamine étouffa un gémissement, repris par les autres. Une fille broya le bras de sa voisine.

– C'est pas vrai, c'est pas vrai…

Conway enfonça le clou.

– Les victimes d'un meurtre deviennent enragées. De son vivant, Chris était sans doute un type merveilleux, mais il ne ressemble plus au souvenir que vous en avez. À présent, il est en colère.

Elles frissonnèrent, épouvantées, imaginant des spectres fondant sur elles, les mordant à pleines dents, leur arrachant des lambeaux de chair.

– Oh mon Dieu…

Soudain, McKenna apparut, massive. Conway lâcha le bras de la petite, recula d'un pas.

– Silence ! mugit la directrice.

Instantanément, toutes la bouclèrent. Sauf Alison, dont les cris se prolongèrent, explosant comme un feu d'artifice dans l'air chargé de terreur.

McKenna ne nous accorda pas un regard. Elle prit Alison par les épaules, la secoua.

– Tais-toi, Alison !

Rouge comme une pivoine, Alison ravala un dernier cri et fixa la directrice, hoquetant, gigotant entre ses mains puissantes.

– Gemma Harding, intima McKenna sans quitter Alison des yeux. Raconte-moi ce qui s'est passé.

– Mademoiselle, réussit à bafouiller Gemma, tremblant comme une chipie prise en faute, on était dans nos chambres. On n'a rien fait…

– Ce que vous faisiez ou non ne m'intéresse pas. Dis-moi exactement ce qui s'est passé.

– Alison est allée aux toilettes. Alors, on l'a entendue crier. On a couru. Elle était…

Ses yeux voltigeaient d'une fille à l'autre, cherchant Joanne, quémandant une approbation.

– Continue, ordonna McKenna. Tout de suite.

– Elle était… Elle s'appuyait contre le mur et elle criait. Mademoiselle, elle disait, elle disait qu'elle avait vu Chris Harper !

Alison geignit, laissa retomber sa tête.

– Alison, siffla McKenna. Regarde-moi.

– Elle a dit qu'il lui avait attrapé le bras. Mademoiselle, elle a des marques sur la peau. Je le jure devant Dieu !

– Alison, montre-moi ton bras.

Les doigts tremblants, l'adolescente remonta sa manche jusqu'au coude. Conway repoussa les filles qui nous barraient le chemin.

À première vue, cela ressemblait à une marque laissée par une main. Rouge vif, entourant son avant-bras : quatre doigts, une paume, un pouce. Plus grande qu'une main de fille.

Et puis nous nous sommes rapprochés.

Ce n'était pas la trace d'une main qui aurait violemment agrippé l'avant-bras d'Alison. La peau écarlate était boursouflée, parsemée de petites cloques. Une brûlure, provoquée par de l'acide ou une herbe vénéneuse.

– Avez-vous oublié, clama McKenna aux gamines éberluées, qu'Alison souffre d'allergies ? Que celles qui s'en souviennent lèvent la main.

Aucune ne bougea.

– L'une d'entre vous se rappelle-t-elle l'incident qui a eu lieu le trimestre dernier, lorsque Alison a dû être soignée après avoir emprunté la mauvaise marque de fond de teint ?

Rien.

– Personne ?

Les filles se regardaient de biais, contemplaient leurs manches enroulées autour de leurs pouces, ou le plancher. Elles commençaient à se sentir morveuses. McKenna les ramenait à la réalité.

– Alison a été exposée à une substance qui a provoqué une allergie. Il s'agit probablement, si elle revenait des toilettes, d'un savon ou d'un produit d'entretien. Nous mènerons une enquête et nous ferons en sorte que ce produit soit retiré. Alison prendra un antihistaminique et sera totalement rétablie d'ici une heure ou deux. Quant à vous, vous allez regagner vos salles communes et m'écrire, pour demain matin, une rédaction de trois pages sur les allergènes. Vous me décevez beaucoup. Je vous croyais assez mûres et assez intelligentes pour réagir calmement devant ce genre de situation, sans sombrer dans la bêtise et l'hystérie.

Elle retira une main de l'épaule d'Alison qui se recroquevilla contre le mur, et montra le couloir.

– Vous pouvez vous en aller. À moins que certaines d'entre vous n'aient quelque chose de vraiment utile à partager ?

– Mademoiselle, hasarda Joanne, l'une de nous devrait rester avec elle. Au cas où…

– Non, merci. Salle commune, je vous prie.

Elles s'en allèrent d'un pas lourd, bras dessus, bras dessous, chuchotant et jetant des regards en arrière. Une fois qu'elles eurent disparu, McKenna se tourna vers nous.

– J'imagine que vous savez ce qui a déclenché cela ?

– Aucune idée, répondit Conway en s'avançant vers Alison. Alison, ajouta-t-elle, est-ce qu'une fille a fait devant toi une allusion au fantôme de Chris Harper avant que tu te rendes aux toilettes ?

Alison claquait des dents. Elle bafouilla :

– Il faisait le poirier au sommet de la porte. Il agitait les jambes.

« Il fait toujours quelque chose », nous avait dit Selena. Je ne crois pas aux fantômes. Pourtant, je frissonnai.

– J'ai dû crier. En tout cas, il m'a vu. Il a sauté à terre et m'a attrapée par le bras pour m'entraîner dans le couloir. Il courait à toute allure et me riait au nez. J'ai crié plus fort, je lui ai donné un coup de pied et il a disparu.

Elle s'exprimait presque calmement, comme délivrée d'un cauchemar.

– Ça suffit ! tonna McKenna d'une voix à faire trembler un ours. Le produit que tu as touché a provoqué une brève hallucination. Les fantômes n'existent pas.

– Ton bras te fait mal ? demandai-je.

– Oui. Très mal.

– C'est normal, déclara McKenna. Cela continuera jusqu'à ce qu'on l'ait soignée. Sur ce, inspecteurs, excusez-nous.

– Il sentait le Vicks, me dit Alison par-dessus son épaule tandis que McKenna l'entraînait loin de nous. Je sais pas s'il sentait le Vicks avant.

Conway les regarda s'en aller.

– Combien tu paries que la mouflette cherchant ses Uggs et ses copines ont raconté partout qu'on était dans leur salle commune ?

– Tout ce que vous voudrez. Et la nouvelle a eu le temps de faire le tour du collège.

– Jusqu'à Joanne. Qui a dû deviner ce que nous cherchions.

Je désignai Alison, qui s'engageait dans la cage d'escalier en compagnie de McKenna.

– Sa crise n'était pas feinte.

– Non. Mais elle est influençable. Et elle était déjà à moitié hystérique après les entretiens.

Conway parlait bas, tendant l'oreille vers les voix éparses qui filtraient des salles communes.

– Au moment où elle s'apprête à aller aux toilettes, Joanne lui sort tout un baratin sur le fantôme de Chris qui rôde dans les parages. Elle connaît Alison par cœur, sait très bien comment la mettre en condition. Elle étale du fond de teint sur sa propre main, puis lui serre le bras. Elle a toutes les raisons de croire que sa copine va péter un câble pour un motif ou un autre. Et elle espère que cela fera assez de raffut pour que nous sortions en courant de la salle commune en laissant la porte ouverte, ce qui lui donnera l'occasion de s'y faufiler et de barboter le livre.

Une gamine de seize ans, pensai-je. *Serait-elle vraiment capable de manigancer ça ?*

Je gardai ma réflexion pour moi.

– Alison porte des manches longues, répondis-je.

– Joanne a donc agi avant qu'elle enfile son sweat.

Cela aurait pu marcher, avec beaucoup de chance.

– Pourtant, Joanne n'a pas essayé d'entrer dans la salle commune. Elle est restée là, au milieu du tumulte.

– Elle escomptait peut-être que nous éloignerions Alison, qu'elle pourrait prendre son temps.

– Ou alors, elle n'a rien à voir avec cette histoire. Le fantôme est sorti tout droit de l'imagination d'Alison et les marques sur son bras étaient accidentelles, ainsi que l'a affirmé McKenna.

– Possible.

Les pas s'évanouirent. Suivit un silence lourd, inquiétant. Difficile de croire que ce qui venait de se produire n'était que le fruit d'un accident et d'une imagination perturbée.

– McKenna loge ici ? demandai-je.

– Non. Elle tient à sa tranquillité. Mais elle ne rentrera pas chez elle avant que nous soyons partis.

Nous.

– J'espère qu'elle apprécie la nourriture de la cantine.

Conway ouvrit son sac, examina le livre tapi à l'intérieur.

– Il se passe des choses, conclut-elle sans dissimuler sa satisfaction. Je te l'avais dit.

12

Dans un sens, elles avaient raison. La deuxième et la troisième fois qu'elles font le mur, ce n'est plus la même chose. Aucune importance. La clairière où elles s'allongent et échangent des confidences a gardé en mémoire cette première fois, comme une promesse attendant le bon moment pour se réaliser.

– J'aurais jamais cru que j'aurais des amies comme vous, dit Becca au cours de la troisième nuit. Jamais. Vous êtes mon miracle.

Aucune ne se moque d'elle, pas même Julia. Leurs mains se nouent, chaudes, alanguies.

Fin janvier, 22 h 30. Pour les troisièmes et les secondes, à Kilda tout comme à Colm, l'extinction des feux sonnera dans quinze minutes. Pieds nus sur le carrelage froid de la salle de bains, Chris Harper se brosse les dents. Dans les toilettes, deux types de sa classe martyrisent une bleusaille de cinquième. Sans conviction, il se demande s'il devrait intervenir. Il lui reste un peu moins de quatre mois à vivre.

Quelques centaines de mètres plus loin, de minces flocons qui ne tiendront pas recouvrent les vitres de la chambre que partagent Julia, Holly, Selena et Becca. L'hiver est arrivé d'un coup : crépuscules précoces, neige fondue. Les belles journées d'automne sont loin. Calfeutrées, enrhumées, les quatre discutent du bal de la Saint-Valentin.

– J'y vais pas, dit Becca.

Allongée sur son lit, en pyjama, Holly copie à toute vitesse le devoir de maths de Julia, glissant parfois de petites erreurs pour donner le change.

– Pourquoi ?

– Parce que j'aimerais mieux me brûler les ongles avec un briquet plutôt que me tortiller dans une minijupe à la noix et un haut s'arrêtant au milieu des nibards, même si je possédais ce genre de déguisement, ce qui n'est pas le cas et ne le sera jamais. Voilà pourquoi.

– Tu dois y aller, déclare Julia depuis son lit, sans lever les yeux de son livre.

– Pas question !

– Si t'y vas pas, on t'enverra chez Sœur Ignatius. Elle te demandera si tu refuses d'y aller parce que t'as été violée quand t'étais petite, et quand tu répondras non, elle te dira que tu dois apprendre à t'estimer.

Assise sur son lit, les bras autour des genoux, Becca réplique vertement :

– Je m'estime ! Et je m'aime assez pour ne pas porter des fringues débiles parce que tout le monde le fait !

– Merci du compliment. Ma robe n'est pas débile.

Julia a économisé pendant des mois pour s'offrir, lors des soldes d'il y a deux semaines, une rutilante robe noire à pois rouges. C'est le vêtement le plus ajusté qu'elle ait jamais porté ; et ça l'enchante.

– Ta robe n'est pas débile, admet Becca. Mais moi, dedans, j'aurais l'air d'une pouffe. Parce que j'aurais honte !

– Pourquoi tu mets pas ce que tu préfères ? lui souffle Selena en enfilant par la tête son haut de pyjama.

– Je préfère les jeans.

– Alors, mets un jean.

233

– Tu vas le faire, toi ?

– Moi, je porterai la robe bleue de ma grand-mère. Celle que je t'ai montrée.

Une robe bleu ciel hypercourte qu'arborait sa mamy dans les années soixante, quand elle était vendeuse dans un quartier branché de Londres. Elle moule sa poitrine, mais Selena la portera quand même.

– Évidemment ! dit Becca. Hol, tu iras en jeans ?

– Merde ! lâche Holly, essayant d'effacer une erreur plus grosse que prévu. Ma mère m'a offert une robe violette pour Noël. Elle est OK.

– Donc, je serai la seule grognasse en jean, ou alors il faudra que j'aille me payer une robe ridicule qui me filera la gerbe et me fera passer pour une pute. Non, merci.

– Essaye la robe, suggère Julia en tournant une page. Fais-nous rire.

Becca lui répond par un doigt d'honneur. Julia le lui rend avec un grand sourire. Elle adore la nouvelle agressivité de Becca, qui proteste :

– C'est pas drôle ! Je croyais que t'étais mon amie !

Soudain, l'ampoule du plafonnier grésille, puis s'éteint avec un petit bruit sec. Les quatre filles poussent un cri.

– Vos gueules ! hurlent depuis le couloir les deux cheftaines du second étage.

Réactions immédiates : « Nous voilà bien ! » de Julia, « Aïe ! » de Selena chassant quelque chose de son tibia. Et la lumière revient.

– C'est quoi, ce bordel ! s'exclame Holly. Qu'est-ce qui s'est passé ?

L'ampoule brûle innocemment, sans trembloter.

– Becs, c'est un signe, halète Julia en forçant la note. L'Univers veut que tu arrêtes de pleurnicher et que tu ailles danser.

– Très drôle ! couine Becca tel un bébé en colère. Ou alors, l'Univers ne veut pas que toi, tu y ailles, et il n'est pas content que tu lui désobéisses.

– C'est toi qui as fait ça ? s'enquiert Selena.

– Tu me gonfles, éructe Julia. D'accord ?

– Becsie ?

Selena regarde toujours Becca. Holly aussi. Après un silence, Becca murmure :

– Je sais pas.

– Refais-le, lui intime Selena.

– Comment ?

– Comme tu l'as fait avant.

– P'tain ! s'écrie Julia. C'est quoi, ce délire ? Je veux plus rien entendre !

Elle roule à plat ventre sur son lit, plaque son oreiller sur sa tête. Becca fixe l'ampoule comme s'il s'agissait d'un animal dangereux.

– Je l'ai pas fait. Je crois pas. Je sais pas.

Julia grogne sous son oreiller.

– Fais-le vite avant qu'elle étouffe, dit Holly.

– J'ai juste…, bredouille Becca en agitant mollement la main. J'étais en rogne. À cause de… Et alors…

Elle ferme le poing. La lumière s'éteint.

Cette fois, aucune ne crie.

– Tu rallumes ? demande calmement Holly, dans le noir.

La lumière revient. Julia, qui a retiré son oreiller de sa tête, se rassied.

– P'tain, dit Becca, le dos contre le mur, une phalange dans la bouche. C'est moi qui… ?

– Bien sûr que non ! braille Julia. C'est un truc électrique ! Sans doute la neige.

– Refais-le, dit Selena.

Becca le refait.

Cette fois, Julia reste muette.

– Moi, c'était hier matin, raconte Selena. Quand on se préparait et que je cherchais quelque chose dans mon casier. Ma main a touché la lampe de chevet, qui s'est allumée. Quand j'ai retiré ma main, elle s'est éteinte.

– Matériel pourri, assène Julia. C'était un court-circuit.

– Je l'ai fait plusieurs fois. Pour vérifier.

Elles se souviennent toutes de la lampe de Selena s'allumant et s'éteignant. Elles ont mis le phénomène, à supposer qu'il les ait intriguées, sur le compte du temps qui commençait à se gâter et devait perturber l'installation électrique.

– Pourquoi t'as rien dit ?

– On était à la bourre. Et je voulais y réfléchir. Attendre et voir…

Si cela arrivait à une autre fille…

Holly intervient, toujours aussi calme.

– Moi, c'était cet après-midi. Quand je suis allée aux toilettes, pendant le cours de maths. Les lumières du couloir se sont éteintes lorsque je suis passée dessous et se sont rallumées dès que je me suis éloignée. Toutes, l'une après l'autre. Moi aussi, j'ai pensé à un court-circuit provoqué par la neige.

Selena jette un coup d'œil à Holly, puis lève les yeux vers l'ampoule.

– Arrête ! gémit Julia, excédée.

– Ça marchera pas, dit Holly.

Aucune ne lui répond. L'air tremble, comme le désert sous la chaleur, avant un mirage.

Holly dresse sa paume puis ferme le poing, ainsi que l'a fait Becca. La lumière s'éteint.

– C'est pas vrai ! crie-t-elle.

Et la lumière revient.

Silence. Enfin, Holly énonce, d'une voix un peu trop assurée :

– J'ai aucun pouvoir paranormal. J'en ai jamais eu. Vous vous souvenez, en sciences, quand on devait deviner les formes sur les cartes ? J'ai été nulle.

– Je suis pas médium non plus, renchérit Becca. Ce qui se passe, c'est à cause de… Vous savez. La clairière. C'est ça qui a tout changé.

Julia se renverse sur son lit, se frappe le front avec son oreiller.

– OK, dit Becca. Alors, à ton avis, c'est quoi, Einstein ?

– Je te l'ai dit ! Il y a de la neige sur un transfo quelque part et ça dézingue le circuit. Maintenant, on pourrait revenir au moment où tu me reprochais de ne pas être une véritable amie ? S'il te plaît !

Selena recommence. Lumière éteinte, aussitôt rallumée.

– Arrête ! aboie Julia. J'essaye de lire.

– Je croyais que, pour toi, c'était à cause de la neige, ironise Selena. Alors, pourquoi tu me demandes d'arrêter ?

– La ferme ! Je lis.

– Essaye, toi.

Julia lui lance un regard assassin.

– T'as peur ? ricane Selena.

– Peur de quoi ?

– Alors ?

De mauvaise grâce, Julia se rassied sur son lit.

– J'arrive pas à croire que je vais le faire, bougonne-t-elle.

Elle lève une main, soupire bruyamment, la referme. Rien ne se passe.

– Que dalle ! clame-t-elle avec une mine ravie.

Pourtant, au fond d'elle-même, elle se sent horriblement déçue.

– Ça compte pas, décrète Selena. T'étais pas concentrée.

– Cet après-midi, quand les lumières du couloir se sont éteintes puis rallumées, enchaîne Holly, vous vous rappelez que Naughton m'avait engueulée en m'accusant de bavarder alors que c'était Cliona qui jactait ? J'avais la rage. Et…

– Eh merde ! crie Julia.

Elle se concentre sur Becca, cette tête de mule qui refuse d'aller au bal, essaie de nouveau. Ça marche.

Silence de plomb. Les filles ne bougent plus, pétrifiées par cette réalité qui semble se jouer d'elles, pour rire, et pourrait trouver d'autres moyens de les déboussoler.

– Dommage que ça ne serve à rien, dit enfin Holly le plus placidement possible. On pourrait avoir une vision aux rayons X, lire les sujets des contrôles la nuit d'avant.

– Ou s'en foutre, pouffe Becca. On pourrait se contenter de changer nos notes au moment des résultats, se mettre un «A». Ça, ce serait utile !

– Je vois pas les choses de cette façon, objecte Selena, brûlant d'envie de les serrer toutes les trois contre elle. Ça n'est pas là pour servir à quelque chose. C'est là, c'est tout. En fait, ce pouvoir, on l'a toujours eu. Simplement, on ne savait pas l'utiliser. Jusqu'à maintenant.

– Sublime, conclut Julia.

Elle n'a qu'un souhait : qu'on passe à autre chose. Surtout, qu'on n'ébruite pas cette histoire qui pourrait les faire passer toutes les quatre pour des détraquées.

– Au moins, précise-t-elle, ça règle la question du bal de la Saint-Valentin. Une fille dotée de pouvoirs surnaturels ne peut pas y aller en jean. Ce serait nul.

Becca s'apprête à répondre. Mais, secouée par un fou rire inextinguible, elle retombe sur son lit, les bras étales, comme si on la chatouillait.

– Ravie de te voir de meilleure humeur, constate Julia. Donc, tu viens ?

– Bien sûr. Tu veux que je me pointe en maillot de bain ? Pas de problème.

– Extinction des feux ! beugle la cheftaine en écrasant sa paume contre la porte.

Elles éteignent aussitôt.

Elles s'entraînent dans la clairière. Selena a apporté sa petite lampe de lecture à pile, Holly sa torche, Julia un briquet. La nuit est épaisse, nuageuse, glaciale. Elles ont dû se diriger à l'aveuglette le long des sentiers menant aux cyprès, tressaillant chaque fois qu'elles faisaient vibrer une branche ou craquer des feuilles. Même lorsqu'elles ont débouché sur la clairière, elles n'étaient que des silhouettes déformées, méconnaissables. Les jambes croisées, elles s'assoient en cercle dans l'herbe et se passent les lampes.

Ça marche. Faiblement, tout d'abord, par petites lueurs brèves qui s'évanouissent dès qu'elles sursautent. Ensuite, les lueurs se renforcent, s'allongent, font jaillir leurs traits des ténèbres, tels des masques d'or, provoquant des rires ou des exclamations de surprise, avant de disparaître à nouveau. Peu à peu, elles se stabilisent, projettent des rayons de lumière vers les hauts cyprès et flottent parmi les branches, comme des lucioles. Becca jurerait les avoir vues zébrer les nuages.

– Pour fêter ça…

Julia extirpe de la poche de son manteau un paquet de cigarettes et ajoute :

– Qui disait que ça ne servirait à rien ?

Elle allume son briquet, se penche de côté pour ne pas roussir ses sourcils.

Toutes les quatre s'installent confortablement et fument. Selena laisse allumée sa petite lampe de lecture qui fait jaillir de l'ombre l'herbe d'hiver, les plis de leurs jeans, des pans de leurs visages. Holly termine sa cigarette puis s'allonge sur le ventre, une clope intacte dans la paume.

– Qu'est-ce que tu fais ? demande Becca en se rapprochant d'elle.

– J'essaye de l'allumer. Chut.

– Ça marche pas comme ça. On peut pas faire du feu à partir de rien.

– Tais-toi ou je t'enflamme. Je me concentre !

Holly craint de lui avoir parlé rudement, mais Becca bascule sur le côté et lui donne un coup de pied dans les côtes.

– Concentre-toi sur ça.

Holly lâche sa cigarette, lui attrape le pied. La bottine de Becca lui reste entre les mains. Elle se lève d'un bond et s'enfuit. Becca court à cloche-pied après elle, poussant des cris faussement craintifs quand sa chaussette heurte quelque chose de froid.

Selena et Julia les regardent rire et se poursuivre autour de la clairière.

– T'as toujours les boules ? interroge Selena.

– Non, répond Julia en crachant des anneaux de fumée qui voguent entre l'obscurité et la lumière, comme d'étranges petites créatures nocturnes.

Elle ne se rappelle pas très bien pourquoi elle était de si mauvaise humeur.

– J'ai réagi comme une conne. C'est géant.

– Oui, c'est géant. Mais t'es pas une conne.

Julia tourne la tête vers elle, discerne la ligne douce de ses sourcils, une mèche de cheveux, un œil rêveur.

– Je croyais que tu m'avais prise en grippe. Du genre : « Il se passe quelque chose d'unique, pourquoi elle fout tout par terre ? »

– Non, répond Selena. J'ai compris. Ce truc, ça peut faire peur.

– J'avais pas peur. Je te le jure.

– J'en suis sûre. Je suis contente que t'aies décidé d'essayer. Je sais pas ce qu'on aurait fait si t'avais refusé.

– Vous auriez continué quand même.

– Non. Pas sans toi. Jamais.

Becca a réussi à récupérer sa bottine. Elle saute sur un pied, tentant de la remettre avant que Holly ne la fasse tomber. Elles halètent, rient toujours. Julia presse son épaule contre celle de Selena et la pousse, comme

240

lorsqu'elles regardent quelque chose ou s'appuient dos à dos sur le rebord de la fontaine du Court.

– Accroche-toi, andouille, dit-elle.

Elle sent que Selena résiste, oppose son poids au sien. Elles restent ainsi, en équilibre, solides et chaudes.

Elles longent le couloir en direction de leur chambre, les chaussures à la main, lorsqu'une voix chantonne dans l'ombre :

– Ouh, ouh, vous allez avoir des ennuis.

Elles se retournent brutalement. Leur cœur bat à tout rompre. Selena serre la clé dans son poing. Les trois autres se figent. Tout d'abord, elles ne distinguent rien. Enfin, elles l'aperçoivent, immobile devant elles : Joanne Heffernan, monochrome dans les pâles lumières qu'on laisse allumées au cas où une élève devrait se rendre aux toilettes, souriant d'un air mauvais, croisant les bras sur une nuisette couverte de lèvres pulpeuses.

– Bordel de Dieu ! siffle Julia.

Joanne abandonne son sourire et adopte sa mine de sainte-nitouche, pour bien montrer que ce langage la choque.

– Qu'est-ce que tu fais là ? poursuit Julia. Tu veux qu'on ait une crise cardiaque ?

– Je m'inquiétais pour vous, répond Joanne avec une fausse sollicitude. En allant aux gogues, Orla vous a vues descendre l'escalier. Elle a cru que vous alliez faire quelque chose de dangereux : vous camer, picoler…

Becca pouffe bruyamment. Le regard de Joanne devient glacial. Mais elle se reprend vite.

– On était dans la salle de couture, explique Holly. On fabriquait des couvertures pour les orphelins d'Afrique.

Holly a toujours l'air de dire la vérité. Un instant, Joanne semble décontenancée.

– Saint Connardus m'est apparu en songe, enchaîne Julia. Il m'a dit que les orphelins avaient besoin de notre aide.

Aussitôt, Joanne retrouve son expression de jeune fille bien sage.

– Si vous étiez à l'intérieur, alors qu'est-ce que c'est que ça ?

Elle fait un pas, saisit une mèche de Selena qui recule en poussant un petit cri, puis exhibe un brin de cyprès d'un beau vert, encore imprégné de la froidure du dehors.

– Un miracle ! réplique Julia. Louons saint Connardus, patron des jardins d'intérieur.

Joanne laisse tomber le brin, s'essuie les mains sur sa nuisette. Puis, en fronçant le nez :

– Pouah ! Vous puez la clope !

– Les machines à coudre fument, dit Holly. C'est infect.

Joanne ignore sa remarque.

– Donc, vous avez une clé de la porte de sortie.

– Non, Sherlock, rétorque Julia. La porte a une alarme branchée la nuit.

Joanne n'est peut-être pas un génie, mais elle n'est pas non plus complètement bouchée.

– Alors, vous avez la clé de la porte du bâtiment des classes. Et vous avez sauté par la fenêtre. Ça revient au même.

– Et après ? Si on l'a fait, et on l'a pas fait, en quoi ça te concerne ?

Joanne a toujours son air inspiré, ce qui lui donne des yeux légèrement exorbités. Une bonne sœur a dû lui dire qu'elle ressemblait à une sainte.

– C'est dangereux. Dehors, il pourrait vous arriver quelque chose. Vous pourriez être agressées !

Becca pouffe une nouvelle fois.

– Comme si t'en avais quelque chose à cirer, ricane Julia.

Se touchant presque, elles murmurent. Mais il y a entre elles une telle agressivité qu'elles semblent sur le point de se battre.

– Viens-en au fait, souffle Julia, et dis-nous ce que tu veux.

Joanne renonce à son numéro de bonne camarade.

– Si vous vous faites choper aussi facilement, vous êtes trop nulles pour posséder cette clé. Vous devriez la donner à une fille assez futée pour s'en servir.

– Ce qui t'élimine d'emblée, dit Becca.

Joanne la toise comme si elle était un chien savant venant de proférer une obscénité.

– Toi, tu devrais revenir à l'époque où t'étais même pas capable de sortir un mot. Au moins, les gens avaient pitié de toi. Et vous, ajoute-t-elle à l'intention de Julia et Holly, vous pourriez rappeler à ce laideron qu'elle ferait mieux de tourner six fois sa langue dans sa bouche avant de l'ouvrir ?

– Laisse-moi faire, chuchote Julia à l'oreille de Becca.

– On s'en fout, répond Becca. Allez, on va se coucher.

– J'hallucine ! lance Joanne en se giflant le front. Comment vous faites pour pas la tuer ? Vous avez intérêt à vous faire du mouron parce que si je préviens la surveillante générale et qu'elle vous trouve nippées comme vous l'êtes, elle saura que vous êtes sorties. C'est ça que vous voulez ?

– Non, répond Julia, en marchant sur le pied de Becca. Nous serions ravies que tu retournes te coucher, en oubliant que tu nous as vues.

– D'accord. Mais si vous désirez que je vous accorde une telle faveur, vous envisagez certainement de me rendre la pareille, mes jolies ?

– On peut se montrer sympa.

– Super. La clé, s'te plaît. Merci mille fois, dit Joanne en tendant la main.

– On t'en fera un double demain matin.

Joanne ne prend pas la peine de répondre. Elle reste là, la paume ouverte.

– On se magne…

Silence interminable. Enfin, Julia capitule.

– OK.

– Et c'est nous qui vous en donnerons peut-être un double un de ces jours, conclut Joanne d'un ton princier, tandis que Selena allonge lentement le bras vers elle. Si vous êtes bien gentilles et si vous apprenez à cette petite morveuse le sens du mot « sympa ». Vous y arriverez ?

Cela signifie des semaines, des jours, des années à sourire mielleusement lorsque Joanne leur balancera des saloperies, à quémander d'une voix humble, avec des courbettes : « On pourrait avoir notre clé, maintenant ? », à la voir se rengorger en se demandant si elles la méritent, avant de décider à regret que non. Cela signifie la fin de ces nuits ; la fin de tout. Elles ont envie de l'étrangler. Selena ouvre les doigts.

Joanne effleure la clé. Aussitôt, sa main s'écarte avec violence. La clé tombe par terre, rebondit sur le carrelage. Joanne couine, comme si elle n'avait pas assez de souffle pour hurler :

– Aïe ! P'tain, elle m'a brûlée ! Aïe, aïe, ça brûle ! Qu'est-ce que vous avez fait ?

– Tais-toi, tais-toi, sifflent Holly et Julia.

Pas assez vite. Au bout du couloir une des cheftaines lance d'une voix ensommeillée :

– C'est pas bientôt fini ?

Joanne pivote pour l'appeler.

– Non, chuchote Julia en lui serrant le bras. Va dans ta chambre. On te filera la clé demain. Juré.

– Lâche-moi ! rugit Joanne, à la fois terrifiée et furibarde. Tu vas le regretter ! Regarde ma main, regarde ce que tu as fait…

Sa main est intacte, sans même une marque, mais la lumière vacille et Joanne s'agite : les quatre ne peuvent pas être certaines qu'elle n'a rien. Au bout du couloir, moins ensommeillée mais excédée, la cheftaine tonne :

– Si vous me forcez à me lever, je vous garantis que...

Joanne ouvre de nouveau la bouche.

– Écoute, martèle Julia. Si on se fait choper, personne n'aura la clé. Tu piges ? Va te coucher. On réglera ça demain. Maintenant, fous le camp.

– Vous êtes complètement fêlées ! crache Joanne. On devrait pas mettre des filles normales dans le même collège que vous. Si ma main a une cicatrice, je vous fais un procès.

Et elle regagne sa chambre, sa nuisette aux lèvres provocantes virevoltant autour d'elle.

Julia prend le bras de Becca et l'entraîne vers leur chambre. En silence, les deux autres courent derrière elles, aussi vite que tout à l'heure dans les sentiers menant à la clairière. Selena ralentit à peine pour ramasser la clé. Une fois dans la chambre, Holly plaque son oreille contre la porte qu'elle vient de refermer. Mais, maintenant que le silence est revenu, la cheftaine n'a aucune envie de se lever. Elles sont sauvées.

Hors d'haleine, Selena et Becca retiennent un fou rire.

– Sa tronche, p'tain, t'as vu sa tronche ? J'ai cru mourir.

– Laisse-moi sentir, murmure Becca, viens-là.

– Elle n'est plus chaude, dit Selena.

Toutes les trois se rapprochent d'elle dans le noir, allongent les doigts pour toucher la clé posée au creux de sa main. Elle a la tiédeur de sa paume. Sans plus.

– Vous l'avez vue ? demande Becca, tremblant d'excitation. Vous l'avez vue sauter dans le couloir pour s'éloigner de cette pétasse ?

– Ou alors, elle a rebondi, tempère Julia. Parce que Joanne l'a laissée tomber.

– Elle a sauté ! La tronche de cette salope, c'était grandiose ! J'aurais donné n'importe quoi pour la prendre en photo…

– Qui a fait ça ? s'enquiert Holly en allumant sa lampe à demi dissimulée sous son oreiller pour qu'elles puissent se changer sans rien cogner. C'était toi, Becs ?

– Je crois que c'était moi, rectifie Selena.

Elle lance à Julia la clé qui scintille de l'une à l'autre comme une étoile filante.

– En fait, ça n'a pas d'importance. Si je peux le faire, vous le pouvez aussi.

– Cool ! dit Becca, en se déshabillant et en fourrant ses frusques sous son lit, avant d'enfiler son pyjama.

Une fois couchée, elle pose le capuchon de sa bouteille en équilibre sur le rebord de son casier de chevet et essaie de le renverser sans le toucher.

Julia replace la clé dans l'étui de son téléphone.

– La prochaine fois, pourriez-vous vous abstenir d'exercer vos pouvoirs et de nous mettre dans une merde noire ?

– Je l'ai pas fait exprès ! proteste Selena, la voix étouffée par le sweat qu'elle fait passer au-dessus de sa tête. C'est arrivé parce que j'étais à cran. Et si ça s'était pas produit, Joanne aurait piqué la clé.

– Elle n'est pas près d'oublier cette histoire. Demain, on devra s'arranger avec elle. Et elle est fumasse contre nous.

Cette constatation refroidit l'atmosphère.

– Elle n'a rien à la main, affirme Selena. C'est du cinéma.

– Sûr. Donc c'est une bolosse qui fait son cinéma et qui est fumasse contre nous. En quoi ça nous avance ?

– Qu'est-ce qu'on fait ? demande Becca, louchant toujours vers le capuchon de sa bouteille.

– À ton avis ? dit Holly en fourrant des chandails dans l'armoire. On lui refile un double de la clé. À moins que tu tiennes à ce qu'on nous vire.

– Pourquoi on nous virerait ? Elle peut pas prouver qu'on ait fait quoi que ce soit.

– OK. À moins que tu veuilles absolument qu'on ne sorte plus jamais. Parce que si on continue, Joanne se précipitera chez la surveillante générale et minaudera, plus faux cul que jamais : « Oh, madame, je viens de les voir descendre l'escalier et je m'inquiète tellement pour elles ! » Alors, la surgée va se planquer, nous coincer à notre retour et là, on nous foutra dehors.

– Je m'en occupe, annonce Julia en plongeant les jambes dans son pantalon de pyjama. Je lui parlerai. Je crois que la quincaillerie proche du Court fabrique des clés.

– Elle va t'en faire voir de toutes les couleurs, dit Holly.

– Sûr. Je vais devoir m'excuser pour ce que tu lui as balancé, Becca. Tu crois que j'ai envie de ramper devant cette pouffe ?

– T'auras pas à lui lécher les tétons, répond Becca. Maintenant, elle a peur de nous.

– Ça ne durera pas longtemps. Elle va écrire tout un roman dans sa tête, comme quoi elle est l'héroïne et nous les affreuses sorcières qui avons tenté de la brûler vive, mais elle est tellement extraordinaire qu'elle en a réchappé. Je vais devoir m'excuser pour ça aussi. Et la convaincre que la clé était brûlante uniquement parce que Lenie la serrait dans sa main et que sa paume bouillait car elle avait couru, ou une autre connerie du même genre. Super, super, super.

– Au moins, comme ça, on réussira à conserver notre clé.

– On l'aurait gardée de toute façon. On aurait conclu un marché avec elle, ou on en aurait volé une autre. On n'avait pas besoin de lui faire notre numéro d'esprit frappeur.

— Tout plutôt que devenir les esclaves de cette enfoirée, assène Becca.

Le capuchon de sa bouteille sautille sur le casier, puis se renverse.

— Regardez ! crie-t-elle avant de plaquer une main sur sa bouche tandis que les autres lui font « Chut ». Non mais regardez ! J'ai réussi !

— Chapeau ! dit Holly. J'essaierai demain.

— Qu'est-ce qu'on est en train de faire ? proteste Julia avec véhémence. Tout ce bazar : ça et les lampes. Dans quoi on s'embarque ?

Les autres la dévisagent. Dressée sur les coudes, elle ressemble, dans la faible lumière, à la silhouette floue qu'elles apercevaient dans la clairière.

— Je deviens heureuse, dit Becca. Voilà ce qui m'arrive.

— On ne fait rien exploser, tempère Holly. On ne va tuer personne.

— Va savoir. Je dis pas qu'on va se transformer en diablesses déchaînées. Je dis simplement que c'est quand même bizarre. Si ça marchait uniquement dans la clairière, pas de souci. Ce serait quelque chose d'exceptionnel, dans un endroit exceptionnel. Mais ça se passe ici !

— Et alors ? Si ça devient trop dangereux, on arrêtera. Où est le problème ?

— Ah oui ? On arrêtera ? Lenie, tu voulais même pas que la clé devienne chaude. C'est arrivé parce que t'étais stressée. Idem pour Becs, la première fois qu'elle a éteint la lumière : ça s'est produit parce qu'on se disputait. Donc, si Sœur Cornelius me saoule, j'envoie un bouquin écrabouiller sa gueule bouffie, ce qui serait marrant, mais peut-être pas vraiment une bonne idée ? Ou est-ce que je vais passer mon temps à me dominer pour être totalement zen et me comporter comme une fille normale ?

248

– Parle pour toi, bâille Holly en se coulant dans son lit. Moi, je suis normale.

– Pas moi, corrige Becca. Et je veux pas l'être.

– Il suffit de s'y habituer, déclare doucement Selena. La première fois que t'as fait le coup des lampes, t'as pas aimé, d'accord ? Et ce soir, t'as dit que c'était génial.

– C'est vrai, murmure Julia au bout d'un moment.

L'image de la clairière l'éblouit. S'il n'y avait pas Joanne, elle se rhabillerait et retournerait là-bas, où tout est calme, délivré de toute menace.

– On refera le mur demain soir, ajoute Selena. Tu verras. Ce sera super.

– Oh, p'tain ! Si on décide de se tirer à nouveau demain, faudra d'abord que je m'occupe d'Heffernan. J'essayais de l'oublier.

– Si elle te chie dans les bottes, conclut Holly, prends-lui la main et écrase-la contre sa joue. Elle fera quoi ? Elle ira te cafter ?

Elles rient encore en sombrant dans le sommeil.

Lorsque les autres sont endormies, Becca étire un bras hors de sa couette et ouvre son casier. Elle en sort son téléphone, une petite bouteille d'encre bleue, une gomme piquée d'une punaise et un Kleenex.

Elle a volé l'encre et la punaise dans la salle d'arts plastiques, le lendemain du jour où elles ont prononcé leur vœu. Sous la couette, elle soulève son haut de pyjama et dispose le téléphone afin qu'il éclaire sa peau blanche, juste sous les côtes. Elle retient son souffle pour ne pas bouger, pas pour anticiper la douleur, parce que la douleur ne la dérange pas. Elle enfonce la punaise dans sa peau, à la profondeur voulue, fait pénétrer l'encre dans la plaie. Ses gestes sont chaque fois plus précis. À présent, six points formant deux arches se rejoignent sous sa cage thoracique, trop petits pour qu'on les remarque :

un pour chaque moment miraculeux. Le vœu ; les trois escapades ; les lumières ; et cette nuit.

Depuis que tout a commencé, Becca a compris ceci : la réalité n'est pas ce qu'on voudrait lui faire croire. Le temps non plus. Les adultes le découpent en tranches qui rythment leur morne existence pour empêcher les êtres comme elle d'échapper à cette monotonie de métronome, de s'évader loin de ces minutes, de ces heures qui s'égrènent inlassablement, de s'envoler vers un ailleurs qu'ils n'imaginent même pas.

Elle sèche l'encre qui déborde des points, crache sur le Kleenex, tamponne encore. La plaie fait mal. C'est un élancement agréable, une douleur chaude, bienfaisante.

Ces nuits, rien ne pourra les effacer. Elles ne mourront jamais si Becca et les trois autres, plus tard, retrouvent le chemin de la clairière. Liées par leur vœu, toutes les quatre sont plus fortes que l'âge, la vieillesse, la vie qui passe. Dans dix, vingt, cinquante ans, elles se rejoindront quand elles le voudront sous les cyprès. Et leurs nuits ressusciteront.

Ses tatouages sont là pour ça. Ils subsisteront tels des signes de piste, au cas où ils devraient, un jour, la guider jusque chez elle.

13

La salle commune des secondes paraissait plus petite que celle des troisièmes, plus sombre. Pas seulement à cause des couleurs, vertes au lieu d'orange. De ce côté, le bâtiment bloquait les rayons du soleil, conférant à la pièce une sorte d'obscurité sous-marine que les lampes du plafond ne parvenaient pas à dissiper.

Les groupes de filles jacassaient en sourdine. Seules Holly et ses amies se tenaient tranquilles : Holly assise sur le rebord d'une fenêtre, Julia s'y appuyant en jouant avec un élastique pour cheveux enroulé autour de son poignet, Rebecca et Selena dos à dos par terre, au-dessous d'elles. Toutes les quatre avaient les yeux vagues, comme si elles lisaient la même histoire inscrite dans le vide. Joanne, Gemma et Orla se pelotonnaient sur un des canapés. Joanne murmurait à toute allure des mots pleins de hargne.

Cela ne dura qu'un instant. Soudain, toutes pivotèrent vers la porte.

– Orla, annonça Conway. Il faut que je te parle.

Orla blêmit, autant que je pus en juger en dépit de son fond de teint.

– À moi ? Pourquoi à moi ?

Conway maintint la porte ouverte jusqu'à ce qu'Orla se lève et s'avance vers elle, interrogeant silencieusement ses copines. Joanne lui répondit par un regard lourd de menaces.

– L'entretien aura lieu dans ta chambre, précisa Conway en montrant le couloir. Laquelle est-ce ?

Orla la désigna du doigt : tout au fond.

Cette fois, pas de Houlihan. Conway me faisait confiance pour la protéger. C'était sans doute bon signe.

La chambre était claire, spacieuse. Quatre lits, couettes aux teintes vives. Parfum de sèche-cheveux et de quatre déodorants différents. Posters de chanteuses et de beaux gosses que je reconnus à peine, aux lèvres épaisses et dont la coiffure avait dû nécessiter les soins de trois personnes pendant une heure. Casiers à demi-ouverts, uniformes en vrac sur les lits ou par terre. Lorsque les cris s'étaient élevés, Orla, Joanne et Gemma revêtaient leurs habits civils, s'apprêtant à profiter de leur moment de liberté avant le dîner.

Ces vêtements répandus provoquèrent en moi la même réticence que tout à l'heure, peut-être plus accentuée : « Va-t'en. » Il n'y avait pas de raison, pas de soutiens-gorge bien en évidence. Pourtant, j'avais toujours l'impression d'être un pervers, comme si, les surprenant toutes les quatre en train de se déshabiller, je n'avais pas fait marche arrière.

– Plaisant, énonça Conway en jetant un regard alentour. Beaucoup plus agréable que ce qu'on avait à l'école de police, pas vrai ?

– Plus confortable, en tout cas, que ma piaule actuelle.

Ce n'était pas tout à fait vrai. J'aime mon logement : petit appartement encore à moitié vide parce que je préfère économiser pour m'acheter un mobilier correct plutôt que me précipiter sur n'importe quelle camelote. Mais ces hauts plafonds aux moulures en forme de roses, la clarté et le parc verdoyant qu'on apercevait par la fenêtre, voilà ce que je ne pourrai jamais m'offrir. Mon studio donne directement sur un immeuble qui me bouche la lumière et la vue.

Seules les photos sur les casiers permettaient de deviner où couchait chaque fille. Alison avait un petit frère, Orla une ribambelle de grandes sœurs bien en chair. Gemma montait à cheval. La mère de Joanne était à son image, les bourrelets en plus.

Orla hésita devant la porte. Elle avait troqué son uniforme contre un sweat rose clair et un short en jean ultra-moulant, rose lui aussi. Elle ressemblait à un marshmallow au bout d'un bâton, ce qui ne l'avantageait pas.

– Alison va bien ? demanda-t-elle.

– Ça pourrait prendre du temps, répondis-je. Après tout ça.

– Mais… Selon Mlle McKenna, elle doit simplement prendre ses pilules contre les allergies, non ?

– À mon sens, affirma Conway après m'avoir cligné de l'œil, Alison sait mieux que McKenna ce qu'elle a vu.

Orla en resta bouche bée.

– Vous croyez aux fantômes ?

– Qui parle de croyance ? répliqua Conway en feuilletant un magazine people étalé sur le casier de Gemma. Non. On n'y croit pas. On sait qu'ils existent. Moran, tu te souviens de l'affaire O'Farrell ?

Je n'en avais jamais entendu parler. Mais je compris instantanément son intention : terroriser Orla.

Je grimaçai en secouant la tête, comme pour la dissuader de poursuivre.

– Bien sûr qu'il s'en souvient. L'affaire O'Farrell. Comment l'oublier ? L'inspecteur Moran et moi, nous nous en sommes occupés ensemble. Donc, ce type, O'Farrell, cognait sa femme.

– Conway ! criai-je.

– Quoi ?

– Ce n'est qu'une enfant !

Elle jeta le magazine sur le lit d'Alison.

– Mon œil ! Tu n'es qu'une enfant, toi ?

– Euh, non.

– Tu vois, me dit Conway. Donc, un jour, O'Farrell frappe sa femme à tour de bras. Son petit chien se précipite sur lui pour tenter de protéger sa maîtresse. Le type le vire de la pièce, reprend sa besogne.

Je poussai un soupir exaspéré, ébouriffai mes cheveux. Commençai à explorer la chambre. Dans la corbeille, des Kleenex imbibés de fond de teint orange. Un stylo à bille hors d'usage. Pas de débris de livre.

– Mais le chien gratte à la porte, geint, aboie. Excédé, O'Farrell ouvre la porte, s'empare du clébard et lui écrase le crâne contre le mur. Ensuite, il achève sa femme.

– Vous déconnez !

Le téléphone de Gemma se trouvait sur son casier, celui d'Alison sur son lit. Impossible de dénicher celui des deux autres. Toutefois, le casier de Joanne était entrouvert.

– Tu permets que je jette un coup d'œil ? demandai-je à Orla.

Il ne s'agissait pas d'une fouille à proprement parler. Cela pouvait attendre. Juste une inspection rapide, pour la déstabiliser.

– Euh… Vous êtes vraiment obligé ?

Elle songeait à refuser, mais je tendais déjà la main vers le casier et elle était traumatisée par le bobard de Conway.

– Oui, d'accord. Je veux dire…

– Merci.

Je n'avais nul besoin de son consentement. Je jouais le flic sympa. Sourire chaleureux, qu'elle tenta de me rendre. Conway la ramena à son récit.

– Moran et moi, on se pointe. O'Farrell jure que c'était un cambrioleur. Il était si convaincant qu'on l'a presque cru. On le fait quand même asseoir dans sa cuisine et on le bombarde de questions. Chaque fois qu'il nous débite ses conneries sur son cambrioleur imaginaire ou l'amour qu'il vouait à sa femme, on entend un bruit bizarre de l'autre côté de la porte.

Casier de Joanne : défriseur, maquillage, fond de teint, iPod, boîte à bijoux. Pas de livre, vieux ou neuf. Pas de téléphone. Elle l'avait sans doute sur elle.

– Ce bruit, c'était comme…

Conway raya violemment le mur avec ses ongles, tout près de la tête d'Orla, qui sursauta.

– Comme un chien griffant la porte. Chaque fois qu'il l'entendait, O'Farrell sautait sur sa chaise et nous fixait, hébété, comme pour nous dire : « Vous avez entendu ? »

– Il suait à grosses gouttes, dis-je. Il était livide. Comme s'il allait vomir.

Je jubilais. Cette entente parfaite dont je rêvais avec mon coéquipier idéal, nous la vivions en cet instant, Conway et moi, sans la moindre fausse note.

Dans le casier d'Orla : défriseur, maquillage, fond de teint, iPod, boîte à bijoux. Téléphone. Pas de livre. Je laissai le casier ouvert.

Orla ne remarqua même pas mon manège. La bouche béante, elle bredouilla :

– Le chien n'était pas mort ?

Conway réussit à ne pas rouler les yeux.

– Bien sûr ! Raide mort ! Les gars du labo l'avaient déjà embarqué. C'est le nœud de l'histoire. L'inspecteur Moran, ici présent, demande à Farrell : « Vous avez un autre chien ? » Incapable de parler, le gus secoue la tête.

Casier d'Alison : défriseur, maquillage et tout le toutime, pas de livre, pas de téléphone supplémentaire. Casier de Gemma : même bazar, plus une boîte de gélules censées la faire maigrir.

– On le cuisine encore, mais le bruit continue. Pas moyen de se concentrer. Finalement, l'inspecteur Moran pète un câble et bondit vers la porte. O'Farrell gueule : « Pour l'amour du Ciel, n'ouvrez pas ! »

Elle avait du talent, Conway. Orla était hypnotisée.

– Trop tard : Moran avait déjà ouvert. Nous en sommes témoins, l'un et l'autre : le vestibule était désert. Rien. Alors, O'Farrell s'est mis à hurler.

Une grande armoire couvrant une des parois de la chambre, divisée en quatre compartiments ; bourrés de frusques rutilantes.

– O'Farrell tombe de sa chaise en se tenant la gorge, beuglant comme si on essayait de le tuer. On croit d'abord qu'il joue la comédie, pour qu'on arrête l'interrogatoire. Alors, on voit le sang.

Orla poussa un long gémissement. J'essayai d'inspecter les tiroirs sans violer cette intimité féminine. J'aurais donné n'importe quoi pour que Conway fasse le travail à ma place. Il y avait des Tampax là-dedans.

– Le sang coule entre ses doigts. Allongé par terre, il donne des coups de pieds, supplie : « Enlevez-le, enlevez-le ! » Moran et moi, on se dit : « C'est quoi, ce bordel ? » On le tire dehors, croyant que l'air frais lui fera du bien. Il arrête de hurler ; mais il geint toujours, en se tenant la gorge. On réussit à écarter ses doigts. J'en ai vu, des morsures de chiens. Et je te jure sur la tête de ma mère, martèle Conway en plongeant ses yeux dans ceux d'Olga, que sur la gorge d'O'Farrell, il y avait des traces de crocs.

– Il est mort ? hasarda timidement Orla.

– Non. Quelques points de suture.

– C'était un petit chien, dis-je en farfouillant dans des soutiens-gorge. Il ne pouvait pas faire beaucoup de mal.

– Une fois soigné par les médecins, reprit Conway, O'Farrell a craché le morceau. Aveux complets. Quand on l'a emmené, menottes aux poignets, il suppliait encore : « Éloignez-le de moi. Ne le laissez pas me massacrer ! » Un adulte pleurnichant comme un bébé.

– Il n'a jamais été jugé, dis-je. On l'a enfermé dans un asile. Il y est toujours.

– C'est pas vrai, gémit Orla, cette fois avec compassion.

– Donc, déclara Conway, quand McKenna affirme que les fantômes n'existent pas, excuse-moi, mais on se gondole.

Rien d'autre, dans les tiroirs de l'armoire, que des piles de fringues. Ces quatre-là auraient pu monter leur propre boutique. Rien dans les poches des vêtements suspendus aux cintres.

– Nous ne prétendons pas qu'Alison a réellement vu le fantôme de Chris Harper, rectifiai-je, rassurant.

– Bien sûr que non, approuva Conway. Elle a peut-être tout imaginé.

– Possible, dis-je en fouillant entre les chaussures. Mais elle n'a pas imaginé la marque sur son bras.

Rien sur le plancher de l'armoire.

– Non, pas ça. Il s'agit peut-être d'une allergie. Toutefois, si je savais quoi que ce soit en rapport avec Chris et si je le gardais pour moi, j'aurais peur d'éteindre les lumières cette nuit.

Je pianotai le numéro d'où on m'avait envoyé le texto. Tous les téléphones restèrent muets. Aucune sonnerie vibrant sous un lit, ou sous l'un des vêtements que j'avais inspectés.

– Moi aussi, renchéris-je en frissonnant.

Orla tremblait de trouille. Le bobard de Conway avait fait mouche. Et elle ne visait pas seulement Orla. Son histoire de fantôme, du moins les épisodes dont cette pétocharde se souviendrait, ferait le tour des secondes dans la demi-heure.

– À ce propos…

Conway ôta sa sacoche de son épaule, s'installa confortablement sur le lit de Joanne, froissant le haut de son uniforme. Orla écarquilla les yeux, comme si elle venait de commettre un crime de lèse-majesté.

– Ceci pourrait t'intéresser.

Orla se rapprocha.

– Assieds-toi, proposa Conway en tapotant le lit.

Après un instant d'hésitation, Orla écarta soigneusement l'uniforme de Joanne et s'assit.

Je refermai l'armoire, m'y appuyai et sortis mon calepin, tout en surveillant la porte, guettant des mouvements
furtifs dans le couloir.

Conway ouvrit prestement sa sacoche, extirpa le
sachet d'indices et le plaqua sur les genoux d'Orla, qui
n'eut pas le temps de se rendre compte de ce qui se
passait.

– Tu as déjà vu ça.

Orla jeta un œil sur le livre, puis se mordit les lèvres,
respirant bruyamment par le nez.

– Sois gentille, ajouta Conway. Ne nous dis pas que
tu ignores ce qu'il y a là-dedans.

Orla prit un air innocent.

– Écoute-moi bien. Je ne te demande pas si cela t'appartenait ou non. Nous le savons déjà. Si tu nous mens,
tu vas nous mettre en colère et, surtout, rendre Chris
furieux. C'est ce que tu veux ?

Prise entre sa bêtise et sa terreur, Orla opta pour la
seule solution envisageable.

– C'est à Joanne !

– Quoi ?

– La clé. Elle était à Joanne. Pas à moi.

Bingo. Orla était prête à balancer ses copines sans le
moindre remords. Conway fronça le nez, comme si elle
le sentait aussi.

– Ça ne change rien. L'une d'entre vous l'a volée dans
le bureau de l'infirmière.

– Non ! J'le jure ! On n'a rien volé.

– Alors, comment vous l'êtes-vous procurée ? Ne me
dis pas que l'infirmière vous l'a remise parce qu'elle n'a
pas pu résister à vos jolies petites gueules.

Une lueur de méchanceté éclaira le visage d'Orla.

– C'est Julia Harte qui l'avait. Elle, ou une fille de sa bande l'avait sans doute volée. On en a eu un double. Je veux dire : Joanne en a eu un double. Pas moi.

Catastrophe. Déjà dans le collimateur pour la carte, toutes les huit étaient susceptibles d'avoir assisté au meurtre et devenaient donc des proies potentielles pour le tueur.

Conway ne dissimula pas son scepticisme.

– Bien. Joanne l'a demandée gentiment à Julia, qui a répondu : « Pas de problème, tout ce que tu voudras, chérie. » C'est ça ? Parce que vous êtes de super copines ?

– J'en sais rien. J'y étais pas.

Je n'y étais pas non plus, mais je savais. Chantage. Joanne avait surpris Julia en train de faire le mur ou de rentrer d'une escapade. On partage, sinon on te dénonce.

– Quand était-ce ?

– Il y a des siècles !

– Mais encore ?

– Après Noël. Celui de l'année dernière. P'tain, j'y pensais même plus !

– Combien de fois l'as-tu utilisée ?

– Moi, jamais. J'le jure devant Dieu.

– Tu jureras encore quand nous y aurons découvert tes empreintes ?

– OK. Je l'ai prise deux ou trois fois, puis remise en place. Mais pour Joanne et Gemma. Pas pour moi.

– Tu n'as jamais fait le mur ? Pas même une fois ?

Orla devint méfiante, baissa la tête.

– Orla, insista Conway, tu veux que je t'explique encore que te taire serait une très mauvaise idée ?

Nouvel éclair de frayeur. Puis, penaude :

– Je l'ai fait une fois. On était toutes les quatre. On avait rendez-vous dans le parc avec des types de Colm, juste pour rire.

Et pour une canette, un pétard et une partie de jambes en l'air.

– Mais j'avais tellement les foies, dehors ! Il faisait si sombre ! Et il y avait tous ces bruits dans les buissons, comme des animaux… Les gus n'arrêtaient pas de nous dire que c'étaient des rats. Beurk ! En plus, on se serait fait virer si on nous avait chopées. Et les mecs…

Gloussement gêné.

– Ils étaient bizarres, cette nuit-là. Lourds. Ils n'arrêtaient pas de…

Ils avaient essayé de pousser les filles. Ivres, peut-être. Pas moyen de savoir comment cela s'était terminé. Ce n'était pas notre problème.

– Donc, non merci, je le referais plus jamais. Et je suis jamais sortie toute seule.

– Mais Joanne, oui. Et Gemma.

Elle mordilla sa lèvre inférieure, rit bêtement. Sa frayeur avait disparu comme par enchantement, balayée par le plaisir de cancaner sur le sexe.

– Exact. Seulement deux ou trois fois.

– Elles retrouvaient des garçons. Qui ?

Regard terne.

– Chris ? Attention, prévint Conway, le doigt pointé. Souviens-toi : tu ne dois pas mentir.

– Non, pas Chris. Si ç'avait été le cas, elles l'auraient raconté.

– Était-il là la nuit où vous êtes sorties toutes les quatre ?

Geste de dénégation.

– Est-ce ainsi que tu as appris que Selena et Chris étaient ensemble ? demandai-je. Une de tes amies les a vus dehors, une nuit ?

Elle se tourna vers moi, les lèvres entrouvertes, savourant son moment.

– Gemma les a vus. Dans le parc. Ils étaient carrément emmêlés. Elle a ajouté que si elle les avait espionnés cinq minutes de plus, ils auraient… Vous pigez ? Ils étaient vraiment ensemble. Vous, les flics,

260

vous avez cru qu'on inventait. En fait, on pouvait pas vous révéler comment on était au courant, mais, pour sûr, on le savait.

Elle pouffa, jouissant de son triomphe.

– Vous êtes fortes, dis-je.

– Quand était-ce ? s'enquit Conway.

– Euh, au printemps dernier ? En mars, ou en avril ? Avant que Chris… Vous savez quoi.

– Tu m'étonnes. Avez-vous raconté à quelqu'un que Gemma les avait surpris ?

– On en a parlé à Julia. On lui a dit qu'elle devait intervenir.

– Elle l'a fait ?

– Il me semble.

– Pourquoi ? m'exclamai-je, fasciné. Pourquoi ne vouliez-vous pas que Selena sorte avec Chris ?

– Parce que. On voulait pas, c'est tout.

– L'une d'entre vous avait le béguin pour lui ? Il n'y aurait aucun mal à ça.

Elle eut un mouvement de recul, rentra la tête dans les épaules. Quelqu'un la terrorisait bien plus nous et Chris réunis : Joanne. Ce ne pouvait être qu'elle. Joanne avait des vues sur Chris.

Conway frappa le livre.

– Quand l'une d'entre vous est-elle sortie pour la dernière fois ?

– Gemma, environ une semaine avant la mort de Chris. Après coup, ça nous a fait une peur bleue. On se disait : «Oh, m'Dieu, si un tueur en série se balade dans le collège, il aurait pu s'en prendre à elle au lieu d'assassiner Chris !»

– Vous n'avez plus fait le mur ensuite ? Aucune d'entre vous ? Attention ! menaça Conway en agitant un doigt d'institutrice. Réfléchis avant de mentir.

Orla secoua la tête, si brutalement que ses cheveux recouvrirent son visage.

– Non ! Parole d'honneur ! Aucune ! Après Chris, on n'avait pas vraiment envie d'aller se balader dans le parc. Joanne m'a demandé d'aller récupérer la clé et de m'en débarrasser. J'ai essayé. Mais, au moment où je prenais le livre, voilà qu'une cheftaine se pointe et beugle : «Qu'est-ce que tu fous là ?», parce que c'était après l'extinction des feux et que je pouvais pas le faire quand toutes les filles étaient dans la salle commune. J'ai failli avoir une crise cardiaque. Après, j'ai plus essayé.

– Joanne était d'accord ?

– P'tain, elle aurait été furax ! Je lui ai dit…

Elle pouffa une dernière fois, la main devant la bouche.

– Je lui ai dit que je l'avais fait. Après tout, personne ne pouvait savoir que c'était notre clé, ni même d'où elle venait…

Elle eut une inspiration subite.

– Comment vous l'avez su ?

– ADN, asséna Conway. Retourne dans la salle commune.

– Selena et Chris, énonça Conway dans le couloir, tandis que la porte de la salle commune se refermait derrière Orla. C'était donc vrai.

Cela paraissait la contrarier. Je savais pourquoi. Elle se reprochait de ne pas l'avoir découvert un an plus tôt.

– À moins qu'Orla mente, répondis-je. Ou que Gemma lui ait menti.

– Possible. Mais je n'y crois pas.

Je n'y croyais pas non plus. Elle ajouta :

– Voyons ce que Selena a à nous raconter.

Nous ne tirerions rien d'elle. J'en avais l'intuition, tout comme je sentais qu'elle était au cœur du mystère. Elle se protégeait tellement que nous n'arriverions jamais à briser sa carapace.

– Pas Selena, objectai-je. Julia.

Conway ne cacha pas sa réticence. Puis elle changea d'avis. Après tout, j'avais eu raison à propos d'Orla.

– D'accord. Julia.

Orla était au centre du bavardage de la salle commune, affalée sur un canapé, une main sur la poitrine comme si elle avait des vapeurs. Joanne semblait prête à la tuer : Orla avait tout déballé, venait d'avouer qu'elle n'avait pas jeté la clé. Holly et ses amies, qui n'avaient pas bougé, la fixaient.

Dans un coin, en civil et coiffée d'un chapeau, une nonne à la mine sévère surveillait les collégiennes. Elle les laissait parler, mais concentrait toute son attention sur l'endroit où se déroulait la conversation. Un instant, je m'étonnai que McKenna lui ait délégué ses pouvoirs. Ensuite, je compris. Les demi-pensionnaires étaient rentrées chez elle, les internes avaient joint leurs parents. Le téléphone de la directrice devait sonner sans interruption et elle s'efforçait sans doute de limiter les dégâts.

Tôt ou tard, un père excédé et au bras long se plaindrait auprès d'un ponte. Le ponte engueulerait O'Kelly, qui appellerait Conway et lui couperait la tête.

– Julia, lança Conway en passant devant la nonne. Allons-y.

Julia sursauta, se leva et marcha vers la porte, sans un regard pour ses amies.

Leur chambre était située deux portes plus loin que celle d'Orla. Elle aussi me donna l'impression d'avoir été quittée dans la précipitation : casiers ouverts, vêtements posés n'importe où. Cette fois, cependant, j'identifiai tout de suite le lit de chaque fille, sans avoir à examiner leurs photos de chevet. Literie rouge vif, poster de Max's Kansas City, la célèbre discothèque de New York : Julia. Couette en patchwork à l'ancienne, poème encadré, à la calligraphie soignée : Rebecca. Mobile suspendu, composé de fourchettes et de cuillères en argent recourbées, une bonne photo en noir et blanc qui ressemblait à un rocher contre un ciel bas mais devenait, si on y regardait à deux fois, le profil d'un vieil homme : Holly. Quant à Selena, elle avait accroché au-dessus de son lit une médiocre reproduction d'un vieux tableau représentant une licorne qui, sous la lune, tendait l'encolure pour boire l'eau sombre d'un lac. «On avait vu juste », sembla me dire Conway, avec un clin d'œil complice qui me fit chaud au cœur.

Julia bondit sur son lit, cala son oreiller dans son dos, noua ses mains derrière la tête, étendit les jambes en croisant les chevilles. Elle portait un jean et un T-shirt orange orné du portrait de Patti Smith. Confortablement installée, elle s'écria :

– Allez-y, crachez la pilule !

Conway n'était plus d'humeur à plaisanter. Elle brandit le sachet d'indices, l'agita entre le pouce et l'index sous le nez de Julia, attendant sa réaction. Je sortis mon calepin.

Julia prit son temps, laissa Conway tenir le sachet pendant qu'elle lisait le titre du livre.

– C'est une allusion ? Je devrais être plus vertueuse ?

– Allons-nous trouver tes empreintes sur ce bouquin ? rétorqua froidement Conway.

– Vous croyez que je le lis le soir avant de m'endormir ? Sérieusement ?

– Ne recommence pas. Nous posons les questions, tu réponds.

Soupir.

– Non, vous n'y trouverez pas mes empreintes. Je ne lis des vies de saintes que lorsque j'y suis obligée pour mes disserts. Et celle que je préfère, c'est Jeanne d'Arc. Vous voulez que je vous explique pourquoi ?

– Une autre fois. À l'intérieur de ce livre se trouvait une clé de la porte communicante entre ce bâtiment et celui des classes. L'année dernière, elle appartenait à Joanne et sa bande.

Julia resta de marbre.

– Sans blague ? Je suis horriblement choquée.

– Sûr. Orla affirme qu'il s'agit d'un double d'une clé que vous aviez.

– Oh, Orla… Qui est une pauvre naïve ? Vous ! Oui, vous !

– Tu prétends qu'elle ment ?

– Je n'ai jamais eu une clé de cette porte. Mais Joanne n'est pas idiote. Elle sait que quiconque en possédant une aurait pu se trouver dehors la nuit de la mort de Chris. En plus, cette fille aura de gros ennuis avec McKenna. Elle risque même d'être virée. Bien sûr, Joanne se défaussera sur n'importe qui. Surtout sur nous.

– Ce n'est pas elle qui a parlé. C'est Orla.

– Avec la main de Joanne aux fesses.

– Pourquoi Joanne voudrait-elle vous nuire ?

– Vous n'avez pas remarqué qu'elle n'est pas une de nos fans ?

– Si. Mais, encore une fois, pourquoi ?

– Qui s'en soucie ?

– Nous.

– Alors, demandez-le-lui. Parce que j'en sais rien.

– Si quelqu'un me détestait assez pour chercher à me faire virer et coffrer, je me demanderais pourquoi.

– Voilà pourquoi. Parce qu'on se fout éperdument de ce que pense Joanne. Pour son tout petit esprit, c'est un péché mortel.

– Ce n'est pas parce que Selena sortait avec Chris ?

Julia fit mine de se frapper le front.

– P'tain ! Si je dois entendre ça encore une fois, je m'enfonce des crayons dans les tympans. C'est une rumeur ! Et même les bleusailles de cinquième ne croient ce qu'on leur raconte que si elles en ont la preuve ! Pas vous ?

265

– Gemma les a vus en train de flirter.

Julia tressaillit, prise au dépourvu. Elle se ressaisit aussitôt.

– Du vent… Orla dit que Gemma lui a dit qu'elle les avait vus. C'est pas pareil.

Conway s'appuya contre le mur, près du lit, tapota le sachet d'indices.

– Que dira Selena si je lui pose directement la question ? Tu sais que je ne suis pas une tendre.

Julia se ferma.

– Elle vous dira la même chose que ce qu'elle vous a répondu l'année dernière.

– Ça m'étonnerait. Tu l'as certainement remarqué : elle n'est plus la même.

Dans le mille. Julia réfléchit, hésita. Puis se décida.

– C'était pas Selena qui sortait avec Chris. C'était Joanne.

– Et allez donc ! Tu prétends que c'était elle, elle affirme que c'était Selena. Tu t'imagines que nous allons passer le réveillon là-dessus, l'inspecteur Moran et moi ?

– Croyez-moi ou non. Mais Joanne est sortie avec Chris pendant deux mois, avant Noël dernier. Ensuite, il l'a larguée comme une malpropre. Elle n'a pas aimé.

Conway et moi n'avons pas eu besoin de nous consulter. Le même mot nous vint à l'esprit : mobile. Si ce n'était pas un mensonge de plus.

– Comment se fait-il, martela sèchement Conway, que personne ne nous en ait parlé l'année dernière ?

Pas de réaction.

– Merde ! On ne cherchait pas à confondre celles qui fumaient dans les gogues ! On enquêtait sur un meurtre ! Et tout le monde a décidé de se taire là-dessus ? Vous êtes toutes débiles ?

Julia leva les yeux au plafond.

– Hé, vous savez où on est ? Vous avez découvert que la clé appartenait à Joanne, et elle m'a aussitôt accusée.

Si une fille vous avait mis au parfum à propos d'elle et de Chris, elle aurait agi exactement de la même façon : elle aurait trouvé le moyen de se venger en leur faisant porter le chapeau. Qui souhaite ça ?

– Alors, pourquoi nous le révèles-tu maintenant ?

Elle eut une mimique insolente.

– Cette année, on étudie le civisme.

Conway retrouva son calme. Elle considéra Julia avec la même indifférence que son sandwich du déjeuner.

– Comment sais-tu qu'ils étaient ensemble ?

– Je l'ai entendu dire.

– Par qui ?

– Oh, là, je m'en souviens pas. C'était censé être un grand secret, mais bon…

– Rumeur, ricana Conway. Je croyais que même les bleusailles s'en méfiaient. Tu as une preuve ?

Julia enleva une poussière du cadre de son poster de Max's Kansas City, pesa de nouveau le pour et le contre.

– Oui, murmura-t-elle. Enfin, une sorte de preuve…

– Nous t'écoutons.

– On m'a raconté que Chris avait offert un téléphone à Joanne. Un téléphone spécial, pour qu'ils puissent s'envoyer des SMS que personne ne pourrait lire.

– Pourquoi ?

– Interrogez Joanne. C'est pas mon problème. Ensuite, quand il l'a plaquée, on m'a raconté qu'elle avait obligé Alison à le lui racheter. Je le jurerais pas sur la tête de Jeanne d'Arc, mais Alison, après Noël dernier, avait un nouveau téléphone. Et je suis sûre qu'elle n'en a pas changé depuis.

– Alison a un nouveau téléphone ? C'est ça, ta preuve ?

– Elle a acheté celui dont Joanne se servait pour envoyer des messages à Chris. Je veux même pas savoir ce qu'ils contenaient. Il va de soi qu'elle a effacé tous les textos après la mort de Chris. Mais vous, les flics, vous pourriez pas les récupérer ?

– Sûr, dit Conway. Pourquoi pas ? Comme à la télé. Est-ce que tes cours d'éducation civique te suggèrent autre chose que tu pourrais partager avec nous ?

Julia posa un doigt sur son menton.

– Franchement, je vois pas.

– Je m'en doutais. Fais-nous signe si tu changes d'avis.

Elle ouvrit la porte. Julia s'étira, glissa à bas de son lit.

– À plus tard, me dit-elle avec un petit sourire et un signe discret de la main.

Elle regagna la salle commune. Nous l'avons suivie des yeux. Elle ne se retourna pas en longeant le couloir, mais sa démarche indiquait qu'elle savait que nous l'observions. Son cul se foutait de nous.

– Joanne, dit Conway.

– L'occasion, le mobile. C'est possible.

– Oui, si tout s'emboîte. Si Chris a largué Joanne, cela expliquerait sa colère lorsqu'elle a appris qu'il en pinçait pour Selena.

– Surtout s'il l'a laissée tomber pour elle.

– Cela expliquerait également pourquoi les copines de Joanne détestent aussi Julia.

– Les deux bandes nous manipulent.

– Oui. Pour se démolir.

Elle retourna dans la chambre. Les mains dans ses poches revolver, elle murmura :

– Je n'aime pas être la potiche de petites filles riches.

– Tant qu'elles nous donnent ce que nous cherchons, je ne vois aucun inconvénient à ce qu'elles obtiennent en même temps ce qu'elles veulent.

– Moi non plus. À condition que nous sachions ce qu'elles veulent. Et pourquoi. Où est le téléphone d'Alison ?

– Sur son lit.

– Je l'obligerai à m'avouer comment elle se l'est procuré. Continue à fouiller.

Cette perspective me donna la chair de poule : seul ici, dans cet univers d'adolescentes, au milieu de sous-vêtements à damner un saint... Pourtant, Conway avait raison. Nous ne pouvions laisser le téléphone d'Alison bien en évidence pour que n'importe qui s'en débarrasse, ni abandonner cette chambre sans l'avoir passée au peigne fin. Et Conway savait comment s'y prendre avec Alison.

– À tout de suite, lui dis-je.

– Si l'une d'elles se ramène, réfugie-toi dans la salle commune. Tu seras en sécurité.

La porte se referma derrière elle. Un instant, j'eus l'impression que mon pote m'avait laissé dans la panade. Idée stupide : Conway n'était pas mon pote.

Je remis mes gants, recommençai à fouiller. Le téléphone de Selena dépassant de la poche de son blazer étalé sur son lit, celui de Julia sur son casier. Celui de Rebecca sur sa couette. Celui de Holly manquait.

Un détail de l'entretien avec Julia me chiffonnait. Mais lequel ? Une phrase que nous n'avions pas relevée, une information qu'elle nous avait jetée en pâture, comme un leurre, pour nous empêcher d'interroger Selena. Je me demandai jusqu'où elle irait pour la protéger, ou pour garder secret ce qu'elle savait.

Pas de téléphone supplémentaire dans les casiers. Il y avait des livres mêlés à des iPods, des brosses à cheveux et autres babioles, mais aucun n'était vieux, ni découpé. Julia préférait les polars, Holly lisait *Hunger Games*, Selena en était à la moitié d'*Alice aux pays des merveilles*, Rebecca aimait la mythologie grecque.

Comme tout ce qui était ancien. Je n'avais jamais lu le poème accroché au-dessus de son lit. Je ne connais de la poésie que les recueils dénichés au hasard à la bibliothèque, quand j'étais môme. Ce texte-là, toutefois, me parut suranné, presque shakespearien.

UNE AMITIÉ INDESTRUCTIBLE

Asseyons-nous et bénissons notre étoile
Qui nous a procuré tant de joie
Et nous a préservées du fracas de la guerre.
Nous ne vivons que l'une pour l'autre.

Qu'avons-nous à craindre ?
L'amour n'a que faire du monde.
Si des nuages nous menacent,
Notre amitié n'en aura cure.

Notre union est un tel miracle,
Que l'horreur ne peut nous atteindre ;
Car nulle vilenie ne détruira jamais
La tendresse et l'innocence.

Katherine Philips

Jolie calligraphie enfantine, de beaux arbres et une biche entrelacés dans les majuscules. Besoin puéril de faire resplendir son amour sur les murs, de le clamer à la face du monde.

Ce poème symbolisait à merveille ce qui unissait ces quatre adolescentes. Elles nageaient en eaux profondes, comme des dauphins, insouciantes, loin des turpitudes. *Qu'avons-nous à craindre ?*

Jamais je n'avais ressenti une telle fusion. Des copains, j'en avais. Des amis aussi proches, non. Ces filles si candides, si sûres de leur affection, je ne pus m'empêcher de les envier.

Les rideaux frémissaient sous la brise. Je sortis mon mobile, composai le numéro d'où on m'avait envoyé le texto. Pas de réponse, aucune sonnerie. Les téléphones gisaient là, muets.

Une chaussette sous le lit de Holly, un étui à violon sous celui de Rebecca. Rien d'autre. J'attaquai l'armoire. J'avais le bras enfoncé dans de doux T-shirts lorsque je perçus derrière mon épaule, dans le couloir, un léger mouvement qui troubla la quiétude, une ombre furtive dans l'encadrement de la porte.

Je m'immobilisai. Silence.

J'extirpai mes mains de l'armoire, me retournai sans hâte, sans fixer la porte, que j'apercevais de biais. Le haut de l'encadrement était à demi éclairé, le bas à demi sombre. Il y avait quelqu'un derrière.

J'éteignis mon téléphone, me plaquai contre le mur. Et j'attendis.

Dans le couloir, rien ne bougea.

Je saisis la poignée, ouvris d'un coup sec. Il n'y avait personne.

14

Le bal de la Saint-Valentin. Deux cents élèves de troisième et de seconde de Kilda et de Colm, garçons rasés de près, filles outrageusement peinturlurées, aux jambes et aux sourcils épilés, empestant tous des dizaines de déodorants différents et arborant des tenues extravagantes qu'ils ont mis des mois à choisir, se pressent dans le «hall», la grande salle de réception de Sainte-Kilda. Des écrans de téléphones portables d'un bleu laiteux voltigent dans la foule comme des lucioles, chacun filmant les autres en train de filmer. Au milieu de la cohue, dans sa chemise pourpre, Chris Harper joue des épaules et rit avec ses potes pour attirer l'attention des filles. Il lui reste trois mois, une semaine et un jour à vivre.

Il n'est que 20 h 30. Julia s'ennuie déjà. Elle et ses trois amies se sont regroupées sur la piste, ignorant les sarcasmes de la bande de Joanne sur le jean de Becca. Holly et Becca, qui adorent danser, se démènent. Selena semble de bonne humeur. Julia songe à simuler des règles atrocement douloureuses pour s'en aller. La sono leur broie le crâne, diffusant un air de Justin Bieber ou, peut-être, de Miley Cyrus, sexy en diable. Les lumières rouges et roses clignotent. Les organisateurs de la soirée ont décoré le hall de cœurs découpés en dentelles et de guirlandes aux couleurs sans fantaisie. L'ambiance gluante pousse à la tentation, au péché. Mais deux profs bloquent la sortie au cas où un couple s'éclipserait pour aller se livrer dans une classe à des activités innommables. Et si deux ados avaient l'idée saugrenue de danser un slow sur une musique devenue sirupeuse et douce, Sœur Cornelius la cinglée surgirait en brandissant un tuyau d'incendie pour les arroser d'eau bénite. Julia, aux yeux de qui, depuis quelque temps, tout ce qui concerne le collège paraît ridicule, trouve ce bal plus grotesque encore.

Toutes les issues sont surveillées. La veille, des types de Colm ont descendu la rue qui longe le parc de Kilda et jeté par-dessus le mur, dans les buissons, des bouteilles d'alcool qu'ils iront chercher plus tard s'ils réussissent à se faufiler hors de la salle de bal. Le lendemain de la fête, les filles de Kilda récupéreront ce qu'ils n'auront pas ramassé et se soûleront dans leur chambre. C'est une tradition si ancienne que Julia n'arrive pas à croire que les enseignantes n'y voient que du feu, d'autant que deux d'entre elles ont suivi leurs études au collège et ont certainement fait la même chose en leur temps. Mlle Long et Mlle Naughton ont l'air d'être nées profs irlandaises de quarante ans en 1952 et de ne pas avoir, depuis, modifié leur apparence, pas même leurs horribles collants couleur chair, comme si l'époque où elles ont été adolescentes et ont elles aussi bu, en pouffant, du whisky au goulot avait été balayée de leur mémoire. À moins, se dit Julia, que se sentant au fond d'elles-mêmes solidaires des filles qui leur succèdent, elles ne ferment les yeux. Ou, pis encore, qu'elles n'aient été, pendant leur scolarité, si godiches qu'elles n'ont jamais entendu parler de ces bouteilles balancées dans les fourrés.

Julia danse de façon mécanique, examinant furtivement l'auréole de ses aisselles chaque fois qu'elle lève les bras. L'année dernière, le bal de la Saint-Valentin lui avait plu. Cette année, toute cette agitation l'assomme ; et elle n'a aucune envie de donner le change.

– Je reviens dans une minute, crie-t-elle aux autres en mimant le geste de boire et en quittant la piste.

Elle se fraie un chemin à travers la foule. Les lumières, la danse, la promiscuité font transpirer tout le monde. Le maquillage de Joanne Heffernan fond déjà, ce qui n'a rien de surprenant dans la mesure où elle s'en est tartiné des tonnes. Cela ne semble pas gêner Oisín O'Donovan, qui cherche à fourrager sous sa robe et s'emmêle les pinceaux parce que la robe est compliquée et qu'il est con comme un mulet.

– P'tain, me frotte pas, sale gouine ! s'exclame Joanne alors que Julia tente de passer derrière elle sans frôler son fessier haute couture.

– Tu rêves, réplique Julia en lui écrasant le talon. Oups…

Au fond du hall, on a dressé une longue table où des gobelets de carton entourent un grand bol de punch en faux verre. La couleur rosée du punch évoque un médicament pour bébé. En fait, c'est du jus imbuvable, «au goût d'orange».

Finn Carroll s'appuie contre le mur, près de la table. Julia et lui se sont rencontrés lors de débats entre élèves des deux collèges. En l'apercevant, il brandit son gobelet et lui crie quelque chose qu'elle ne peut entendre. Il a les cheveux roux vif, assez longs pour boucler sur sa nuque, et il est malin. Pour un autre que lui, ce serait rédhibitoire. Toutefois, il n'a pas trop de taches de rousseur, il joue bien au rugby et il est plus grand et plus costaud que les autres, ce qui lui ôte tout complexe.

– Quoi ? s'époumone Julia.

Finn se penche vers elle.

– Ne bois pas le punch ! C'est de la pisse de chat !

– Il va bien avec la musique.

– Il est écœurant ! Parce qu'on est des ados, on devrait aimer cette saloperie. Il ne leur vient même pas à l'esprit qu'on pourrait avoir du goût.

– Tu aurais dû griller la sono ! hurle Julia.

Finn est bon en électronique. Le trimestre dernier, il a électrifié une grenouille en cours de sciences naturelles. Au moment où Graham Quinn commençait à la disséquer, elle a bondi et Graham, lâchant son scalpel, est tombé à la renverse. Julia respecte ce genre de compétence.

– Ou au moins, ajoute-t-elle, apporter des boules Quiès.

Finn approche un peu plus la bouche de son oreille, pour ne plus être obligé de brailler.

– Tu veux qu'on essaye de sortir ?

Pour un type de Colm, il n'est pas trop mal. L'idée d'avoir une conversation honnête avec lui ne déplaît pas à Julia. Elle estime qu'il y a une chance raisonnable pour qu'il ne cherche pas à lui fourrer sa langue dans la glotte, et elle ne l'imagine pas racontant à ses connards de copains qu'ils ont baisé comme des malades dans les fourrés. Pourtant, quelqu'un remarquera sûrement leur absence et les ragots iront bon train.

– Non, dit-elle.

– Je meurs d'envie d'un whisky.

– Je déteste le whisky.

– Alors, on piquera autre chose. Y a un vrai bar, dans les buissons. T'auras l'embarras du choix.

Les lumières colorées zèbrent le visage de Finn, sa bouche qui s'esclaffe. Avec une sorte de vertige, Julia se rend compte qu'elle se moque éperdument des ragots.

Les trois autres dansent toujours. Les bras en l'air, Becca tourne sur elle-même en renversant la tête. D'un instant à l'autre, elle va tomber dans les vapes et s'écrouler.

– Reste derrière moi, ordonne Julia à Finn en se dirigeant d'un pas nonchalant vers la porte. Dès que je dis « *Go* », tu fonces.

À l'entrée, revêche et lugubre, Sœur Cornelius veille. À l'autre bout de la salle, Mlle Long sépare Marcus Wiley de Cliona, qui a l'air de se demander laquelle des deux elle hait le plus. Sœur Cornelius jette un regard soupçonneux à Julia et Finn. Julia lui sourit.

– Le punch est délicieux, clame-t-elle en levant son gobelet, ce qui rend Sœur Cornelius plus méfiante encore.

Julia pose son gobelet sur le rebord d'une fenêtre. Finn qui, apparemment, comprend vite, fait la même chose.

Becca s'effondre. Telle une missionnaire, Sœur Cornelius se précipite en écartant les danseurs pour sentir son haleine, certaine qu'elle doit empester la came. Holly la neutralisera sans problème. Les adultes la croient toujours, peut-être à cause du métier de son père ou, tout simplement, de la sincérité désarmante avec laquelle elle ment.

– *Go !* lance Julia.

Elle franchit la porte à la hâte, l'entend claquer derrière elle une seconde plus tard et court sans se retourner dans le couloir, jusqu'à la sombre classe de maths, à l'arrière du bâtiment. Derrière elle résonnent les pas de Finn, qui l'a suivie.

La lune éclaire vaguement la pièce, les chaises, les tables. La musique n'est plus qu'un grondement lointain, assourdi, comme si quelqu'un avait enfermé Rihanna dans une boîte.

– Bravo, souffle Julia. Ferme la porte.

– Merde ! jure Finn en se cognant le tibia contre un pied de chaise.

– Chut. Quelqu'un nous a vus partir ?

– Je crois pas.

Julia tourne le loquet de la fenêtre à guillotine.

– Ils doivent patrouiller dans le parc, dit Finn.

– Je sais. Tais-toi. Et recule. Tu veux qu'on te voie ?

Ils attendent, adossés au mur, attentifs au moindre bruit, surveillant à la fois la pelouse et la porte. Une fille a oublié son pull d'uniforme sur une chaise. Julia s'en empare et l'enfile par-dessus sa robe noire à pois rouges. Trop grand, bosselé par l'emplacement des nichons, il ne la flatte guère. Mais il est chaud ; et l'air froid du parc entre par la fenêtre entrebâillée. Finn remonte la fermeture Éclair de son sweat.

Soudain, deux ombres s'allongent au coin du bâtiment des pensionnaires. Sœur Veronica et le Père Niall, de Colm, cheminent lourdement côte à côte, la nuque basse, inspectant les fourrés.

Dès qu'ils ont disparu, Julia compte jusqu'à vingt pour les laisser tourner au coin du bâtiment des nonnes, jusqu'à trente au cas où ils s'arrêteraient pour vérifier un détail suspect, puis jusqu'à quarante par précaution. Ensuite, elle soulève la fenêtre. Elle cale son dos contre le chambranle, pivote à pieds joints et glisse dans l'herbe : d'un seul mouvement, si souple que Finn jurerait qu'elle l'a fait mille fois. Il saute à son tour. Alors, les étoiles scintillant au-dessus de sa tête, ses oreilles vibrant encore du vacarme de la musique, elle court se mettre à couvert sous les arbres.

Les projecteurs rouges, roses ou blancs dessinent, tels des signaux codés, d'étranges motifs entrecroisés qui s'évanouissent aussitôt. Les battements saccadés font vibrer le plancher et les murs, imprègnent les os des danseurs, les traversent comme des décharges électriques sans leur laisser une seconde de répit. *Go, go, go.*

Selena se démène sur la piste depuis trop longtemps. Les lumières entrelacées commencent à ressembler à des êtres vivants pris de vertige, comme elle. Près de la grande table, Chris Harper renverse la tête pour boire un verre de punch. Selena en sent le goût dans sa bouche. Une fille cogne sa hanche ; elle ne peut dire si c'est elle ou l'autre qui a mal. Becca lève les bras ; elle a l'impression que ce sont les siens. Il faut qu'elle quitte la piste. Maintenant.

– Ça va ? hurle Holly.

– Je vais boire ! crie-t-elle en désignant la grande table.

Holly acquiesce et retourne à son rythme endiablé. Becca saute sur place. Julia a disparu Dieu sait où. D'un pas mal assuré, Selena marche jusqu'à la table.

Le punch a un goût déconcertant qui lui rappelle les après-midi d'été d'autrefois, quand elle courait pieds nus dans l'herbe fraîche, toutes portes ouvertes. Rien à voir avec cette ambiance moite et le vacarme qui l'étourdit. Elle vacille, s'appuie contre le mur. Elle voudrait se boucher les oreilles, mais ses mains restent immobiles le long de ses flancs, comme si elles ne lui appartenaient pas.

– Salut, lance une voix tout près d'elle.

C'est Chris Harper. Il y a quelque temps, son attention l'aurait surprise : Chris Harper est super cool ; elle non. Elle croit même n'avoir jamais eu de véritable conversation avec lui. Pourtant, entre eux, au cours de ces derniers mois, tout semble s'être mis en place sans heurts, pas à pas, pour aboutir à cette rencontre de ce soir, qu'au fond d'elle-même elle attendait.

– Salut, dit-elle.

– J'aime ta robe.

– Merci.

Elle baisse la tête pour se rappeler à quoi ressemble cette tenue bleu ciel hyper courte qu'arborait sa grand-mère dans les années soixante et qui moule sa poitrine. Horriblement gênée, elle bredouille :

– Une pièce de musée.

– Pardon ?

– Rien.

– Tu vas bien ?

Puis, pensant qu'elle est pompette, avant même qu'elle ait pu réagir, Chris lui prend le bras.

Alors, les formes, les couleurs criardes, tout se remet en place. Selena sent de nouveau ses pieds, pleins de fourmis comme s'ils avaient dormi longtemps, le contact de sa fermeture Éclair dans son dos. Elle plonge ses yeux dans ceux de Chris, noisette dans la pénombre qui ne l'empêche pas de trouver le centre du hall splendide, avec ses lumières si rouges, si roses, si blanches. La pièce se fige, devient un décor silencieux. Et Chris, aux cheveux luisant sous les projecteurs qui font scintiller sa chemise pourpre et soulignent la petite ride entre ses sourcils, est l'être le plus réel qu'elle ait jamais vu.

– Oui, répond-elle, je vais bien.

– Tu es sûre ?

– Absolument.

Il lâche son bras. Aussitôt, le mirage s'estompe. Le hall redevient bruyant, bondé. Mais elle se sent toujours solide et chaude, et Chris a l'air plus présent que jamais.

– J'ai cru…

Il la regarde comme si c'était la première fois, comme s'il avait ressenti, lui aussi, ce moment de grâce.

– Tu avais l'air…

Elle lui sourit.

– J'ai eu un petit passage à vide. Maintenant, ça va.

– Une fille est tombée dans les pommes, tout à l'heure. Tu as vu ? On étouffe, ici.

– C'est pour ça que tu ne danses pas ?

– J'ai eu ma dose. Maintenant, je préfère regarder.

Il avale une gorgée de punch, grimace.

Selena ne bouge pas. L'endroit où Chris a posé sa main la brûle. Elle veut continuer à lui parler.

– C'est une de tes copines ?

Il désigne Becca qui danse comme une gamine de huit ans, sans se soucier de sa posture ni de ses gestes, uniquement pour elle-même.

– Oui, répond Selena.

Becca la fait sourire. Elle semble parfaitement heureuse. Pas Holly ; Marcus Wiley se tortille derrière elle, tentant de frôler son cul.

– Pourquoi elle est fagotée comme ça ?

Becca porte un jean, un caraco blanc orné de dentelles et a noué ses cheveux en une longue tresse.

– Elle se sent bien ainsi, explique Selena. Les fringues, elle s'en tape.

– Pourquoi ? Elle est lesbienne ?

– Je crois pas.

Marcus Wiley essaie toujours de se frotter contre Holly. Elle cesse de danser, pivote et lui crache quelques mots bien sentis. Marcus ouvre la bouche et reste là, clignant des yeux jusqu'à ce que Holly lui fasse signe de dégager. Il s'écarte en se trémoussant, s'efforçant de paraître naturel mais vérifiant machinalement si quelqu'un a remarqué ce qui venait de se produire. Holly tend les mains à Becca et elles commencent à tournoyer sur la piste. Cette fois, elles semblent tout à fait heureuses. Selena en rit presque de joie.

– Tu aurais dû lui parler, lui dit Chris. Lui conseiller de porter un truc normal. Ou une robe comme la tienne.

– Pourquoi ?

– Parce que… Regarde.

Il désigne Joanne, qui se déhanche au rythme de la musique tout en parlant à l'oreille d'Orla. Toutes deux ricanent en lorgnant Becca et Holly.

– Elles se foutent d'elle.

– Qu'est-ce que ça peut te faire ?

Elle a posé la question sans agressivité. Simplement, elle est surprise. Elle aurait juré que Chris ignorait jusqu'à l'existence de Becca. Il réagit vivement.

– J'ai pas le béguin pour elle ! Qu'est-ce que tu crois ?

– OK, dit Selena.

Chris revient à sa contemplation de la piste. Il grommelle quelque chose, mais le DJ vient de mettre une chanson à la basse assourdissante et Selena n'entend rien.

– Quoi ?

– J'ai dit qu'elle me rappelait ma sœur.

Le DJ monte le son jusqu'à provoquer un tremblement de terre. Exaspéré, Chris renverse la tête.

– Putain, ce boucan !

Joanne les a vus. Elle détourne prestement les yeux lorsqu'elle s'aperçoit que Selena la regarde, mais le pli de sa lèvre supérieure indique qu'elle n'est pas contente.

– On sort ! hurle Selena.

Chris la dévisage, cherchant à savoir si elle lui suggère ce qu'insinueraient la plupart des filles. Ne trouvant pas les mots pour le contredire, elle n'ajoute rien.

– Comment ? réplique-t-il à tout hasard.

– On n'a qu'à demander.

Il la fixe comme si elle était folle, mais sans méchanceté.

– Puisqu'on ne va pas flirter, précise-t-elle, on n'a pas besoin de se planquer. Il nous faut juste un endroit tranquille. On pourrait aller s'asseoir à l'entrée. Les cerbères nous donneront peut-être la permission.

Chris a l'air ahuri. Selena attend. Puis, comme il ne se décide pas, elle l'entraîne vers les portes.

– Allons-y !

En temps normal, tout le monde les aurait suivis des yeux. Mais Fergus Mahon vient de verser du punch dans le cou de Garret Neligan qui s'apprête à lui démolir le portrait. Ils s'empoignent et s'écroulent sur Barbara O'Malley qui, au cours des deux dernières semaines, a affirmé à tout le monde que sa robe venait de chez Roksanda Machin Chose et hurle à pleins poumons. Chris et Selena passent inaperçus.

Un bon génie les protège. Si Sœur Cornelius s'était trouvée là, barrant les portes, ils n'auraient eu aucune chance, même si la nonne n'avait pas été barjot. Car, cette année, les religieuses gardent constamment un œil sur Selena, pour le salut des garçons, le sien ou celui de la moralité en général. Heureusement, Sœur Cornelius est partie engueuler Fergus et Garret. Et Mlle Long monte la garde à sa place. Selena l'interpelle :

– Mademoiselle Long ! On peut aller s'asseoir sur les marches ?

– Bien sûr que non, réplique la prof, distraite par Annelise Fitzpatrick et Ken O'Reilly pelotonnés ensemble dans un coin, une des mains de Ken demeurant invisible.

– On sera là, au bas des marches. Vous nous verrez. On veut juste parler.

– Vous pouvez parler ici.

– Non. Y a trop de bruit, et…

D'un geste large, Selena embrasse les lumières, les danseurs.

– On veut parler sérieusement.

Mlle Long néglige un instant Annelise et Ken, toise Selena et Chris avec scepticisme.

– Sérieusement, lâche-t-elle.

Selena lui décoche un sourire radieux. Un vrai. Elle n'a pas pu s'en empêcher. Car elle devine qu'un événement stupéfiant est en train de se produire.

Ce sourire, Mlle Long le lui rend presque. Elle se contient à temps en se mordant les lèvres, reprend sa mine de gardienne de prison.

– Entendu, concède-t-elle. Au bas des marches. Je vous surveillerai toutes les trente secondes. Et si vous n'êtes pas là, ou si vous vous tenez la main, vous aurez tous les deux d'énormes ennuis. C'est clair ?

Selena et Chris approuvent, y mettant toute la sincérité possible.

– Tenez-vous à carreau, conclut Mlle Long en ne perdant pas Sœur Cornelius de vue. Maintenant, allez-y. Allez !

Elle pivote vers le hall. Son expression change, comme si la salle s'était modifiée, comme si elle se retrouvait des années en arrière. En franchissant les portes, Selena comprend que ce n'est ni elle ni Chris qui ont reçu l'autorisation de passer un moment ensemble mais, lors d'un bal identique, Mlle Long en personne et un garçon envolé depuis des siècles, un amoureux au rire bouleversant, au visage rayonnant, passionné.

15

Conway ouvrit la porte avec fracas, assez bruyamment pour me faire sursauter et retirer mes mains de l'armoire, comme si elle m'avait surpris en flagrant délit de voyeurisme. Avec un sourire pervers, preuve que mon geste ne lui avait pas échappé, elle jeta sa sacoche sur le lit de Rebecca.

– Tu as trouvé quelque chose ?

– Rien. Julia a un paquet de cigarettes à moitié entamé et un briquet emmitouflé dans une écharpe, au fond de l'armoire.

– Gentilles petites filles, grommela-t-elle d'un ton agressif, explorant rapidement la chambre, examinant les photos encadrées posées sur les casiers de chevet. Aucune n'est venue te voir pour se confier à toi, ou te draguer ?

Je ne mentionnai pas le jeu d'ombres dans l'encadrement de la porte. À cause de son ton ironique, ou parce que j'avais peut-être eu une hallucination.

– Non.

– Elles viendront. J'ai écouté ce qui se disait dans la salle commune : un vrai nid de guêpes. Si on les fait mariner assez longtemps, l'une d'elles finira par craquer.

Je replaçai l'étui de la flûte de Selena dans l'armoire.

– Comment va Alison ?

Conway ricana :

– Dorlotée à l'infirmerie comme si elle était à l'article de la mort. Voix d'agonisante, elle prend son pied, montre son bras à tout le monde : la marque est toujours là, mais les bleus s'estompent. Elle devrait avoir regagné la salle commune, sauf si McKenna l'en empêche jusqu'à ce que la marque ait disparu, pour que les autres ne puissent pas la commenter à l'infini. J'ai essayé de lui faire dire que Joanne lui avait fourré tout ce bobard dans le crâne, mais dès qu'elle a entendu le nom de Chris, elle s'est fermée comme une huître et m'a jeté un regard de demeurée. Je ne lui en veux pas : McKenna et Mlle Arnold étaient là, prêtes à la faire taire si ses réponses ne leur plaisaient pas. Donc, j'ai renoncé.

– Rien de nouveau à propos du téléphone ?

Elle eut un sourire éclatant. Le triomphe lui allait bien. Elle ouvrit sa sacoche, brandit un sachet d'indices. Le mobile que j'avais vu sur le lit d'Alison : petit téléphone rose perlé, assez menu pour tenir au creux de la paume. Chris l'avait bien choisi.

– Alison l'a obtenu de Joanne. Au début, elle a refusé de l'admettre. Elle a tenté de s'esquiver, a prétendu qu'elle allait tomber dans les pommes. Je n'ai pas marché. J'ai continué à la cuisiner. Elle a fini par cracher le morceau. Joanne lui a vendu ce téléphone juste après Noël, il y a un an et des poussières. Soixante euros. Sale voleuse.

Elle remit l'appareil dans le sachet, arpenta la chambre.

– C'est tout ce qu'elle m'a déballé. Quand je lui ai demandé comment Joanne se l'était procuré, pourquoi elle le vendait, elle m'a refait son cirque : « Je sais pas, je sais pas, mon bras me fait mal, je me sens pas bien, je pourrais pas avoir un verre d'eau ? » Cette façon de minauder, comme les filles d'aujourd'hui. Les hommes trouvent ça sexy ?

Elle tournait comme un fauve. Pour l'éviter, je m'appuyai contre le mur.

– Pas moi, en tout cas.

– J'ai envie de les gifler. Sur le téléphone, rien ne subsiste de ce qui a été envoyé avant Noël dernier : ni textos ni numéros d'appels. Joanne l'a nettoyé avant de le vendre. Une bonne nouvelle, pourtant. Alison n'a pas inséré sa vieille carte SIM dans le téléphone de Joanne. Quand elle l'a acheté, elle n'avait plus de crédit sur le sien alors que Joanne disposait encore de vingt euros. Alison a donc balancé son vieux téléphone et repris celui de Joanne, carte SIM comprise. Résultat : nous n'avons plus besoin de fouiller dans ce numéro, ni de demander les enregistrements aux opérateurs, on les a déjà. Costello et moi, on a, l'année dernière, relevé les appels de la moitié du collège, y compris ceux d'Alison. J'ai contacté Sophie. Elle me les transmettra par courriel d'un instant à l'autre.

– Minute. Vous m'avez dit qu'aucun numéro des filles n'était relié à celui de Chris.

– En effet. Mais s'il a offert ce téléphone à Joanne pour préserver la clandestinité de leur relation, cela signifie qu'il craignait que leurs communications ne soient interceptées. Donc, il avait un téléphone spécial et un numéro secret. Si nous fouillons les relevés de celui de Joanne, combien tu paries que nous tomberons sur un numéro apparu deux mois avant Noël et leur servant à communiquer ?

– Il ne nous restera plus qu'à rechercher les liens entre ce numéro secret et celui qui m'a envoyé un texto aujourd'hui. Si Chris s'en est servi avec une fille, il a dû le faire avec d'autres. Si Selena sortait vraiment avec lui, elle devait elle aussi avoir un téléphone réservé à leurs échanges.

– Nous chercherons le lien entre le numéro secret de Chris et tous les autres ! L'année dernière, j'ai trouvé bizarre qu'il n'ait pas eu son téléphone sur lui. Ces gamins ne font rien sans le trimbaler. J'aurais dû le savoir !

– Si Joanne est notre suspecte, conclus-je, elle avait une excellente raison de le chaparder sur son corps. Il aurait prouvé leurs liens.

Conway ouvrit un tiroir, farfouilla dans les piles de culottes bien pliées.

– Va savoir où il est, maintenant. Sans doute au fond d'une décharge. Impossible de prouver que Chris l'a eu en sa possession. Si nous fourrons ses relevés sous le nez de Joanne, elle affirmera qu'elle envoyait des SMS à quelqu'un rencontré sur la Toile, ou n'importe quel bobard du même genre. Et on ne pourra rien faire.

– À moins d'identifier une autre fille avec qui Chris communiquait grâce à ce téléphone. On la cuisine et elle se met à table.

– Facile à dire.

Son portable bipa. Elle l'extirpa du fond de sa poche. Un message.

– C'est Sophie. Les enregistrements du téléphone de Joanne.

Je restai en retrait, la laissant consulter l'écran.

– Qu'est-ce que tu fais ? gronda-t-elle d'une voix impatiente. Amène-toi et regarde.

Je m'approchai. Et voilà. Octobre, novembre, un an et demi plus tôt : un numéro communiquant sans cesse, question, réponse, question, réponse, avec le téléphone qui avait appartenu à Joanne.

Pas d'appels. Uniquement des messages. Chris était en chasse, Joanne le faisait lanterner.

Au cours de la première semaine de décembre, la situation change. Textos au nouveau numéro, des dizaines, en sens unique. Chris fait le mort, Joanne insiste. Sans succès. Puis, lorsqu'elle renonce enfin, plus rien.

Dans le couloir, roulement d'un chariot, cliquetis d'assiettes, fumet de poulet aux champignons qui me mit l'eau à la bouche. Une employée, dont j'imaginai le tablier aux rebords de dentelle, apportait leur dîner aux secondes. Au lieu de les laisser gagner la cantine, répandre des histoires à dormir debout, semer la panique comme une épidémie de grippe et jacasser sans bonne sœur pour les écouter, McKenna préférait les parquer dans leur salle commune, sous bonne garde.

Les relevés de Joanne disparaissaient jusqu'à la mi-janvier. Ensuite, un mélange d'autres numéros, allers et retours, appels et SMS. Aucune trace du numéro de Chris. Uniquement ce qu'on pouvait attendre du portable normal d'une fille ordinaire : Alison.

— Sophie, tu es un génie ! s'exclama Conway. On ira voir sur le réseau, pour vérifier si ce numéro a un lien avec…

Tout à coup, elle se figea.

— Reste en ligne.

Elle claqua des doigts dans ma direction, fixant toujours l'écran.

— Ton téléphone. Montre-moi ce texto.

Je le lui tendis.

Elle leva la tête, triomphante.

— Nous y sommes ! Je savais bien que j'avais déjà vu ce numéro. Regarde, ajouta-t-elle en rapprochant les deux téléphones.

Toujours sa mémoire d'éléphant. Elle avait raison. Le numéro d'où l'on m'avait indiqué l'emplacement de la clé était le même que celui d'où l'on draguait Joanne.

— Merde ! m'écriai-je. Je ne m'y attendais pas.

— Moi non plus.

— Donc, soit Joanne n'avait pas la moindre liaison secrète avec Chris, mais avec une de nos autres sept…

— Non ! Une rupture expliquerait la haine que se vouent les deux bandes, mais nous en aurions entendu parler. Ragots, ou Joanne éructant : « Unetelle est une sale gouine, elle a voulu me sauter », essayant de mettre son ex dans la merde. Non.

– Ou alors, tout simplement, quelqu'un m'a envoyé un texto depuis le téléphone secret de Chris.

– Ça m'en a tout l'air.

Silence. Les choses venaient de prendre une autre tournure. Nous ne cherchions plus un témoin, mais un tueur, ou une tueuse.

– Nous avons trois possibilités, poursuivis-je. Un : Joanne a tué Chris, a piqué son téléphone, s'en est servi pour nous envoyer le texto à propos de la clé parce qu'elle voulait se faire prendre…

– Ridicule.

– Deux : l'assassin, Joanne ou qui que ce soit, a barboté le téléphone et l'a refilé à quelqu'un d'autre.

– Tout comme Joanne a vendu le sien à Alison.

– Trois : quelqu'un d'autre a tué Chris, a pris le téléphone et l'a toujours.

– C'est une preuve. Pourquoi ne pas s'en être débarrassé il y a un an ?

– Il ou elle ne l'a peut-être pas gardé. Cette personne a pu s'en débarrasser, ne conservant que la carte SIM, ce qui est bien plus sûr. Et, aujourd'hui, ayant besoin d'un numéro anonyme pour nous envoyer son SMS, elle insère la carte SIM de Chris dans son propre téléphone…

– Mais pourquoi réagir quand on la rappelle ?

– Cela nous amène à la deuxième hypothèse. L'assassin a refilé le téléphone à quelqu'un d'autre. Cette fille a peut-être trouvé ce geste bizarre, soupçonnant que cela avait quelque chose à voir avec Chris. Elle garde le téléphone, ou uniquement la carte SIM, au cas où elle aurait l'intention de s'adresser à nous. Ou alors, elle n'a pas compris qu'il pouvait y avoir un rapport et est simplement ravie d'avoir un numéro pour elle seule.

Ou, enfin, le téléphone avait encore du crédit, comme celui que Joanne a vendu à Alison.

– D'accord. Ça cadre avec la deuxième hypothèse. Mais pas avec la première ou la troisième. Cela implique que la fille qui t'a envoyé un texto n'était pas la meurtrière.

– Cela suggère que l'assassin a un sacré sang-froid. Refiler le téléphone à quelqu'un d'autre au lieu de s'en débarrasser alors que ça pourrait l'envoyer en taule...

– Sang-froid, arrogance, ou bêtise insondable, au choix. Ou alors, ce ou cette imbécile ne l'a pas transmis exprès. Il ou elle l'a enfoui quelque part et l'auteur du texto l'a trouvé.

Voix mornes dans le couloir, toujours ce fumet de poulet aux champignons. Les secondes recevaient leur dîner, sans manifester le moindre plaisir.

– Sophie vous a dit quand elle aurait les enregistrements ?

– Bientôt. Son contact y travaille. Je vais lui préciser qu'il nous faut les messages en entier, pas seulement les numéros. On pourrait tomber sur un os. Les opérateurs effacent tout au bout d'un an. Croisons les doigts.

Il était plus de 17 heures. Si nous renoncions maintenant, nous ne reviendrions jamais.

– Qu'est-ce qu'on fait ? demandai-je. C'est l'heure du dîner.

– J'ai affirmé à McKenna que si elle cherchait à nous virer en appelant O'Kelly, je téléphonerais à un ami journaliste pour lui raconter que nous avons passé la journée à interroger les collégiennes de Sainte-Kilda à propos du meurtre de Chris Harper et qu'on nous a mis des bâtons dans les roues.

J'eus envie de l'embrasser.

– Bien joué.

– Qu'est-ce que tu croyais ? Que j'allais lui lécher les nibards ? En attendant, on se concentre sur...

290

– Joanne ?

– Oui. Joanne.

– Témoin, ou suspecte ?

– Témoin. On aura moins de problèmes. Pas d'avocat, pas d'adulte agréé pendant les interrogatoires. Méfie-toi quand même.

– Vous aussi. Elle n'est pas près de vous avoir pardonné le fard que vous lui avez fait piquer devant ses copines.

– J'avais oublié. La prochaine fois, si on doit secouer quelqu'un, c'est toi qui le feras.

– Jamais de la vie. À vous l'honneur. Vous avez un don.

Elle eut une grimace espiègle, presque affectueuse.

Dans la salle commune, les couverts tintaient en rythme, paisiblement. Groupées autour des tables, les filles baissaient la tête sur leurs assiettes. La nonne gardait un œil sur la sienne et un autre sur elles.

Ambiance calme, du moins à première vue. Car si on y regardait de plus près, tout changeait. Des genoux s'agitaient sous les tables, des dents heurtaient le rebord des verres. Orla se recroquevillait sur elle-même, tentant de passer inaperçue. Une fille massive qui me tournait le dos semblait fouetter sa nourriture. Toutefois, en me penchant par-dessus son épaule, je constatai qu'elle découpait son poulet en carrés parfaits, qui devenaient de plus en plus minuscules à mesure qu'elle s'acharnait sur eux.

– Joanne, annonça Conway.

Joanne grimaça, leva les yeux au plafond. Mais elle vint. Elle portait à peu près le même accoutrement qu'Orla : short en jean ajusté et ultra court, sweat rose, chaussures Converse. Alors qu'elle était ridicule sur Orla, cette tenue semblait avoir été confectionnée exprès pour elle.

Nous sommes retournés dans sa chambre.

– Assieds-toi, lui dis-je en lui montrant son lit. Désolé, nous n'avons pas de sièges, mais cela ne prendra que quelques minutes.

Elle resta debout, les bras croisés.

– J'étais en train de dîner.

De mauvais poil, notre Joanne. Orla n'avait qu'à bien se tenir.

– Je sais. Je ne te garderai pas longtemps. Je dois t'avertir que j'ai deux ou trois questions qui risquent de ne pas te plaire. Mais il me faut des réponses et, à mon avis, tu es la seule à pouvoir nous les fournir.

Cela piqua sa curiosité, ou sa vanité. Avec un soupir accablé, elle se laissa tomber sur le lit.

– Comme vous voudrez.

– J'apprécie ta collaboration.

Je pris place sur le lit, en face d'elle, loin des vêtements éparpillés. Conway se fondit dans le décor, s'adossant à la porte.

– Premièrement, et je sais qu'Orla t'en a déjà parlé : nous avons trouvé la clé de la porte reliant cette aile au bâtiment principal. Toi et tes copines, vous faisiez le mur la nuit.

Elle s'apprêtait à nier d'un air scandalisé lorsque Conway brandit le livre sur sainte Thérèse.

– Il est bourré d'empreintes !

Joanne garda sa mimique outrée pour plus tard.

– Et alors ?

– Alors, repris-je, tout ceci est confidentiel. Nous n'avons pas l'intention de prévenir Mlle McKenna, ni de te causer des ennuis. Nous essayons simplement de faire le tri entre ce qui est important et ce qui ne l'est pas. D'accord ?

– D'accord.

– Parfait. Donc, que faisiez-vous, dehors ?

Elle eut un sourire en coin, comme si elle se remémorait de bons souvenirs.

– Des externes de Colm sautaient le mur du fond. Normalement, je fraye pas avec les externes, mais Garret Neligan savait où sa mère rangeait ses bouteilles et d'autres trucs. On l'a fait deux ou trois fois. Ensuite, la mère de Garret l'a chopé et a enfermé ses trucs à double tour. Alors, on a laissé tomber.

Des trucs. Garret chapardait les médicaments de maman.

– Quand était-ce ?

– Disons, en mars dernier. Après ça, on s'est plus beaucoup servies de la clé. À Pâques, Emma a rencontré un étudiant dans une boîte. Elle s'est tirée plusieurs fois pour aller le rejoindre. Elle croyait avoir décroché le gros lot parce qu'il était à l'université. Bien sûr, il l'a larguée dès qu'il a su son âge. Après ce qui est arrivé à Chris, on a changé la serrure. Donc, la clé ne servait plus à rien.

– Tu dois bien comprendre que cela vous désigne en priorité, tes copines et toi, comme celles qui auraient pu épingler la carte sur le panneau des secrets. N'importe laquelle d'entre vous aurait pu se trouver dans le parc lorsque Chris a été tué. N'importe laquelle d'entre vous aurait pu voir quelque chose. Ou même assister au meurtre.

Elle leva la main.

– Hé, oh ! On se calme, là ! On n'était pas les seules à posséder une clé. La nôtre, on la tenait de Julia Harte.

– Vraiment ?

– Authentique.

– Et où pourrions-nous trouver la sienne ?

– Qu'est-ce que j'en sais ? Même si j'avais une idée de l'endroit où elles la planquaient, ce qui n'est pas le cas parce que je me tape de ce que font ces détraquées, c'était il y a un an. Elles l'ont sans doute jetée après le changement de serrure. C'est ce que j'ai demandé à Orla de faire ; mais elle est trop gourde.

– Julia affirme qu'elle et ses amies n'ont jamais eu la clé.

– Elle vous mène en bateau.

– Possible. Mais on ne peut pas le prouver. Nous avons la preuve que tes copines et toi en aviez un exemplaire, mais aucune preuve que Julia et ses amies en aient possédé une. Quand c'est parole contre parole, on doit se fier aux preuves.

– Même chose avec Chris et Selena, intervint Conway. Vous soutenez, toi et tes copines, qu'ils sortaient ensemble, elle jure le contraire et nous n'avons pas l'once d'une preuve qu'ils se soient même rencontrés. À ton avis, qui devons-nous croire ?

L'expression de Joanne se durcit. Elle venait de se décider.

– Bon. Ça va.

Elle sortit son téléphone, appuya sur des touches, me le tendit à bout de bras.

– Et ça, c'est pas une preuve ?

Je pris l'appareil, en sentis la moiteur dans ma paume.

Une vidéo. Nuit. Frottements de pas dans l'herbe. Un murmure, un petit rire. Puis une injonction : « Tais-toi. »

– Qui est avec toi ?

– Gemma.

Elle s'était redressée. Bras croisés, remuant les pieds, elle nous observait, anticipait notre réaction.

Ombres grises et floues tressautant à chacun de ses mouvements. Buissons sous la lune. Massif de petites fleurs blanchâtres refermées pour la nuit.

Un autre murmure. Les bruits de pas cessent ; le téléphone s'immobilise. Les ombres se précisent.

Grands arbres noirs entourant un cercle pâle. Même dans les ténèbres, je reconnus l'endroit : la clairière aux cyprès, où Chris Harper était mort.

Au centre, éclairés par la lune, deux silhouettes emmêlées, comme si elles n'en formaient qu'une. Pulls et jeans sombres. Une tête brune penchée sur un flot de cheveux blonds.

Une branche masque la scène. Joanne déplace le téléphone, zoome plus près.

L'obscurité estompait les visages. J'interrogeai silencieusement Conway, qui répondit par un bref hochement du menton : Chris et Selena.

Soudés, paume contre paume, ils remuaient à peine, comme s'ils craignaient de se séparer, fascinés l'un par l'autre au cœur de cette nuit silencieuse, veillés par les cyprès, bercés par le vent. Le monde extérieur n'existait plus.

Une telle fusion, j'en avais toujours rêvé. Mais, ado, j'étais trop timide, trop gauche. Pour moi, à cet âge, le monde extérieur était rude, agressif. J'étais passé à côté d'un rêve que Chris et Selena vivaient là, sous mes yeux, et qui, pour moi, ne se réaliserait jamais.

Chris jouait avec les cheveux de Selena, les soulevait, y plongeait les doigts et les lissait, mèche après mèche. Elle tournait la tête pour poser ses lèvres sur son bras. Ils ressemblaient à des danseurs évoluant au fond de la mer, comme si le temps s'était figé pour eux, comme si chaque minute leur faisait vivre un million d'années. Ils étaient magnifiques.

Près du téléphone, Joanne, ou Gemma, ricanait. L'autre gloussait. Ce qui se déroulait devant elles leur échappait. Elles n'y comprenaient rien.

Du bout des doigts, Selena frôla la joue de Chris. Elle ferma les yeux. Les rayons de lune glissèrent le long de son bras, comme de l'eau. Ils se rapprochèrent, visages inclinés, lèvres ouvertes.

Bip, fin de la vidéo.

– Alors ? exulta Joanne. C'est pas la preuve que Selena et toutes les autres avaient la clé ? Et qu'elle sortait avec Chris ?

Conway m'arracha le téléphone.

– Il est à moi ! protesta Joanne.

– Je te le rendrai quand j'aurai fini.

Puis, à mon intention :

– 23 avril, 00 h 50.

Trois semaines et demie avant la mort de Chris.

– Donc, dis-je, Gemma et toi avez vu Selena quitter sa chambre et vous l'avez suivie…

– La première fois, Gemma les a surpris par hasard dans le parc, une semaine auparavant. Elle avait rendez-vous avec un gus, je me rappelle plus qui. Ensuite, on a monté la garde à tour de rôle dans le couloir.

Je l'imaginai éructant si l'une de ses boniches s'était assoupie à son poste.

– Cette nuit-là, Alison a vu Selena se faufiler hors de sa chambre. Elle m'a réveillée et je l'ai suivie.

– Avec Gemma ?

– J'avais pas vraiment envie d'aller là-bas toute seule. De toute façon, j'avais besoin d'elle pour qu'elle me montre où ils se bécotaient. Avant qu'on se soit habillées, Selena avait disparu. Elle pouvait pas attendre. Certaines filles sont de vraies putes.

Le parc semblait plus fréquenté qu'une gare. McKenna serait tombée raide morte si elle l'avait appris.

– Donc, poursuivis-je, vous les avez pistés et vous avez filmé ce clip. Juste celui-là ?

– Oui. Il vous suffit pas ?

– Que s'est-il passé quand tu as cessé de filmer ?

– On est rentrées. J'allais pas rester là et les mater. Je suis pas une vicelarde.

Le mobile de Conway bipa. Elle se tourna vers moi.

– Je me suis envoyé la vidéo. Attrape, ajouta-t-elle à l'intention de Joanne, en lui lançant son téléphone.

Joanne frotta sa couette pour effacer les microbes de prolo que j'aurais pu y laisser.

– Que comptais-tu faire avec ce clip ? demandai-je.

Haussement d'épaules.

– J'avais pas encore décidé.

– À d'autres ! cria Conway. Tu t'en es servie pour faire chanter Selena et la forcer à rompre avec Chris. «Plaque-le ou je transmets ça à McKenna.»

Joanne rugit comme un animal.

– Désolée, mais je l'ai pas fait !

Je me penchai vers elle, lui cachant la vue de Conway.

– Si tu l'avais fait, cela aurait été pour le bien de Selena. Passer ses nuits dehors, c'était mauvais pour sa santé.

Joanne reprit son air de pimbêche vertueuse.

– Effectivement, si je l'avais fait, j'aurais pensé à ça. Mais je l'ai pas fait.

– Pourquoi ?

– Parce que c'était la dernière fois que Selena et Chris se retrouvaient. J'avais déjà eu une petite conversation avec Julia, et ensuite, elle a réglé le problème. Terminé.

– Comment l'as-tu appris ?

– En fait, j'ai pas cru Julia sur parole, vous vous en doutez bien. Je suis pas débile. Voilà pourquoi j'ai fait cette vidéo : au cas où elle aurait eu besoin d'un petit coup de pouce. On a surveillé le couloir pendant des semaines, et Selena n'est jamais sortie seule. Elles se taillaient toutes les quatre pour faire Dieu sait quoi, on m'a dit que c'étaient des sorcières, elles sacrifiaient peut-être un chat ou une horreur de ce genre, je veux même pas le savoir.

Grimace exagérée de dégoût.

– Et Julia s'est barrée deux ou trois fois : elle fricotait avec Finn Carroll. Qui voudrait se taper ce minus, je vous le demande, mais quand on a la tête de Julia, on prend ce qu'on trouve. Selena, elle, a arrêté de sortir. Donc, Chris et elle avaient cassé. Ça tombe sous le sens.

– Qui a rompu, à ton avis ?

– Quelle importance ? En fait, j'espérais que la décision était venue de Chris. Mais les mecs… Ils ont une seule idée en tête. Si Chris voyait Selena en cachette et que personne n'en savait rien, pourquoi la larguer ? Donc, je crois que c'est Selena qui a rompu. Soit Julia lui a mis du plomb dans la cervelle, soit elle s'est rendu compte que Chris la prenait pour une fille facile uniquement bonne pour la chose et qu'elle ne serait jamais sa vraie petite amie.

Le visage de Chris, émerveillé, penché sur celui de Selena. Il jouait peut-être bien la comédie, mais à ce point ?

— Pourquoi ne voulais-tu pas qu'ils sortent ensemble ?

— Je l'aime pas, répondit-elle froidement. Ça vous suffit ? Toutes les quatre me sortent par les yeux. Elles sont fêlées, se prennent pour les reines du monde et croient qu'elles peuvent faire tout ce qu'elles veulent. Selena devait apprendre que ça ne marche pas comme ça. Comme vous l'avez dit, je lui ai vraiment rendu service.

Je parus sidéré.

— La relation entre Julia et Finn ne te gênait pas. Pourquoi celle de Selena et Chris posait-elle un problème ?

Geste blasé.

— Finn était pas mal pour ce que vous savez, mais c'était pas une flèche. Chris, si. Tout le monde avait des vues sur lui. J'allais pas laisser Selena croire qu'une fille comme elle avait un droit sur quelqu'un comme lui.

— N'était-ce pas parce que tu étais sortie avec lui à peine quelques mois plus tôt ?

— Mille excuses, on n'en a pas déjà causé ? J'hallucine, ou quoi ? Je vous l'ai dit. Je suis jamais sortie avec lui. À part dans ses rêves.

Conway brandit le sachet d'indices contenant le téléphone d'Alison.

— Essaye encore.

Joanne se figea. Puis elle se détourna de Conway, croisa ostensiblement les bras.

– Joanne, dis-je, je sais que cela ne nous regarde pas, du moins que cela ne nous concernerait pas en temps normal. Mais si tu étais proche de Chris au point qu'il ait pu te confier quoi que ce soit d'important, il faut que nous le sachions. Tu comprends ? Ce téléphone que ma coéquipière a récupéré t'appartenait jusqu'à ce que tu le vendes à Alison. Et nous avons les enregistrements d'un millier de SMS, aller et retour, entre ce numéro et le téléphone secret de Chris.

– D'accord, soupira-t-elle.

Elle se réinstalla sur le rebord du lit. Mains jointes, chevilles croisées, yeux baissés, peaufinant son rôle d'amoureuse affligée.

– Chris et moi, on a été ensemble pendant deux mois, à l'automne de l'année dernière.

Depuis près d'un an, elle mourait d'envie de s'en glorifier, de le clamer à la face du monde. Pourquoi l'avait-elle gardé pour elle ? Parce que cet aveu aurait pu la faire soupçonner, parce qu'elle refusait d'admettre qu'elle avait été plaquée, parce que nous étions des adultes, des ennemis ? Allez savoir. En tout cas, nous venions enfin de lui donner une excuse pour parler.

– Mais il n'a jamais fait allusion à quelqu'un qui l'aurait haï, ou menacé. Si ça avait été le cas, il se serait confié à moi. Ainsi que vous l'avez dit, nous étions très proches.

– C'est à ça que te servait la clé ? À faire le mur la nuit pour aller le rejoindre ?

Elle secoua la tête.

– J'ai eu cette clé après notre rupture. De toute façon, il ne pouvait pas sortir la nuit non plus. Il a trouvé plus tard le moyen de le faire pour se rendre à ses rendez-vous avec cette grosse vache, mais quand on sortait ensemble, il était coincé.

– Et il avait un téléphone secret spécialement pour t'envoyer des textos ?

– Oui. Il racontait que les types de Colm passaient leur temps à fouiller les téléphones des autres, cherchant des messages ou des photos porno. Même les curés le faisaient. Certains sont de vrais pervers, c'est dégueu. Moi, je lui disais en rigolant : « Si tu t'imagines que tu vas avoir des clichés de mon minou, faudra te lever tôt. » Mais c'était pas comme ça. Chris n'aurait jamais permis que quelqu'un d'autre que lui lise mes messages. Ce que je lui disais était bien trop important à ses yeux.

Ce Chris connaissait son affaire.

– Quel genre de téléphone était-ce ? Tu l'as vu ?

Sourire attendri.

– Exactement le même que le mien, mais rouge. « Des alter ego, comme nous. » C'était son expression.

Moue ironique de Conway. Le salopard.

– Pourquoi tout ce secret ? poursuivis-je. Pourquoi ne pas avoir simplement révélé à tout le monde que vous étiez ensemble ?

Joanne s'agita un instant, sur la défensive : l'idée du secret ne venait pas d'elle. Elle prit une grande inspiration, retrouva son rôle de composition.

– C'était pas une bluette d'ados. Entre moi et Chris, c'était spécial ; si intense qu'on aurait cru une histoire racontée dans une chanson. Les gens n'auraient pas compris. Bien sûr, on aurait fini par le leur dire plus tard. Mais pas tout de suite.

Elle avait débité sa tirade trop vite, comme si elle l'avait apprise par cœur, repassant sans cesse dans sa tête les mots de Chris, pour se rassurer.

– Ce n'était pas parce que Chris craignait qu'une personne en particulier ne découvre votre liaison ? Une ancienne amoureuse jalouse, par exemple ?

– Non. En fait…

Elle s'interrompit, réfléchit un instant. Cette idée lui plaisait.

– Peut-être, après tout. Des tas de gens auraient été jaloux à mort s'ils avaient su. Mais il n'a jamais mentionné personne.

– Comment réussissiez-vous à vous rencontrer en secret, si vous ne pouviez pas sortir la nuit ?

– On se voyait surtout pendant les week-ends. Parfois l'après-midi, entre les cours et l'étude, mais c'était pas facile de trouver un endroit discret. Un soir… Vous connaissez ce petit jardin public, derrière le Court ? On était en novembre. La nuit était tombée tôt et le parc était fermé. Chris et moi, on a escaladé les grilles. Il y a un petit tourniquet, pour les mômes. On s'est assis là et… « C'est un truc de dingue, je peux pas croire que j'aie fait ça, escaladé les grilles dans le noir, comme une voleuse. T'as intérêt à me faire un beau cadeau, après ça. » Je blaguais, bien sûr. On riait tellement. On s'est bien amusés, ce soir-là.

Elle eut un petit rire, discret, frêle, nostalgique. Elle n'imitait plus une star de la télé réalité. Elle était simplement elle-même, regrettant cette soirée.

Voilà pourquoi elle avait ricané en voyant Chris et Selena enlacés. C'était le seul moyen pour elle de le supporter.

– Ensuite, que s'est-il passé ? enchaînai-je. Vous êtes sortis ensemble pendant deux mois. Pourquoi avez-vous arrêté ?

Elle eut un rictus amer. Elle réagit très vite, retrouva son masque de comédie.

– J'ai rompu. Je me le reproche tellement, aujourd'hui…

– Ah, ah, coupa Conway en agitant de nouveau le sachet d'indices. Ce n'est pas ce qui apparaît là-dedans.

– Tu as continué à lui envoyer des textos et à l'appeler après qu'il eut cessé de répondre, précisai-je. Que s'est-il passé ?

Elle pinça les lèvres, avant de retrouver sa contenance avec une rapidité stupéfiante.

– Eh bien, commença-t-elle en soupirant, Chris a eu peur de ses sentiments. Entre nous, je vous l'ai dit, c'était si intense !

Grands yeux candides, voix haut perchée. Elle singeait à nouveau une vedette de la télé. Comme je ne regarde pas les bonnes émissions, je n'aurais su dire laquelle.

– Et de nombreux mecs n'arrivent pas à assumer ce genre de situation. À mon avis, Chris manquait de maturité. S'il était encore en vie, nous aurions sans doute…

Nouveau soupir, regard perdu contemplant ce qui aurait pu être.

– Tu as dû beaucoup lui en vouloir.

– Moi ? Pas du tout.

– Vraiment ? Je n'aurais jamais cru que tu étais habituée à être plaquée.

Elle s'agita encore, ses traits se durcirent.

– Moi ? Non. Personne ne m'a jamais plaquée.

– Sauf Chris.

– De toute façon, je m'apprêtais à rompre. Voilà pourquoi j'ai dit…

– Pour quelles raisons ? Je pensais que votre relation était unique, qu'il en avait eu peur parce qu'il manquait de maturité. Mais toi, tu ne manques pas de maturité, n'est-ce pas ?

– Non. Simplement…

Elle réfléchissait vite. Elle posa la main sur son cœur.

– Je savais que c'était trop lourd pour lui. J'allais lui rendre sa liberté.

– Alors, pourquoi as-tu continué à lui envoyer des textos alors qu'il avait cessé tout contact avec toi ?

– Je voulais m'expliquer. Lui dire que je comprenais que c'était trop intense. Je n'allais pas l'attendre, mais j'espérais que nous resterions amis. Des trucs de ce genre. Je me rappelle pas bien.

– Aucune agressivité de ta part ? Parce qu'on aura bientôt tes messages.

– Je m'en souviens pas. J'étais peut-être un peu choquée, mais pas en colère.

Conway s'écarta légèrement du mur. Je perçus son avertissement. Si je poussais l'entretien un peu trop loin, nous dépasserions les bornes que nous nous étions fixées.

– Je comprends, répondis-je en me rapprochant d'elle. Joanne, écoute-moi. Tu possédais la clé. Tu avais la certitude que ta relation avec Chris n'était pas finie. Tu l'as espionné chaque fois qu'il se glissait la nuit dans le parc. Tu vois où je veux en venir ? Voilà ce que je crois : tu étais dehors la nuit de sa mort, et tu as vu quelque chose. Non, laisse-moi finir. Tu protèges peut-être quelqu'un. Tu as peut-être peur. Peut-être n'arrives-tu pas à croire à ce que tu as vu. Je suis sûr que tu as une bonne raison pour affirmer que tu ne te trouvais pas là-bas.

Du coin de l'œil, Conway m'approuva. Nous étions de nouveau en terrain sûr. Si, un jour, Joanne répétait mes propos à son avocat, il prononcerait haut et fort le mot «Témoin». Mais si ça marchait, si elle admettait s'être trouvée sur la scène de crime, elle deviendrait automatiquement suspecte, sans échappatoire possible.

– Toutefois, je suis également certain, Joanne, que tu as vu ou entendu quelque chose. Tu sais qui a tué Chris Harper. Tu dois arrêter de te taire. Tout à l'heure, ma coéquipière a été claire. Il est temps pour toi de nous révéler ce que tu sais, avant que nous ne le découvrions par nous-mêmes. Maintenant.

– Je sais rien ! gémit-elle. J'le jure devant Dieu. J'ai pas fait le mur cette nuit-là ! J'étais pas sortie depuis des semaines !

– Tu insinues que tu n'avais personne à rencontrer ? Presque six mois après ta rupture avec Chris, tu n'avais toujours pas d'amoureux ?

– Si. Je suis sortie quelque temps avec Oisín O'Donovan, vérifiez auprès de qui vous voudrez, mais je l'ai lourdé des semaines avant la mort de Chris ! Demandez-le-lui. J'étais pas dehors cette nuit-là ! Je sais rien ! Je le jure !

Yeux effarés, mains tremblantes : le grand jeu. Une minute de plus et elle se serait giflée pour fondre en larmes. « On arrête là », m'ordonna silencieusement Conway.

Je me détendis. Joanne reprit lentement son souffle, m'observant par en dessous pour s'assurer que je n'insisterais pas.

– Très bien, dis-je. Merci, Joanne.

Elle et son short reprirent le chemin de la salle commune. Son cul nous narguait comme celui de Julia. Sauf que ce n'était pas du tout le même.

– Celle-là est une belle salope, dit joyeusement Conway, une épaule contre le mur du couloir et les mains dans les poches. Elle peut nous raconter ce qu'elle veut : elle était foutrement remontée contre Chris Harper.

– Au point de le tuer ?

– Bien sûr. Elle aurait adoré. Pourtant…

– Si elle n'avait eu qu'à appuyer sur un bouton, ou planter une aiguille dans une poupée vaudou.

– Oui. D'un coup. Mais se couler dans le noir, lui fracasser le crâne avec une binette… Je ne l'imagine pas prenant ce genre de risque. Elle s'est même fait accompagner de Gemma pour suivre Selena. Très prudente, notre Joanne. Et elle ne s'aventure jamais hors de son territoire.

– Elle pourrait quand même avoir épinglé la carte.

304

– Si c'est le cas, elle cherche à nous orienter vers Selena. Par vengeance. Tu m'as piqué mon mec, je te fais plonger pour assassinat.

– Ou vers Julia. Elle a insisté sur le fait que Julia avait fait le mur jusqu'à la nuit du meurtre. Vous vous en souvenez ?

– Julia et Finn ! s'exclama Conway en se frappant le front. Je savais que Finn avait une bonne raison de griller l'alarme de la sortie de secours ! J'aurais dû m'en douter. Comme de ce que nous avons appris aujourd'hui !

– Pourquoi gardaient-ils tous leurs flirts secrets ? Quand j'étais jeune, si on avait une copine, on s'en vantait. Lorsque vous aviez cet âge, les filles étaient-elles aussi cachottières ?

– Oh, non ! Sortir avec un mec, c'était l'apothéose. Ça prouvait qu'on était un canon, pas un pitoyable laideron. On l'aurait crié sur les toits.

– Et cette génération se soucie bien moins de sa vie privée que nous à l'époque. Tout aboutit sur la Toile, sauf si cela peut créer des problèmes.

Une gamine sortit de la salle commune des troisièmes et, se dirigeant vers les toilettes, nous examina à la dérobée. Conway regagna vivement la chambre de Joanne et de ses copines, claqua la porte d'un coup de pied.

– Et encore… La fille de ma cousine a peur d'être en cloque. Que s'est-elle empressée de faire ? Fourguer ça sur Facebook. Sa mère l'a découvert et lui a passé un savon dont elle se souviendra.

– De plus, elles nous ont donné sans réticence les noms de leurs petits amis d'aujourd'hui. Joanne a fait des manières, mais c'était uniquement pour vous provoquer, non parce qu'elle voulait vraiment garder le secret. Était-ce la même chose l'année dernière ?

Conway recommença à arpenter la chambre. Quel que fût le malheureux avec qui elle finirait par faire équipe, il aurait vite le tournis.

– Cette salade que nous a servie Joanne à propos de Chris et elle dissimulant leur relation parce qu'elle était « si intense », tu y crois ?

– Non. Du bidon.

Je m'appuyai d'une épaule contre le mur, guettant un éventuel jeu d'ombre dans l'encadrement de la porte.

– Cette volonté de secret venait de Chris. Je parie qu'il avait plusieurs nanas en même temps. Joanne faisait pression sur lui pour qu'il rende leur relation publique. Et il l'a plaquée.

– Ta Holly semble avoir eu raison à son sujet. Il n'était pas le garçon angélique que tout le monde décrivait.

« Il ne s'intéresse qu'à ce qu'il veut », avait dit Holly.

Le visage de Chris penché sur Selena. Cette image m'obsédait. À cet âge, on s'enflamme vite. On veut tout, tout de suite. Quand une occasion se présente, on la saisit. Mais dès qu'on a obtenu ce qu'on désirait, on se détache tout aussi rapidement, sans remords.

– S'il les trompait toutes et que l'une d'elles l'a découvert…

– Selena, tu veux dire…

– Non. Chris et elle ont rompu des semaines avant sa mort. Quand une fille décide de broyer le crâne de celui qui l'a bafouée, elle le fait dès qu'elle l'a appris, pas des semaines plus tard. Toutefois, c'est peut-être pour cette raison qu'elle a rompu.

– Possible, répondit Conway d'un ton dubitatif, en donnant un coup de pied dans une chaussure d'uniforme qui lui barrait le passage. Cela ne cadre pas avec ce que prétend Joanne. Elle ordonne à Julia d'éloigner Selena de Chris, Julia répond : « Tout de suite, Votre Majesté » et s'empresse d'obtempérer ? Tu imagines Julia obéissant à ses injonctions sur la vie privée de ses amies ?

– Non. Elle l'aurait envoyée se faire voir. Sauf si Joanne avait eu un argument de poids.

– Cette vidéo ? Elle aurait pu faire virer Julia et sa bande. Mais Joanne n'a pas eu à s'en servir. Chris et Selena s'étaient séparés avant.

– Vous la croyez ?

– Sur ce point, oui.

Je me remémorai le visage de Joanne, que j'avais presque oublié. J'ignore pourquoi je répliquai :

– Moi aussi.

– Parfait. Donc, Selena a peut-être quitté Chris parce qu'elle avait eu vent de ses infidélités. Ou alors, il y a eu autre chose.

– Ils se seraient séparés d'un commun accord ?

Je n'y croyais pas ; pas après cette vidéo. Je répondis quand même :

– À cet âge, même un mois ou deux avec quelqu'un, c'est long. C'est à ce moment-là que Chris s'est lassé de Joanne. Il a pu ressentir la même panique avec une autre, refuser de s'engager. Ou alors, Selena a exigé qu'il rende leur relation publique, tout comme Joanne.

Conway n'arpentait plus la pièce. Les rayons du soleil couchant striaient son visage.

– Je vais te dire ce qui se passe à cet âge, après un mois ou deux. Le garçon devient pressant. Tu cèdes ou tu dégages.

Silence. J'attendis. Le faux arôme de fleurs des déodorants me donnait la migraine.

– Un mec, reprit Conway, a fait quelque chose à Selena, ce qui l'a traumatisée. Et a convaincu les autres d'éviter les garçons. Or, au même moment, Selena et Chris ont rompu.

– Vous en déduisez qu'il l'a violée.

– Nous devons envisager cette possibilité.

– Céder à la tentation et tromper une fille qu'on aime vraiment, c'est une chose. La violer en est une autre. Sur cette vidéo, il semblait fou d'elle…

– Bien sûr. Comme tous les types qui flairent un bon coup. Ils prennent l'air béat que la fille attend. Jusqu'à ce qu'ils se rendent compte qu'ils sont tombés sur un os.

– Il m'a paru sincère.

– T'es un connaisseur, pas vrai ?

– Et vous ?

Elle me fusilla du regard. Deux heures plus tôt, j'aurais baissé les yeux. Cette fois, je ne cillai pas.

– Admettons que ce soit vrai, déclara-t-elle, radoucie. Même s'il était vraiment fou d'elle, il a très bien pu la violer. Les adultes normaux ne font rien qui puisse heurter une personne qu'ils aiment, du moins s'ils parviennent à se maîtriser. Mais à cet âge ? Ils ne sont pas comme nous. Ils obéissent à leurs pulsions, qui conduiraient n'importe lequel d'entre nous à l'asile. Pour eux, la morale n'existe pas.

Nouveau silence : elle ayant raison, moi espérant qu'elle se trompait.

« Quand il voulait quelque chose et qu'il n'arrivait pas à l'obtenir, avait affirmé Holly, il n'était pas si sympa. »

– Cette scène filmée par Joanne… Chris et Selena se retrouvaient pour la dernière fois. S'il lui a fait quelque chose…

– Oui. C'est arrivé cette nuit-là.

Silence encore. Je crus discerner, sous les émanations de déodorants, un parfum de jacinthe.

– Et maintenant ?

– On attend que Sophie nous envoie les relevés du téléphone de Chris. Je n'interroge plus personne avant de savoir où il en était au printemps dernier. Entre-temps, on fouille.

Soudain, une ombre passa sous la porte.

Je l'ouvris d'un bond. Alison poussa un cri et recula. McKenna s'avança, protectrice. Conway me rejoignit aussitôt.

– Je peux t'aider ? demandai-je.

Alison me fixa et ânonna, comme si elle répétait une phrase qu'on lui aurait soufflée :

– Je viens chercher les livres dont j'ai besoin pour faire mes devoirs. Excusez-moi.

– Bien sûr. Entre donc.

Elle se coula entre nous telle une souris apeurée, comme si nous allions la frapper, fourra ses manuels dans son cartable. La silhouette massive de McKenna bloquait la porte, hostile, menaçante.

– Comment va ton bras ? m'enquis-je.

Alison l'éloigna de moi.

– Bien, merci.

– Laisse-nous voir, dit Conway.

Alison se tourna vers McKenna. On lui avait ordonné de ne pas le montrer. La directrice acquiesça à contre-cœur.

Alison retroussa sa manche. Les hématomes avaient disparu, mais la peau était encore boursouflée. Les traces de main étaient devenues roses. Alison détournait la tête.

– Vilain, constatai-je d'un ton compatissant. Ma sœur a eu une allergie : sur les joues, partout. On a découvert que cela provenait de la lessive utilisée par ma mère. Tu sais ce qui a provoqué la tienne ?

– Les femmes de ménage ont sans doute changé le savon pour les mains.

Nouveau coup d'œil à McKenna. Une autre phrase apprise par cœur.

– Ça doit être ça, dis-je.

J'échangeai un regard avec Conway, au vu et au su d'Alison, qui rabattit sa manche, ferma son cartable et s'en alla.

– Inspecteurs, martela McKenna, si vous souhaitez nous parler ou vous adresser à d'autres élèves de seconde, vous nous trouverez dans la salle commune.

La bonne sœur nous avait donc balancés. McKenna prenait en charge les secondes, dommages collatéraux ou non, et nous n'obtiendrions aucun autre interrogatoire sans un adulte agréé.

D'un geste, j'arrêtai la directrice, qui s'apprêtait à suivre Alison trottinant dans le couloir en direction de la salle commune, soumise, ratatinée comme si elle suivait quelqu'un.

– Mlle McKenna, nous devons interroger des élèves sans la présence d'un enseignant. Certains aspects de cette affaire pourraient choquer le personnel du collège. Il ne s'agit que d'éléments secondaires de l'enquête. Mais il nous faut des réponses spontanées.

McKenna ouvrit la bouche pour marteler : « Jamais de la vie ! »

– Bien entendu, précisai-je, si des entretiens en tête à tête posaient un problème, nous pourrions faire venir les parents.

Et provoquer de nouveau le ramdam de l'année dernière, les parents terrifiés et furieux menaçant de retirer leurs filles de Sainte-Kilda. McKenna ravala son refus. J'ajoutai, pour enfoncer le clou :

– Dans ce cas, nous devrions attendre l'arrivée des parents, ce qui constituerait un compromis acceptable. Vos élèves avoueraient plus volontiers avoir enfreint le règlement du collège face à eux plutôt qu'en présence d'un enseignant.

« Fumier », lus-je sur ses lèvres, avant qu'elle ne réponde d'un ton courtois :

– Très bien. J'autoriserai des entretiens en privé, s'ils se justifient. Toutefois, si vous déstabilisez une seule élève, ou si l'on vous livre une information qui affecterait la bonne marche du collège, j'exige d'en être immédiatement informée.

– Bien entendu. Merci mille fois.

Alors qu'elle s'éloignait, j'entendis le brouhaha qui accueillait Alison.

– Ce bras est en train de guérir, déclara Conway avant d'ajouter, en tapotant le casier de Joanne : L'autobronzant est là.

– Joanne n'avait aucune raison de créer une diversion pour nous faire sortir de la salle commune. Elle croyait qu'Orla s'était débarrassée de la clé un an plus tôt.

Cela ne m'avait frappé qu'au moment où j'avais revu le bras d'Alison.

– Coïncidence ou hallucination, conclut Conway.

Elle paraissait déçue. Moi aussi.

C'est ça, être flic. On voit le mal partout. Rien ne vous semble innocent. Mais ce bras... Innocent ou pas, il paraissait toujours aussi dangereux.

16

Au moment où Julia et Finn arrivent au bout du parc, la musique du bal n'est plus, derrière eux, qu'un vague bruit de fond. La lune fait scintiller des couleurs éparpillées dans les buissons, comme les bonbons d'un jeu de piste. Finn y plonge la main et brandit ce qu'il vient d'extirper : une bouteille Lucozade, pleine d'un liquide ambré. Il en dévisse le capuchon, la renifle.

– C'est du rhum. Ça te va ?

On raconte qu'un type, une année, a mis un produit dans une de ces bouteilles et a violé une fille. Julia décide de prendre le risque.

– Ma boisson favorite, dit-elle.

– Où on va ? Des tas de couples vont se ramener ici, s'ils réussissent à sortir.

Pas question de l'amener à la clairière. Elle avise, non loin de là, une petite éminence au milieu des cerisiers. Les arbres sont en fleur, ce qui rend le lieu plus romantique que ce qu'elle souhaiterait, mais il est à couvert et offre une vue parfaite sur la pelouse.

– Par là, dit-elle.

Personne ne les a précédés. L'endroit est paisible. Quand passe un souffle de brise, les fleurs blanches tombent comme des flocons dans l'herbe pâle.

– Ça t'ira ? demande Julia.

– Tout à fait.

Il regarde alentour, une main balançant la bouteille, l'autre dans la poche de son sweat bleu marine. Il fait froid. Comme il n'y a pas de vent, c'est un froid léger, supportable.

– Je savais même pas que ce coin existait. Il est superbe.

– Et sans doute plein de chiures d'oiseaux, souligne-t-elle sans enthousiasme.

Finn n'a pas l'air de jouer les esthètes pour renforcer ses chances de fourrer ses mains dans son soutien-gorge. Mais on ne sait jamais.

– J'aime le risque.

Il désigne une parcelle d'herbe claire au milieu des cerisiers.

– Là-bas ?

Elle le laisse s'asseoir le premier, pour garder ses distances. Il dévisse le capuchon de la bouteille, la lui tend.

– À la tienne.

Elle avale une énorme gorgée et se rend compte qu'elle déteste autant le rhum que le whisky. Comment les humains peuvent-ils avaler ce poison ? Toutefois, elle espère qu'elle ne détestera pas l'alcool en général. Elle a déjà renoncé à trop de vices et elle prévoyait de savourer celui-là.

– C'est bon, dit-elle en rendant la bouteille à Finn.

Il boit à son tour, réussit à ne pas grimacer.

– Meilleur que leur punch, en tout cas.

– Y a pas photo.

Au-dessus d'eux, les chauves-souris chassent. Très loin, peut-être dans la clairière, une chouette hulule.

Finn s'étend dans l'herbe, remonte son capuchon pour ne pas imprégner ses cheveux de rosée ou de chiures d'oiseau.

– On m'a raconté que le parc était hanté.

Elle ne va pas se blottir contre lui pour qu'il la protège.

– Ah oui ? On m'a assuré que ta mère était un spectre.

Il sourit.

– Sérieux… On t'en a jamais parlé ?

– Bien sûr. Le fantôme de la nonne. C'est pour ça que tu m'as proposé de venir ici ? Pour veiller sur toi pendant que tu picoles ?

– J'étais terrifié par elle. En cinquième, les grands s'arrangeaient pour qu'on le soit tous.

– Même chose pour nous. Salopes sadiques.

Finn lui repasse la bouteille.

– Ils venaient dans notre dortoir juste avant l'extinction des feux, nous racontaient des histoires abominables. Ils espéraient nous faire suffisamment peur pour qu'une pauvre bleusaille n'ait pas le courage d'aller aux toilettes et finisse par pisser au lit.

– Ça t'est arrivé ?

– Non ! Mais ils ont réussi avec plein d'autres copains.

– Qu'est-ce qu'ils vous racontaient ? Qu'elle poursuivait les hommes avec des cisailles ?

– Non. Ils disaient que… Enfin, d'après ce que j'ai pu comprendre, c'était une vraie pute.

– Tu essayes de me choquer en disant « pute » ?

Il la fixe, à demi choqué lui-même. Elle l'observe d'un air amusé.

– Peut-être, dit-il enfin.

– Tu espérais que je le serais, ou que je le serais pas ?

Il semble se moquer de lui-même, piégé par la question.

– J'en sais rien.

– Tu as absolument envie de me choquer ? Tu pourrais dire « chierie » ou « foutre », si tu te sentais en verve.

– Je crois que j'ai fini. Merci, en tout cas.

Elle décide d'arrêter de le charrier. Elle s'allonge à côté de lui, dévisse le capuchon de la bouteille.

– D'après ce qu'on nous a raconté, la nonne baisait avec la moitié des curés de Colm. Une gamine l'a surprise et l'a dénoncée au Père supérieur. Lui et la Mère supérieure l'ont étranglée et ont caché son corps dans le parc. Personne ne sait exactement où. Depuis, elle hante les deux collèges ; elle continuera jusqu'à ce qu'on lui accorde une sépulture décente. Quand elle tombe sur un vivant, elle croit qu'il s'agit de la petite qui l'a vendue. Elle essaye de l'étrangler et le vivant devient dingue. Ça correspond à ce qu'on t'a dit ?

– Plus ou moins.

– Je t'ai épargné de gros ennuis en étant avec toi. J'ai mérité un coup.

Elle boit une autre lampée. Celle-là a meilleur goût. Soulagée, elle décide qu'après tout, elle ne déteste pas le rhum.

Finn tend la main vers la bouteille. Ses doigts frôlent les siens, s'attardent, remontent le long de son poignet.

– Ah, ah, dit-elle en lui rendant la bouteille et en ignorant le frisson qui la saisit.

Finn retire sa main.

– Pourquoi non ? murmure-t-il sans la regarder.

– T'as une clope ?

Il se dresse sur un coude, inspecte la pelouse. Très loin, un cri aigu se change en rire. Mais rien ne trahit la présence de bonnes sœurs en chasse. Il fouille la poche de son jean, en sort un paquet de Malboro Light froissé. Julia allume négligemment une cigarette avec l'assurance d'une vieille habituée, lui rend son briquet.

– Alors ? interroge Finn.

– Rien de personnel. Crois-moi. Il ne se passera jamais rien entre un garçon de Colm et moi, c'est tout. Peu importe ce que tu as sans doute entendu dire.

Il s'efforce de rester impavide. Cependant, sa façon de cligner des yeux prouve qu'il en a entendu de belles.

– Donc, poursuit Julia, si tu veux retourner là-bas et trouver une fille qui passera le reste de la soirée avec tes deux mains dans son soutif, vas-y. Je te promets que je ne serai pas vexée.

Elle est persuadée qu'il va s'en aller. Au moins vingt filles tueraient père et mère pour se faire embrasser par Finn Carroll. De plus, la plupart d'entre elles sont plus jolies que Julia. Pourtant, Finn hausse les épaules, sort une cigarette de son paquet.

– Je suis là, maintenant.

– Je blague pas.

– Je sais.

– Tant pis pour toi.

Elle s'allonge de nouveau dans l'herbe, sentant sa chatouille humide sur sa nuque, souffle la fumée vers le ciel. Le rhum fait son effet ; ses bras semblent flotter. Elle envisage la possibilité d'avoir sous-estimé Finn Carroll.

– Donc, le fantôme de la nonne, dit-il. Tu crois à des trucs pareils ?

– Oui. Enfin, en partie. Peut-être pas à l'histoire de cette bonne sœur, et nos profs y sont pour quelque chose, mais à quelques trucs. Et toi ?

Encore une gorgée.

– J'en sais rien. En fait, non, parce qu'on n'a aucune preuve scientifique. Mais je pense, en fait, que j'ai sans doute tort. Tu saisis ?

– Rhum, dit-elle en ouvrant sa main libre. Je dois rattraper mon retard.

Finn lui donne la bouteille avant de poursuivre :

– Je m'explique. Chaque génération, au cours de l'histoire, a estimé qu'elle était la seule à tout savoir. Les hommes de la Renaissance étaient persuadés de connaître le fonctionnement de l'Univers, jusqu'à ce que le lendemain, d'autres gus se pointent et leur prouvent qu'ils n'en pigeaient pas le quart. Alors, sont arrivés d'autres types convaincus de tout savoir, qui leur ont montré ce qu'ils ignoraient.

Il vérifie si Julia rit de lui, ou l'écoute. Elle ne rit pas. Et elle l'écoute, religieusement.

– Donc, reprend-il, il est peu probable, et c'est mathématique, que nous vivions à la seule époque qui aurait résolu tous les problèmes. Conséquence : si on n'arrive pas à expliquer pourquoi les fantômes pourraient exister, il y a de fortes chances pour que ce soit parce qu'on n'a pas encore trouvé d'explication, et non parce qu'ils n'existent pas. Se persuader du contraire, c'est de l'arrogance.

Il tire une bouffée, contemple le rond de fumée d'un air fasciné. Même sous la lune, Julia s'aperçoit qu'il a rougi.

– Bon, dit-il. Tu dois trouver ça débile. Maintenant, tu peux me demander de me taire.

– En fait, c'est ce que j'ai entendu de moins débile depuis une éternité.

– Vraiment ?

Elle l'apprécie de plus en plus. Elle aimerait tellement lui montrer ! Lever la main, lancer la bouteille qui monterait lentement vers la lune. La renverser, puis faire tomber en spirales les fines gouttelettes de rhum, telle une galaxie miniature contre le ciel rempli d'étoiles. Voir la joie sur son visage.

– D'accord, poursuit-elle. Je vais t'avouer ce que je n'ai jamais confié à personne. Les fantômes, les phénomènes paranormaux ? Pour moi, c'était de la foutaise. Et je l'affirmais haut et fort. Un jour, j'ai engueulé Selena, uniquement parce qu'elle nous parlait d'un article sur la voyance qu'elle avait lu dans un magazine. Je lui ai dit : « Prouve que ça existe, ou ferme-la. » Comme, bien sûr, elle ne pouvait rien prouver, je l'ai traitée de demeurée. Oui, je sais, j'ai été dégueulasse. Je me suis excusée. En fait, je voulais réellement qu'elle me prouve que c'était vrai. Je le désirais tellement ! Si ça m'avait été égal, je lui aurais répondu : « Oui, ça existe peut-être, mais sans doute pas. » Mais je ne supportais pas l'idée de croire à ces phénomènes mystérieux, pour reconnaître ensuite que j'avais été une gourde et qu'il n'y avait rien.

C'est vrai. Elle n'en a jamais parlé aux autres. Avec ses amies, elle se comporte toujours comme si elle était absolument sûre d'elle. Seule Selena sait que c'est plus compliqué, mais elles n'en parlent pas. Un sentiment nouveau l'envahit, comme le rhum : cette nuit compte, après tout.

– Alors, que s'est-il passé ? s'enquiert Finn.

– Pardon ?

– Tu as déclaré il y a une minute que maintenant, tu y croyais en partie. Qu'est-ce qui a changé ?

Cette manie qu'elle a toujours d'en dire trop… Elle roule sur le ventre pour poser sa cigarette dans l'herbe.

– Eh bien, voilà. Toi, tu ne crois pas au fantôme de la nonne, mais tu penses qu'elle pourrait quand même être là. Moi, j'y crois un peu, mais je ne pense pas qu'elle soit là.

Finn est assez futé pour ne pas la pousser dans ses retranchements.

– À nous deux, on est sûrs de la voir apparaître.

– C'est pour ça que tu restes ici ? Au cas où elle surgirait en hurlant et me ferait avoir une crise cardiaque ?

– Tu n'as pas peur ?

– Pourquoi ? Parce que je suis une fille ?

– Non. Parce ce que tu y crois.

– Je viens ici tous les jours ! La nonne ne m'a pas encore agressée.

– Tu viens ici pendant la journée. Pas la nuit.

– C'est pas vraiment la nuit. Il est à peine 21 heures. Les gamins jouent encore dehors. Si on était en été, il ferait jour.

– Donc, si je rentrais maintenant, tu resterais bien tranquille ici toute seule ?

Elle songe tout à coup qu'elle devrait sans doute avoir peur, ici, seule avec un garçon qui a déjà tenté sa chance une fois. Elle songe qu'après ce qui s'est passé avec James Gillen il y a quelques mois, elle devrait être prudente et s'en aller la première. Or, elle ne le fait pas.

– À condition que tu me laisses le rhum, réplique-t-elle.

Finn se relève d'un bond, époussette son jean. Elle agite la main vers lui.

– Vas-y et trouve-toi une belle paire de nichons. Amuse-toi bien.

Il fait mine de s'en aller. Elle éclate de rire. Au bout d'un instant, il rit à son tour et s'assied de nouveau dans l'herbe.

– T'as trop la trouille ? ironise Julia. Tout ce chemin seul dans le noir ?

– Il est neuf heures, tu l'as dit. Si on était au milieu de la nuit, je parie que t'aurais les jetons.

– Je suis pas en sucre, mon p'tit loup. Les fantômes, je les fais fuir.

Il s'allonge, lui passe une nouvelle fois la bouteille.

– J'aimerais bien te voir ici à minuit.

– Tu me défies ?

– Oui.

Il lui sourit. Un beau sourire, qui accentue en elle la gaieté provoquée par le rhum.

– Quand a lieu la prochaine fête ? interroge-t-elle.

– Pardon ?

– En mars ?

– En avril. Et alors ?

Du bout de sa cigarette, elle désigne les aiguilles tarabiscotées de l'horloge, à l'arrière du collège.

– À la prochaine fête, j'aurai une photo de cette horloge indiquant minuit.

– Tu sais te servir de Photoshop ? Bravo.

Elle hausse les épaules.

– Crois-moi ou non. J'adorerais te mener en bateau, mais pas à ce point-là. J'aurai la photo. Et je l'aurais prise moi-même.

Il se tourne vers elle. Leurs visages se touchent presque. «Oh, m'Dieu, non», pense Julia. S'il essayait de l'embrasser maintenant, cela la déprimerait plus qu'elle ne veut l'admettre. Mais il sourit. Un sourire plus radieux encore que tout à l'heure. Un sourire de gosse.

– Dix euros que tu le feras pas.

Elle sourit à son tour. Un sourire gai, sans retenue, identique à celui qu'elle échange avec Holly lorsqu'elles ont toutes les deux la même idée au même moment.

– Dix euros que je le ferai.

Ils frappent leur paume l'une contre l'autre, puis se serrent la main. Celle de Finn est chaude, forte, et s'accorde à merveille à la sienne.

Elle saisit la bouteille, la brandit sous les étoiles.

– À mes dix euros ! J'achèterai une panoplie de chasseur de fantômes !

Dans le vestibule, le grand lustre est éteint, mais les chandeliers plaqués contre le mur diffusent une lumière dorée. Plus haut, au-delà de cette lumière, l'obscurité des étages répercute les pas de Chris et de Selena.

Elle s'assied sur les marches de pierre blanche veinées de gris, usées par des milliers de talons. Il s'installe à côté d'elle. Selena ne s'est jamais trouvée aussi près de lui. Elle distingue les taches de rousseur sur ses pommettes et, autour de son menton, l'ombre de sa barbe naissante, respire le parfum musqué de son eau de toilette. Il est si différent des autres garçons, si plein de vie.

Elle a encore envie de le toucher. Elle glisse ses mains sous ses cuisses pour s'empêcher de lui caresser le cou. Est-ce qu'il lui plaît ? Question idiote. D'autres garçons l'ont séduite. Elle a même flirté avec certains. Cette fois, ce n'est pas pareil. Jamais elle n'aurait dû le laisser poser sa main sur son bras.

— Tes amies vont pas se demander où tu es ? demande-t-il.

Bien sûr. Elle se sent gênée : elle n'a même pas pensé à les prévenir.

— Je vais leur envoyer un message, répond-elle, cherchant à tâtons la poche de sa robe, qu'elle ne connaît pas. Et les tiens ?

— Non.

Le demi-sourire de Chris lui indique que ses amis s'attendaient à ce qu'il s'éclipse ce soir.

Elle tape à l'intention de Holly : « Sortie un instant. Reviens bientôt. »

— Voilà, dit-elle en envoyant le texto.

La porte s'ouvre, déverse un air chaud charriant des cris aigus, un tintamarre de guitare et de batterie. La tête de Mlle Long apparaît. Apercevant Chris et Selena, la prof pointe sur eux un doigt menaçant : « Ne bougez pas ! » Une fille hurle derrière elle. Elle pivote et la porte claque.

— Pour revenir où on en était, enchaîne Chris, j'essayais pas de contester la tenue de tes copines.

— Si, coupe Selena. C'est pas grave. Je suis pas fâchée.

— Je m'explique. Si une fille vient au bal en jean et coiffée comme l'as de pique, les autres vont se moquer d'elle. Ton amie Becca a le même âge que nous. Pourtant elle se comporte comme une gamine. Elle n'a rien pigé. Tu peux pas la laisser se pointer ici pour se faire bouffer toute crue par Joanne Heffernan.

— Joanne ricanerait de toute façon, même si Becca était attifée autrement.

— Sûr. C'est une parfaite salope. Je lui cherche pas d'excuses.

— Je croyais qu'elle te bottait.

– Je suis sorti deux ou trois fois avec elle. C'est pas pareil.

Il se penche, délace et relace ses souliers. Ses joues luisent. Selena sent leur chaleur dans sa paume.

– Becca ne souhaite peut-être pas lui ressembler.

– Et après ? Il n'y a pas que deux possibilités : ressembler à une pute ou à une toquée. On peut simplement avoir l'air normal !

– À mon avis, elle veut pas l'être non plus.

– Pourquoi ? Parce que… Parce qu'elle est pas formée, qu'elle est plate ? Ça la perturbe ? C'est pas une affaire. Pas comme si elle était à chier. Si elle faisait un petit effort, elle serait pas mal.

Il était sincère en affirmant que Becca ne l'attirait pas. Il n'exige rien d'elle. Même s'il s'y prend mal, il a simplement envie de lui venir en aide.

– Ta sœur dont tu m'as parlé, enchaîne Selena. Comment elle s'appelle ?

– Caroline. Carly.

Il a un sourire à la fois attendri et inquiet.

– Elle a quel âge ?

– Dix ans. Dans deux ans, elle entrera ici, à Sainte-Kilda. Si je vivais à la maison, je pourrais lui parler, la préparer. Mais je ne la vois que quelques heures tous les quinze jours. C'est pas assez.

– Tu te fais du souci parce qu'elle pourrait ne pas se plaire ici ?

Il soupire, se frotte la joue.

– Oui, admet-il. Ça me perturbe un max. Elle fait des trucs comme Becca, comme si elle voulait passer pour une barjot. S'amener en jean au bal de la Saint-Valentin, ce serait tout à fait dans son style. L'année dernière, dans sa classe, toutes les minettes portaient ces bracelets à la con, avec des anneaux de différentes couleurs. Pour prouver qu'on est copines, on choisit les mêmes. Carly a piqué sa crise quand des filles l'ont charriée parce qu'elle n'en portait pas. Alors, je lui ai dit : « Mets-en un, je te l'achèterai si t'as plus d'argent de poche. » Elle m'a répondu qu'elle préférait se couper le bras, qu'elle n'était pas l'esclave de ces garces et n'avait pas à leur obéir.

Selena sourit.

– Oui, ça ressemble à Becca. Voilà pourquoi elle se pointe en jean.

– Qu'est-ce que ça peut foutre ? proteste Chris. Je ne lui demande pas de se couper le bras ! Je lui ai dit : « Même si ça te plaît pas, porte-le, ce bracelet de merde ! Tu veux quoi ? Devenir le souffre-douleur de ces connasses qui te mettront en quarantaine et raconteront à tout le monde que tu bouffes ta morve en pissant au lit ? Non ? Alors, accepte de faire ce geste minuscule que toutes les autres font. »

– Elle a accepté ?

– Non. Je lui ai acheté ce putain de bracelet. Elle l'a foutu à la poubelle. Et si elle agit comme ça à Kilda ? Des garces comme Joanne ne la rateront pas !

Il passe une main dans ses cheveux.

– À ce moment-là, je serai à l'université. Et je pourrai rien faire. Je veux qu'elle soit heureuse. C'est tout.

– Elle a des amies ? demande Selena.

– Oui. Deux filles, ses meilleures copines depuis la maternelle. Elles aussi viendront à Kilda. Grâce à Dieu.

– Alors, tout ira bien.

– Tu crois ? Elles ne sont que deux. Et toutes les autres ? gémit-il en désignant les portes de la salle de danse, la musique tonitruante, les cris. Carly ne pourra pas prétendre qu'elles n'existent pas.

Il parle comme si un monstre allait la dévorer. Selena se rend compte qu'il a peur. Pour sa sœur, pour Becca. Et peut-être pour lui. Car il existe des forces plus redoutables que ce monstre imaginaire, des menaces plus terrifiantes encore.

– Non, répond-elle. Mais elle pourra les ignorer. Regarde Becca. Elle se sent bien dans son jean, non ? Même si les autres rient d'elle, ça lui est égal.

– Et si elles te charriaient, toi ? Ça te plairait ?

– Elles le font. Mais je m'en fiche.

Il se tourne vers elle. Il a les yeux noisette parsemés de paillettes d'or. Selena sait que si elle pouvait simplement le toucher, elle le libérerait de sa peur, l'arracherait de lui comme le venin d'un serpent et la jetterait au loin.

– Tu t'en fiches ? s'écrie-t-il. Mais comment tu fais ?

Les gens parlent à Selena. Ils l'ont toujours fait. Elle, elle ne leur parle pas, sauf à Holly et à Becca. Elle n'essaie même pas.

Elle murmure doucement :

– Il faut se soucier de quelque chose de plus grand que soi, de plus important que les ragots ou les sarcasmes. Quelque chose d'immense.

– Dieu ?

– Pourquoi pas ?

– Toi et tes copines, vous voulez devenir bonnes sœurs ?

Elle éclate de rire.

– Sûrement pas ! Tu imagines Julia en cornette ?

– Alors quoi ?

– Être soi-même, tout simplement. S'accepter telle qu'on est. Carly devrait essayer.

Chris la dévisage avec une sorte d'admiration.

– Y en a pas deux comme toi. Tu le sais ?

Elle aimerait ne plus rien ajouter. Ce qui les rapproche est si nouveau, si précieux, qu'un commentaire maladroit gâcherait tout.

– Je n'ai rien de particulier. Je suis ce que je suis, sans plus.

– Si, tu es différente des autres. Je ne parle jamais à personne de trucs comme ça. Je suis content qu'on soit venus ici. Vraiment content.

Elle sait, comme s'il avait deviné ce qu'elle éprouve, qu'il va tenter de lui prendre la main. Le bras où il l'a posée tout à l'heure la brûle. Elle recroqueville violemment ses doigts contre la pierre froide de la marche.

Soudain, la porte de la salle de bal s'ouvre. Mlle Long les interpelle.

– Votre temps est écoulé. Rentrez. Ne me forcez pas à vous y obliger.

Elle claque la porte.

– J'aimerais qu'on se revoie, dit Chris.

– Moi aussi, chuchote Selena.

– Quand ?

– La semaine prochaine, après les cours ? On pourrait se retrouver devant le Court et aller se promener.

Il se tortille sur les marches, comme si un caillou lui faisait mal.

– Tout le monde nous verra.

– Quelle importance ?

– On va jaser. On pensera que nous…

– Je m'en moque.

– Je sais bien ! Mais moi, je m'en moque pas. Je refuse que les gens s'imaginent que je recommence ce que j'ai fait avec Joanne au Pré. Je veux que ce soit autre chose. Si on se retrouve devant le Court après les cours, tu crois que je vais dire à mes potes : « On va discuter, c'est tout » ? Ils se foutront de moi. Je serai obligé de leur raconter des salades pour les faire rire, de me vanter, d'inventer des détails salaces. Même si ça me débecte, je le ferai.

– Tu peux sauter le mur la nuit ? demande Selena.

– La nuit ? Impossible. Toi, tu peux ? Sérieux ?

– Je te donnerai mon numéro. Si tu trouves un moyen, envoie-moi un texto.

– Non. C'est peut-être différent à Kilda, mais à Colm, les mecs fouillent les téléphones des autres pour chercher des… enfin, des trucs. Les curés le font aussi. Je te contacterai d'une autre façon. D'accord ?

Elle hoche la tête.

– Pour sortir la nuit, ajoute-t-il, j'ai un copain qui pourrait m'arranger le coup.

– Demande-le-lui.

– Je le forcerai !

– Ne lui dis pas pourquoi. En attendant, ne m'adresse pas la parole. Si on se croise au Court ou ailleurs, fais comme si on se connaissait même pas. Comme avant. Sinon, ça sera fichu.

Il acquiesce à son tour. Puis il murmure :

– Merci.

Mlle Long tire la porte avec fracas, se plante devant eux.

– Selena ! Et toi, peu importe ton nom ! Rentrez ! Tout de suite !

Chris bondit, tend la main à Selena. Elle ne la saisit pas. Elle se lève à son tour, lui sourit.

– À bientôt, dit-elle.

Elle le contourne avec précaution, pour que même l'ourlet de sa robe ne l'effleure pas, regagne la salle de bal. Son bras, là où il a posé ses doigts, la brûle toujours.

17

– Maintenant, on fouille, décréta Conway. Et si on est coincés là…

Elle souleva la fenêtre à guillotine. La brise chassa les effluves de déodorants. Dehors, le ciel pâlissait. Le soir tombait presque.

– Une seconde de plus dans cette puanteur et je tournais de l'œil.

Elle ouvrit l'armoire, poussa un juron en apercevant la quantité de vêtements de marque, laissa courir ses mains le long des robes pendues aux cintres. Je m'occupai des lits, commençant par celui de Gemma. Je retirai la literie, palpai le matelas. À l'inverse de la première fois, nous ne cherchions pas un objet de la taille d'un téléphone ou d'un vieux livre, mais une minuscule carte SIM.

– Qu'est-ce qui t'a pris de bondir vers la porte, tout à l'heure ? dit Conway.

– Lorsque vous êtes allée interroger Alison, j'ai cru deviner une présence dans le couloir. J'ai pensé à une fille rassemblant tout son courage pour venir nous parler. Or, au moment où j'ai ouvert, il n'y avait personne. Donc, dès que j'ai perçu de nouveau un mouvement…

– Tu t'es précipité. La première fois, pendant mon absence… Tu es certain qu'il y avait quelqu'un ?

Je soulevai le matelas pour en inspecter le fond.

– Non.

Conway explorait une veste rembourrée.

– L'année dernière, on a vécu plusieurs fois la même expérience. On croyait avoir vu quelque chose, et puis rien. C'est peut-être lié à cet endroit. Selon Costello, cela vient des fenêtres. Dans les vieilles bâtisses, elles n'ont ni la même forme ni les mêmes dimensions que celles d'aujourd'hui. Donc, la lumière pénètre dans les pièces ou les couloirs sous des angles différents. Et si tu distingues une forme du coin de l'œil, elle prend un aspect trompeur. Pourquoi pas, après tout ?

– En tout cas, cela expliquerait pourquoi les filles n'arrêtent pas de voir le fantôme de Chris.

– Elles sont pourtant habituées à cette lumière. Alors, un vrai fantôme ? C'est ce que tu as vu ?

– Non, bien sûr. Une ombre, sans plus.

– CQFD. Elles voient Chris parce qu'elles le veulent. Pour effrayer les autres, les impressionner, ou pimenter leur existence.

Elle remit la veste dans l'armoire.

– Elles devraient sortir un peu plus. Elles passent trop de temps ensemble.

Rien derrière la table de nuit de Gemma, rien sous le tiroir.

– À leur âge, c'est normal.

– Cet âge, elles ne l'auront pas toujours. Quand elles s'apercevront qu'il existe dehors un vaste monde hostile, elles éprouveront le choc de leur vie.

– Elles en ont déjà eu un aperçu avec le meurtre de Chris.

– Tu parles… Même ce drame, elles l'ont ramené à leur petite personne. « J'ai pleuré plus qu'elle, je suis donc plus sensible. » « Nous avons vu ce fantôme ensemble, regarde à quel point nous sommes proches. »

Je me dirigeai vers le lit d'Orla. La tête dans l'armoire, me dissimulant son visage, Conway murmura :

– Je me souviens de toi à l'école de police.

– En bien, ou en mal ?

– Tu ne te rappelles pas ?

Si je lui avais dit deux fois bonjour dans les couloirs, je l'avais oublié.

– Ne prétendez pas que je vous ai forcée à faire des pompes.

– Tu t'en souviendrais ?

– Bon Dieu, qu'est-ce que j'ai fait ?

– Relax, Max. Je te charrie. Tu ne m'as jamais rien fait. Je crois même qu'on ne s'est jamais adressé la parole. D'abord, je t'ai remarqué à cause de tes cheveux.

Elle retira quelque chose de la poche d'un sweat, grimaça : un paquet de mouchoirs en papier.

– Ensuite, poursuivit-elle, tu m'as intéressée parce que tu agissais par toi-même. Tu avais des potes, mais tu ne dépendais de personne, contrairement aux autres empaffés qui passaient leur temps à faire de la lèche. La moitié d'entre eux essayait de se constituer un réseau, comme les petits crétins de Colm : si je fais copain-copain avec le fils du commissaire, je ne commencerai jamais à la circulation et je serai inspecteur à trente ans. L'autre moitié cherchait à former des bandes, comme les filles d'ici. Oh, ce sont les plus belles années de notre vie, nous serons toujours les meilleurs amis du monde et nous nous raconterons nos exploits lors de nos dîners de retraités.

Elle retira des fringues de la tringle.

– J'ai apprécié que tu ne rentres pas dans ce jeu-là.

– Nous étions jeunes, nous aussi. Nous avions à peine deux ans de plus que ces filles. Tout le monde a besoin de liens.

Elle réfléchit un instant en déroulant des collants.

– Bien sûr que tout le monde a besoin d'amis. Mais j'avais les miens chez moi. Je les ai encore. C'est le meilleur moyen de ne pas s'enfermer dans une bulle,

329

comme les élèves de l'école de police et les gamines de ce collège. Parce qu'on se heurte ensuite à l'agressivité du monde extérieur. Et on est perdu.

Je passai une main sous le sommier de Joanne.

– Vous pensez à Orla et à Alison ?

– Ici, Joanne les dorlote parce qu'elles lui sont utiles. Plus tard, elle les larguera. Et elles seront anéanties. Mais je ne pensais pas à elles, plutôt à celles qui se soucient vraiment les unes des autres. Comme ton Holly et ses amies.

– À mon avis, elles resteront liées.

Je l'espérais. Je voulais croire que la complicité si particulière qui les unissait durerait toujours.

– Peut-être. Sans doute, même. La question n'est pas là. Le problème, c'est que, pour l'instant, elles se foutent éperdument de tout ce qui n'est pas elles. C'est beau, attendrissant, et je suis sûre qu'elles s'en satisfont pleinement. Mais plus tard ? poursuivit-elle en claquant un tiroir où elle venait de remettre une brassée de soutiens-gorge. Ce ne sera plus possible. Elles ne pourront plus vivre dans leur bulle vingt-quatre heures sur vingt-quatre en ignorant les autres. Qu'elles le veuillent ou non, elles devront côtoyer des gens importants pour elles, affronter le monde. Et ça les démolira bien plus qu'elles ne l'imaginent.

Elle ouvrit un autre tiroir, si violemment que je sursautai.

– J'aime pas les bulles, maugréa-t-elle.

Au dos de la tête de lit de Joanne : de la poussière ; rien d'autre.

– Et la brigade ? hasardai-je.

– Quoi, la brigade ?

– La Criminelle est une bulle.

Avec un claquement sec, elle déplia un T-shirt.

– Sûr, répondit-elle abruptement, comme si elle voyait venir une dispute. La Criminelle ressemble beaucoup à ce collège. Avec une différence de taille : j'y suis pour de bon.

Je faillis lui demander si elle comptait donc y nouer des amitiés. Je jugeai plus prudent de me taire.

Elle martela, comme si elle avait deviné ma question :

– Et je ne vais pas, pour autant, faire copain-copain avec mes collègues. Je refuse de me lier. Je veux faire mon putain de boulot.

Je fis le mien. Je frôlai des posters luisants, cherchant à savoir si je l'enviais, si je la plaignais ou si elle débitait des âneries.

Nous avions presque terminé lorsque son téléphone bipa. Message.

– Sophie, annonça-t-elle en poussant la porte de l'armoire. Nous y sommes.

Cette fois, je me collai contre son épaule sans attendre son invitation.

Le courriel disait : « Relevés du numéro d'où l'on a envoyé un texto à Moran. Mes hommes travaillent sur les messages. Selon eux, ils devraient se trouver encore dans le système, mais ça pourrait leur prendre une heure ou deux. Ce sera probablement "Mortderirereptaincestquoiça", mais si vous les voulez, vous les aurez. Bien du plaisir. S. »

La pièce jointe s'étirait sur des pages entières. Ce téléphone spécial, Chris l'avait utilisé des centaines de fois. Il l'avait activé fin août, juste avant la rentrée des classes. Brave petit boy-scout, qui avait tout programmé. À la mi-septembre, deux numéros apparaissaient. Pas d'appels, mais une masse de SMS et de MMS, aller et retour avec les deux, quotidiennement, plusieurs fois par jour.

– Tu avais raison, bougonna Conway.

Je devinai sa pensée : des témoins, qu'elle aurait dû découvrir.

– Un tombeur, notre Chris.

– Et malin. Tu vois tous ces MMS ? Ce ne sont pas des photos de gentils chatons. Si une des filles menaçait de révéler leur relation, elle y aurait réfléchi à deux fois.

– Cela explique qu'elles aient, l'année dernière, gardé le silence devant toi. Elles espéraient que, si elles la bouclaient, personne ne ferait le rapprochement entre elles et ces messages.

En octobre, les deux louloutes de Chris avaient dégagé. Même scénario que dans les relevés de Joanne : il ignorait leurs messages et leurs appels jusqu'à ce qu'elles renoncent. Alors apparaissait le numéro de Joanne. À la mi-novembre, Chris la trompait. Après sa disparition, en décembre, l'autre fille se maintenait une quinzaine de plus, mais à Noël, c'était de l'histoire ancienne. En janvier, un nouveau numéro envoyait une série de messages, puis s'évanouissait : cette affaire-là ne s'était pas concrétisée.

– Je n'ai pas arrêté de me demander, dit Conway, pourquoi Chris n'avait pas eu de petite amie pendant un an. Un garçon comme lui, populaire, beau gosse et qui plaisait aux filles. Ça ne collait pas. J'aurais dû...

Elle laissa sa phrase en suspens, furieuse contre elle-même.

La dernière semaine de février, nouvelle série de textos. Un par jour, puis deux, puis six. Provenant tous du même numéro. Conway fit défiler la liste. Mars, avril : les messages continuaient.

Elle tapota l'écran.

– C'était certainement Selena.

– Et il ne la trompait pas.

Mon hypothèse de la fille bafouée ne tenait plus. Conway gagnait du terrain.

– Tu as remarqué ? Pas de MMS. Uniquement des textos. Pas de photos de nichons. Selena ne donnait pas à Chris ce qu'il cherchait.

– Il l'a peut-être plaquée à cause de ça.

– Possible.

Le lundi 22 avril, l'échange de textos se prolongea toute la journée. Sans doute des précisions sur le rendez-vous. Cette nuit-là, Joanne les avait filmés.

Tôt le 23, Chris envoie un message à Selena. Elle répond avant le début des cours, il réagit aussitôt. Pas de réponse. Nouveau message de Chris après les cours. Rien.

Il réessaye trois fois le lendemain. Selena ne répond pas.

– Cette nuit-là, dit Conway, quelque chose s'est mal passé. Une fois Joanne et Gemma rentrées au collège.

– Et c'est elle qui le plaque.

L'hypothèse de Conway prenait de plus en plus de consistance.

Enfin, le jeudi 25, Selena reprend contact avec Chris. Un seul texto. Pas de réponse.

Au cours des semaines suivantes, elle lui expédie six messages. Il ne répond à aucun.

Tôt le matin du 16 mai, un jeudi, un texto de Selena à Chris et, enfin, un message en retour. Cette nuit-là, Chris avait été assassiné.

Ensuite, rien depuis ou vers ce numéro, pendant un an. Et puis, ce jour même, le texto que j'avais reçu.

Dehors, sous les fenêtres, des voix aiguës s'interpellaient. Des gamines prenaient le frais entre le dîner et l'étude. Pas de bruit dans le couloir. McKenna maintenait nos filles là où elles étaient, sous bonne garde.

– Quelque chose tourne mal au cours de la nuit du 22, résuma Conway. Le lendemain, Chris essaie de s'excuser, Selena l'envoie paître. Il essaie encore, elle l'ignore.

– Au cours des jours suivants, poursuivis-je, une fois le choc initial passé, elle entre dans une colère noire.

Elle décide d'affronter Chris. Lui se sent morveux parce qu'elle n'a pas accepté ses excuses. Il décide de faire le mort. Comme dans l'histoire des muffins que nous a racontée Holly : il n'a guère apprécié de ne pas avoir obtenu ce qu'il voulait.

– Ou alors, il commence à se rendre compte qu'il se trouve dans de sales draps, et il a peur que Selena ne parle. Il s'imagine que le moyen le plus sûr de s'en sortir est de couper tout contact. Si elle s'obstine, il la traitera de menteuse, clamera que ce n'était pas à lui qu'elle envoyait ses textos, qu'il n'a jamais eu de rapport avec elle.

– Finalement, repris-je, le 16 mai, Selena trouve un moyen de le forcer à la rencontrer. Peut-être pense-t-il pouvoir lui reprendre son téléphone, au cas où l'on pourrait remonter jusqu'à lui.

Dehors, les gamines bavardaient toujours, se racontaient leurs malheurs.

– Je t'ai dit dans la voiture, ajouta Conway, que je ne privilégiais pas Selena. Je ne la croyais pas capable de passer à l'acte. Je le pense toujours.

– Julia est très protectrice avec elle.

– Tu l'as remarqué ? Lorsque j'ai menacé d'interroger Selena en ne prenant pas de gants, elle a balancé l'information à propos de Joanne et de Chris, me donnant un autre os à ronger.

– Exact. Et Julia n'est pas la seule. Toutes les quatre veillent les unes sur les autres. Si Chris a fait quelque chose à Selena, ou a essayé, et que les autres l'ont découvert…

– Vengeance. Ou bien elles ont vu Selena perdre pied, se sont dit qu'elle redeviendrait elle-même, se sentirait de nouveau en sécurité si Chris disparaissait. Et j'ajouterais que toutes les trois sont parfaitement capables d'avoir fait le travail.

– Y compris Rebecca ?

Je me souvins de son mouvement arrogant du menton, qui m'avait fait penser : « Après tout, elle n'est pas si fragile. » Je songeai au poème sur son mur, à tout ce que ses amies signifiaient pour elle.

– Oui. Même elle, affirma Conway.

Puis, prenant soin de ne pas me regarder :

– Sans compter Holly.

– Elle m'a apporté la carte. Elle aurait pu la jeter.

– Je ne prétends pas qu'elle ait fait quoi que ce soit. Je dis simplement que je ne suis pas encore prête à la mettre totalement hors de cause.

Sa prudence m'intrigua. Comme si elle redoutait une réaction violente de ma part, comme si j'allais exiger qu'elle ôte « ma » Holly de sa liste ou appeler son père, le grand Mackey. Je me demandai de nouveau ce qu'on lui avait raconté sur moi.

– Elles auraient pu agir toutes les trois ensemble, dis-je.

– Ou toutes les quatre…

Elle paraissait fatiguée. Elle avait hâte de s'en aller, de regagner la Criminelle, de boucler son rapport avant de retrouver un copain dans un pub, de se laver la tête jusqu'au lendemain.

– Quel horrible endroit, chuchota-t-elle.

– La journée a été longue.

– Si tu veux partir, vas-y.

– Pour faire quoi ?

– Ce que tu fais d'habitude. Rentrer chez toi. Te mettre sur ton trente et un et sortir en boîte. Il y a un arrêt de bus dans la rue principale. Tu peux aussi appeler un taxi. Envoie-moi le reçu, je le ferai passer sur ma note de frais.

– Si vous me laissez le choix, je préfère rester.

– Ça risque de durer.

– Pas de problème.

Elle me dévisagea. Sans doute avais-je l'air aussi épuisé qu'elle.

– T'es un p'tit arriviste, toi.

Cela me vexa, parce que c'était en partie vrai. Pourtant, c'était plus compliqué que cela.

– C'est votre affaire, répliquai-je. Et, quoi que je fasse, le succès vous reviendra. Je veux simplement participer.

Silence. Elle me scrutait toujours.

– Si on identifie une suspecte et qu'on la ramène à la Criminelle, les types vont ricaner. Sur l'affaire, sur toi… Ça ne me gêne pas. Mais si tu t'y mets toi aussi parce que tu veux intégrer la brigade, tu dégages. Pigé ?

Je me remémorai ce que j'avais ressenti le matin, lorsque je l'avais rencontrée : cette agressivité à son égard, ces persiflages qui transformaient chacune de ses journées en combat.

– J'ai appris à ignorer les cons, répondis-je.

– J'espère pour toi.

Elle éteignit son téléphone, le glissa dans sa poche.

– Il est temps d'avoir un entretien avec Selena.

J'examinai une dernière fois les lits, remis le casier d'Alison en place, lissai la couette de Joanne.

– Où ?

– Dans sa chambre. Un endroit familier, où elle se sentira à l'aise. Si elle crache le morceau…

Si elle reconnaissait le viol, cela provoquerait un foin de tous les diables : parents, assistance psychologique, télé, cris outragés, sifflets.

– Qui mène l'interrogatoire ? m'enquis-je.

– Moi. Ne fais pas cette tête. Il m'arrive d'avoir du tact. Et tu t'imagines qu'elle se confierait à toi à propos d'un viol ? Tu restes en retrait et tu rentres sous terre.

Elle ferma la fenêtre. Avant même que nous ayons quitté la chambre, l'odeur de déodorant et de shampoing nous sauta de nouveau à la gorge.

Pour occuper les filles, McKenna avait organisé une séance de chant. Leurs voix assourdies et lasses s'étiolaient dans le couloir. *Ô Marie, nous te tressons une couronne de fleurs…*

Dans la salle commune, en dépit des fenêtres ouvertes, on étouffait. Les assiettes du dîner s'éparpillaient un peu partout, à peine entamées. L'odeur du poulet refroidi me donnait à la fois l'eau à la bouche et la nausée. Les regards des filles erraient au hasard, vers les autres, les vitres, Alison recroquevillée dans un fauteuil, sous une pile de sweats.

La moitié remuait à peine les lèvres. *Reine des anges et reine de mai…* Elles ne nous remarquèrent qu'au bout d'un moment. Alors, leurs voix faiblirent, puis moururent.

— Selena, dit Conway en gratifiant McKenna d'un bref hochement de tête. Tu as une minute ?

Selena avait chanté avec le chœur, sans conviction, les yeux dans le vide. Elle nous fixa comme si elle cherchait à se remémorer qui nous étions, avant de se lever et de venir.

— Souviens-toi, la tança McKenna alors qu'elle passait devant elle, si, à un moment ou à un autre, tu as besoin d'un soutien, tu peux interrompre l'interrogatoire et demander à ce que moi ou un autre enseignant soyons présents. Les inspecteurs le savent.

Selena lui sourit.

— Tout va bien, répondit-elle d'une voix rassurante.

— Bien sûr ! s'exclama gaiement Conway. On se retrouve dans ta chambre, d'accord ? Julia, ajouta-t-elle tandis que Selena s'éloignait dans le couloir, viens nous voir une seconde.

Julia, qui nous tournait le dos, n'avait pas bougé à notre entrée. Elle se retourna. Elle avait le visage ravagé, gris, sans expression. Elle se ressaisit en s'avançant vers nous, retrouva sa vivacité.

– De quoi s'agit-il ?

Conway tira la porte derrière elle et murmura doucement, pour que Selena n'entende pas :

– Pourquoi ne m'as-tu jamais dit qu'il y avait eu quelque chose entre toi et Finn Carroll ?

Julia se rembrunit.

– Salope de Joanne. C'est elle ?

– Peu importe. L'année dernière, je t'ai demandé si tu avais des relations avec des garçons de Colm. Encore une fois, pourquoi ne m'as-tu rien dit ?

– Parce qu'il n'y avait rien à dire ! Ce n'était pas une relation ! Finn et moi, on ne s'est jamais touchés. On s'appréciait, comme deux êtres humains normaux. Voilà pourquoi on a gardé ça pour nous. On savait que tout le monde allait ricaner, nous montrer du doigt. Et on ne voulait pas affronter toute cette merde. D'accord ?

Je pensai à Joanne et Gemma gloussant dans le noir ; et je la crus. Conway aussi.

– Bien, dit-elle. J'ai ma réponse.

Puis, alors que Julia tournait les talons :

– Que devient Finn ? Il va bien ?

Une expression de chagrin chiffonna un instant le visage de l'adolescente, la vieillit subitement.

– J'en sais rien, répliqua-t-elle en regagnant la salle commune et en refermant la porte.

Selena nous attendait devant sa chambre. Le soleil bas qui filtrait par la fenêtre, au fond du couloir, projetait son ombre vers nous, flottant sur le carrelage rouge. Le chant avait repris. *Ô vierge tendre, nous te rendons hommage…*

– C'est l'heure de la pause, observa Selena. On devrait être dehors. Tout le monde devient nerveux.

– Je sais, admit Conway en passant devant elle pour s'installer confortablement sur le lit de Julia, un pied replié sous elle, telle une ado s'apprêtant à bavasser. Je te fais une proposition. Quand on en aura fini avec tout ça, je demanderai à McKenna de vous accorder une pause exceptionnelle pour que vous puissiez prendre l'air. Ça te va ?

– Si vous tenez parole…

Dans le péril protège-nous, dans la douleur console-nous…

– Bien. Assieds-toi.

Selena prit place sur le rebord de son lit. Je fermai la porte. Le chant cessa. Je me tassai dans un coin, me cachai derrière mon calepin.

Conway sortit son téléphone, le tendit à Selena.

– Jettes-y un œil.

Selena tressaillit violemment. Même si je n'avais pas entendu les pas, les frottements de branches, j'aurais deviné, grâce à sa réaction, ce qu'elle avait sous les yeux.

Elle ne rougit pas. Elle blêmit. Elle renversa la tête, loin de l'écran. Ses traits se décomposèrent, trahissant une dignité bafouée, piétinée. Ses cheveux courts mettaient à nu son regard hébété. Je détournai le mien.

– Qui ? demanda-t-elle en plaquant sa paume sur l'écran. Comment ?

– Joanne, répondit Conway. Gemma et elle t'ont suivie. Je suis désolée de te heurter de plein fouet, c'est moche de ma part, mais cela m'a paru le seul moyen pour que tu cesses de jurer que tu ne sortais pas avec Chris. Et je n'ai plus de temps à perdre.

Selena attendit, comme si elle ne pouvait plus rien entendre, la fin des sons étouffés sous sa paume. Puis, lentement, elle rendit le téléphone à Conway.

– D'accord, admit-elle, respirant toujours avec peine, mais d'une voix raffermie. Je voyais Chris.

– Merci. J'apprécie ta franchise. Et il t'avait offert un téléphone secret que vous utilisiez pour communiquer. Pourquoi ?

– Pour que personne ne soit au courant.

– Qui en avait eu l'idée ?

– Chris.

– Ça ne te gênait pas ?

Elle secoua la tête. Elle commençait à reprendre des couleurs.

– Vraiment ? Moi, ça ne m'aurait pas plu. Je me serais dit : « Soit ce type ne me juge pas assez présentable pour rendre notre relation publique, soit il tient à conserver sa liberté de manœuvre. Dans les deux cas, j'aime pas. »

– Je n'ai pas pensé ça.

– Admettons. C'était une relation agréable ?

Selena s'était resaisie. Elle énonça lentement, en pesant ses mots :

– C'est la chose la plus merveilleuse qui me soit arrivée, en dehors de mes rapports avec mes amies. Cela ne se produira jamais plus.

Ses paroles nous enveloppèrent comme une mélodie. Elle avait raison. Oh, oui, elle avait raison ! On n'a jamais de seconde chance.

Conway reprit son téléphone.

– Alors, pourquoi l'as-tu plaqué après cette nuit ?

– Je ne l'ai pas plaqué.

Conway pointa son doigt sur l'écran.

– Et ça ? Ce relevé des messages que vous échangiez ? Tu vois, là ? Pendant les deux jours qui suivent la nuit de la vidéo, Chris essaie de te joindre. Or, tu l'ignores. Tu ne l'avais jamais fait auparavant. Pourquoi après cette nuit ?

Selena ne songea même pas à nier que ce numéro fût le sien. Elle contempla le téléphone comme s'il était vivant, dangereux.

– J'avais besoin de réfléchir.

– À quoi ?

– À nous.

– Je m'en doute. Mais pourquoi à ce moment-là ? T'a-t-il fait quelque chose, cette nuit, qui t'a amenée à reconsidérer votre relation ?

Les yeux ailleurs, elle murmura posément :

– On s'est embrassés pour la première fois.

– Ah oui ? Cela ne cadre pas avec nos informations. Vous vous étiez embrassés au moins une fois auparavant.

– Non !

– Non ? Là encore, cela contredit ce que nous avons appris sur Chris. Combien de rendez-vous avez-vous eus ?

– Sept.

– Et vous n'avez jamais posé la main l'un sur l'autre ? Tout était pur, innocent, sans mauvaises pensées, sans le moindre geste que les nonnes n'auraient pas dû voir ? Sérieux ?

Elle rougit légèrement. Conway se débrouillait bien. Chaque fois que Selena cherchait à se réfugier dans son nuage, elle la ramenait à la réalité.

– Je n'ai pas dit ça. On se tenait les mains, on s'asseyait côte à côte, on s'enlaçait… Mais on ne s'était jamais embrassés avant. Donc, je devais réfléchir, décider si cela se reproduirait. Des trucs de ce genre.

Impossible de savoir si elle mentait, tout comme avec Joanne, mais pour d'autres raisons.

Conway fit tourner le téléphone entre ses doigts.

– Donc, cela signifie que Chris et toi n'aviez pas de relations sexuelles ?

– Non. On n'en avait pas.

Ni gloussements ni minauderie. Pas de comédie stupide. Cela semblait vrai.

– Chris était d'accord ?

– Oui.

– Vraiment ? Des tas de garçons de cet âge auraient insisté. Il l'a fait ?

– Non.

Conway se radoucit, s'adressa à elle avec franchise mais sans agressivité, de femme à femme, comme une adulte abordant avec une amie plus jeune un sujet pénible.

– Souvent, les victimes d'une agression sexuelle refusent de dénoncer le coupable pour ne pas avoir à en affronter les conséquences : examen médical, témoignage au procès, contre-interrogatoire, avec, peut-être, le risque de voir l'agresseur s'en tirer à bon compte. Elles veulent seulement oublier leur traumatisme et continuer à vivre. On ne peut les blâmer.

Elle s'attendait à une approbation, qui ne vint pas. Selena l'écouta en silence. Elle semblait abasourdie.

Conway poursuivit, plus lentement :

– Cette fois, c'est différent. Il n'y aura pas d'examen médical, puisque cela s'est produit il y a un an. Et il n'y aura pas de procès, puisque l'agresseur est décédé. Tu peux sans crainte me raconter ce qui s'est passé. Il n'y aura pas de scandale. Si tu le souhaites, tu pourras te confier à un spécialiste, habitué à aider les personnes dans ton cas.

– Attendez, coupa Selena, de plus en plus stupéfaite. Vous parlez de moi ? Vous croyez que Chris m'a violée ?

– L'a-t-il fait ?

– Bien sûr que non !

– Bien. T'a-t-il forcée à faire des choses que tu ne voulais pas faire ?

On repose toujours la question, sous des angles différents. Combien de filles terrifiées estiment qu'il n'y a pas eu viol tant qu'elles n'ont pas été forcées dans une ruelle, sous la menace d'un couteau ? Et combien de violeurs ont le même point de vue ?

– Non. Jamais.

– A-t-il continué à te toucher alors que tu lui avais demandé d'arrêter ?

Elle secouait la tête avec véhémence.

– Non ! Chris ne m'aurait jamais fait ça. Jamais !

– Selena, nous savons que ce n'était pas un ange. Il a bafoué de nombreuses filles. Il les a séduites, trompées, puis laissées tomber une fois lassé d'elles.

– Je sais. Il me l'a dit. Il n'aurait pas dû se comporter de cette façon.

– On a toujours tendance à idéaliser un mort, surtout quand on tenait beaucoup à lui. Toutefois, les faits sont là : Chris savait se montrer cruel, surtout quand il n'obtenait pas ce qu'il voulait.

– Je le sais aussi. Je ne l'idéalise pas.

– Alors, pourquoi affirmes-tu qu'il ne t'aurait pas fait de mal ?

Elle répliqua patiemment :

– C'était différent.

– Les autres filles pensaient la même chose. Elles étaient toutes persuadées d'avoir une relation spéciale avec lui.

– Elles l'ont peut-être eue. Les gens sont complexes. Quand on est enfant, on croit que les autres sont tout d'une pièce. En grandissant, on se rend compte que ce n'est pas si simple. Chris n'était pas simple. Il était cruel et il était gentil. Il en avait pris conscience et cela le perturbait. Je crois que…

Elle se tut, assez longtemps pour que je me demande si elle allait poursuivre.

– Je crois, reprit-elle enfin, que sa double personnalité le faisait se sentir fragile. Comme s'il pouvait se briser à tout moment, parce qu'il ne savait plus comment concilier ses deux facettes. Voilà pourquoi il gardait secrètes ses relations avec ces filles. Ainsi, il était libre de se comporter comme il l'entendait, sans risque. Il pouvait se montrer délicieux ou épouvantable. Ça ne comptait pas, parce que personne d'autre n'en saurait rien. J'ai cru, au début, que je réussirais peut-être à lui montrer comment s'accepter tel qu'il était, pour qu'il se sente bien. Mais ça n'a pas marché.

— Bien, dit Conway.

Je la sentis moins intéressée par la profondeur ou la subtilité de cette tirade que par ce qui m'avait sauté aux yeux : Selena avait oublié d'être bête. Elle passa un doigt sur le téléphone, le brandit à nouveau.

— Tu vois, là ? Après la nuit de la vidéo, tu ignores Chris pendant quelques jours. Ensuite, ces messages que tu lui as envoyés le prouvent, tu changes d'avis. Pourquoi ?

Comme si ce téléphone la répugnait, Selena se détourna, contempla la lumière déclinante qui nimbait la fenêtre.

— Je savais que je devais couper tout contact avec lui. Pour toujours. Mais il y avait eu... Vous avez vu la vidéo. Ce n'était pas seulement parce qu'il me manquait, mais parce que c'était unique. Cette relation, nous l'avions créée ensemble, Chris et moi. Elle n'existerait nulle part ailleurs, jamais, et elle était merveilleuse. La détruire, prétendre qu'elle n'avait pas existé, c'était mal. C'est ça, le mal, n'est-ce pas ?

Nous n'avons pas répondu, frappés par sa sincérité, sa voix mélodieuse, calme et triste.

— Une telle décision me semblait inimaginable. J'ai donc pensé que nous pourrions sauver une part de ce qui nous unissait. Même si nous ne sortions plus ensemble, nous pourrions peut-être... Bien sûr, c'était impossible, et je le savais. Pourtant, il fallait que j'essaye. J'ai donc envoyé deux ou trois messages à Chris. Je lui disais : « Restons amis, tu me manques, je ne veux pas te perdre. » Des trucs de ce genre.

— Pas deux ou trois, rectifia Conway. Sept.

Selena parut déconcertée.

– Pas autant. Deux ou trois, c'est tout.

– Tu as cherché à le joindre à intervalles réguliers. Y compris le jour de sa mort.

– Non.

N'importe qui doté d'un peu de jugeote aurait répondu la même chose. Mais elle avait toujours cet air éberlué, incrédule : j'aurais presque juré qu'elle ne mentait pas.

– C'est là, noir sur blanc.

Le ton de Conway avait changé : pas encore pressant, mais ferme.

– Regarde. Texto de toi, pas de réponse. Texto de toi, pas de réponse. Texto de toi, pas de réponse. Cette fois, c'était Chris qui t'ignorait.

Selena fixait le téléphone comme un écran de télévision, comme si tout se déroulait de nouveau devant elle, encore et encore.

– Tu as dû avoir mal, dit Conway.

– Oui. Ça m'a meurtrie.

– Donc, après tout, Chris envisageait de te faire souffrir.

– Je vous l'ai dit. Il n'était pas tout d'une pièce.

– Est-ce pour cette raison que tu as rompu avec lui ? Parce qu'il a fait quelque chose qui t'a mortifiée ?

– Non. En ne répondant pas à mes messages, c'était la première fois qu'il me blessait.

– Tu as dû être en colère.

– J'étais triste, si triste. Je n'ai pas compris son attitude. Du moins au début. Mais en colère… Non.

– Et ensuite ? Tu as compris ?

– Pas jusqu'à ce qu'il meure.

– Pourquoi ?

– J'étais sauvée.

– Comment ça ? Tu avais trouvé Dieu ? Chris a cessé tout contact avec toi parce que…

Le rire de Selena me bouleversa : il était clair et doux, tel qu'en ont des gamines se baignant dans un torrent, loin des voyeurs.

— Pas dans ce sens-là ! Dieu, vous imaginez ? Mes parents auraient eu une attaque.

Conway lui sourit.

— Pourtant, les nonnes auraient été ravies. Donc, de quoi t'es-tu sentie délivrée ?

— D'un retour vers Chris.

— Tu as affirmé que votre relation était sublime. Pourquoi y renoncer ?

— Ce n'était pas une bonne idée.

— Pourquoi ?

— Je vous l'ai dit. Il avait humilié les autres filles. Chaque fois qu'il sortait avec l'une d'elles, son mauvais côté resurgissait.

— Pourtant, tu m'as affirmé qu'il ne t'avait pas fait souffrir jusqu'à votre rupture. Quelle part d'ombre votre intimité a-t-elle fait ressurgir ?

— Le temps a manqué. Mais vous m'avez dit que ce serait arrivé, tôt ou tard.

— Sans doute. Donc, quelqu'un t'a sauvée.

— Oui.

— Qui ?

Silence. Puis :

— Peu importe.

— Cela nous importe.

— Je ne sais pas.

— Si, tu le sais.

Toujours aussi calme, les mains sur les genoux, Selena regarda Conway droit dans les yeux.

— Non. Et je n'ai pas envie de le savoir.

— Mais tu as une idée.

Geste de dénégation ; appuyé, inflexible. Définitif.

— Bien, dit Conway.

Si elle était exaspérée, elle ne le montra pas.

– Ce téléphone que t'a donné Chris... Où est-il, à présent ?

– Je l'ai perdu.

– Quand ?

– Il y a longtemps. L'année dernière.

– Avant, ou après la mort de Chris ?

– À peu près à la même époque.

– Où le conservais-tu ?

– J'ai fait une entaille sur le rebord de mon matelas, du côté du mur.

– Parfait. Maintenant, réfléchis bien, Selena. Quand l'as-tu consulté pour la dernière fois ?

– Lorsque j'ai compris que Chris ne me répondrait plus. Je vérifiais parfois le soir, à tout hasard. Mais je luttais contre le désir de le faire.

– L'as-tu consulté la nuit de sa mort ?

À l'évocation de cette nuit, son regard se voila.

– Je ne m'en souviens pas. Comme je vous l'ai dit, je luttais contre le désir de le faire.

– Mais tu lui avais envoyé un texto ce jour-là. Tu n'as pas eu envie de savoir s'il t'avait répondu ?

– Non. Enfin, je ne crois pas. J'aurais peut-être dû, mais...

– Et quand tu as appris sa mort ? As-tu cherché à savoir s'il t'avait envoyé un dernier message ?

– Je ne me rappelle plus. Je...

Elle reprit son souffle.

– Je n'étais plus moi-même. Cette semaine reste floue dans ma tête.

– Concentre-toi.

– J'essaye. Mais ça ne vient pas.

– Bien. Si ça te revient, fais-le moi savoir. À propos, il était comment, ce téléphone ?

– Petit. Rose clair. C'était un téléphone à rabat.

Le même que celui que Chris avait offert à Joanne. Il devait en avoir une flopée.

– Quelqu'un savait que tu l'avais ?

Elle tressaillit.

– Non.

Elle avait donc trahi ses amies, pour qui elle n'aurait dû avoir aucun secret. La nuit, pendant leur sommeil, elle s'était échappée de leur cercle. Elle ajouta :

– Aucune n'était au courant.

– Tu en es certaine ? Quand on vit en symbiose, comme toi et tes trois amies, il n'est pas facile de garder un secret ; surtout aussi énorme que celui-là.

– Je faisais très attention.

– Elles savaient pourtant que tu sortais avec Chris, non ? Elles ignoraient uniquement l'existence de ce téléphone ?

– Non. Elles ne savaient rien à propos de Chris. Je ne partais le retrouver qu'une fois par semaine et j'attendais qu'elles s'endorment. Parfois, elles mettent en temps fou, surtout Holly, mais une fois qu'elles ont sombré dans le sommeil, rien ne peut les réveiller.

– Je croyais que vous étiez si proches, que vous partagiez tout. Pourquoi ne leur as-tu rien dit ?

Elle tressaillit de nouveau. Conway la bousculait, exprès.

– Nous sommes proches. Mais je ne leur ai rien dit. C'est tout.

– Auraient-elles désapprouvé ta relation avec Chris ?

Regard vague. Le chagrin la renvoyait dans son monde, son refuge. Une autre fille se serait agitée, aurait demandé à s'en aller. Pour elle, ce n'était pas nécessaire.

– Je ne pense pas, répondit-elle.

– Donc, ce n'est pas pour cette raison que tu l'as quitté ? Parce qu'une de tes amies avait tout découvert et n'approuvait pas ?

– Personne n'a rien découvert.

– Tu es sûre ? Tu n'as jamais eu l'impression d'avoir été démasquée ? Par une allusion ou peut-être parce que tu avais constaté qu'on avait remis ton téléphone dans la mauvaise position ?

Conway la poussait dans ses retranchements. Je crus qu'elle avait tapé dans le mille. Selena sembla décontenancée. Cela ne dura qu'un instant.

– Je ne crois pas.

– Mais après sa mort… Tu le leur as dit, n'est-ce pas ?

Elle secoua la tête. Elle n'était plus là. Elle dévisageait posément Conway, comme on observe un poisson dans un aquarium, admirant ses jolies couleurs.

– Pourquoi ? Tu n'aurais rien fait de mal. C'était Chris qui voulait garder le secret et il n'était plus là pour s'en soucier. De plus, tu venais de perdre quelqu'un qui comptait énormément pour toi. Tu avais besoin du soutien de tes amies. Il aurait été normal de tout leur révéler.

– Je ne voulais pas.

– Pourtant, tu souffrais ; même avant la mort de Chris, parce qu'il ne te répondait plus. Tes amies n'ont pas pu ne pas s'en rendre compte. Aucune ne t'en a parlé, ne t'a demandé ce qui t'arrivait ?

– Non.

– Si vous étiez si proches, comment ont-elles pu ne pas deviner ton chagrin ?

Silence. Et ces yeux paisibles, indifférents.

– Bien, conclut Conway. Merci, Selena. Si tu te souviens de la dernière fois que tu as vu ce téléphone, préviens-moi.

– Entendu, répondit-elle poliment.

Elle se leva sans hâte, marcha vers la porte.

– Quand tout sera terminé, lâcha Conway, je t'enverrai la vidéo par courriel.

Selena pivota, le souffle court. Le feu qui la brûlait sembla irradier la chambre. Puis elle se ferma de nouveau.

– Non, merci, murmura-t-elle.

– Non ? Tu m'as affirmé que rien de condamnable ne s'était passé cette nuit-là. Pourquoi ne veux-tu pas de cette vidéo ? Elle te rappelle de mauvais souvenirs ?

– Je n'ai pas besoin de regarder ce qu'a vu Joanne. J'y étais.

Et elle sortit, refermant doucement la porte derrière elle.

18

Au Court, on a décroché les décorations rose et rouge de la Saint-Valentin. À leur place ont surgi des œufs de Pâques posés sur des prairies de papier vert, prémices, en dépit du crachin qui perdure, de l'arrivée du printemps. Dehors, au Pré, les crocus sortent de terre et tous ceux qui s'étaient calfeutrés pendant l'hiver s'y aventurent, boutonnés jusqu'au col.

Installé à l'écart sur un monceau de gravats piqués de mauvaises herbes, les coudes sur les genoux, un paquet de sucreries dans une main, Chris Harper observe les autres ados, indifférent à leurs exclamations. Sa présence frappe Selena au cœur. Elle n'a qu'une envie : aller s'asseoir près de lui, emmêler ses doigts dans les siens, poser sa tête contre son front. Que se passerait-il si elle osait ?

Julia, Holly, Becca et elle sont là depuis une demi-heure, dans l'herbe, se partageant des cigarettes. Il ne lui a pas adressé la parole, ne l'a même pas regardée. Soit il se comporte exactement comme ils l'ont prévu, soit il a changé d'avis et souhaite ne jamais avoir quitté la salle de bal en sa compagnie. « Je trouverai un moyen de te joindre », lui a-t-il affirmé. Depuis, des semaines se sont écoulées.

Dans les deux cas, Selena comprend sa conduite. Lorsqu'elles se sont faufilées toutes les quatre dans le Pré et qu'elle a aperçu Chris, elle a prié pour qu'il ne les rejoigne pas. Mais elle n'était pas préparée à ce coup de poignard qui la transperce chaque fois que ses yeux glissent sur elle, comme si elle n'existait pas. Harry Bailey lui parle de l'examen blanc. Elle lui répond machinalement, sans savoir ce qu'elle raconte. Tout l'indiffère, hormis Chris.

Il est là, à quelques pas d'elle. Il lui reste deux mois et trois semaines à vivre.

— Mes photos ! hurle soudain Becca, qui s'acharne sur son téléphone.

— Quoi ? interroge Holly.

— Elles ont disparu ! C'est pas vrai ! Toutes !

— Détends-toi, Bec. Elles y sont.

— Non ! J'ai vérifié partout. Et je ne les ai pas sauvegardées ! Tous les clichés de nous, depuis le début de l'année ! Oh, p'tain !

Elle panique. Avachi entre ses potes, Marcus Wiley ricane :

— Qu'est-ce qu'elles avaient de si bandant ?

— Ce devait être des photos de ses nibards, glousse Finbar Wright.

— Elle les a peut-être envoyées à tous ses contacts, renchérit un autre. On vérifie. Vite !

— Te fatigue pas, mec, s'esclaffe Marcus Wiley. Qui a envie de voir ses œufs au plat ?

Hurlements de rire explosant comme des mines. Cramoisie, non de gêne mais de colère, Becca se tait.

— Personne n'a envie, non plus, d'admirer ta bite miniature, rétorque froidement Julia. Pourtant, t'as pas honte.

L'hilarité s'accentue. Marcus a un grand sourire.

— Tu l'as aimée, celle-là. Pas vrai ?

— Elle nous a fait marrer. Une fois qu'on a compris ce qu'elle était censée représenter.

— J'ai cru que c'était une saucisse de cocktail, ironise Holly. En plus petit.

D'un coup d'œil, elle passe le relais à Selena. « À toi. »
Selena se détourne. Elle se souvient de ce jour, au Court,
il y a à peine un mois, avec Andrew Moore et ses potes,
de la certitude qui l'a galvanisée : « On dit ce qu'on veut,
on fait ce qu'on veut. Ce qu'ils pensent, on s'en tape. »
À présent, cela lui semble aussi stupide que de passer un
après-midi à frapper dans les mains d'un bambin morveux dont on n'est même pas la mère. La rapidité avec
laquelle les choses changent lui donne envie de vomir.

– C'était celle de ton petit frère ? rigole Julia. T'es
mal barré. Tu publies des photos pornos d'enfants, tu
vas en tôle.

– Hé, mec, lance Finbar à Marcus, tu nous avais dit
que ça l'avait fait mouiller.

Fiers d'eux-mêmes, ils continuent à jacasser. Chris
n'a pas bougé. Selena rêve de regagner le collège, de
s'enfermer dans les toilettes et de pleurer.

– Il voulait peut-être dire qu'elle a trempé sa culotte
tellement elle se gondolait, rétorque charitablement
Holly.

Ne sachant quoi répliquer, Marcus se jette sur Finbar.
En rugissant, ils roulent dans l'herbe, frimant à l'intention des filles, mais se cognant quand même.

Au bord des larmes, Becca triture frénétiquement ses
touches.

– T'as vérifié si elles étaient sur ta carte SIM ? s'enquiert Selena.

– J'ai vérifié partout !

– Attends !

Avant même de tourner la tête, Selena tremble de la
tête aux pieds. Chris a sauté du tas de gravats et s'assied
près de Becca.

– Fais voir.

Becca éloigne son téléphone, lui jette un regard hostile. « T'inquiète, a envie de lui dire Selena. Donne-le-lui,
n'aie pas peur. » Elle juge plus prudent de se taire.

– Visez-moi ça ! braille un des types de la bande de Marcus, qui se bat toujours dans l'herbe avec Finbar. Harper en pince pour les guenons !

– Tu perds ton temps, dit Holly à Chris. Elle n'a pas de photos de nibards.

– Elle n'a pas de nibards ! se gausse l'autre.

Les ignorant tous les deux, Chris s'adresse gentiment à Becca, comme s'il cherchait à amadouer un chat agressif.

– Je pourrais peut-être récupérer tes photos. J'avais le même téléphone. Il déconne de temps en temps.

Becca hésite. Le visage de Chris, franc, attentionné… Selena sait qu'on ne lui résiste pas. Becca hésite encore, puis tend le téléphone.

– Bordel ! beugle Marcus en se redressant, une main plaquée contre son visage, du sang coulant entre ses doigts. Mon nez !

Finbar se relève à son tour, à la fois effrayé et fier, en lorgnant les filles.

– Tu m'as cherché, Ducon.

– C'est toi qui as commencé !

– Non, c'est moi, intervient Julia. Tu veux me casser la gueule aussi ? Ou juste m'envoyer d'autres zizis miniatures ?

Marcus ne réagit pas. Il marche vers la clôture, la tête en arrière, la main toujours sur le nez.

– Quelle merveille ! se réjouit Julia en tournant le dos aux garçons. Vous savez quoi ? J'avais besoin de ça.

– Voilà, déclare Chris en rendant son téléphone à Becca. Elles y sont ?

– Oh mon Dieu, exhale Becca avec soulagement. Oui ! Elles sont là ! Comment t'as fait ?

– Tu les avais mises dans le mauvais dossier. Je les ai replacées au bon endroit.

– Merci. Merci mille fois.

Elle lui décoche le sourire lumineux qu'elle réserve d'ordinaire à ses trois amies. Selena sait pourquoi. Si

Chris peut agir ainsi, par pure gentillesse, alors tous les mecs ne ressemblent pas à Marcus Wiley ou à James Gillen. Chris a le don d'embellir le monde.

Il rend son sourire à Becca.

– T'affole pas. Si t'as d'autres problèmes, tu viens me trouver et j'arrange le coup. D'accord ?

– D'accord, souffle Becca, hypnotisée.

Il lui cligne de l'œil, tourne les talons. Selena suffoque. Mais les yeux de Chris la survolent comme si elle n'était pas là.

– J'aime ton nouveau chiot, dit-il à Julia en désignant le renard brodé sur son pull. Il est apprivoisé ?

– Je l'ai très bien élevé. Assis ! Couché ! Tu vois ? Gentil toutou.

– Il ne bouge pas. Quand l'as-tu nourri pour la dernière fois ?

Il sort un marshmallow de son paquet de sucreries, le jette au renard. Julia l'attrape, le fourre dans sa bouche.

– Il est difficile, répond-elle. Essaye avec du chocolat.

– Il n'a qu'à s'en acheter.

– J'ai l'impression que tu l'as vexé.

Elle touche son pull puis, d'un geste ample, lance le renard vers Chris. Il danse sur place, imite le cri de la bête. Et se retrouve soudain près de Selena qui respire son parfum, irrésistible. Il y a aussi ce sourire, qu'elle a l'impression de connaître depuis cent mille ans.

– T'en veux ?

Il lui propose le paquet. Une lueur dans son œil lui intime de faire attention.

– Volontiers, répond-elle.

Elle scrute l'intérieur du paquet. Au fond, entre les bonbons et les caramels, gît un petit téléphone rose.

– Garde tout, ajoute Chris. J'ai eu ma dose.

Il dépose le paquet dans sa paume, se détourne pour demander à Holly ce qu'elle fait pour Pâques.

Selena engloutit un bonbon au citron, enroule le bord du paquet et l'enfouit dans sa poche. Renonçant à lui parler, Harry raconte à Becca que l'examen blanc d'économie a été un vrai cauchemar. Il ponctue son récit de moulinets frénétiques, imitant un monstre bigleux planté au milieu de la classe. Becca rit. Selena fixe les longs rais de lumière qui se faufilent entre les nuages et, savourant le goût acide du citron, écoute les battements de son cœur.

Pendant la première heure d'étude, Selena se rend aux toilettes. En chemin, elle se faufile dans sa chambre, extirpe le paquet de son imper et le fourre dans la poche de son sweat.

Maculé de sucre, le téléphone est vide : rien dans le répertoire, rien non plus dans l'album de photos ; on n'a même pas installé la date et l'heure. Un seul texto, envoyé depuis un numéro qu'elle ne reconnaît pas : « Salut. »

Elle s'assied sur le siège des toilettes où règne une odeur de désinfectant. Le crachin pleure doucement le long de la fenêtre. Des pas se répercutent dans le couloir. Une fille se précipite vers le lavabo, se mouche bruyamment dans un essuie-mains et sort en claquant la porte. À l'étage au-dessus, où les premières et les terminales ont le droit de passer l'heure d'étude dans leur chambre si elles le souhaitent, retentit une chanson au rythme obsédant : *Never saw you looking but I found what you were looking for, never saw you coming but I see you coming back for more…* Au bout d'un long moment, Selena répond : « Salut. »

Le soir de leur premier rendez-vous, il ne pleut plus. Aucune bourrasque susceptible de réveiller les autres ne secoue les fenêtres de la chambre. Selena se lève douce-ment et, avec d'infinies précautions, retire la clé de l'étui du téléphone de Julia. Aucun nuage ne masque la lueur de la lune lorsqu'elle relève la fenêtre à guillotine et se glisse dans l'herbe.

Dès qu'elle a fait deux pas dehors, elle s'aperçoit que le parc, ce soir, n'a pas le même aspect que d'habitude. Des bruits étranges la font sursauter : courses précipitées, grognements de bêtes. Elle se baisse chaque fois que la lune l'éclaire, redoutant de voir apparaître le gardien de nuit, la bande de Joanne, un rôdeur à l'affût. Elle est seule, sans défense, à la merci de n'importe quel agresseur. Il y a longtemps qu'elle n'a pas éprouvé le sentiment qui la submerge : la peur.

Elle court. Là encore, lorsqu'elle traverse la pelouse jusqu'aux arbres, tout lui semble différent. Elle n'est plus légère, elle n'a plus l'impression de voler telle une ombre au-dessus de l'herbe, ou entre les arbres. Elle bute sur les cailloux du sentier, heurte des branches qui se referment violemment dans son dos. Des pré-dateurs la suivent à pas de loup, reniflent derrière elle, s'évanouissent dès qu'elle se retourne. Au moment où elle atteint enfin le portail du fond, sa peur s'est muée en terreur.

On a doublé de tôle cette vieille porte de fer, pour ôter à quiconque l'idée de l'escalader. Mais le mur de pierre, rogné par le temps, est parsemé de prises de mains, de pieds. Lorsqu'elles étaient en cinquième, Selena et Becca grimpaient jusqu'au sommet et s'y posaient à califour-chon, en équilibre instable, si haut que les promeneurs, dans l'allée, marchaient sous elles sans même deviner leur présence. Un jour, Becca est tombée et s'est cassé le poignet. Cela ne les a pas arrêtées.

Chris n'est pas là.

Tapie dans un recoin du mur, Selena attend, tentant de respirer le plus discrètement possible. Une angoisse

357

nouvelle, horrible, la paralyse : *Et si aucun de ces textos ne venait de lui, s'il m'avait refilée à un de ses copains qui surgira à sa place, si cette histoire n'était qu'une vaste blague, s'ils attendaient dans l'obscurité, tous, avant de jaillir en hurlant de rire ? Je n'y survivrai pas.* Les bruits furtifs la cernent toujours, aussi menaçants que la lune qui la fixe. Elle a envie de s'enfuir. Elle ne peut pas bouger.

Lorsqu'une ombre se profile au sommet du mur, noire contre les étoiles, puis se penche au-dessus d'elle, elle est incapable de crier.

Alors, une voix chuchote :

– C'est moi…

Tremblant de la tête aux pieds, elle répond :

– Je suis là…

Là-haut, l'ombre se redresse ; et s'élance.

Chris atterrit avec un bruit sourd.

– P'tain, je suis content que ce soit toi. Je te voyais pas bien. Je croyais que c'était un gardien, une bonne sœur ou…

Il rit en époussetant ses jeans au niveau des genoux, là où il a touché terre. Selena croyait se souvenir de lui, de sa gaieté, de son don de rendre le monde palpable, éblouissant. Pourtant, sa présence la bouleverse plus encore que la première fois, renvoie au néant les menaces et les craintes. Elle rit à son tour, soulagée, grisée, hors d'haleine.

– Il y a quand même un gardien. Il vérifie la fermeture du portail en faisant sa ronde. Il faut qu'on aille ailleurs. Viens.

Elle se précipite sur le sentier. Chris la suit. Sa terreur envolée, elle respire avec délice les parfums annonciateurs du printemps.

Des bancs bordent les chemins. Selena se dirige vers l'un d'eux, niché sous un grand chêne et donnant sur une grande étendue de pelouse. De là, on peut, sans être vu, voir quiconque s'approcherait. Bien sûr, il y a aussi des coins isolés au milieu des buissons. Elle les connaît tous. Mais il faudrait s'y blottir l'un contre l'autre, se touchant déjà, ou presque. Les bancs, eux, sont assez larges pour qu'on puisse garder ses distances. *Là*, se dit-elle, *je serai protégée.*

Alors qu'ils longent l'orée de la clairière, Chris tourne la tête.

– Hé, si on allait là-bas ?

De nouveau anxieuse, elle répond :

– Il y a un endroit plus bas, très agréable.

– Juste une minute, insiste-t-il. Ça me rappelle des souvenirs.

Elle ne trouve aucune raison de refuser. Ils escaladent la pente côte à côte. Elle sait que, ce soir, personne ne viendra à son secours. Au moment où ils débouchent sur la vaste étendue d'herbe, les cyprès murmurent : « Ce n'est pas une bonne idée. »

Au milieu de la clairière, Chris sourit, lève la tête vers les étoiles.

– C'est beau, ici.

– Qu'est-ce que ça te rappelle ?

– Un lieu proche de chez moi.

Il tourne sur lui-même, contemplant les cyprès comme s'il voulait se remémorer chaque détail.

– Une vieille maison. Victorienne, peut-être… Je l'ai découverte quand j'étais gosse. Je devais avoir sept ans. Elle était déserte, abandonnée depuis des années. Toit troué, fenêtres brisées, condamnées. Au fond du parc, il y avait un grand cercle d'arbres. Pas les mêmes que ceux-là. De toute façon, j'y connais rien. Mais ils me les rappellent.

Il a un rire bref, hausse les épaules. Dans les messages qu'ils ont échangés, ils ont parlé de choses qu'elle ne confie jamais aux autres. Cette fois, c'est différent. Ils sont si proches qu'elle en a la chair de poule.

– J'y vais plus. Des gens l'ont achetée il y a deux ou trois ans. Ils ont verrouillé la grille. J'ai escaladé le mur. Il y avait deux voitures dans l'allée. Je sais pas s'ils se sont installés dans la maison, s'ils l'ont retapée. En tout cas…

Il traverse la clairière, s'avance vers les fourrés.

– Il y a des bêtes, ici ? Des lapins, des renards ?

– Tu allais là-bas quand tu voulais être seul ?

Il se retourne, la regarde.

– Oui. Quand c'était le pétard chez moi. Parfois, je me levais très tôt, vers cinq heures du matin, et j'allais y passer deux heures. Pour rester assis là. Dans le jardin s'il faisait beau, ou à l'intérieur s'il pleuvait. Ensuite, je rentrais avant que tout le monde se réveille, et je me recouchais. Personne n'en a jamais rien su.

En cet instant, il est vraiment lui-même, celui dont elle garde les messages au fond du cœur, comme des lucioles luisant au creux de sa main.

– J'ai jamais raconté ça à personne, murmure-t-il, avec un sourire à la fois surpris et timide.

Elle a envie de lui rendre ce sourire, de lui raconter en retour comment les autres et elle ont investi cette clairière, en ont fait leur havre, leur royaume. Impossible. Pas avant d'avoir éclairci ce qui la taraude.

– Le téléphone que tu m'as offert…

– Il te plaît ?

Il se détourne aussitôt et contemple encore les cyprès, même s'il ne distingue rien dans les ténèbres.

– Il pourrait aussi y avoir des blaireaux…

– Alison Muldoon a exactement le même, poursuit Selena. Et Aileen Russell, des secondes. Et Claire McIntyre.

Chris s'esclaffe, sardonique, blessant. Il ne ressemble plus au garçon qu'elle connaît.

– Et alors ? Tu peux pas avoir le même téléphone que d'autres filles ? P'tain, je te croyais pas pimbêche à ce point-là.

Elle tressaille. Tout ce qu'elle pourrait répliquer envenimerait les choses. Elle se tait.

Il arpente nerveusement la clairière, comme un chien méchant.

– D'accord. J'ai donné des téléphones identiques à des filles. Pas à Alison Machin Chose, mais à celles dont tu parles, oui. Et à deux autres nanas. Et après ? Je suis pas ta propriété. On sort même pas ensemble. En quoi ça te concerne ?

Selena reste calme. Elle se demande si c'est sa punition : ce sarcasme, comme un coup de fouet. Ensuite, il s'en ira et elle rentrera seule dans le noir, traquée par des monstres assoiffés de sang. Et tout sera fini.

Au bout d'un moment, il cesse de faire les cent pas.

– Désolé, dit-il. J'aurais pas dû... Mais ces autres filles, je les ai fréquentées il y a des mois. Je suis plus en contact avec elles. Juré. Ça te va ?

– C'est pas ce que je voulais dire. Je m'en fiche de ça, assène-t-elle en se persuadant qu'elle dit vrai. Simplement, quand tu m'affirmes : « Je l'ai jamais raconté à personne », j'ai pas envie de me demander si tu l'as déjà débité à des dizaines de nanas.

– J'aurais pas dû venir ! gémit-il, la tête entre les mains. On est ensemble depuis dix minutes et on se dispute déjà ! Je devrais m'en aller. On devrait ne plus se voir, se contenter de s'envoyer des textos.

– Pourquoi ? On se sentait bien ensemble, tous les deux, à la Saint-Valentin. On peut continuer. Il suffit de se parler sans détour.

Elle attend, ne sachant quoi espérer. Il hésite longtemps.

– OK, avoue-t-il enfin. Je mentais pas. J'avais jamais parlé de la maison avant toi.

– Tu vois ? C'est pas si difficile.

Elle lui sourit. Un sourire tendre, radieux. Il pousse un grand soupir, se détend.

– Tu m'en veux ?

– Non. Pas la peine de t'en aller. Je te ferai pas de scène.

– J'aurais dû te mettre tout de suite au courant, à propos du téléphone. Au lieu de ça...

– Oui. T'aurais dû.

– J'ai pas été réglo avec toi. Pardon.

– C'est oublié.

– Vraiment ? On est toujours amis ?

– Toujours.

– Ouf...

Même s'il exagère son soulagement, il est sincère. Il s'accroupit pour tâter l'herbe.

– C'est sec, constate-t-il en tapotant une parcelle proche de lui.

Comme Selena ne bouge pas, il ajoute :

– Je vais pas... T'en fais pas, je sais que t'es pas, qu'on est pas... P'tain, je trouve pas mes mots ! Je vais rien tenter. D'accord ?

– Relax, répond-elle en riant. Je te crois.

Elle s'assied à côté de lui. Ils restent ainsi un moment, sans même se regarder, s'habituant simplement à leurs silhouettes se fondant dans la clairière. Selena perçoit sa chaleur. Il a les mains nouées autour des genoux ; des mains fortes, aux jointures noueuses. La tête en arrière, il admire le ciel.

– Je vais te dire autre chose que j'ai jamais dit à personne, déclare-t-il au bout d'un moment, d'un ton apaisé. Quand je serai plus âgé, j'achèterai cette baraque. Je la retaperai et j'inviterai tous mes amis à une fête grandiose qui durera une semaine. Musique d'enfer, alcool à gogo, hasch, ecstasy. La maison est tellement vaste que mes invités fatigués pourront aller piquer un somme dans une des piaules avant de revenir faire la bombe. Ou, s'ils ont besoin d'intimité, de calme, ils auront plein de pièces vides et le jardin à leur disposition. Qu'ils soient en forme, lessivés ou amoureux, ma maison leur ouvrira les bras.

Son visage resplendit. La maison se matérialise devant eux, au-dessus de la clairière, remplie de musique et de rires. Elle semble aussi réelle qu'eux-mêmes.

– On se souviendra de cette fête jusqu'à la fin de nos jours. Quand on aura quarante ans, un boulot, une flopée de gosses et que rien ne nous semblera plus excitant que le golf, elle nous rappellera qui on était.

Pas une seconde, songe Selena, il n'a émis le moindre doute. Et si, lorsqu'il aura l'âge, les propriétaires de la maison refusent de la lui vendre ? Et si on l'a démolie pour construire un immeuble d'habitation ? Et s'il n'a pas assez d'argent pour se l'offrir ? Aucune de ces possibilités ne lui a traversé l'esprit. Il la veut ; il l'aura. C'est aussi tangible, aussi évident que l'herbe qu'il a sous les jambes.

– Ça sera extraordinaire, dit-elle.

Il se tourne vers elle en souriant.

– Je t'inviterai.

– Je viendrai.

– Juré ? interroge-t-il en lui tendant la main.

– Juré, promet-elle en la serrant.

Quand il est temps de s'en aller, il propose de la raccompagner jusqu'au collège, d'attendre sous la fenêtre qu'elle se retrouve en sécurité à l'intérieur. Elle refuse. Elle discerne de nouveau les menaces tapies dans les ténèbres, le pas du gardien. S'ils prennent le moindre risque, ils se feront gauler.

Elle s'engage dans le sentier. Une fois certaine de n'être plus qu'une forme floue, elle pivote, s'immobilise. Et le regarde. Elle sourit.

Il exulte, saute, rit au centre de la clairière. Puis il dévale la pente vers le sentier, enjambe les jacinthes naissantes avant de courir vers le portail, si vite que ses pieds semblent ne plus toucher terre.

La dernière fois, c'est lui qui l'a touchée, avant même qu'elle ne se rende compte de ce qui arrivait. Cette fois, Selena l'a touché la première.

Elle guette son châtiment. Elle s'attend à ce que les autres soient bien éveillées et dressées dans leur lit lorsqu'elle se faufile dans la chambre, trois paires d'yeux la foudroyant contre la porte. Mais elles dorment si profondément qu'elles ont à peine bougé depuis qu'elle est partie, il y a des siècles. Elle redoute toute la journée d'être convoquée dans le bureau de McKenna où le gardien tempêtera en la montrant du doigt : « Oui, c'est elle ! » Mais la seule fois qu'elle la croise, la directrice passe en coup de vent dans le couloir, arborant son demi-sourire de reine. Enfermée dans la salle de bains, elle vérifie si elle peut toujours souffler les lumières, si sa bague d'argent montera en tournoyant au-dessus de sa paume. Elle le fait seule, pour que les autres n'assistent pas à un échec éventuel. Or, tout marche à merveille.

Cela ne met pas un terme à ses angoisses. Elle imagine des catastrophes. Un coup de téléphone annonce que sa famille, subitement ruinée, doit la retirer de Sainte-Kilda. Son beau-père a été licencié, ils doivent émigrer en Australie.

Pourtant, elle ne parvient pas à se sentir coupable. Chris est partout. Son rire clair, juvénile, si espiègle alors qu'il a la voix si grave ; le chagrin qu'elle a deviné derrière son masque, ses traits crispés lorsqu'il a dit : « Quand c'était le pétard chez moi » ; ses yeux plissés à cause de la lune, le mouvement de ses épaules quand il se penche. Son odeur, qui l'accompagne sans cesse. Elle n'arrive pas à croire que ses amies ne la respirent pas, ne la voient pas s'exhaler d'elle à chacun de ses gestes, comme de la poudre d'or.

Il n'y a pas eu de coup de fil. Elle n'a pas été renversée par un camion. Chris lui a envoyé un message : «Quand ?» Lorsqu'elle retourne à la clairière avec les autres, elle implore la lune. *Pour l'amour du Ciel, faites quelque chose. Sinon, je le reverrai.*

Silence, froid. Elle comprend que Chris est son combat. Personne ne le livrera à sa place.

Je lui dirai qu'on ne doit plus se revoir. Je lui dirai qu'il avait raison et qu'on devrait se contenter de s'envoyer des textos.

Cette pensée la glace. *S'il n'est pas d'accord, j'arrêterai de lui écrire.*

Lors du rendez-vous suivant, dans l'herbe, sous un ciel noir et sans lune, elle lui prend la main.

19

Nous étions sortis de la chambre pour regarder Selena longer le couloir jusqu'à la salle commune. Elle tira la porte. Silence. Le chant était terminé.

– Donc, me demanda Conway, tu crois que Chris l'a violée ?

– Allez savoir. À mon avis, non.

– Idem pour moi.

– Mais la rupture ne s'explique toujours pas. Qui plaquerait un type à cause d'un baiser ?

– Une fois que nous aurons le contenu des messages, nous y verrons plus clair.

– Si le gus de Sophie est rentré dîner chez lui, je jure que j'obtiendrai son adresse et que je lui ferai sa fête.

Quelques heures plus tôt, sa menace aurait paru crédible. À présent, elle se montait simplement le bourrichon. Elle était trop crevée pour mettre sa menace à exécution. Elle consulta sa montre : 18 h 45.

– Déjà ? On est à la bourre !

– Même si Chris n'a pas violé Selena, dis-je, une fille aurait pu le croire.

– Très juste. Ils rompent, elle est désespérée, pleure devant sa licorne. Une de ses copines sait qu'elle le retrouvait, s'imagine qu'il lui a fait quelque chose…

– Selena pense donc qu'une de ses amies l'a tué.

– Elle n'en est pas certaine, mais elle le soupçonne, oui.

Cette fois, Conway ne faisait pas les cent pas. Harassée, appuyée contre le mur du couloir, elle se massait la nuque.

– Conclusion : elle est hors de cause.

– Pas tout à fait. Quand nous connaîtrons toute l'histoire, elle y aura sa place.

– Exact. Si l'une de ses copines a tué Chris, elle a agi à cause de leur relation, d'une façon ou d'une autre.

– Selena aussi en est persuadée. Au moins une de ses amies savait tout sur elle et Chris, et n'approuvait pas. Les autres n'auraient pas été d'accord non plus. Voilà pourquoi elle a gardé le secret.

Aussi lessivé que Conway, je m'adossai au mur, près d'elle.

– Cette fille connaissait peut-être son véritable visage, savait qu'il finirait par faire souffrir Selena. Peut-être avait-il bafoué l'une d'elles, ce qui le transformait en ennemi. L'une des trois était peut-être amoureuse de lui, était peut-être sortie avec lui, plus tôt dans l'année.

– Très bien, admit Conway avec une grimace, en se frottant toujours la nuque. Interrogeons-les de nouveau, séparément. Annonçons-leur que, pour nous, Selena est la meurtrière, que nous nous apprêtons à la coffrer. Elles se mettront peut-être à table.

– Vous pensez que si l'une d'elles a tué Chris, elle la dédouanera ?

– Possible. À cet âge, on cherche une cause pour laquelle se sacrifier. Et les amis passent avant tout. On est prêt à donner sa vie pour les protéger.

– Mauvaise pioche. Si l'une d'elles avoue, on ne pourra pas en déduire qu'elle est coupable.

– Si elles me jouent cette comédie, je les embarque toutes, laissant le ministère public se débrouiller avec ce sac de nœuds. On les cuisinera dès qu'on aura les messages. Je veux découvrir ce qui s'est passé entre Chris et Selena : leur rupture et ce qui a suivi. Tu as vu sa réaction, lorsqu'elle a regardé les relevés ? Ceux qui ont précédé le meurtre ?

– Elle a paru sidérée. Pour moi, sa sincérité ne fait aucun doute. Elle ne s'y attendait pas. Comme elle plane, elle les a peut-être oubliés. Elle nous a dit qu'elle gardait un souvenir flou de ces deux semaines. Ou alors…

– Ou alors, une autre fille a découvert l'existence de ce téléphone, l'a utilisé pour envoyer quelques-uns des textos. Joanne, Julia… Tu as vu comment Selena a tressailli lorsque j'ai suggéré que son téléphone avait pu être déplacé ? Une fille le cherchait.

– Il nous faut ces messages. Même s'ils ne sont pas signés.

– Ils ne le seront pas.

– Sans doute. Mais un indice pourrait nous orienter vers celle qui les a envoyés.

– Oui. Et je veux identifier les autres filles avec qui Chris communiquait avant de jeter son dévolu sur Selena. S'il s'agit d'une des huit ados qui nous intéressent, on aura fait un grand pas, surtout si c'est celle qu'il draguait en même temps que Joanne. Avec de la chance, on pourrait découvrir un nom dans les messages, un détail sur les photos. N'importe quelle fille dotée d'un peu de jugeote aurait effacé son visage. Toutefois, ne négligeons pas la possibilité de tomber sur une idiote. Et une fille pourrait avoir un grain de beauté sur un sein, une cicatrice, un détail reconnaissable.

– Vous acceptez que je vous laisse cette part du boulot ?

– J'examinerai les photos des filles, tu te chargeras de celles de Chris. On ne t'accusera pas de voyeurisme.

– Espérons.

– Je vais demander à McKenna de laisser sortir les élèves un moment, comme je l'ai promis à Selena. Ensuite, nous irons manger un morceau à la cantine en attendant que le gus de Sophie se magne le train. Je pourrais engloutir un burger géant.

– Deux.

– Deux. Avec des frites.

Le téléphone de Conway bipa dans sa poche. Elle retrouva aussitôt sa vivacité, comme si sa fatigue n'était plus qu'un lointain souvenir.

– Les messages. Enfin ! Je crois que je vais épouser Sophie.

La pièce jointe était aussi fournie que la précédente.

– On s'assied, dit Conway en désignant, au fond du couloir, le renfoncement de la fenêtre qui, entre les deux salles communes, laissait voir le crépuscule rouge et noir, semblable à un ciel d'orage.

Nous nous sommes installés sur le rebord, épaule contre épaule, et nous avons commencé à lire.

Beaucoup de flirt, Chris plus flatteur que jamais : *Je T vue au Court ojourdui, TT super*, la fille minaudant *Ptin je croa pas ke tu mavue, mé cheveux éT nuls mdr*. Réponse immédiate : *C pas tes cheveux ke jrgardais, mé T lolo géants dans ton haut :-D* On pouvait presque entendre la fille couiner : *T dégueu*.

Le ton change. Une fille monte sur ses grands chevaux. *Ecoute pa skon raconte sur vendredi soir, elles y éT pa ! On éT ke toutes les 4 donc si tu ve savoir la vériT, DEMANDE-MOI !* Nombreux rendez-vous, la plupart en tout bien tout honneur, après les cours, au supermarché ou au jardin public. Personne n'avait fait le mur la nuit, du moins jusque-là. Une chaîne : *Si tu aimes ta mère, fais passer ce message à 20 personnes. Une fille l'a pas fait et 1 mois après sa mère est morte. Moi je le passe parce que j'aime ma mère.*

Déclarations langoureuses : *Peu pas atendr 2 te voir. CT tro bien hier. T tro spéciale tu C.*

– Une âme sensible, ce Chris. Tu as vu les messages suivants ?

Une fille, en octobre, est à la ramasse après avoir été plaquée. Une autre lui assène un *Va te faire foutre* bien senti. Une troisième lui envoie une avalanche de textos, le supplie de lui répondre. *C à coz de ce moment dans le parc ???... C parck tes copains m'aiment pa ?... On t'a dit des choses sur moi ?... Je t'en prie, je t'en prie, je te laisserai tranquille, g juste besoin de savoir...*

Chris ne lui avait plus jamais fait signe.

– Bouleversant, dit Conway. Un pauvre cœur solitaire à la recherche de l'amour.

Pas de nom, mais il faudrait identifier cette fille. D'ailleurs, il n'y avait aucun nom nulle part. Quant aux clichés, Conway ne s'était pas trompée : il ne s'agissait pas de portraits de gentils chatons.

OMG t'as vu Amy tomber du skate sur son cul j'ai cru mourir de rire ! On y était.

Chris : *Envoie-moi une foto : -D*

Une autre fille, qu'il nous faudrait également découvrir : *Tu C déjà comment je suis, mdr.*

Chris : *Tu vois cke jveux dire : -D. J'aurai de quoi penser à toi avant de te revoir.*

Jamais !!! Tu vas les montrer à tout Colm !

Chris : *Je ferai JAMAIS ça. Je pensais que tu m'estimais. Si tu me prends pour un tel salaud, on devrait peut-être casser.*

Pardon, pardon, je voulais pas dire ça, je sais que T pas un salaud.

Chris : *Je croyais que tu me faisais confiance.*

Oui, oui oui ! [pièce jointe : dossier jpg]

– Un champion ! railla Conway. Il n'a pas seulement obtenu les clichés de ses nibards. Il l'a également forcée à s'excuser de ne pas les lui avoir expédiés plus tôt. Il parvenait toujours à ses fins, nous a affirmé Julia.

– Toutefois, il disait peut-être la vérité à cette fille, du moins lorsqu'il lui promettait de garder les clichés pour lui. Des copains à lui les ont mentionnés, l'année dernière ?

– Non. Auraient-ils déballé ça devant le Père Machin ? « Oui, Chris nous refilait des photos de nichons, je vous en prie, expulsez-moi et arrêtez-moi pour détention d'images porno de mineures, merci beaucoup. »

– Ils auraient pu s'y résoudre s'ils avaient soupçonné une des filles de l'avoir tué. Chris était leur pote. Ils n'auraient peut-être rien avoué devant le Père Machin. Mais ils auraient pu vous envoyer un SMS anonyme, ou un courriel. Vous m'avez dit que Finn Carroll n'était pas idiot.

– Loin de là. Et Chris et lui étaient assez liés pour que, si Chris avait fait circuler les clichés, Finn les ait vus. Pourquoi les gardait-il pour lui ?

– Selena nous a assuré qu'il était compliqué.

– Toutes les filles croient que les salopards sont siii compliqués ! Désolée, mesdemoiselles, ricana Conway en consultant de nouveau son écran. Ce sont des enfoirés. Il ne passait pas les photos par respect, en preux chevalier blanc. Il les gardait pour lui parce que les filles auraient pu le savoir et assécher ainsi sa provision de branlettes. Nous y voilà ! ajouta-t-elle en brandissant le téléphone entre nous. Joanne.

Joanne commençait de la même façon que les autres. Chris avançant pas à pas, voyant jusqu'où il pourrait aller, elle résistant et adorant ça. Nombreux rendez-vous. Il obtient des clichés, non sans mal. *On dit s'il te plaît bon toutou mdr maintenant envoie-moi une foto du beau cadeau que t'aimerais me faire. Et puis une photo 2 là ou tu m'enmèneras en vacances.*

Je l'imaginais gloussant avec ses amies, concoctant la prochaine exigence.

– La garce ! s'esclaffa Conway. Pourquoi ne l'a-t-il pas larguée tout de suite ? Des seins, il en avait à la pelle !

– Il aimait peut-être le défi. Ou alors, ainsi qu'elle nous l'a dit, il était vraiment mordu.

– Tu parles. Regarde.

Clichés, flirt, rendez-vous, propos de plus en plus langoureux. Ensuite, Joanne insiste pour qu'il rende leur relation publique.

Pe pas attendre la soirée de Noël!! On pe demander au DJ 2 passer notre chanson... Je m'en fous si Sœur Cornelius nous vire 2 la piste mdr. <3 <3 <3

Et Chris disparaît.

Joanne : *Hé t'étais où ce soir ? On devait se voir.*

Joanne encore : *T'as eu mon texto ?*

Hello ? Chris qu'est-ce qui se passe ?

Juste pour te faire savoir ke g un plan pour ce w-e. Si ça t'intéresse, réponds-moi vite.

Si on t'a dit quelque chose, demande-toi POUR-QUOI... Plein de gens sont hyper jaloux 2 moi... je pensais pas que t'étais assez con pour tomB dans le panneau.

1 000 excuses mais je laisse pas les mecs me tréT comme ça... Je suis pas une pute... Si t'as pas répondu à 9 heures, alors C fini!!!

Tu veux que je dise à tout le monde que T gay ? Je vais le faire.

Surprise j'allais te larguer de toute façon. Tembrace comme une savate tu me fais gerber avec ta kkT rikiki j'espère qu'une Ptasse te filera le sida.

Chris, si tu réponds pas + si tu t'excuses pas, TU LE REGRETTERAS. J'espère que t'as bien compris parce que c'était une GROSSE erreur... Je sais pas combien de temps ça prendra, mais TU LE REGRETTERAS.

OK tu l'auras cherché. Ciao.

– Voilà une belle crise de nerfs, constata Conway.

Joanne encore. Le mobile, l'occasion et maintenant les menaces.

– Cela se passait cinq mois avant la mort de Chris, observai-je. Vous pensez qu'elle a pu ruminer sa rancœur aussi longtemps ?

– Pourquoi pas ? Tu l'as entendue. Elle est encore mortifiée au bout d'un an et demi.

Je ne l'imaginais pas à minuit, une bêche à la main. D'après l'expression de son visage, Conway non plus.

– Aurait-elle pu demander à quelqu'un d'autre de faire le travail à sa place ?

– J'y ai pensé. J'en doute, mais on ne sait jamais. Dans ce cas, c'était forcément une de ses copines ; si elle avait séduit un mec pour le pousser à le faire, il n'aurait jamais été capable de garder le silence aussi longtemps. Mais qui ? Alison et Orla n'en auraient pas eu la force. Et même si elles avaient réussi à passer à l'acte sans se faire coincer le lendemain, elles auraient déjà avoué. Reste Gemma. Elle a assez de caractère pour l'avoir fait, et pour avoir gardé le silence. Mais elle a un instinct de survie trop développé. Elle aurait refusé.

– Une des filles de la bande de Holly ? hasardai-je.

– Chantage !

– Oui. Joanne avait la vidéo. Elle avait de quoi faire renvoyer Selena ; et les trois autres.

– Pas sans se fourrer elle-même dans de sales draps.

– Pas sûr. Elle aurait pu enregistrer la vidéo sur une clé USB et la transmettre à McKenna. Ou la télécharger sur YouTube au cours d'un week-end, en donnant l'adresse du site du collège. McKenna aurait pu deviner sa provenance, mais sans la prouver.

– Admettons. Joanne a donc la vidéo. À qui en parle-t-elle ? Pas à Selena, bien sûr. Elle était folle de Chris. À sa place, je me serais adressée à Rebecca.

– Surtout pas. Elle l'aurait envoyée paître.

– Julia, alors. Joanne nous a révélé qu'elle avait eu une conversation avec elle, lui demandant de pousser Selena à rompre. Elle lui a peut-être demandé autre chose.

Julia. Ses yeux attentifs. Sa façon de protéger Selena. Son calme quand elle avait vu la carte.

– Elle connaissait l'existence du téléphone secret de Joanne, poursuivit Conway. Je ne vois aucune raison pour laquelle cette garce l'aurait mise au parfum. Sauf pour lui montrer ce qu'elle devait chercher.

Silence. Nous ne voulions, ni l'un ni l'autre, que ce soit elle.

– Voyons la suite, dis-je.

Les textos entre Chris et Selena débutaient le 25 février. Ils étaient différents. Ni allusions salaces ni mielleuses demandes de photos. Aucune fébrilité.

« *Salut.* »

« *Salut.* »

Voilà à quoi se réduisait leur première conversation : sentir simplement la présence de l'autre. Les deux jours suivants, ils se racontent des anecdotes. Les copains de classe de Chris ont fabriqué un gadget qui, dissimulé sous un pupitre, bipe à intervalles réguliers, rendant fou leur prof d'histoire. Les copines de Selena ont fait perdre la boule à Houlihan en avançant leurs tables sans qu'elle s'en aperçoive, jusqu'à la coincer contre le tableau. Ils en rient ensemble.

Ensuite, prudemment, comme s'ils avaient l'éternité devant eux, ils passent à des sujets personnels.

Chris : *Je suis rentré chez moi ce w-e, ma sœur s'est coupé les cheveux à la Jeanne d'Arc, qu'est-ce que je fais ?*

Selena : *Tout dépend. Ça lui va bien ?*

Chris : *Ça lui irait pas mal si elle était allée chez le coiffeur au lieu de le faire elle-même. :-O*

Selena : *MDR ! Alors, emmène-la chez le coiffeur pour qu'il rectifie.*

Chris : *Oui, je pourrai faire ça : -D*

Suivent des textos envoyés la nuit, à la hâte, dans les toilettes ou sous les couvertures. La sœur de Chris adore sa nouvelle coiffure améliorée. Ses amis et lui se sont retrouvés enfermés lors d'une soirée donnée par le frère d'un copain, ont insulté une fille en rentrant chez eux, Chris s'est senti coupable le matin. Selena voudrait que son père et sa mère se parlent lorsque l'un d'eux la dépose chez l'autre ; Chris souhaite que les siens cessent de s'adresser la parole, car ça finit toujours en pétard. Ils se rapprochent de plus en plus.

Chris : *Rien d'intéressant à dire, sauf que je pense à toi.*

Selena : *C'est de la télépathie, j'allais justement te dire que je pensais à toi.*

Chris : *Je pense à toi tout le temps, donc c'est pas une coïncidence.*

Selena : *N'en fais pas trop.*

Chris : *Je suis sincère, c'est pas du bidon.*

Selena : *Alors, ne dis rien. Tu sais que t'as pas besoin d'en rajouter avec moi, d'accord ?*

Chris : *D'accord. Mais je veux pas que tu croies que ça ne signifie rien pour moi.*

Selena : *Je croirai jamais ça. Promis.*

Aucun rapport avec la comédie qu'il peaufinait avec les autres, ces dialogues de séries télé cent fois ressassés. Il s'agissait d'autre chose : de mots maladroits mais chargés de sève, décisifs, définitifs, tels qu'on en échange une seule fois dans sa vie ; des mots qui vous épouvantent et vous brisent le cœur.

– Vous croyez vraiment qu'il la mène en bateau ? demandai-je à Conway.

Regard noir, silence.

Chris à nouveau : *Je voudrais qu'on puisse vraiment se parler. C'est trop con.*

Selena : *Moi aussi.*

Chris : *On pourrait essayer de se retrouver après les cours, au Pré ou dans le jardin public.*

Selena : *Ce serait pas pareil. Et quelqu'un pourrait nous voir.*

Chris : *Alors ailleurs. On pourrait dénicher un café loin d'ici.*

Selena : *Non. Mes amis me demanderont où je vais. Je veux pas leur mentir. On est déjà assez cachottiers comme ça.*

– Elle réagit à l'inverse de Joanne et des autres, commenta Conway. Alors que Chris cherchait à tout garder secret, elles insistaient pour qu'il rende leur relation publique. Selena, elle, tient à la clandestinité.

– Comme nous l'avons dit, elle sait qu'au moins une de ses amies n'apprécierait pas.

– Julia savait que Chris était un coureur. Et Holly ne le supportait pas.

Lors de la deuxième semaine de mars, Chris a la solution. *Devine. Finn a trouvé un moyen de faire le mur la nuit. Si tu peux toujours le faire toi aussi, serais-tu d'accord pour qu'on se file rencard ? Je veux pas te causer d'ennuis, mais je rêve de te voir.*

Silence le lendemain, pendant que Selena pèse le pour et le contre. Puis :

J'adorerais. Mais pas avant minuit et demi. Retrouve-moi dans le parc de Kilda, devant le portail du fond. On trouvera un endroit où parler.

Chris, par retour : *Ouiiiii ! Jeudi ?*

Selena : *Oui, jeudi. Je te préviens en cas d'empêchement. Sinon, à bientôt.*

Peux pas attendre ! :-)

Moi non plus ! :-)

Les rendez-vous se succèdent. Dès lors, les textos changent : plus brefs, plus espacés. Plus d'anecdotes, ni famille, ni amis impliqués, ni sentiments profonds, ni rêveries. *Salut.* Et : *Ce soir, même heure, même endroit ?* Et : *Impossible. Jeudi ?* Et : *D'accord.* Sans plus. Leurs rapports deviennent trop réels, trop intenses pour tenir dans leur petit rectangle lumineux. Ils sont devenus vivants.

Un fracas venu de la salle commune des secondes nous fit sursauter : un grondement, provoqué peut-être par l'écroulement d'une pile de livres, suivi d'une série de rires forcés. Ensuite, le silence.

Et enfin, ce que nous attendions.

Le 22 avril, Chris et Selena se donnent rendez-vous, ce qui corrobore notre hypothèse. *Même heure, même endroit. Hâte d'y être.*

Cette nuit, la vidéo. Le baiser.

Tôt le matin du 23, Chris envoie un SMS à Selena. *Je vais avoir des ennuis parcke j'arrête pas de sourire.*

Avant les cours, Selena répond. Message épique. *Chris, il faut que j'arrête de te voir. Je jure que ça n'a rien à voir avec ce que tu as fait. J'aurais jamais dû me rendre à ce rendez-vous, mais je pensais sincèrement qu'on pouvait juste être amis. C'était vraiment, vraiment idiot. Je suis tellement désolée. Je sais que tu ne comprendras pas pourquoi, mais si tu souffres, cela t'aidera peut-être de savoir que je souffre aussi. Je t'aime (autre chose que j'aurais jamais dû dire).*

– De quoi parle-t-elle ? s'étonna Conway.

– Elle ne s'exprime pas comme la victime d'un viol, dis-je.

– Mais comme une folle. Je commence à croire que Joanne et ses amies avaient raison à propos de cette bande.

– Et elle n'a pas l'air de vouloir prendre le temps de réfléchir, ainsi qu'elle nous l'a martelé. Si j'en crois son message, elle avait déjà pris sa décision.

– Mais pourquoi rejeter cette relation ? On s'aime tellement, on sort ensemble, on le clame sur les toits. C'est simple. Qu'est-ce qui ne va pas avec ces gosses de riches ?

Chris réagit violemment. *C quoi ce bordel ?! C toi, Selena ? Si C pas toi, VA TE FAIRE FOUTRE. Si c'est toi, il faut qu'on parle. Même lieu, même heure ?*

Rien.

Après les cours : *Selena, si tu veux qu'on reste juste amis, pas de problème. Je croyais que tu voulais ou j'aurais même pas essayé, tu le sais. S'il te plaît, on peut se retrouver ce soir ? Je jure que je te toucherai même pas. Même heure, même endroit. J'y serai.*

Rien.

Le lendemain, il revient à la charge. *Je t'ai attendue comme un con jusqu'à 3 heures du matin. J'étais sûr que tu viendrais. J'arrive pas à croire que t'es pas venue.*

Deux heures plus tard : *Selena, t'es sérieuse ? Je comprends pas ce qui s'est passé ! Si g fait quelque chose de mal, je ferai tout ce que tu veux pour que tu me pardonnes. Dis-moi juste ce qui se passe, merde !*

Le même soir : *Selena, tu dois me répondre.*

Rien.

Jeudi 25 avril, Selena réagit enfin : *Cette nuit, 1 heure. Endroit habituel. SURTOUT me réponds pas. Viens, c'est tout.*

— Voilà ! clama Conway en frappant l'écran. Ce n'est pas elle !

— Non, confirmai-je. Selena aurait dit : « Même endroit, même heure », comme ils le faisaient toujours. Et elle ne lui aurait jamais demandé de ne pas confirmer.

— Exact. Une autre personne ne voulait pas qu'il réponde, au cas où Selena aurait vu le message.

— Elle n'aurait pas craint que Selena tombe dessus ? Qu'une nuit, pleine de nostalgie, elle relise ses échanges avec Chris et s'écrie : « Je ne me souviens pas d'avoir écrit ça ? »

— Notre intruse a supprimé le message après l'avoir expédié.

— Donc, résumai-je, après la rupture, Chris ne réagit pas aux messages, non parce qu'il est vexé, mais parce qu'il obéit.

— Pas toujours, objecta Conway. Regarde ça.

Cinq jours plus tard, le 30 avril, texto de Selena à Chris : *Tu me manques. J'ai tellement essayé de ne pas t'écrire et je t'en veux pas d'être furieux contre moi mais je voulais que tu saches que tu me manques.*

– Là, dis-je, nous retrouvons la vraie Selena. Comme elle nous l'a dit, elle ne supportait pas l'idée de rompre sèchement avec lui.

– Lui, coupa Conway, n'a pas ce genre de problème. Pas de réponse. Il l'ignore. Pour une fois, il n'a pas eu ce qu'il voulait, et il n'est pas content.

– Ce texto révèle un fait intéressant. Il prouve que notre mystérieuse inconnue n'a pas volé le téléphone. Elle l'utilisait quand elle en avait besoin, puis le replaçait derrière le matelas de Selena.

– Exact. Joanne et sa bande n'y avaient pas accès, même si elles savaient où Selena le planquait. Comment l'auraient-elles pu ? La fille qui a organisé le rendez-vous vivait dans cette chambre.

Presque une semaine plus tard, le 6 mai, une fille utilisant le téléphone de Selena lui envoie ce message : *J'y serai.* Pas de réponse.

– Ils avaient déjà arrangé ce rendez-vous, commentai-je. Mlle Mystère ne fait que le confirmer. Chris avait dû se montrer la semaine précédente.

– Oui. Mais il avait obtempéré parce qu'il pensait retrouver Selena. Cette fois, il sait qu'il s'agit de quelqu'un d'autre. Et il y va quand même.

– Pourquoi ?

– Mlle Mystère lui a peut-être dit qu'elle allait régler le problème entre lui et Selena. Ou il estime que se taper cette amie de Selena serait une vengeance éclatante. Ou encore, il espère d'autres photos de nibards. Il raffole des nanas, quelles qu'elles soient. En ce qui le concerne, il n'y a pas de « pourquoi ». Seule question essentielle : pourquoi notre inconnue est-elle allée le retrouver ?

La journée avait été longue, mon esprit s'embrouillait. Le couloir, devant nous, me semblait interminable, le rouge du carrelage aveuglant, sa perspective infinie.

– Si elle avait décidé de le tuer, dis-je, pourquoi ne pas l'avoir fait tout de suite ? Pourquoi lui fixer ces rendez-vous supplémentaires ?

– Pour se donner du courage. Ou alors, elle cherche à découvrir quelque chose avant de prendre sa décision : s'il a violé Selena, par exemple. Ou encore, elle n'a pas l'intention de le tuer, du moins au début. Elle le rejoint pour une autre raison. Alors, il se passe quelque chose.

Selena à Chris, le 8 mai, tard dans la nuit : *Je ne veux pas que cette situation se prolonge jusqu'à la fin des temps. C'est peut-être complètement idiot de ma part, mais il doit exister un moyen pour que notre amitié ne meure pas. Restons en contact jusqu'à ce que, si tu n'es pas trop en colère contre moi, nous puissions essayer encore un jour. Je ne supporte pas l'idée de te perdre pour de bon.*

– Elle crève d'envie de se jeter dans ses bras, en déduisit Conway. Ses histoires d'amitié, c'est du bidon.

– Elle a affirmé qu'elle était sauvée, libérée de son désir. Elle était sincère. Mais si Chris lui avait répondu, elle n'aurait pas résisté. Ils se seraient remis ensemble en moins de quinze jours. C'était peut-être le but de Mlle Mystère : les séparer définitivement.

– Si tu étais une ado et si tu voulais éloigner Chris de Selena pour une raison ou une autre, en étant sûre qu'elle ne lui avait pas cédé, alors que tu le connaissais ?

Silence. Les yeux fixés sur le carrelage rouge, je me sentais de plus en plus vaseux.

– Il a apporté un préservatif, ajouta-t-elle.

– Ce n'était pas Rebecca. Elle n'y aurait pas pensé.

– Non.

Mais Julia, oui.

13 mai : *J'y serai.*

14 mai, toujours Selena : *Ne t'inquiète pas, je sais que tu ne répondras pas à ce message. Je voudrais simplement te parler. Si tu veux que j'arrête, dis-le-moi et je le ferai. Sinon, je continuerai à t'écrire. On a eu aujourd'hui une remplaçante en maths. Quand elle sourit, elle ressemble à Chucky. Cliona s'est plantée, elle l'a appelée Mlle Chucky et on a toutes failli crever de rire : -D*

Rembobinage, retour aux anecdotes amusantes, tentative de ramener Chris sur un terrain familier.

– Pendant un certain temps, dis-je, Mlle Mystère parvient à convaincre Chris de rester éloigné de Selena. Elle n'a aucun mal : il est fumasse contre elle de toute façon. Et si notre inconnue lui donne ce que Selena lui refuse… Pourtant, Selena lui envoie toujours des textos. Au bout d'un moment, ce que Mlle Mystère lui apporte ne compte plus. Chris veut que Selena lui revienne.

– Et Mlle Mystère doit mettre au point un nouveau plan.

16 mai, 9 h 12. Le matin précédant la mort de Chris.

Texto du téléphone de Selena à celui de Chris : *On peut se voir ce soir ? Dans la clairière aux cyprès ?*

16 heures ; il a dû consulter ses messages après les cours. Du téléphone de Chris à celui de Selena : *D'accord.*

Celle qui avait organisé ce rendez-vous, quelle qu'elle fût, avait tué Chris Harper. Il nous restait un vague doute : interception, coïncidence. Rien de plus.

– J'aimerais savoir qui il pensait retrouver, murmura Conway.

– Moi aussi. Cette fois, ce n'est pas le style habituel de Mlle Mystère. Cette fois, la correspondante demande une réponse.

– Ce n'est pas Selena. Elle n'aurait pas employé l'expression « Clairière aux cyprès ». C'était leur lieu de rendez-vous. Elle aurait simplement précisé : « Même heure, même lieu. »

Encore une fois, Selena était hors de cause.

– Mais Chris aurait pu penser que c'était elle.

– C'est ce que Mlle Mystère voulait peut-être lui laisser croire. Pour l'heure, elle met son plan au point. Elle brise la routine pour intriguer Chris, s'assurer qu'il viendra. Elle prend le risque qu'il lui réponde. Cette fois, elle a peut-être subtilisé le téléphone ; car elle sait que personne ne s'en servira plus.

Comme moi, Conway était vannée. Elle précisa :

– Joanne la tient peut-être sous sa coupe. Peut-être agit-elle de son propre chef, pour une raison que nous ignorons. Cette nuit-là, elle fait le mur tôt, subtilise la binette dans la cabane à outils. Elle porte des gants ; donc, pas d'empreintes. Elle gagne la clairière, se cache entre les arbres jusqu'à l'arrivée de Chris. Quand il se pavane dans la clairière, guettant l'apparition de sa conquête, elle le frappe avec la binette. Il s'écroule. Elle s'assure qu'il est bien mort. Ensuite, elle essuie la binette, la remet où elle l'a trouvée. Elle pique le téléphone secret sur le corps de Chris et s'en débarrasse, comme de celui de Selena. Elle le fait peut-être cette nuit-là, saute le mur et le balance dans une poubelle. Peut-être le cache-t-elle quelque part dans le collège jusqu'à ce que le ramdam s'estompe. À présent, rien ne la relie, elle ou ses amies, au crime. Sauf Joanne, qui a assez de bon sens pour la boucler. Elle regagne sa chambre, se couche, attend le matin pour gémir et pleurer.

– Quinze ans, objectai-je. Vous estimez vraiment qu'elle aurait eu ce sang-froid ? Le meurtre, d'accord. Mais l'attente, pendant toute cette année ?

– Elle l'a fait pour ses amies, pour les préserver. Ça donne du courage. Tu fais ça, tu es Jeanne d'Arc. Tu te jetterais dans les flammes. Rien ne t'arrêterait.

Pourtant, quelqu'un d'autre est au courant. Une fille qui n'est pas aussi héroïque. Elle garde le secret aussi longtemps qu'elle le peut, puis elle craque, fabrique la carte. Elle croit sincèrement que cela n'ira pas plus loin que le panneau des secrets, les ragots de couloir. Encore la bulle : on est dedans, le monde extérieur n'a aucune réalité. Mais ta Holly a eu affaire à ce monde. Elle sait qu'il est là.

Soudain, un tintamarre, suivi d'un cri, nous parvint de la salle commune des secondes : quelque chose de lourd venait de s'effondrer.

J'allais me précipiter lorsque Conway me saisit le bras.

– Mais…

– Attends.

Les cris s'amplifièrent. Conway bondit, ouvrit la porte.

Debout, les filles hurlaient, déchaînées. McKenna tentait de les calmer, sans succès. Échevelées, elles ressemblaient à des oiseaux affolés se cognant contre les murs. Je captai des mots, des exclamations de terreur.

– Je le vois, c'est pas possible, je le vois ! C'est Chris, Chris, Chris !

Toutes fixaient la fenêtre à guillotine où Holly et ses amies s'étaient assises une ou deux heures auparavant ; déserte à présent contre le ciel noir. Renversant la tête, ouvrant les bras, elles criaient sans retenue, ravies, comme si elles n'avaient attendu que cet événement qui, enfin, venait de se produire.

– C'est lui, c'est lui ! Regarde !

L'histoire de fantôme de Conway avait produit son effet.

Elle se précipita vers Holly et ses amies qui, regroupées dans un coin, ne criaient pas mais écarquillaient les yeux. Holly mordait son avant-bras, Rebecca hoquetait dans un fauteuil, les mains sur les oreilles.

Alors, le plafonnier explosa. Éclats de verre projetés comme des flèches d'or dans la faible lumière des lampes à pied, panique, nouveaux cris. Une fille porta les mains à ses joues.

Debout devant un canapé, Alison, oscillante et frêle, les désigna du doigt. Elles, les quatre : Rebecca la tête renversée et les pupilles glauques, Holly et Julia se serrant le bras, Selena se balançant, le regard vide. Puis elle hurla :

– C'était elle ! Je l'ai vue, je l'ai vue, je l'ai vue !

Conway me fit un signe impérieux. Je la rejoignis. Nous avons saisi Alison sous les bras. Rigide, comme paralysée, elle ne résista pas. Nous l'avons entraînée vers la sortie sans laisser à McKenna le temps d'intervenir. D'un coup de pied, Conway claqua la porte derrière nous.

Nous avons tiré Alison jusqu'au fond du couloir, si vite que ses pieds frôlaient à peine le sol, avant de la déposer par terre, tel un chiffon, criant de plus en plus.

Des visages apparurent dans la cage d'escalier, au-dessus et au-dessous de nous. Je déclarai d'une voix sonore, professionnelle :

– Attention, attention. Réintégrez vos salles communes. Aucune de vos camarades n'a été blessée. Tout va bien. Regagnez vos salles immédiatement.

Je répétai mon injonction jusqu'à ce que les visages disparaissent. Derrière nous, McKenna tonnait toujours. Les hurlements s'estompaient, se muaient en sanglots.

Conway s'agenouilla devant Alison, claquant des doigts devant ses yeux.

– Alison, regarde-moi.

– Il est là ! Ne le laissez pas… Non !

– Alison, concentre-toi. Quand je te dirai : « Vas-y », tu compteras jusqu'à dix. Prête ? Vas-y !

La gamine retint son souffle, eut une sorte de rot qui me fit presque rire.

– Un, deux, trois, quatre…

Indifférente au chahut envahissant le couloir, Conway poursuivit, devant Alison qui, la bouche béante, la fixait :

– Cinq, six…

Nouveaux gémissements dans la salle commune. Les yeux d'Alison zigzaguèrent.

– Hé, ici ! Sept, huit, neuf, dix. Maintenant, respire. Lentement.

Alison obéit, inspirant avec bruit, comme hypnotisée. Elle ne geignait plus.

– Bien, dit Conway.

Elle se tourna vers moi. *À toi.*

J'avais réussi, tout à l'heure, à mettre Alison en confiance. Toutes les chances étaient de mon côté : l'interrogatoire le plus décisif de toute l'affaire. Du moins, si je ne foirais pas.

– Oh là, dis-je en m'asseyant en tailleur sur le carrelage, tandis que Conway s'appuyait contre le mur, derrière Alison. Ça va mieux ?

Elle acquiesça, toujours terrorisée, les jambes étalées n'importe comment, comme une poupée qu'on aurait laissée tomber. Je la gratifiai de mon sourire le plus rassurant.

– Bien. Donc, tu peux nous parler. Pas besoin de la surveillante générale ou d'un médicament anti-allergie ?

Elle secoua la tête. Au bout du couloir, le chahut avait cessé. McKenna avait enfin les secondes sous contrôle. D'une minute à l'autre, elle partirait à notre recherche.

– Parfait, poursuivis-je. Tu as affirmé, dans la salle commune, que tu avais vu une des amies de Selena Wynne faire quelque chose. Tu as désigné l'une d'elles. Laquelle ?

Nous nous attendions, Conway et moi, à ce qu'elle réponde :

– Julia.

Alison respira profondément et murmura :

– Holly.

Silence dans les couloirs, au-dessus et au-dessous de nous. Les bleusailles et les terminales avaient regagné leurs chambres, fermé les portes.

Silence aussi entre Conway et moi. Holly était ma «chérie», mon témoin préféré. Elle m'avait apporté la carte. Même après l'avoir vue ici, dans son monde, je l'avais toujours crue de mon côté.

– Bien, répliquai-je sans émotion apparente, comme si cette révélation n'avait aucune importance, sentant sur moi le regard acéré de Conway. Qu'est-ce que tu as vu ?

– Après la réunion… Quand on nous a parlé de Chris. J'étais…

Regard vague, comme toujours.

– Je suis là, dis-je avec un grand sourire. Tu es super. Que s'est-il passé après la réunion ?

– En sortant de la salle de réception, on a traversé le vestibule. J'étais à côté de Holly. Elle a regardé autour d'elle, très vite, comme si elle avait peur qu'on la surveille.

Toujours aussi observatrice, ainsi que je le lui avais dit le matin. Une proie sur la défensive.

– Alors, elle a plongé la main sous sa jupe, comme si elle rajustait son collant. Elle en a sorti un objet, enveloppé dans un mouchoir en papier.

Pour être sûre de ne pas laisser d'empreintes. Exactement comme Mlle Mystère avec la binette.

– Et ça t'a frappée…

– Oui. C'était bizarre. Une partie de l'objet émergeait du mouchoir. J'ai cru que c'était mon téléphone. C'était le même que le mien. Mais j'ai fouillé dans ma poche ; et le mien y était.

– Qu'a fait Holly ensuite ?

– À l'entrée, on dépose les objets trouvés dans un grand coffre noir, avec un trou au sommet. On peut les y jeter, mais impossible de les récupérer. On doit demander

386

la clé à Mlle O'Dowd ou à Mlle Arnold. Mine de rien, sans un regard, Holly y a passé la main. Ensuite, dans sa paume, il ne restait plus que le mouchoir.

– Pourquoi ne m'en as-tu pas parlé l'année dernière ? coupa sèchement Conway.

– Je savais pas que ça avait quelque chose à voir avec Chris. J'aurais jamais cru…

– Évidemment, lui dis-je doucement. Quand as-tu commencé à t'interroger là-dessus ?

– Il y a à peine deux mois. Joanne était… J'avais fait quelque chose qu'elle n'avait pas apprécié, et elle m'a dit : « Je devrais appeler les flics et leur raconter que ton téléphone envoyait des textos à Chris Harper. Tu serais dans une sacrée merde. » C'était des propos en l'air. Elle l'aurait jamais fait, pas vrai ?

– Bien sûr que non, la rassurai-je d'une voix pleine de sollicitude, sachant que Joanne l'aurait précipitée tête la première dans une déchiqueteuse si cela avait pu servir ses intérêts.

– Mais j'ai commencé à réfléchir. J'ai pensé : « C'est pas vrai, s'ils inspectent mon téléphone, ils vont s'imaginer que je sortais avec Chris. » Alors, je me suis souvenue de celui que Holly avait extirpé de son collant. Et je me suis dit : « Et si elle s'en était débarrassée parce qu'elle craignait la même chose que moi ? » Ensuite, je me suis dit : « P'tain, et si elle sortait vraiment avec lui ? »

– Tu en as parlé à Holly, ou à quelqu'un d'autre ?

– Surtout pas ! Pas à elle ! Mais j'en ai parlé à Gemma. J'ai pensé qu'elle saurait quoi faire.

– Tu as bien fait. Gemma est futée.

C'était vrai. Alison n'aurait pas compris que ce téléphone aurait pu être celui de Selena. Gemma, oui.

– Comment a-t-elle réagi ?

Alison se tortilla, baissa la tête.

– Elle m'a répondu que c'était pas nos oignons. Que je devais la fermer et oublier tout ça.

– Tu as essayé. Mais tu n'y es pas parvenue. Alors, tu as fabriqué cette carte, avant de l'épingler sur le panneau des secrets.

Elle me scruta d'un air hébété, secoua la tête.

– Il n'y a rien de mal à ça. C'était une bonne idée.

– Mais je l'ai pas fait ! J'le jure devant Dieu, je l'ai pas fait !

Je la crus. Elle n'avait plus aucune raison de mentir.

– D'accord, dis-je.

– Merci, Alison, déclara Conway. Tu avais sans doute raison et cela n'avait rien à voir avec Chris. Toutefois, nous allons avoir, l'inspecteur Moran et moi, une petite conversation avec Holly pour mettre les choses au point. Mais nous allons d'abord t'accompagner dans le bureau de Mlle Arnold. Tu as l'air un peu pâle.

Surtout l'isoler, pour l'empêcher de répandre l'histoire. Je me levai, souriant toujours. Un de mes pieds était engourdi.

Alison se redressa en s'appuyant à la rampe. Elle resta là, les mains derrière le dos, le visage verdâtre. Puis, à Conway, en frissonnant :

– Orla nous a raconté l'histoire du chien fantôme.

– Horrible, acquiesça Conway, dont le chignon commençait à se relâcher.

– Une fois que l'homme a avoué… Est-ce que le chien est revenu le hanter ?

– Pourquoi cette question ?

– Chris, bredouilla Alison. Là-bas, dans la salle commune. Il était là, dans l'encadrement de la fenêtre.

Sa certitude me donna la chair de poule. Cette hystérie, que je redoutais tant, revenait en force.

– Oui, répondit Conway. Je m'en suis aperçue.

– Il… Il était là à cause de moi. Il m'était déjà apparu dans le couloir, parce que je n'avais pas parlé de Holly et de son téléphone. Dans la salle commune, il m'a regardée droit dans les yeux. Mais il souriait à… Si vous n'étiez pas entrés à ce moment-là… Est-ce qu'il va revenir me hanter ?

– Tu nous as tout dit ? énonça froidement Conway. Dans les moindres détails ?

– Je le jure. Je le jure !

– Alors, Chris ne te tourmentera plus. Il continuera peut-être à rôder dans le collège, car des tas de filles gardent des secrets qu'elles refusent de nous confier. Mais il te laissera tranquille. Tu ne le reverras peut-être plus jamais.

Alison poussa un soupir de soulagement. Pourtant, elle paraissait déçue.

Au fond du couloir, la porte de la salle commune grinça. D'un ton excédé, McKenna lança :

– Inspecteurs, sans vouloir vous importuner, j'aimerais vous parler. Tout de suite.

– Nous serons à vous dans dix minutes, rétorqua Conway.

Puis, à mon intention, ses yeux noirs plantés dans les miens :

– On se barre.

20

Un après-midi d'avril, à la fin de la partie de volley-ball, après les cours. Le printemps est enfin là. Les crocus, les perce-neige et les jonquilles jaillissent dans le parc, mais le ciel est lourd, gris, et il fait encore frais : la sueur ne séchera pas sur leur peau. Julia relève sa queue-de-cheval pour aérer sa nuque. Il reste à Chris Harper un peu moins d'un mois à vivre.

Holly et ses amies ramassent les ballons de volley, en prenant leur temps car les douches seront occupées quand elles rentreront. Derrière elles, les Daleks baissent les filets, lentement, ricanant comme à l'accoutumée.

– Ces cuisses ! couine Gemma. On dirait deux morses en train de baiser. C'est dégueu…

Nul ne sait si elle décrit celles d'une autre fille, ou les siennes.

– Samedi soir, interroge Julia, on y va ?

C'est le jour de la fête de Colm.

– Peux pas ! s'époumone Holly du fond du terrain. J'ai demandé l'autorisation. Réunion familiale, et patati et patata !

– Pareil pour moi, clame Becca en jetant un ballon dans le sac. Ma mère sera à la maison. Même si elle serait ravie que je me maquille comme une pute et que j'y aille en minijupe.

– Fais-lui plaisir, répond Julia. Rentre chez toi bourrée, camée et en cloque.

– Je garde ça pour son anniversaire.

– Lenie ?

– Je serai chez mon père.

– Merde ! s'exclame Julia. Finn Carroll me doit dix euros et j'en ai besoin. Mes écouteurs sont foutus.

– Je t'avancerai le fric, propose Holly en jetant le dernier ballon dans le sac, qu'elle rate. De toute façon, j'irai pas faire de courses ce week-end.

– Merci, mais je veux rappeler sa dette à cet enfoiré. En fait, elle meurt d'envie de revoir Finn.

– Il sera au débat la semaine prochaine, précise Holly.

Un instant, Julia envisage de se rendre à la soirée toute seule. Elle renonce.

– Je sais. Je le choperai à ce moment-là.

Elles inspectent une dernière fois le terrain, puis s'en vont. Assoiffée, Julia s'arrête devant le robinet proche de la grille, laisse les autres s'éloigner, Becca portant le sac, sous les injonctions de Mlle Waldron : « Un deux, un deux ! On y va, les filles ! » Elle boit dans le creux de sa main, asperge son visage et son cou. L'eau fraîche la revigore. Elle renverse la tête, admire les oies sauvages qui, en criant, rasent les nuages.

Alors, les Daleks s'approchent. Joanne se plante devant Julia, croise les bras et la fixe. Les trois autres l'entourent, croisent elles aussi les bras, la fixent à leur tour.

Muettes, elles lui barrent le passage.

– Y a un problème ? demande Julia.

Joanne retrousse les lèvres. Elle s'imagine que cela lui donne un air supérieur. Si elle le faisait une seule fois devant sa glace, elle changerait d'avis.

– Arrête de frimer. Faut qu'on te parle.

– Elles parlent ? se moque Julia en désignant les trois autres. Je les prenais pour des robots.

Orla et Gemma lui jettent un regard outré. Joanne siffle d'un ton sans réplique :

– Tu diras à ce boudin de Selena de se tenir éloignée de Chris Harper.

– T'es mauvaise joueuse ?

– Fais pas l'innocente. On sait tout.

Les robots acquiescent. Julia s'adosse au portail, s'essuie avec le bas de son T-shirt. Elle commence à s'amuser. Ce qui est marrant avec les Daleks, c'est qu'elles inventent n'importe quoi pour foutre la merde.

– En quoi ce que fait Selena vous concerne ?

– C'est pas ton problème. Le tien, c'est de t'assurer qu'elle dégage, avant d'avoir de gros soucis.

Joanne grimace de façon terrifiante. Les robots la singent.

– Sûr ! martèle même Alison.

Julia rétorque avec un grand sourire :

– T'en pinces pour Chris Harper.

Avec une mimique outrée, Joanne éructe :

– Certainement pas ! Sinon, je me le taperais.

– Alors, pourquoi tu t'intéresses à ce que Selena fait avec lui ?

– Parce que. Tout le monde sait qu'il regarderait même pas un laideron dans son genre si elle le laissait pas faire. Elle lui arrive pas à la cheville. Elle est tout juste bonne à se faire tripoter par un boutonneux comme Fintan Machin Chose qui n'arrête pas de lui tourner autour.

Julia s'esclaffe. Son rire joyeux, spontané, monte vers les nuages.

– Donc, t'es là parce que Selena se la joue et qu'il faut la remettre à sa place ? Sérieux ?

Joanne se dresse sur ses ergots, pointant son menton, ses coudes, ses nichons, son popotin. Plus elle s'énerve, plus elle devient moche.

– Hé, tu crois quoi ? Que Chris va rester avec une pouffiasse comme elle ? Dès qu'il en aura marre de ses nibards, il va la larguer sur son gros cul et envoyer des photos pornos à tous ses potes. Dis-lui de le laisser tranquille ou elle le regrettera.

Julia avale une gorgée, s'essuie le menton. Elle rêve de rentrer dans le lard de Joanne. Elle se contient et répond calmement :

– Même si on la payait, elle ne draguerait jamais ce minable. Elle sait à peine qu'il existe. Elle ne lui a jamais parlé.

– Vraiment ? ironise Joanne. Me dis pas que t'es pas au courant. Gemma les a vus ; enlacés, emmêlés.

Julia blêmit. N'importe quel ragot venu des trois autres l'aurait laissée de marbre. Mais de Gemma… Elles ont été copines, en cinquième, quand elles étaient gosses.

Elle la dévisage. Gemma déclare, sous les quolibets des autres Daleks :

– Hier soir, j'ai fait le mur. Je marchais dans le sentier, vers le portail du fond. Ils étaient là, tous les deux, dans cette clairière entourée de grands arbres où vous vous retrouvez. J'ai failli avoir une crise cardiaque. J'ai cru que c'étaient des bonnes sœurs, ou des fantômes. Et puis je les ai reconnus. Ils parlaient pas de la pluie ou du beau temps. Ils étaient vautrés l'un sur l'autre. Si j'étais restée là quelques minutes de plus…

Nouveaux ricanements. Gemma jouit d'une vue parfaite, et personne, au collège, n'a des cheveux semblables à ceux de Selena. Mais Gemma est une menteuse de première. Julia vacille. Son cœur bat la chamade. Elle se souvient de la Gemma d'autrefois, avec qui elle échangeait des chips et des crayons, il y a si longtemps…

– Quoi que vous ayez fumé, toi et ton petit étalon, assène-t-elle froidement, je peux en avoir un peu ?

Gemma hausse les épaules.

– J'y étais. Pas toi.

– On arrête là, conclut mielleusement Joanne, avec un air angélique que dément le retroussis de ses lèvres. On voulait juste t'avertir, parce qu'on est sympa. On le fera plus.

Elle tourne les talons. Elle ne claque pas des doigts pour rameuter les Daleks, mais c'est tout comme. Elle longe le court de tennis, remonte le sentier menant au collège. Les autres trottinent derrière elle.

Julia ouvre de nouveau le robinet, laisse couler l'eau dans sa paume, au cas où les filles se retourneraient. Elle est incapable de boire. Son T-shirt colle à sa peau. Son cœur s'affole, comme si le ciel l'écrasait.

Selena est seule dans sa chambre ; les autres, sans doute, prennent encore leur douche. Jambes croisées sur son lit, elle brosse ses cheveux mouillés tout en fredonnant. Lorsque Julia entre, elle sourit.

Elle est toujours la même. En la voyant, Julia s'apaise, oublie la mesquinerie des Daleks. Elle n'a qu'une envie : serrer son amie contre elle, sentir sa chaleur au creux de son épaule.

– Tu devrais donner rendez-vous à Finn, suggère Selena.

Il faut à Julia quelques secondes avant de comprendre de quoi elle parle.

– Peut-être, répond-elle.

– T'as son numéro ?

– Oui. Mais c'est pas grave. Je le verrai un de ces quatre.

Julia s'assied par terre, gamberge en délaçant ses *runners*. Si Selena sortait avec Chris, elle aurait trouvé le moyen de se rendre samedi à la fête de Colm, par crainte qu'il ne drague une autre fille. Si elle avait fait le mur la nuit précédente, les autres se seraient réveillées. Si elle sortait vraiment avec Chris, elle n'aurait pas été la première à sortir de la douche. Elle aurait, quelques instants encore, gardé l'odeur de son corps, de l'herbe d'hiver, de sa culpabilité. Si Selena sortait avec un type, cela se verrait comme des suçons dans son cou. Si elle l'avait fait, ça l'obséderait. Et elle ne pourrait pas s'empêcher d'en parler à quelqu'un.

– Lenie…

– Oui ?

Selena lève la tête. Ses yeux bleus, impénétrables…

– Rien.

Elle continue, paisiblement, à se brosser les cheveux.

L'idée du vœu est venue d'elle. Pourtant, c'est elle qui a également eu l'idée de barboter la clé pour sortir la nuit.

Julia se bat contre un nœud bloquant les lacets d'une de ses chaussures. Elle y plonge ses ongles. Selena cesse de fredonner, comme si elle voulait lui dire quelque chose.

Mais non. De nouveau le doux frottement de la brosse, et Selena chantonnant.

Ce ne peut être qu'un bobard. Si les mecs de Colm avaient trouvé le moyen de faire le mur, tout le monde le saurait. Dans le cas contraire, qui Gemma retrouve-t-elle ? À moins qu'elle ait tout inventé…

– Cette chanson ! crie soudain Holly en pénétrant en trombe dans la chambre, sentant le shampoing à la fraise, les cheveux torsadés comme une glace à la vanille. C'est quoi, cette chanson ? Celle que tu fredonnais ?

Elles ne s'en souviennent ni l'une ni l'autre.

Julia reçoit un texto de Finn pendant la première heure d'étude. *On se voit samedi soir ? G une surprise pour toi.*

– Téléphones éteints, ordonne la cheftaine qui fait office de pionne.

Dans la salle commune, la lumière faiblit, comme si les ampoules renonçaient à lutter contre les ténèbres du dehors.

– Pardon, j'avais oublié.

Julia glisse son téléphone sous son livre de maths et tape à l'aveuglette : *Samedi, non.* Au bout d'un moment, elle ajoute : *Demain, après les cours ? G kelke chose à te dire.*

Elle coupe le son du mobile, le fourre dans sa poche et feint de s'intéresser aux maths. Moins d'une minute plus tard, elle sent un bourdonnement contre sa jambe. *Le Pré ? 16 h 15 ?*

L'idée qu'il puisse l'attendre là-bas la fait frissonner. Elle répond : *D'accord*, avant d'éteindre son téléphone. En face d'elle, Selena résout paisiblement des équations du second degré. Quand elle sent le regard de Julia sur elle, elle lève la tête.

Avant de pouvoir s'en empêcher, Julia, d'un geste du menton, désigne l'ampoule du plafond. Selena fronce les sourcils : *Pourquoi ?* Remuant les lèvres, Julia lui répond : *Fais-le.*

Selena presse son stylo. L'ampoule flamboie. La salle commune s'illumine aussitôt, s'agrandit, retrouve ses couleurs. Jusque-là penchées sur leurs tables, les autres filles sursautent. Leur éblouissement ne dure pas. Aussitôt, la lumière redevient blafarde, et leurs visages replongent dans la pénombre.

Selena sourit à Julia, comme si elle lui faisait un cadeau. Julia lui rend son sourire. Elle se sent soulagée. Pourtant, son anxiété subsiste.

L'après-midi suivant, lorsque Julia et ses amies se faufilent sous les barbelés, les Daleks sont déjà perchées sur un tas de parpaing, minaudant comme à leur habitude. Trônant sur la machine rouillée, des élèves de Colm s'agitent pour attirer leur attention. Assis sur un autre tas de parpaing, Finn dessine sur ses *runners*. Ses cheveux resplendissent contre le ciel gris, humide et froid. Julia a envie de les prendre à pleines mains, de s'y réchauffer.

– Je vous rejoins tout de suite, annonce-t-elle aux autres.

– Fais gaffe, lui souffle Holly.

Julia traverse le Pré.

– Salut, dit-elle en se hissant près de Finn.

Le visage du garçon s'éclaire. Il cesse de dessiner, se redresse.

– Salut. Pourquoi tu ne viens pas samedi ?

– Bisbilles familiales.

Les Daleks s'esclaffent. Julia leur envoie un baiser.

– On dirait qu'elles t'aiment pas, dit Finn en remettant son feutre dans sa poche.

– On s'en tape. Je les aime pas non plus. Qu'est-ce que t'as pour moi ?

– Toi d'abord.

Julia attend ce moment depuis des semaines. Avec un sourire de triomphe, elle brandit son mobile. Sur la photo, on la voit sur la pelouse de derrière, bravade stupide parce que n'importe quelle nonne pourrait regarder par la fenêtre de sa chambre ; mais elle se sent toutes les audaces. Avec une moue insolente, une main sur la hanche, elle pointe un doigt sur l'horloge. Minuit sonne.

Elle se remémore la scène

– T'es décidée ? a demandé Holly, le téléphone de Julia à la main.

– Plus que jamais, a-t-elle asséné, s'assurant que l'horloge serait bien sur la photo. Pourquoi ?

– Parce qu'il va savoir qu'on fait le mur.

Derrière elles, pâles contre les arbres, Selena et Becca attendaient.

– On n'a jamais dit qu'on ne ferait pas confiance aux garçons, a objecté Julia. On a simplement juré de ne jamais les toucher.

– Et on n'a jamais promis de ne pas se payer leur tête devant tout le monde.

– Finn gardera ça pour lui. Je le jure.

Holly a eu un geste résigné. Julia a pris la pose face à l'horloge.

– C'est parti.

Le flash a jailli tel un éclair. Et toutes les quatre ont éclaté de rire.

À présent, Julia exulte.

– J'exige mes dix euros, dit-elle. Et des excuses.

– Je me rends, répond Finn. Tu veux que je me mette à genoux ?

– C'est tentant, mais j'irai pas jusque-là. Sois simplement sincère.

Il porte la main à son cœur.

– Je te demande pardon de t'avoir traitée de pétocharde. Tu es la fille la plus courageuse que la terre ait portée.

– Belle formule. T'es pardonné.

– C'est une bonne photo, constate-t-il en l'examinant une seconde fois. Qui l'a prise ? Une de tes copines ?

– La bonne sœur fantôme. Je t'ai dit que j'étais pas en sucre.

Elle reprend son mobile.

– Mon pognon.

– Minute ! lance-t-il en sortant son téléphone. J'ai une surprise pour toi. Tu t'en souviens ?

Si c'est une photo de sa bite, pense-t-elle, *je le tue.*

– Étonne-moi, rétorque-t-elle.

Finn lui tend le téléphone avec son petit sourire de gamin roublard. Alors, une onde de soulagement, de culpabilité et de tendresse l'envahit. Elle a envie de l'étreindre, de l'embrasser pour se faire pardonner de l'avoir encore une fois sous-estimé.

– Les grands esprits se rencontrent, dit-il en montrant l'écran.

La photo le représente sur la pelouse, presque au même endroit : la capuche noire de son sweat couvrant ses cheveux roux, une main au-dessus de la tête, exactement comme elle, le doigt pointé sur l'horloge. Minuit.

Tout d'abord, Julia ne peut réprimer un bref mouvement de colère : *C'est notre endroit, la nuit, il nous appartient, est-ce qu'on peut même pas avoir…* Puis elle comprend.

– Tu veux toujours ton blé ? s'enquiert Finn en accentuant son sourire, ravi de son exploit. Ou est-ce qu'on est à égalité ?

– Comment t'es sorti du collège ? murmure Julia.

Fier de sa surprise, il ne remarque pas son changement de ton.

– Top secret.

Julia se reprend.

– Super ! s'écrie-t-elle en lui jetant un regard admiratif. Je savais pas que pouviez faire ça, toi et tes copains.

Cette fois, elle ne le sous-estime pas. Si content de lui, de son ingéniosité, il se rengorge.

– J'ai grillé l'alarme de la sortie de secours. J'ai eu le mode d'emploi sur le Net. Ça m'a pris cinq minutes. Je peux pas ouvrir la porte de l'extérieur, mais je l'ai coincée avec un bout de bois pour pouvoir rentrer.

– Oh, m'Dieu ! s'exclame Julia, la main devant la bouche. Si quelqu'un était passé par là et t'avait vu, t'aurais vraiment eu des problèmes. T'aurais pu être viré !

Il prend un air décontracté, se renverse en levant un pied, les mains dans les poches de son jean.

– Ça vaut le coup.

– Tu l'as fait quand ? On aurait pu se trouver nez à nez, dit-elle avec un petit rire.

– Y a un bail. Quinze jours après le bal de la Saint-Valentin.

Cela laissait tout le temps à Chris d'organiser un rendez-vous avec Selena, puis une dizaine d'autres ; s'il savait.

– T'étais seul ? T'as fait un selfie ? P'tain, t'as vraiment pas peur des bonnes sœurs !

– Des vivantes, oui. Elles me terrifient. Mais pas des mortes.

Le rire de Julia se prolonge.

– Donc, t'as fait le mur tout seul ? Sérieux ?

– J'ai amené des potes, pour rigoler. Mais je suis aussi sorti seul.

Il contemple ce qu'il a dessiné sur sa godasse, comme si cela le fascinait.

– Vu qu'on peut sortir tous les deux et qu'on n'a pas peur… Tu veux qu'on se retrouve, une nuit ? Pas pour… Juste pour discuter. Et voir si on aperçoit le fantôme de la nonne.

Julia n'a plus le temps de jouer la comédie. À quelques mètres de là, au milieu des jacobées et des pissenlits qui, cette année, poussent avec une vigueur inhabituelle, Selena, Holly et Becca tentent d'écouter, toutes les trois ensemble, quelque chose sur l'iPod de Becca, jouant des coudes pour s'approcher de l'écouteur, riant et emmêlant leurs cheveux, comme si rien, encore, ne venait troubler leur complicité. Julia brûle d'envie de renverser le parpaing d'un coup de pied, de laisser libre cours à sa colère. D'une seconde à l'autre, un pote de Finn va se ramener en braillant. Et il faut qu'elle sache, tout de suite. Si Gemma n'a pas menti, elle a besoin du week-end pour décider de ce qu'elle doit faire.

– Vous êtes copains, Chris Harper et toi, pas vrai ?

– Oui, répond-il en reprenant son téléphone et en le remettant dans sa poche. Pourquoi ?

– Il sait que tu as coupé l'alarme ?

– Sûr. C'était même son idée. C'est lui qui a pris la photo.

Gemma n'a pas menti.

– Et si c'est lui que tu voulais draguer, t'aurais pu le dire dès le début.

Elle l'a donc pris pour un imbécile, pense-t-il.

– Non, répond-elle.

– P'tain, j'aurais dû m'en douter.

– Si Chris disparaissait de la surface de la terre dans la fumée d'une décharge, j'applaudirais. Crois-moi.

– À d'autres…

Il a changé de couleur. Ses yeux se sont assombris, ses joues sont devenues cramoisies. Si Julia était un type, il lui casserait la gueule. Comme elle n'en est pas un, il reste désarmé et triste.

– T'es un sacré numéro, tu sais…

Si elle ne rétablit pas la vérité tout de suite, elle n'en aura plus l'occasion et il ne le lui pardonnera jamais. Mais elle ne sait comment s'y prendre. Ce qu'elle vient d'apprendre l'obsède au point de reléguer Finn au second plan.

– Crois ce que tu voudras.

Elle glisse le long du parpaing et se dirige vers les autres, sentant dans son cou, telles des aiguilles, les yeux des Daleks, regrettant de ne pas être un garçon pour que Finn lui envoie son poing dans la figure et qu'on en finisse une bonne fois pour toutes. Alors, elle pourrait aller trouver Chris Harper et lui démolir le portrait.

Les yeux de Holly rencontrent brièvement les siens. Ce qu'elle y discerne la met en garde ou la satisfait, ou les deux. Becca s'apprête à poser une question. Selena lui touche le bras et elles retournent à l'iPod. Un jeu vidéo projette de petites flèches orangées zigzagant sur l'écran. Des ballons blancs explosent avec lenteur, laissant flotter des fragments qui descendent en silence. Julia s'assied dans les mauvaises herbes et regarde Finn s'en aller.

21

Nous n'avons pas parlé de Holly, Conway et moi. Son nom pesait entre nous comme de la nitroglycérine. Nous avons fait ce que nous devions faire : accompagner Alison chez Mlle Arnold, la lui confier pour la nuit. Lui demander de nous prêter la clé du coffre des objets trouvés, de nous dire combien de temps on les conservait avant de les jeter. Les babioles sans valeur partaient pour des ventes de charité à la fin de chaque trimestre, mais les objets de prix, lecteurs MP3, téléphones, y restaient indéfiniment.

L'éclairage de nuit plongeait le bâtiment principal dans une pénombre blafarde, presque inquiétante. L'escalier craquait sous nos pieds. En bas, au-dessus de la porte d'entrée, l'imposte diffusait dans le vestibule une lueur bleutée. Le coffre métallique, vieux et noir, se dressait dans un coin. J'y introduisis la clé avec précaution, soulevai le couvercle. Tout un fatras me sauta aux yeux : un cardigan qui sentait la sueur et le moisi, un chat en peluche, un livre de poche, une sandale, un rapporteur.

Le téléphone rose perlé gisait au fond. Nous étions passés devant lui le matin même, en arrivant au collège.

J'enfilai mes gants, l'extirpai entre deux doigts, comme pour préserver d'éventuelles empreintes. Nous n'en trouverions aucune : ni sur le pourtour, ni à l'intérieur du rabat, ni sur la batterie ou la carte SIM. Tout serait propre comme un sou neuf.

– La fille d'un flic, grommela Conway. Grandiose.

– Cela ne prouve pas la culpabilité de Holly, hasardai-je d'une voix qui me parut stupide et grêle, trop faible pour convaincre qui que ce fût, moi compris.

– Ah, non ?

– Elle couvrait peut-être Julia ou Rebecca.

– Possible, mais rien ne le dit. Tout le reste nous oriente vers n'importe quelle fille de la bande. Ce téléphone est le seul élément tangible dont nous disposons, et il désigne Holly. Elle ne supportait pas Chris. De plus, d'après ce que j'ai constaté, elle est déterminée, indépendante, intelligente et courageuse. Elle ferait une tueuse parfaite.

– Alors, pourquoi m'avoir apporté la carte ?

– Elle est aussi gonflée, répondit Conway en sortant un nouveau sachet d'indices et en l'étalant au sommet du coffre pour l'étiqueter. Elle savait que quelqu'un, tôt ou tard, nous contacterait. En prenant les devants, elle s'éliminait d'emblée de la liste des suspects. Ça a marché. Quand on redoute des ennuis, mieux vaut les affronter bille en tête au lieu de plonger la tête dans le sable en espérant les éviter. J'aurais agi de la même façon.

– C'est beaucoup de culot pour une ado de seize ans.

– Tu crois qu'elle n'en a pas ?

Rien à répondre à cela. Je compris soudain que Conway l'avait dans le collimateur depuis le début. Dès que je m'étais pointé à la brigade, tout excité, avec ma petite carte et ma petite histoire, elle avait commencé à se poser des questions.

– Je n'affirme pas qu'elle a fait le travail toute seule, précisa-t-elle. Ainsi que nous l'avons envisagé, ce pourrait être elle, Julia et Rebecca ensemble ; ou les quatre. Cela ne change rien. Elle était mouillée jusqu'au cou.

– Je ne prétends pas le contraire. Je garde simplement l'esprit ouvert.

Conway avait fini d'étiqueter l'enveloppe. Elle se redressa, me fixa.

– Tu penses la même chose. Mais tu détestes l'idée de t'être fait rouler par ta Holly.

– Elle n'est pas « ma » Holly !

Conway ne releva pas ma protestation. Elle me tendit l'enveloppe pour que j'y laisse tomber le mobile, qui glissa entre ses doigts.

– Si cet interrogatoire risque de te poser un problème, il faut que je le sache maintenant.

– Quel problème ? demandai-je d'une voix égale.

– On va devoir convoquer son père.

Inutile de lui faire croire que nous ne soupçonnions pas Holly. Le flic le plus bouché n'aurait pas été dupe. Or, Mackey est tout sauf un imbécile.

– Selon la rumeur, il t'aurait rendu quelques services. Je ne te le reproche pas. Tu fais ce que tu as à faire. Mais si vous êtes comme cul et chemise, ou si tu as une dette envers lui, alors tu n'es pas l'homme indiqué pour mener l'interrogatoire de sa fille.

– Je ne lui dois rien. Et il n'est pas mon pote. Je ne lui ai pas parlé depuis des années. Je lui ai été utile un jour ; depuis, il me rend la pareille. Il tient à ce que tout le monde sache que quiconque lui donne un coup de main est payé de retour. Point final.

La vigueur de ma réaction sembla la convaincre. Finalement, l'idée que Mackey se radoucirait peut-être s'il avait un allié dans la place ne lui déplaisait pas. Elle referma l'enveloppe, la fourra dans sa sacoche avec le reste.

– Je ne le connais pas. Il va nous rentrer dedans ?

– Évidemment. Il ne ramènera pas Holly directement chez lui en nous intimant de nous adresser à son avocat. Ce n'est pas son genre. Il cherchera à nous piéger, de façon insidieuse. Il nous laissera parler pour savoir où nous en sommes, ce que nous avons. Ensuite, il agira.

– Tu as son numéro ?

– Oui.

Je regrettai aussitôt de ne pas avoir répondu non.

– Appelle-le.

Il décrocha tout de suite.

– Stephen, mon ami ! Il y a des siècles qu'on ne s'est pas eus au bout du fil !

– Je suis à Sainte-Kilda.

L'atmosphère se tendit aussitôt.

– Qu'est-ce qui se passe ?

– Holly va bien, égrenai-je très vite. Nous devons simplement avoir un entretien avec elle et nous avons estimé que vous aimeriez y assister.

Silence. Puis :

– Tu ne lui dis pas un mot avant que j'arrive. Pas un. Tu saisis ?

– Cinq sur cinq.

– Parfait. J'habite tout près. J'arrive dans vingt minutes.

Il raccrocha.

Je rangeai mon téléphone.

– Il sera là dans un quart d'heure. Il faut qu'on soit prêts.

Conway rabattit violemment le couvercle du coffre. Le fracas du métal se répercuta dans l'ombre, mit du temps à s'estomper.

– On sera prêts, conclut-elle d'une voix forte.

McKenna surgit de la salle commune dès que Conway eut frappé, comme si elle nous guettait derrière la porte. Les stigmates de sa longue journée et la lumière blanche du couloir ne l'avantageaient guère. Même si sa coiffure était toujours impeccable et si son tailleur de prix n'avait pas un faux pli, son maquillage discret ne dissimulait plus ses rides, ni sa fatigue. Elle tenait son téléphone à la main : elle essayait toujours de limiter les dégâts, de réparer les pots cassés.

Elle était furibarde.

– J'ignorais que votre déontologie vous autorisait à rendre les témoins hystériques !

– Ce n'est pas nous qui avons cloîtré une dizaine d'adolescentes toute la journée, répliqua Conway. Superbe salle, poursuivit-elle en giflant la porte. Mais le plus beau décor du monde ne les empêchera pas de devenir givrées. À votre place, je les autoriserais à se dégourdir les jambes avant d'aller se coucher ; sauf si vous préférez qu'elles fassent le mur à minuit.

McKenna ferma un instant les yeux.

– Merci de vos conseils, inspecteur. Je crois, toutefois, que vous en avez assez fait. Nous avons « cloîtré » les élèves, comme vous dites, au cas où vous demanderiez à vous entretenir avec elles. Cela a assez duré. À présent, j'aimerais que vous partiez.

– Impossible. Désolée. Nous devons avoir une brève conversation avec Holly Mackey. En attendant son père.

McKenna encaissa le coup avant de s'insurger.

– Je vous ai autorisés à parler à nos élèves précisément pour que n'ayez pas à solliciter l'assentiment de leurs parents. Les impliquer est parfaitement inutile et ne peut que compliquer la situation, pour vous aussi bien que pour le collège…

– Le père de Holly sera, de toute façon, prévenu dès qu'il arrivera demain à son bureau. Ne vous inquiétez pas : je l'imagine mal se précipitant sur son téléphone pour tout raconter aux mamans de vos chères petites.

– Existe-t-il une raison pour que cet entretien ait lieu ce soir ? Comme vous l'avez, à juste titre, fait remarquer, les élèves ont subi assez de pression pour aujourd'hui.

– Nous pouvons parler à Holly dans le bâtiment principal. Cela vous débarrassera de nous et permettra aux autres filles de retrouver leur routine. La salle d'arts plastiques est disponible ?

– L'extinction des feux a lieu à 22 h 45, débita McKenna, raide comme la justice. À cette heure-là, Holly et l'ensemble de ses camarades devront être dans leur chambre, et au lit. Si vous avez d'autres questions à poser à certaines d'entre elles, je suis sûre que cela pourra attendre demain matin.

Elle nous ferma la porte au nez.

– Admire son attitude, ironisa Conway. Elle se fout que nous puissions la coffrer pour entrave à la justice. C'est son manoir, elle est la duchesse.

– Pourquoi la salle d'arts plastiques ?

– Pour que Holly pense à la carte ; et se souvienne que quelqu'un d'autre, ici, est au parfum.

Elle ôta le ruban qui maintenait les vestiges de son chignon. Ses cheveux tombèrent sur ses épaules, raides et lourds.

– Tu commences. Bon flic, charmant, attentionné. Ne l'effraie pas et n'effraie pas papa. Énumère simplement les faits : elle se tirait la nuit, elle était au courant à propos de Chris et de Selena, elle détestait Chris. Entre un peu dans les détails. Pourquoi ne l'aimait-elle pas, a-t-elle évoqué sa relation avec les autres ? Si tu as besoin du mauvais flic, j'interviens.

En quelques rapides torsions du poignet, elle entortilla de nouveau son ruban. Son chignon ressuscita, parfait, lisse et luisant comme du marbre. Ses épaules s'étaient redressées. Elle était prête.

La porte de la salle commune s'ouvrit. Holly apparut, McKenna derrière elle. Queue-de-cheval, jean, sweat turquoise dont les manches dissimulaient ses mains.

Sa vivacité avait disparu. Pâle, elle semblait avoir vieilli de dix ans. Elle paraissait hébétée, comme si quelqu'un avait secoué son univers telle une boule à neige où rien ne se remettait en place ; comme si, persuadée jusque-là de bien faire en tout, elle venait de se rendre compte que, désormais, ce ne serait plus si simple.

Cela me glaça. Inutile de regarder Conway. Je savais qu'elle ressentait la même chose.

– Que se passe-t-il ? murmura Holly.

Je me souvins d'elle à neuf ans, de son courage indomptable qui brisait le cœur.

– Ton père est en route. Il préférerait que nous ne parlions pas avant son arrivée.

Elle s'enflamma aussitôt, laissa éclater sa colère.

– Vous avez appelé mon père ? C'est pas vrai !

Je ne répondis pas. Elle se ferma, devint indifférente, innocente, impénétrable.

– Merci, dit Conway à McKenna.

Puis, à Holly et à moi :

– Allons-y.

Le long couloir que nous avions arpenté le matin jusqu'au panneau des secrets, ensoleillé et plein de vie, était à présent silencieux. La nuit tombante entrant par les fenêtres atténuait nos ombres qui s'effilaient autour de celle de Holly, comme des soldats encadrant un otage. Nos pas résonnaient avec un bruit de bottes.

Le panneau des secrets : muet, fantomatique, hormis une nouvelle carte, avec la photo d'une de ces statues vivantes et dorées que l'on voit sur Grafton Street, avec cette légende : «ELLES ME TERRIFIENT !»

La salle d'arts plastiques, glauque elle aussi sous l'éclairage de nuit ; les tables vertes encore maculées de craie, les boules de papier de Conway toujours sous les chaises. McKenna avait dû dispenser les femmes de ménage de leur service, pour maintenir le collège entier sous son contrôle.

Derrière les hautes fenêtres, la lune se levait contre le ciel bleu sombre. Sur la table dressée entre elles, délivrée de la bâche qu'on n'avait pas remise en place, trônait la maquette du collège en fil de cuivre.

– C'est le projet sur lequel vous avez travaillé hier soir ? dis-je à Holly.

– Oui.

La maquette semblait trop fragile pour tenir debout. C'était l'hiver. À travers ses murs à peine esquissés, on distinguait, fils de cuivre mêlés à des lambeaux de Kleenex, les pupitres, les chaises, les tableaux noirs où s'inscrivaient des mots illisibles, des fauteuils groupés autour des cheminées, la neige sur les pignons, autour des colonnes, des balustres du balcon et, derrière le bâtiment, la pelouse qui s'étirait jusqu'à l'extrémité du socle.

– C'est ici, hein ? demandai-je.

Holly se rapprocha de moi, comme si je risquais de tout renverser.

– Sainte-Kilda il y a cent ans. On a fait des recherches sur son aspect de l'époque, étudié de vieilles photos. Ensuite, on l'a construite.

Les chambres, les lits miniatures en fil de cuivre, les draps en Kleenex. Dans les bâtiments des pensionnaires et des nonnes, des rouleaux de papier parchemin longs comme un ongle bouchaient les fenêtres, suspendus à des tringles plus fines que des toiles d'araignées. Mon souffle les souleva lorsque je demandai :

– Qu'est-ce que c'est ?

– Le nom des élèves qui fréquentaient le collège en 1911, lors du dernier recensement. Nous ignorons quelles chambres elles occupaient, mais nous avons déterminé leur âge et la date de leur inscription, ce qui nous a permis de les regrouper par affinités possibles. Une des filles s'appelait Hepzibah Cloade.

Conway disposait des chaises autour d'une des grandes tables, les plaquait lourdement sur le linoléum. Une pour Holly. Une en retrait pour Mackey.

– Qui a eu l'idée de ce projet ?

– Nous toutes. On évoquait les filles qui ont fréquenté le collège il y a un siècle. On se demandait si elles avaient les mêmes pensées que nous, ce qu'elles étaient devenues une fois adultes, si leur fantôme revenait errer par ici.

Une chaise de l'autre côté de la table, en face de celle de Holly, pour moi. *Bang*. Une autre en face de Mackey, pour Conway. *Bang*.

Quatre silhouettes blanches flottaient au-dessus du grand escalier.

– Qui représentent-elles ? murmurai-je.

– Hepzibah et ses amies : Elisabeth Brennan, Bridget Marley, Lilian O'Hara.

– Où vont-elles ?

Après avoir glissé l'extrémité de son auriculaire entre les fils de cuivre, Holly, délicatement, les fit tourner.

– On ne sait même pas si elles étaient amies. Elles se détestaient peut-être.

– C'est magnifique, dis-je.

– Magnifique, répéta Conway, comme si elle m'avertissait.

Une voix derrière nous :

– Ravi de vous voir.

Mackey, dans l'encadrement de la porte. Oscillant sur les talons, les mains dans les poches de sa veste de cuir brun. À peine changé depuis la dernière fois que je l'avais vu : quelques rides de plus, pattes d'oie au coin des paupières, mèches grises. Ses yeux inquisiteurs, d'un bleu étincelant.

– Salut, mon poussin. Comment va ?

– Bien, répondit Holly.

Elle semblait assez contente de le voir, ce qui est rare chez une gamine de seize ans confrontée à son père. Autre élément qui n'avait pas changé : ils formaient une bonne équipe.

– De quoi avez-vous parlé ?

– De notre projet artistique. Ne t'inquiète surtout pas, papa.

– Je me faisais du souci pour eux deux. J'espère que tu ne les as pas réduits en charpie. Je n'étais pas là pour les protéger.

Il pivota dans ma direction.

– Stephen. Ça fait trop longtemps.

Il s'avança vers moi. Poignée de main ferme, sourire amical. Nous allions, du moins au début, jouer franc jeu, en bons camarades.

– Merci d'être venu, lui répondis-je. Nous essaierons de ne pas vous garder trop longtemps.

– Et voilà l'inspecteur Conway. Ravi de vous rencontrer. On m'a dit le plus grand bien de vous.

Son sourire escomptait une réponse, qu'il n'obtint pas.

– Sortons un instant pour faire le point.

– Vous n'êtes pas ici en tant que policier, rétorqua Conway. Nous avons ce qu'il nous faut. Merci.

Il me décocha un grand sourire, qui signifiait : « Qui a pissé dans ses Cornflakes ? » J'hésitai à le lui rendre. Avec Mackey, on ne sait jamais s'il ne se servira pas du moindre geste d'amitié comme d'une arme. Ma perplexité le mit de bonne humeur.

– Si je ne suis ici qu'en tant que père, dit-il à Conway, j'aimerais avoir un aparté avec ma fille.

– Nous devons commencer. Vous pourrez lui parler quand nous ferons une pause.

Il n'insista pas. Conway prit sans doute ce silence pour une victoire. Il pénétra dans la pièce, dépassa la chaise que nous avions installée pour lui et se dirigea vers la maquette, caressant en chemin la tête de sa fille.

– Facilite-nous la tâche, mon ange. Avant de répondre à ces charmants inspecteurs, explique-moi en deux mots ce que nous faisons ici.

La forcer à se taire aurait été une très mauvaise idée. La mine de Conway indiquait qu'elle commençait à comprendre ce que je lui avais raconté sur lui.

– Ce matin, déclara Holly, j'ai trouvé une carte sur le panneau des secrets. Il y avait une photo de Chris Harper avec cette légende : « Je sais qui l'a tué. » Je l'ai apportée à Stephen. Ensuite, cette dame et lui ont passé la journée ici. Ils n'ont pas arrêté de nous interroger, moi et mes amies, ainsi que Joanne Heffernan et sa bande de tarées. J'en déduis qu'ils se focalisent sur nous huit et soupçonnent l'une d'entre nous d'avoir fabriqué la carte.

– Intéressant, murmura Mackey en examinant la maquette sous tous ses angles. Ça se présente bien. A-t-on convoqué d'autres parents ?

Holly secoua la tête.

– Courtoisie professionnelle, précisa Conway.

– Vous me flattez et me mettez à l'aise, répondit-il en s'asseyant sur le rebord d'une fenêtre. Voilà ce que je te propose, mon ange. Tu réponds si tu veux, sinon, tu la boucles. Tu souhaites t'entretenir avec moi avant de répondre, on s'isole. Tu te sens piégée ou harcelée, on dégage. D'accord ?

– Papa, je vais très bien !

– Je sais. Mais établissons les règles pour que tout le monde sache à quoi s'en tenir. Et pour que tout se passe en douceur, ajouta-t-il en me clignant de l'œil.

Conway enjamba sa chaise, interpella Holly.

– Tu n'es pas obligée de répondre à une de nos questions si tu ne le souhaites pas, mais tout ce que tu diras sera noté et pourra servir de preuve. Compris ?

Même si on la prononce avec l'air de ne pas y toucher, cette déclaration officielle change la donne. Mackey ne réagit pas. Holly, elle, parut interloquée. C'était nouveau pour elle.

– Quoi ?

– Tu as gardé certaines choses pour toi, ajouta Conway. Cela nous intrigue.

Je m'installai sur ma chaise, face à Holly, tendis une main à Conway. Elle jeta sur la table le sachet d'indices contenant le téléphone que nous avions déniché dans le coffre des objets trouvés. Je le passai à Holly.

– Tu l'as déjà vu ?

Une seconde de stupeur. Puis :

– Oui. C'est celui d'Alison.

– Non. Elle a le même, mais ce n'est pas celui-là.

Haussement d'épaules.

– Alors, j'ignore à qui il appartient.

– Ce n'est pas ce que je veux savoir. Je te demande si tu l'as déjà vu.

Nouvelle hésitation, comme si elle cherchait à se souvenir.

– Je ne crois pas.

– Un témoin t'a vue le déposer dans le coffre des objets trouvés, le lendemain de la mort de Chris.

Mutisme absolu. Enfin, son visage s'éclaira.

– Oh p'tain, ce truc-là ! Je l'avais complètement oublié. Nous avons eu une réunion exceptionnelle ce jour-là. Dans la salle de réception, le hall, comme on dit ici, McKenna nous a fait un grand discours sur le drame, nous demandant de coopérer avec la police, d'autres trucs du même genre. Ensuite, nous avons toutes regagné le vestibule. Et là, près de l'entrée, j'ai aperçu ce téléphone par terre. J'ai pensé qu'il s'agissait de celui d'Alison. Mais je ne la voyais pas. C'était la panique, tout le monde criait, pleurait, les profs essayaient de nous calmer et de nous diriger vers nos chambres… J'ai fourré le mobile dans le coffre des objets trouvés. Je pensais qu'Alison le récupérerait elle-même. C'était pas mon problème. S'il n'était pas à elle, alors à qui appartenait-il ?

Tirade impeccable, sans la moindre fausse note ; et diablement intelligente ! Sa version insinuait que toutes les élèves du collège auraient pu posséder ce mobile.

Je le repris, le mis de côté pour plus tard, sans répondre à la question de Holly, qui n'insista pas.

– Julia et Selena, repris-je, ont dû te le dire : nous savons que vous faisiez le mur la nuit.

Elle jeta un bref regard à son père, qui eut un grand sourire.

– T'en fais pas, mon poussin. Tes escapades n'entrent pas dans mon domaine de compétence pour l'instant. Tu n'as rien à craindre.

– Et alors ? me dit-elle.

– Que faisiez-vous dehors ?

– Qu'est-ce ça peut vous faire ?

– Allons, Holly. Tu sais que je dois te poser la question.

– On parlait. On se camait pas, on partouzait pas. De temps en temps, on fumait une clope ou on buvait une bière. Quelle horreur !

– Défense de fumer ! éructa Mackey en pointant sur elle un doigt accusateur. Je ne t'ai pas mise en garde contre les méfaits du tabac ?

D'un geste, Conway le fit taire. Toujours souriant, il accepta la remontrance, reconnaissant qu'il n'avait pas à intervenir au cours de l'interrogatoire.

– Vous ne retrouviez personne ? poursuivis-je. Des garçons de Colm, peut-être ?

– Surtout pas ! On les voyait assez, ces connards.

Sa véhémence me sidéra. Je n'en laissai rien paraître.

– Donc, vous faisiez des choses que vous auriez très bien pu faire à l'intérieur du collège, et pendant la journée. Alors, pourquoi ces complications, pourquoi prendre le risque d'être renvoyées ?

– Vous ne pouvez pas comprendre.

– Je veux bien essayer.

Elle poussa un soupir accablé.

– Parce que, là-bas, dans le noir, on était plus à l'aise pour parler. Voilà pourquoi. À l'école, vous n'avez sans doute jamais enfreint les règles. Mais tout le monde n'est pas censé les respecter à la lettre. Ça vous va ?

– Très bien.

– Un bon point pour vous ! s'esclaffa-t-elle, levant les pouces comme une gamine de dix ans.

Je plaignis Mackey. J'enchaînai, en m'efforçant de rester impavide :

– Tu sais que Selena sortait seule la nuit pour aller retrouver Chris Harper. Je me trompe ?

Elle retrouva son sérieux, me considéra d'un air incrédule.

– Nous avons des preuves, précisai-je.

– Vous avez lu ça dans votre magazine people favori ? Juste en dessous de : « Robert Pattinson et Kristen Stewart ont de nouveau rompu ? »

– Sois polie, grommela Mackey d'un ton neutre.

Holly eut une mimique excédée. Elle se montrait insolente parce que, pour une raison ou une autre, elle avait peur. Je me penchai vers elle, la forçai à me regarder.

– Holly, murmurai-je doucement, ce matin, tu es venue me trouver parce que je ne t'ai jamais fait la morale et que je te comprendrais peut-être mieux qu'un autre. D'accord ?

Geste blasé.

– Si vous voulez…

– Tu finiras par être interrogée par quelqu'un d'autre à ce sujet. Tu ne pourras pas retourner auprès des copines en feignant de croire que tout cela n'a jamais existé. C'est ce que tu souhaites et je ne te le reproche pas. Mais tu n'as pas le choix.

Tassée sur sa chaise, les bras croisés, elle leva les yeux au plafond.

– Tu le sais aussi bien que moi, insistai-je. Tu peux me parler, ou te confier à quelqu'un d'autre. Si tu désires que notre conversation se poursuive, je ferai de mon mieux pour me montrer à la hauteur de la bonne opinion que tu as de moi. Je ne crois pas t'avoir déjà laissée tomber.

Haussement d'épaules.

– Bien. Tu souhaites continuer avec moi, ou avoir affaire à quelqu'un d'autre ?

Mackey m'observait en silence, les yeux mi-clos, ce qui n'était pas forcément bon signe. Holly haussa une nouvelle fois les épaules.

– Vous ou quelqu'un d'autre, peu importe. Alors, va pour vous.

– Parfait, répondis-je en souriant, rapprochant ma chaise de la table. Voilà où nous en sommes. Selena nous a déjà avoué qu'elle voyait Chris Harper, qu'elle avait un téléphone identique à celui-là et s'en servait pour communiquer avec lui. Nous avons les enregistrements de leurs messages, les textos organisant leurs rendez-vous nocturnes.

Holly tressaillit. Jamais elle ne nous aurait cru capables de ça.

– Je ne te demande pas de nous révéler ce que nous savons déjà. Je te demande simplement de le confirmer. Donc, une fois de plus : savais-tu que Selena retrouvait Chris ?

Elle interrogea silencieusement son père. Il acquiesça.

– Oui, reconnut-elle, toute bravade disparue. Je le savais.

– Quand l'as-tu découvert ?

– Au printemps dernier, peut-être deux semaines avant la mort de Chris. Mais c'était déjà fini. Ils ne se voyaient plus.

– Comment l'as-tu su ?

Les mains croisées sur la table, elle était de nouveau placide, maîtresse d'elle-même.

– Parfois, quand il fait chaud, j'arrive pas à dormir. Cette nuit-là, j'étouffais ; et je cherchais désespérément un bout de couette frais. J'ai pensé : *Si je reste complètement immobile, je finirai par pioncer.* Ça n'a pas marché. Mais Selena a cru que je m'étais endormie. Je l'ai entendue remuer et je me suis dit : « Elle aussi est peut-être réveillée. On pourrait parler. » J'ai ouvert les yeux. Elle avait un téléphone à la main. Elle se penchait au-dessus de l'écran allumé, comme si elle voulait que personne ne le voie. Elle n'écrivait pas de texto, ne lisait pas de message. Simplement, elle tenait le téléphone, comme si elle attendait qu'il se passe quelque chose.

– Et ça t'a intriguée.

– Depuis quelque temps, elle était bizarre. D'habitude, elle est toujours calme, quoi qu'il arrive. Mais peu de temps avant cette nuit, elle avait changé. On aurait dit que quelque chose de terrible lui était arrivé. Elle était toujours sur le point de pleurer. Quand on s'adressait à elle, elle n'entendait pas. Elle n'allait pas bien.

– Et tu t'inquiétais pour elle.

– Je me faisais un sang d'encre ! Je pensais que rien d'affreux n'aurait pu lui arriver au collège. On était toujours ensemble, on l'aurait su. Mais chez elle, pendant les week-ends… Ses parents sont séparés, et ils sont tous les deux bizarres. Sa mère et son beau-père organisent des soirées. Quant à son père, il reçoit des hippies qui couchent chez lui… J'ai cru qu'il lui était arrivé quelque chose chez l'un ou chez l'autre.

– T'es-tu confiée à tes amies ? Pour avoir l'avis de Julia ou de Rebecca ?

– Oui. J'ai essayé de parler à Julia. Elle m'a répondu : « N'en fais pas un drame. On a toutes nos sautes d'humeur. Donne-lui une semaine ou deux et elle ira mieux. » J'ai essayé avec Becca. Autant parler à un mur. Elle refuse d'envisager que l'une d'entre nous puisse avoir le moindre problème. Ça l'a tellement perturbée que j'ai dû lui dire, pour la calmer, que je délirais.

– Et elle t'a crue ? Elle n'avait rien remarqué à propos de Selena ?

– Non. Elle plane. Pour elle, tant qu'on est ensemble, rien ne peut nous arriver. Que Selena puisse souffrir ne lui viendrait même pas à l'esprit.

– Donc, ni Julia ni Becca ne t'ont été d'aucun secours. Tu as parlé à Selena ?

– J'ai essayé. Lenie est très forte pour se défiler. Elle prend son air rêveur et salut. J'ai à peine pu lui demander ce qui n'allait pas.

– Donc, qu'as-tu fait ?

Geste d'impatience.

– Rien. J'ai attendu et gardé un œil sur elle. Que vouliez-vous que je fasse ?

– Aucune idée, répondis-je d'un ton apaisant. Donc, quand tu as vu ce téléphone, tu as pensé qu'il avait un rapport avec ce qui la perturbait ?

– C'était pas sorcier. Je n'ai eu qu'à la surveiller pour savoir qu'elle le planquait quelque part à l'intérieur de son lit. Le lendemain, j'ai dégoté un prétexte pour aller dans notre chambre pendant les cours, et je l'ai trouvé.

– Et tu as lu les messages.

Ses genoux croisés s'agitèrent. Visiblement, je la saoulais.

– Oui. Et alors ? Vous auriez fait la même chose si un de vos amis avait été dans le même état.

– Cela a dû être un choc.

Elle roula des yeux.

– Vous croyez ?

– Chris n'aurait pas été l'amoureux dont j'aurais rêvé pour ma meilleure amie.

– Elle n'aime pas les boutonneux ?

Mackey jubilait, sans le cacher.

– Donc, dis-je en m'efforçant de rester impavide, comment as-tu réagi ?

– À votre avis ? Qu'est-ce que je pouvais faire ? Planter des aiguilles dans une poupée vaudou à son effigie ? J'ai pas de pouvoir magique. Je ne pouvais pas la délivrer d'un revers de la main.

– Tu aurais pu lui envoyer un texto pour le sommer de la laisser tranquille. Ou lui fixer rendez-vous pour le lui dire de vive voix.

– Vraiment ? ricana-t-elle. Je représentais rien pour lui. Sa bite rikiki ne m'intéressait pas. Il n'avait donc aucune chance de fourrer ses mains dans mon soutif. Pourquoi aurait-il pris la peine de me parler ? À plus forte raison de faire ce que je lui aurais demandé ?

– Je te préviens, lança Mackey depuis le rebord de la fenêtre. Aucun petit merdeux ne te tripotera avant ton mariage !

– Je n'arrive pas à imaginer que tu n'aies rien fait, repris-je. Ce type torture ta meilleure amie et tu penses : « Ah, c'est la vie, ça lui mettra du plomb dans la cervelle » ? Sérieux ?

– Je savais pas quoi faire ! Je me sens déjà assez pisseuse, merci bien, j'ai pas besoin que vous me disiez quelle amie minable j'ai été.

– Tu aurais pu en parler à Julia et à Rebecca, concocter un plan avec elles. Voilà ce que j'aurais attendu de ta part, si vous êtes aussi proches que tu l'affirmes.

– J'avais déjà essayé. Vous vous en souvenez ? Becca a déprimé, Julia n'a rien voulu savoir. J'aurais peut-être insisté auprès de Jules si Selena avait pété un câble, mais je ne pensais pas qu'elle se suiciderait pour ce minable. Elle était juste… malheureuse. On pouvait rien contre ça. De plus, elle ne voulait surtout pas qu'on soit au courant. Si elle avait découvert que je savais, elle se serait sentie encore plus mal. J'ai donc fait semblant de tout ignorer.

Problème : cette histoire d'insomnie n'était pas vraie, du moins pas tout à fait. Je ne cherchai pas à vérifier si Conway avait repéré le mensonge. Aucun nom, sur le téléphone de Selena, ne correspondait au numéro de Chris ; il n'y avait aucun nom non plus dans les textos. Holly ne pouvait pas savoir avec qui Selena correspondait.

Ce mensonge venait peut-être des gênes Mackey : garder toujours un atout dans sa manche au cas où il serait utile plus tard. Peut-être pas.

Holly remua, comme si de l'eau de pluie coulait dans son dos.

– Je n'ai pas uniquement fait semblant de ne rien savoir. Je pensais la même chose que Becca : tout irait bien si nous restions unies. J'ai cru que, si nous entourions Selena…

– Ça a marché ? Ça l'a libérée ?

– Non.

– Cela a dû t'effrayer. D'habitude, vous partagez tout. Aucun secret entre vous. Et, tout à coup, tu dois prendre sur toi, ne te confier à personne.

– J'ai survécu.

– Je n'en doute pas. Tu en es capable. Tu me l'as prouvé la dernière fois. Mais cela ne signifie pas que cela t'a laissée de marbre. L'idée de te retrouver seule avec ce secret, sans l'aide de tes amies, a dû t'angoisser.

Elle leva lentement les yeux et me fixa, comme si elle ne s'attendait pas à une telle compréhension de ma part.

– Navré d'interrompre votre délicieuse conversation, déclara mollement Mackey en se laissant tomber de l'appui de la fenêtre, mais je meurs d'envie d'en griller une.

– Tu as juré à maman que tu avais arrêté ! protesta Holly.

– Il y a bien longtemps qu'elle ne me croit plus. À tout de suite, poussin. Si ces deux charmants inspecteurs t'adressent la parole, bouche-toi les oreilles et chante-leur une jolie chanson.

Il sortit, laissant la porte ouverte, s'éloigna en sifflotant.

Nous nous sommes consultés, Conway et moi. Holly nous regardait, comme indifférente.

– J'irais bien me dégourdir les jambes, dis-je.

La porte d'entrée était ouverte. La nuit tombait. Il était 20 h 15. Sur le perron, appuyé à la rampe, Mackey me tournait le dos, une cigarette intacte entre les doigts. Des chauves-souris voletaient au-dessus de sa tête. Il entendit mes pas, ne bougea pas. Je m'installai près de lui. Il alluma sa cigarette, me jeta un regard de côté.

– Tu fumes depuis quand ?

– J'avais juste besoin de prendre l'air.

Je respirai profondément. L'air tiède sentait le printemps, les fleurs nocturnes sur le point de s'ouvrir.

– Et de parler, dis-je. Il y a longtemps qu'on ne s'est pas vus.

– Pardonne-moi, petit. Mais je ne sens guère d'humeur à papoter.

– Je sais bien. Je voulais simplement vous remercier d'être intervenu plusieurs fois en ma faveur.

– Pas de violons. Ne me fais pas ce coup-là. J'ai horreur qu'on cherche à m'embobiner.

Il tira une grande bouffée de sa cigarette.

– Je n'en ai aucune intention, répliquai-je. J'ai quand même une question à vous poser. Pourquoi avoir choisi Sainte-Kilda ?

– Tu crois que j'aurais inscrit Holly au lycée du coin ?

– Pourquoi pas ?

– Le court de tennis m'a paru crapoteux.

– Mais ce collège… Quand je l'ai vu…

– Tu t'imagines que je n'apprécie pas la belle architecture ?

– J'aurais cru que ce n'était pas votre genre. Gosses de riches… Holly vivant loin de chez elle la majeure partie de la semaine.

J'attends. Rien. Il continuait à fumer.

– Vous vouliez éloigner Holly de chez vous ? poursuivis-je. Elle devenait insupportable ? Vous n'aimiez pas ses amis ?

Il retroussa ses babines de loup, fit claquer sa langue.

– Stephen, Stephen, Stephen ! Tu te débrouillais si bien, en vrai professionnel ! Je t'ai admiré. Et voilà que tu perds patience. Votre fille a-t-elle un problème, monsieur ? A-t-elle des fréquentations peu recommandables, monsieur ? Avez-vous remarqué chez elle des envies de meurtre, monsieur ? Tu patauges comme un bleu, mon mignon. Je t'écoute quand même.

Il me souriait, guettant la suite.

– Je m'interroge, c'est tout. La mère de Holly a peut-être fréquenté ce collège, le lycée de votre quartier est peut-être nul, Holly a été harcelée, ou on a cherché à lui vendre de la drogue… Des tas de gens renoncent à leurs principes quand leur enfant est en jeu. Mais la mettre en pension ? Je ne pige pas.

– T'interroge pas trop. C'est mauvais pour le cœur.

– La dernière fois que nous avons travaillé ensemble, vous étiez séparé de la mère de Holly. Depuis déjà un certain temps, si je me souviens bien. Vous avez raté une partie de l'enfance de votre fille et vous l'envoyez dans un pensionnat pour qu'elle vous manque encore plus ? Ça ne colle pas.

Mackey pointa sa cigarette sur moi.

– J'aime ça, mon joli. « La dernière fois que nous avons travaillé ensemble », comme si on faisait de nouveau équipe. J'adore.

– Vous vous réconciliez avec votre épouse, ce qui vous permet de reconstituer une famille. Vous n'y renonceriez pas sans une bonne raison. Soit Holly se conduit mal et vous cherchez un établissement où on la dressera, soit elle a de mauvaises fréquentations et vous cherchez à l'en éloigner.

– Pas mal. Ça se tient. Ou alors, ma femme et moi avons besoin de nous retrouver, de ressusciter notre amour après toutes nos disputes. D'être seuls.

– Donc, vous sacrifiez votre fille. Et elle se sent abandonnée.

Mackey jeta son mégot par-dessus la balustrade.

– Ma vision de la famille idéale est un peu bizarre, mon petit. Tu as dû t'en rendre compte la dernière fois que nous avons travaillé ensemble. Si tu n'es pas d'accord, fais-moi un procès.

La référence à ses parents et à sa fratrie me laissa de glace.

– Si Holly a eu des problèmes chez vous, nous le découvrirons.

– Bon toutou. Je n'en attendais pas moins de toi.

– Je vous demande simplement de nous éviter une perte de temps et des investigations inutiles.

– Pas de problème. Le plus gros souci que Holly ait eu chez nous, c'est d'avoir été privée de sortie pour ne pas avoir rangé sa chambre.

Nous nous étions testés. Mackey le savait.

– Merci, dis-je.

Il s'apprêtait à rentrer. J'ajoutai, avant que sa main n'atteigne la poignée de la porte :

– Un dernier détail. Pourquoi le pensionnat ? C'est cher. Quelqu'un devait y tenir.

Son regard ironique, comme sept ans plus tôt, il y avait si longtemps.

– Je sais que cela n'a rien à voir avec notre affaire, mais cela m'interpelle. Donc, je pose la question.

– Sans indiscrétion, bien sûr. D'homme à homme, murmura Mackey.

– Oui.

– Des clous. Tu es le flic interrogeant le père de la suspecte.

Ses yeux dans les miens, me défiant de répliquer : « Mon Dieu, non, on ne la soupçonne pas. » Je répétai :

– Je pose la question.

Il me scruta, coinça une autre cigarette au coin de sa bouche.

– À ton avis, dit-il, combien de temps Holly passe-t-elle dans ma propre famille ?

– Pas beaucoup.

– Exact. Elle voit une de mes sœurs deux ou trois fois par an. Du côté d'Olivia, il y a quelques cousins qu'elle retrouve à Noël, et puis sa grand-mère maternelle qui lui offre des fringues de milliardaire et l'emmène dans des restaurants huppés. Et comme sa mère et moi avons passé tout notre temps séparés ou en train de nous séparer jusqu'à notre réconciliation, Holly est enfant unique. Nous n'en avons pas d'autres.

Il s'adossa à la porte d'entrée, alluma sa cigarette, fuma sans hâte, prenant son temps entre chaque bouffée.

– Tu avais raison à propos de notre choix de Sainte-Kilda. L'idée venait d'Olivia, qui y a été élève. Tu avais également raison à propos de mes réticences : j'étais contre le pensionnat. Holly nous a demandé de devenir interne au début de la quatrième. J'ai répondu qu'il faudrait me passer sur le corps. Elle a continué à supplier, je me suis obstiné dans mon refus. Mais j'ai fini par lui demander pourquoi elle y tenait tant. Elle m'a dit que c'était à cause de ses copines. Becca et Selena étaient déjà internes, Julia harcelait sa famille pour le devenir. Toutes les quatre voulaient être ensemble.

Il jeta son briquet en l'air, le rattrapa.

– Elle est futée, ma Holly. Au cours des mois suivants, quand une de ses amies venait à la maison, elle se comportait comme un ange : elle aidait sa mère, faisait ses devoirs, ne se plaignait de rien. Tout était pour le mieux dans le meilleur des mondes. Mais quand elle était seule avec nous, elle devenait insupportable. Elle pleurnichait pour un rien, courait se réfugier dans sa chambre. À tel point que nous redoutions, Liv et moi, de nous retrouver seuls avec elle. Elle nous avait dressés comme deux bergers allemands.

– Entêtement, dis-je. Elle le tient sans doute de votre épouse.

– Plutôt la passion. Un soir, elle nous a crié : « Ce sont mes sœurs ! Celles que vous ne m'avez pas données ! Et vous m'empêchez de les voir ! » Elle s'est précipitée dans sa chambre, a sangloté sur son oreiller. Elle avait marqué un point. C'est important, la famille. Puisque nous ne pouvions pas lui en offrir une, qui étais-je pour l'empêcher de la trouver ailleurs ? Nous avons donc décidé d'accéder à sa demande. Nous l'avons autorisée à devenir pensionnaire en semaine pendant un trimestre, pour voir si cela lui convenait. Aujourd'hui, il nous faudrait une dépanneuse pour la ramener chez nous. Elle me manque à un point que tu n'imagines pas. Mais quand il s'agit de ta gosse, tu jettes ton ego par la fenêtre. Il n'y a que l'amour qui compte. J'ai répondu à tes questions ?

Mentait-il ? Comment savoir ?

– Il en reste une. Pourquoi m'avoir raconté tout ça ?

– Courtoisie professionnelle, dit-il en écrasant son mégot. Après tout, conclut-il avec un grand sourire en poussant la porte, nous travaillons ensemble.

Holly était assise là où je l'avais laissée. Près de la fenêtre, les mains dans les poches, Conway contemplait le parc. Visiblement, elles n'avaient pas échangé une parole.

Changeant de place, Mackey alla s'asseoir sur une table derrière sa fille, se mit à jouer avec un morceau d'argile. Je tirai vers moi le téléphone de Selena, fis tourner le sachet d'indices entre mes doigts.

– Bien, dis-je. Revenons à ce téléphone. Tu affirmes l'avoir trouvé dans le vestibule, le matin suivant la mort de Chris. Concentrons-nous là-dessus pour le moment. Tu avais déjà vu le mobile secret de Selena. Tu devais savoir que c'était celui-là.

Holly eut un geste de dénégation.

– J'ai cru que c'était celui d'Alison. Selena cachait le sien sur le côté de son lit. Comment aurait-il atterri dans le vestibule ?

– Tu ne lui as même pas posé la question ?

– Non. Je vous l'ai dit, je ne voulais pas aborder le sujet avec elle. Si j'avais cru que c'était le sien, ce qui ne m'est même pas venu à l'esprit, j'aurais pensé qu'elle irait le récupérer elle-même dans le coffre des objets trouvés, sans que j'aie à lui en parler.

Derrière elle, Mackey avait aplati l'argile et en avait fait un anneau qu'il essayait de glisser à son doigt.

– Il y a un problème, repris-je. Selon le témoin qui nous a raconté la scène, tu n'as pas trouvé ce mobile dans le vestibule. Tu l'avais dissimulé sous la ceinture de ton collant, enveloppé dans un Kleenex.

Elle eut l'air sidéré.

– Non. J'avais peut-être un mouchoir en papier à la main. Tout le monde pleurait…

– Tu n'aimais pas Chris. Et tu n'es pas du genre à feindre le chagrin pour quelqu'un que tu détestes.

– Je n'ai pas dit que je pleurais ! Je dis simplement que j'ai peut-être tendu ce mouchoir à une fille. Je ne me rappelle pas. Mais je sais que le téléphone était par terre.

– Je crois que tu as extirpé le mobile de Selena de sa cachette et que tu as trouvé le moyen de t'en débarrasser. Le coffre des objets trouvés, c'était une bonne idée. Ça a failli marcher. Non, laisse-moi finir. Tu savais que nous allions sans doute fouiller le collège. Tu savais que si nous trouvions ce téléphone, nous interrogerions Selena. Et tu sais par expérience ce qu'est un interrogatoire de police. Ce n'est pas folichon. Tu ne voulais pas que Selena subisse cette épreuve, alors qu'elle était déjà traumatisée par la mort de Chris. Donc, tu as jeté le téléphone. C'est exact ?

– Tu n'es pas obligée de répondre, dit Mackey, sans lever les yeux de son nouveau jouet.

– Tu ne risques rien. Tu t'imagines que nous allons inculper une mineure pour avoir dissimulé un objet qui ne constitue peut-être même pas un indice ? Nous avons d'autres chats à fouetter. Ton père te le dirait lui-même, Holly : quand on cherche quelque chose d'important, on se débarrasse d'abord du superflu. Il ne s'agit que d'un détail. Mais nous devons en avoir le cœur net.

Elle me fixa, sans consulter son père.

– Selena n'a pas tué Chris, asséna-t-elle. C'est impossible. Je ne l'ai pas envisagé une seconde. Elle ne fonctionne pas comme ça. Vous me trouvez naïve. Je ne le suis pas. Je sais qu'on ne peut pas se fier aux gens, qu'on ne peut pas deviner ce dont ils sont capables. Mais avec Selena, j'en suis sûre. Elle n'aurait jamais fait de mal à Chris. Jamais. Je le jure. C'est impossible.

– Tout comme tu aurais juré qu'elle ne sortirait jamais avec lui.

Elle eut une mimique exaspérée.

– Quel rapport ? De toute façon, vous l'avez vue. Elle en serait physiquement incapable. Ainsi que je vous l'ai dit, j'ai parfois du mal à m'endormir. La nuit de la mort de Chris, c'était le cas. Si Selena était sortie, je m'en serais aperçue.

Elle mentait, mais je ne le relevai pas.

– Donc, tu as jeté le téléphone dans le coffre.

Aucune réaction, alors qu'elle contredisait ce qu'elle m'avait raconté, la main sur le cœur, cinq minutes plus tôt. Pas un clignement de paupière. Elle était vraiment la fille de son père.

– Oui. Et alors ? Si vous saviez qu'un de vos amis risquait d'être accusé à tort, vous ne feriez rien pour le sortir de là ?

– Bien sûr. Ce serait la moindre des choses.

– Très juste. N'importe qui agirait de la même façon. C'est une question de loyauté. Donc, oui, je l'ai fait.

– Merci. Tout s'éclaire. Un détail, cependant. Quand as-tu sorti le mobile de votre chambre ?

– Pardon ?

– C'est le seul point qui me chiffonne. À quelle heure a-t-on découvert le corps de Chris ?

– Un peu après 7 h 30, énonça posément Conway, toujours invisible, ce qui indiquait que je menais bien ma barque. Lors de la promenade matinale des bonnes sœurs.

– Et quand a eu lieu la réunion ?

Holly haussa les épaules.

– Je ne m'en souviens pas. Avant le déjeuner. Vers midi ?

– Avez-vous eu classe, ce matin-là ? Ou vous a-t-on renvoyées dans vos chambres ?

– On a été en cours. Enfin, presque. Personne n'était concentré, pas même les profs. On faisait semblant.

– Donc, vous avez peut-être entendu des rumeurs au petit déjeuner. Un événement inhabituel, la police dans le parc… D'abord, tout le monde a sans doute pensé qu'on arrêtait le gardien pour trafic de drogue. Et puis, un peu plus tard, si quelqu'un a vu le camion de la morgue, on a peut-être évoqué un cadavre. Mais vous ne pouviez pas avoir de qui il s'agissait. Quand a-t-on identifié Chris ?

429

– Vers 8 h 30, dit Conway. McKenna a cru le reconnaître, nous avons téléphoné à Colm pour voir si un de leurs élèves manquait.

– Donc, à midi, la famille proche de Chris devait avoir été prévenue, mais mes collègues n'avaient pas révélé son nom aux médias, pas avant que la famille n'ait averti son entourage. Vous n'avez pas pu en entendre parler à la radio. Vous n'avez appris qu'au cours de la réunion ce qui s'était passé et le nom de la victime.

– Oui. Et alors ?

– Alors, comment as-tu su que ce téléphone pourrait causer des ennuis à Selena, à temps pour aller le chercher avant la réunion ?

Holly ne cilla pas.

– On regardait toutes par la fenêtre, même si les profs nous l'interdisaient. On a vu des flics en tenue et les types de la police scientifique. J'ai compris qu'il y avait eu un crime. Ensuite, on a vu le Père Niall, de Colm. Il mesure au moins deux mètres, ressemble à Voldemort et porte la soutane : impossible de le confondre avec quelqu'un d'autre. Donc, de toute évidence, quelque chose était arrivé à un garçon de Colm. Et Chris était le seul dont je savais qu'il se baladait la nuit dans le parc. Ce ne pouvait être que lui.

Elle me toisa comme si elle avait marqué un point.

– Mais tu pensais que Selena et lui avaient rompu, objectai-je. Et tu affirmes qu'elle n'est pas sortie cette nuit-là. Donc, ils ne s'étaient pas réconciliés. Que faisait Chris à Sainte-Kilda ?

– Il retrouverait peut-être une autre fille. C'était pas le genre à pleurnicher pendant des mois sur un amour perdu. J'aurais parié qu'il en aurait dégoté une autre dix minutes après avoir rompu avec Selena. Le contraire m'aurait sidérée. Et, ainsi que je l'ai dit, il était le seul que je connaissais à pouvoir faire le mur. J'allais pas attendre d'en avoir le cœur net. J'ai prétendu que j'avais

430

oublié quelque chose dans la chambre, je ne me rappelle plus quoi, et j'ai récupéré le téléphone.

– À ton avis, que se serait-il passé si Selena s'était aperçue de sa disparition ? Surtout si tu t'étais trompée et que Chris, après tout, n'était pas mort ?

Geste vague.

– Je me serais arrangée.

– Pour l'heure, tu ne pensais qu'à protéger ton amie.

– Oui.

– Jusqu'où irais-tu pour la protéger ?

Mackey intervint.

– C'est du charabia. Elle ne peut pas répondre à une question qui n'a aucun sens.

Conway réagit aussi sec, manifestant de nouveau sa présence.

– C'est elle que nous interrogeons. Pas vous.

– C'est du pareil au même, que cela vous plaise ou non. Continuez et on se barre.

– Papa, coupa Holly, tout va bien.

– Je sais. Voilà pourquoi nous sommes encore là. Inspecteur Moran, si vous avez une question précise, posez-la. Si vous ne possédez rien d'autre qu'un ragot d'une ado boutonneuse, passons à autre chose.

– Justement, Holly. Selena vous a caché sa relation avec Chris. Pourquoi, selon toi ?

– Parce qu'on ne l'aimait pas. Becca, elle, n'y aurait sans doute vu aucun inconvénient. Elle appréciait Chris. Je vous l'ai dit, elle est innocente. Mais Julia et moi, on aurait gueulé : « Tu blagues, ou quoi ? Il se prend pour un don Juan, il te trompe sans doute à tour de bras, qu'est-ce qui te prend ? » Elle n'aime pas les discussions, surtout avec Julia, qui a toujours raison. J'entends Lenie d'ici : « Oh, je le leur dirai plus tard, quand je serai sûre que ça aboutira à quelque chose. En attendant, j'essaierai de les convaincre qu'il n'est pas un salaud, après tout, et tout finira bien… » Elle en serait encore là, s'ils n'avaient pas rompu. Et s'il n'était pas mort, bien sûr.

Pas besoin d'être la meilleure copine de Selena pour sentir que quelque chose ne collait pas. Son frémissement alors qu'elle se souvenait d'avoir laissé ses amies endormies derrière elle, qu'elle leur avait menti. Elle en avait souffert, et elle n'aurait pas fait ça sans une bonne raison. Subir les remontrances, attendre patiemment que Julia ait dit ce qu'elle avait à dire, que Holly ait levé les yeux au ciel : elle n'était pas du genre à se débiner, ni à se couper de ses amies simplement parce qu'elles n'appréciaient pas Chris plus que ça. Pourquoi mentir ?

– Donc, tu penses qu'elle ne vous a rien révélé parce qu'elle savait que vous chercheriez à la protéger.

– C'est vous qui le dites.

Mackey m'observait, jouant toujours avec son argile.

– Mais elle se trompait, enchaînai-je. Quand vous avez tout découvert, vous n'aviez plus besoin de la protéger, pas vrai ?

– De quoi ? C'était terminé. Comme on dit : « Tout est bien qui finit bien. »

– Oui. Sauf que Chris était mort. Et vous n'avez toujours pas avoué à Selena que vous étiez au courant. Pourquoi ? Vous avez dû vous rendre compte qu'elle était désespérée. Et vous n'avez pas pensé qu'elle aurait besoin de votre soutien ? D'une épaule sur laquelle pleurer, peut-être ?

Holly se renversa dans sa chaise en serrant les poings, avec une violence qui me fit sursauter.

– P'tain, je savais pas quoi faire ! Je savais pas comment la consoler ! Je me suis dit qu'elle voulait peut-être qu'on la laisse tranquille, que si je prononçais une seule parole, elle me serait rentrée dedans ! J'y pensais sans arrêt ! Et je savais pas quoi faire pour elle ! Parce que je suis une merde ! Si c'est ce que vous insinuez, oui, vous avez raison ! D'accord ? Foutez-moi la paix !

432

Je revis la gamine rouge de colère devant moi et donnant des coups de pieds dans la table, des années plus tôt. Derrière elle, Mackey ferma les yeux une seconde : elle ne l'avait pas appelé au secours. Il les rouvrit, me dévisagea.

– Votre amitié comptait beaucoup pour vous, continuai-je. L'essentiel, c'était de la préserver. Je me trompe ? Or, ce petit fumier de Chris cherchait à la détruire. Mais vous quatre, vous lui donniez raison. Oui, Holly, votre amitié battait de l'aile. Selena est amoureuse et ne vous en parle même pas. Toi, tu l'espionnes, mais en cachette des autres. Selena se fait plaquer, son premier amour se termine en désastre et vous ne la consolez même pas ! C'est ça, l'amitié ? Sérieux ?

Bon flic, avait dit Conway. Je la sentais détendue, prête à prendre la relève. Holly s'écria :

– Ce qui se passe entre mes amies et moi ne vous regarde pas. Vous n'y comprenez rien !

– Je sais que rien d'autre ne compte plus pour toi. Tu as harcelé tes parents pour devenir pensionnaire, à cause d'elles. Elles sont toute ta vie !

J'avais haussé le ton, sans trop savoir pourquoi : pour montrer à Conway que je n'étais pas le larbin de Mackey ou le lui prouver à lui, ainsi qu'à Holly qui, avec sa carte, m'avait peut-être manipulé depuis le début.

– Alors, Chris apparaît. Et il détruit tout, en un clin d'œil. Il vous sépare, vous éloigne les unes des autres.

Holly jetait des éclairs.

– Nous ne nous sommes pas éloignées ! Nous sommes unies !

– Si un voyou me brouillait avec mes potes, je lui en voudrais à mort. Seul un ange du Ciel ne le haïrait pas. Tu as du cran et du caractère mais, à moins d'avoir beaucoup changé ces dernières années, tu n'es pas un ange.

– Je n'ai jamais prétendu le contraire.

– À quel point détestais-tu Chris ?

– On coupe ! s'exclama Mackey. Pause clope !

Il sauta de la table avec un grand sourire.

– Tu n'as pas envie de prendre l'air, mon petit Stephen ?

– Vous venez d'en griller une, lui dit Conway.

Il lui lança un regard peu amène. Il était notre supérieur, à Conway et à moi.

– Je veux parler à l'inspecteur Moran en tête à tête, inspecteur Conway. Sans vous. N'ai-je pas été assez clair ?

– Très clair. Allez-y.

Il fit une boule de son argile, la lança à Holly.

– Amuse-toi avec ça, poussin. Surtout n'en fais rien qui puisse choquer cette dame. Elle me semble un peu bas-bleu. Tu viens ? ajouta-t-il à mon intention, en se dirigeant vers la porte.

Les mains à plat, Holly écrasa la boule sur la table avec une sorte de délectation. Je lançai un regard à Conway. Elle me le rendit. Je m'en allai.

Sans m'attendre, Mackey dévala l'escalier jusqu'à l'entrée. Lorsque je le rejoignis, il était adossé au mur, les mains dans les poches. Il n'avait pas pris la peine d'allumer sa cigarette.

– Je suis fatigué de jouer la comédie, me dit-il. Conway et toi ne m'avez pas convoqué par courtoisie professionnelle, mais parce que vous aviez besoin d'un adulte agréé. Parce que Holly est soupçonnée d'avoir tué Chris Harper.

– Si vous préférez regagner le quartier général et tout voir sur une vidéo, répondis-je, on peut s'arranger.

– Si je voulais être ailleurs, nous serions déjà partis, Holly et moi. Ce que je veux, c'est que tu arrêtes de me mener en bateau.

434

– Nous pensons qu'elle est impliquée, d'une manière ou d'une autre.

Il contempla la pelouse.

– Je m'étonne de devoir insister sur un point, mon joli. Tu décris une fille trop bête pour ne pas se tromper de pied quand elle enfile ses pompes. Mais Holly est tout sauf stupide.

– Je le sais.

– Vraiment ? Alors, examinons ton hypothèse. Selon toi et Conway, elle a commis le meurtre et effacé les traces. Les clampins de la Criminelle ont fait trois petits tours avant de s'en aller, ne sont arrivés à rien et ont laissé tomber. Et maintenant, un an plus tard, alors qu'on a classé l'affaire, elle t'apporte cette carte. Elle relance délibérément l'enquête. Se met délibérément sous les projecteurs. Désigne délibérément un témoin qui pourrait la faire coffrer. Je conçois que tu aies envie de me prouver que je ne suis plus le patron et que c'est toi qui mènes la danse, mais ça n'a aucun sens.

– Je ne crois pas que Holly soit une idiote. Elle nous utilise pour que nous fassions le boulot à sa place.

– Je t'écoute.

– Elle a trouvé cette carte et cherche à savoir qui l'a fabriquée. Comme nous, elle a resserré la fourchette. Mais là, elle cale. Donc, elle nous provoque pour que nous trouvions la solution.

– Au risque de se retrouver en tôle ?

– Elle n'y croit pas. Elle sait que la fille à la carte ne la balancera pas. Soit parce que c'est une de ses amies et que la bande de Joanne Heffernan s'est retrouvée par hasard mêlée à cette histoire un soir où elles toutes ont fait le mur et qu'elle a les moyens de les faire taire, soit parce qu'elle a d'autres informations sur elles.

Mackey leva les sourcils.

– J'ai affirmé qu'elle n'était pas idiote. Je n'ai pas prétendu qu'elle était machiavélique.

– Dites-moi que vous n'auriez pas agi comme elle.

– J'aurais pu. Je suis un pro. Je ne suis pas une adolescente naïve qui n'a affronté le crime qu'une fois dans sa vie, il y a sept ans. Je suis flatté que tu me prêtes un sperme magique, mais je n'ai pas transmis mon cynisme à ma fille.

– Donc, c'est une pro. Elles le sont toutes. Si j'ai appris quelque chose aujourd'hui, c'est que les ados feraient passer le pire des criminels pour un enfant de chœur.

– Résumons. Dans ce conte de fées, Holly sait que la fille de la carte ne la caftera pas, mais elle risque toujours sa peau pour l'identifier. Pourquoi ?

– Si c'était vous ? Si vous souhaitiez rester en contact avec vos amis jusqu'à la fin de vos jours une fois vos études terminées, voudriez-vous laisser un témoin derrière vous ?

J'escomptais une réaction violente. Je n'eus droit qu'à un ricanement.

– Allons, petit ! Maintenant, tu fais de ma fille une tueuse en série ?

– Non. Simplement quelqu'un qui n'a pas mesuré les conséquences de ses actes.

– Elle n'est pas la seule. Il y a aussi ses amies. Ne t'acharne pas contre elle, mon mignon. Coffrer la fille d'un flic ne te fera pas monter sur le podium. Tu pourras dire adieu à ta carrière. Non seulement tu n'intégreras pas la Criminelle, mais tu seras viré des Affaires classées.

– Sauf si j'ai raison.

– Tu crois ?

– Oui. Si on résout cette affaire, je serai le premier sur la liste des candidats à la brigade. Même si personne ne peut me blairer, j'aurai réussi mon coup.

– Tu y travailleras peut-être un certain temps. Mais tu ne feras jamais partie de l'équipe.

Il me scruta. Il est bon, Mackey. Il est le meilleur. Il enfonce son doigt dans la plaie et appuie doucement.

– Je ferai mon trou, insistai-je. Des copains me soutiendront.

– Vraiment ?

– Sûr.

– Bien, conclut-il en relevant sa manche pour consulter sa montre. Ne faisons pas attendre l'inspecteur Conway. Elle n'apprécie guère nos apartés. Allons-y.

Il plaqua une main sur ma nuque, plongea ses yeux bleus dans les miens.

– Si tu as raison, murmura-t-il doucement, je te tue.

Il tapota mon cou, sourit avant de se fondre dans la pénombre du vestibule.

Alors, je compris. Mackey pensait que tout était de sa faute, qu'il avait transmis ses gênes à sa fille. Il était persuadé que j'avais raison.

22

Tôt lundi matin, le bus rouge à un étage se fraie un chemin dans les embouteillages, s'arrête, repart. Il reste à Chris Harper trois semaines et moins de quatre jours à vivre.

Au fond de l'étage à demi désert, les chevilles croisées sur son sac, Julia bâcle son devoir de science. Elle a passé le week-end à se creuser la tête à propos de Chris et de Selena. Son premier réflexe serait de prendre son amie par la peau du cou, de lui demander ce qui lui passe par la tête. D'un autre côté, elle redoute, si elle parle sans détour à Selena, à Holly ou à Becca, que cette franchise ne détruise leur amitié, que rien ne soit plus jamais comme avant. Finalement, elle n'a pris aucune décision et n'a pas fait son devoir. La pluie ruisselle sur les vitres du bus, le chauffeur a mis le chauffage à fond et il y a de la buée partout.

Alors qu'elle recopie à toute allure, en changeant quelques termes, des passages de son manuel sur la photosynthèse, elle sent une présence dans l'allée. C'est Gemma Harding.

Gemma vit à quatre maisons de Kilda. Pourtant, le lundi matin, son père la dépose au collège dans sa Porsche noire, uniquement pour la frime. Si elle a pris, quelle horreur, le bus ce matin, c'est qu'elle a une raison.

– Selena n'a jamais fréquenté Chris, lui lance Julia à brûle-pourpoint avant de retourner à son manuel. Bonjour chez toi.

Gemma jette son sac sur le siège d'à côté et s'assied près d'elle. Son imper est trempé.

– Ce bus pue la sueur, grommelle-t-elle en fronçant le nez.

– Alors, descends et appelle ton papa. Et lâche-moi.

Gemma ne tient pas compte de sa remarque.

– Tu savais que Joanne sortait avec Chris ?

– Plus ou moins.

– Elle a été avec lui pendant deux mois. Avant Noël.

– Si elle avait réussi à se le taper, elle l'aurait tatoué sur sa tronche.

– Il voulait garder leur relation secrète. Ça ne plaisait pas à Joanne. Mais il a insisté. Il avait peur que ça se sache parce qu'il n'avait jamais éprouvé une telle passion auparavant.

Julia ricane.

– Je sais, c'est débile, admet Gemma. Je l'ai dit à Joanne. Quand un type refuse de révéler sa liaison avec une meuf, c'est parce que c'est un boudin et qu'il en a honte, ce qui n'est pas le cas de Joanne, ou parce qu'il a envie, en même temps, d'aller voir ailleurs.

Julia ferme son manuel, mais le garde sur ses genoux.

– Et alors ?

– Joanne n'a rien voulu savoir. « Oh, Gemma t'es tellement cynique ! T'es jalouse ou quoi ? » Chris l'avait complètement embobinée. Il lui faisait croire que c'était le grand amour.

Julia fait semblant de gerber. Des types de Colm, groupés à l'avant, se tournent vers elle, sourient et parlent fort en se donnant des coups d'épaule. Au lieu de leur rendre leur sourire et de pointer ses nichons, ce qu'elle ferait d'habitude, Gemma les ignore et baisse le ton.

– Elle commençait vraiment à croire que c'était l'homme de sa vie, qu'elle raconterait à leurs enfants leurs premiers rendez-vous.

– Bouleversant. Alors, pourquoi elle n'exhibe pas sa bague de fiançailles ?

– Elle baisait pas avec lui, alors il l'a plaquée. Même pas en face. Un soir, alors qu'ils devaient se retrouver dans le jardin public, il n'est pas venu et ne lui a même pas répondu au téléphone. Elle lui a envoyé dix messages pour lui demander ce qui se passait. Elle a cru qu'il était à l'hôpital. Deux jours plus tard, on était au Court. Il nous est passé devant. Il nous a vues et a regardé ailleurs.

Julia chasse de son esprit l'expression de Joanne à ce moment-là pour s'en délecter plus tard.

– C'est dégueu.

– T'es d'accord ?

– Pourquoi elle lui a pas cédé ?

Julia n'a jamais pris Joanne pour un parangon de vertu.

– Elle allait le faire. Elle est pas frigide. Elle le faisait attendre pour lui prouver qu'elle n'était pas une pute et pour le rendre dingue. Mais elle avait pris sa décision. Elle attendait simplement de trouver une piaule pour le week-end. Elle voulait pas faire ça au Pré, comme n'importe quelle pétasse. Mais elle l'a pas dit à Chris, parce qu'elle le voulait à ses pieds. Alors, il en a eu sa claque d'attendre et il l'a larguée.

– Donc, résume Julia, Joanne est toujours mordue de Chris, ce qui en fait sa propriété privée, et interdit à une autre fille de s'en approcher. J'ai oublié quelque chose ?

– Exact, répond Gemma avec un regard de merlan frit.

Elle attend jusqu'à ce que Julia soupire :

– D'accord. Quoi ?

– Joanne est costaud.

– C'est une garce.

440

– En tout cas, elle n'est pas en sucre. Mais ce que lui a fait Chris l'a complètement chamboulée. Elle a fait semblant d'être malade, pour pouvoir rester cloîtrée dans notre chambre.

Julia s'en souvient. Elle avait envisagé de raconter à tout le monde que Joanne avait eu une éruption de boutons pleins de pus sur la figure, avant de conclure que ça n'en valait pas la peine.

– Elle faisait quoi ? Elle chialait ?

– Elle n'arrêtait pas ! Elle refusait de se montrer dans cet état. En plus, elle avait peur d'éclater en sanglots en plein cours, ce qui aurait mis les autres au courant. Mais surtout, elle ne voulait pas croiser Chris ou ses copains. Elle en serait morte de honte. Elle disait : « Je pourrai jamais plus sortir, je vais demander à mes parents de me transférer dans un collège en Angleterre… » Il m'a fallu une semaine pour lui fourrer dans le crâne qu'il fallait qu'elle sorte, qu'elle le voie et se comporte comme si elle se souvenait à peine de son nom. Sinon, il saurait à quel point elle allait mal et trouverait ça grotesque. Les mecs fonctionnent comme ça. Si une fille est plus mordue qu'eux, ils la méprisent.

Julia brûle d'envie de défoncer les dents de Chris. Non pas parce qu'il a bafoué le petit amour-propre de Joanne, ce qui, de son point de vue, est le seul élément positif de tout ce bazar ; mais parce que c'est arrivé à cause d'un petit merdeux. Selena détruisant leur amitié, l'expression de Finn au Pré ; tout ça à cause d'un tombeur de cinquième ordre qui n'a qu'une seule idée dans sa caboche : je veux voir ton minou.

– En quoi c'est mon problème ? s'enquiert-elle.

– Selena n'est pas costaud.

– Plus que tu ne crois.

– Ah, oui ? Assez pour encaisser le coup quand Chris lui fera la même chose ? Et il le fera. Je te garantis qu'il va lui débiter les mêmes bobards qu'à Joanne. Et si Jo a marché, elle marchera aussi. Dans quinze jours, elle sera persuadée qu'ils se marieront. Et même si elle se le tape…

– Elle se le tape pas.

Coup d'œil sceptique de Gemma. Julia lui assène :

– Elle baise pas avec lui. Et pas parce qu'elle est frigide !

– Bref. Même si elle se l'envoie, et plus encore si elle le fait pas, il se lassera vite. Il coupera tout contact et la traitera comme si elle n'existait pas. Elle va réagir comment ? Surtout quand Jo racontera de quelle façon elle a été plaquée. Tu crois qu'elle se remettra en une semaine ? Ou qu'elle fera une dépression nerveuse ?

Julia ne répond rien. Gemma poursuit :

– Selena est déjà… En fait, c'est pas une pute, mais franchement, elle donne pas l'impression de faire la fine bouche trop longtemps.

– J'ai examiné son téléphone, réplique Julia. Il n'y a aucun message de Chris. Pas même un texto qui pourrait venir de lui.

Gemma pouffe.

– Bien sûr que non ! Quand il sortait avec Joanne, il lui a offert un mobile réservé uniquement à leurs SMS. Tu connais le nouveau téléphone d'Alison ? Le rose ? C'était celui-là. Joanne a forcé Alison à le lui racheter, après la rupture. Je me rappelle pas quelle raison il avait trouvée, mais si tu veux mon avis, il avait la trouille que les parents de Joanne, les bonnes sœurs ou l'une d'entre nous ne regardent dans son mobile habituel et ne découvrent tout. Il lui a demandé de planquer le rose.

Évidemment, Joanne s'est empressée de le montrer à toutes ses copines. Ce Chris n'était même pas un tombeur de cinquième zone. C'était une pure merde.

– Donc, reprend Gemma, je parie que Selena a un téléphone spécial super secret planqué quelque part.

– P'tain ! s'exclame Julia. Il a autant d'argent de poche que ça ?

– Autant qu'il veut. On m'a raconté, ajoute-t-elle avec un petit sourire en coin, sans préciser d'où elle tient son information, qu'il a lui aussi un téléphone spécial pour les filles avec qui il sort. Tu sais comment l'appellent ses potes ? La foufoune parlante de Chris.

Exactement le genre de saloperies qui a poussé Julia et ses amies à faire leur vœu. Julia aimerait avoir une raquette de ping-pong pour remettre la tête de Selena à l'endroit.

– La classe, dit-elle.

– Il est doué. Il faut que tu règles le problème avant que Selena tombe raide dingue de lui.

– Si elle sortait avec lui, je crois que je le ferais.

Elles gardent le silence un instant, proches l'une de l'autre, comme réconciliées. Le bus tressaute dans les nids de poule.

– Je ne connais pas Chris, déclare enfin Julia. Je ne lui ai même jamais parlé. Si tu voulais qu'il plaque une fille vite fait, tu t'y prendrais comment ?

– Bien du plaisir. Il sait exactement ce qu'il veut et il fait tout pour l'obtenir. Oublie-le. Travaille sur Selena, arrange-toi pour que ce soit elle qui le largue. Dans l'autre sens, ça marchera pas.

– Je te répète qu'elle sort pas avec lui. Je demande juste « si ». Pour rire. S'il n'y avait pas moyen de convaincre la fille, qu'est-ce que tu ferais avec Chris ?

Gemma extirpe de son sac un bâton de rouge à lèvres rose et un miroir de poche, se maquille comme si cela l'aidait à réfléchir.

– Joanne m'a conseillé de lui raconter que Selena avait une blenno. Ça suffirait sans doute.

Julia change d'avis : élément positif ou pas, elle regrette que Joanne et Chris ne soient pas restés ensemble. Ils sont faits l'un pour l'autre.

– Fais-le, réplique-t-elle et je dirai à ton père que tu achètes du speed au gardien du parc pour perdre du poids.

Gemma presse ses lèvres l'une contre l'autre, les examine dans le miroir.

– Tu penses sincèrement que Selena ne baise pas avec Chris ?

– Oui. Et elle ne va pas le faire.

– Bien, dit Gemma en fermant son bâton de rouge avant de le remettre dans son sac. Tu pourrais essayer de lui dire ça. Il te croira sans doute pas, parce qu'il se trouve tellement irrésistible que seule une cinglée pourrait lui résister. Toutefois, si tu arrives à le convaincre, il la laissera tomber pour la première gourde qui lui cédera. En trente secondes.

– Alors, pourquoi Joanne ne s'en chargerait pas ? Elle lui dirait qu'elle veut son corps sexy, mais seulement s'il casse avec Selena.

– Je le lui ai suggéré. Elle a répondu : « Pas question, il a eu sa chance et il l'a manquée. »

En d'autres termes, Joanne est terrifiée à l'idée de se faire rire au nez.

– T'es sa chouchou. Tu pourrais faire le boulot à sa place…

Un léger sourire éclaire le visage de Gemma, mais elle secoue la tête.

– Euh, non.

– Il te botte pas ? J'aurais jamais cru que ça te gênerait.

– Il est à croquer. La question n'est pas là. Joanne aurait un infarctus.

– Si elle te fait peur à ce point, pourquoi tu restes sa copine ?

Gemma inspecte sa bouche dans le miroir, étale du rose au coin de ses lèvres avec son petit doigt.

– J'ai pas peur d'elle. J'évite de la mettre en pétard, c'est tout.

– Elle le serait sacrément si elle découvrait que tu m'as raconté que Chris l'a larguée.

– Sûr. Je préférerais qu'elle l'apprenne pas.

Julia se tourne vers elle, la regarde droit dans les yeux.

– Alors, pourquoi tu me l'as dit ? Parce que tu t'inquiètes pour le cœur brisé de Selena ?

– Pas vraiment, non.

– Alors ?

– Parce que c'est un fumier. Tu as peut-être raison : Joanne est une garce ; mais c'est mon amie. Et t'as pas vu l'état dans lequel elle était après.

Elle ferme son miroir de poche, le glisse dans son sac.

– On a déjà propagé une rumeur. On a raconté qu'elle l'avait plaqué parce qu'il voulait porter une couche et exigeait qu'elle le change.

– Quoi ?

– Ça existe. Y a des types comme ça. En fait, ça n'a pas marché. Personne n'y a cru. On aurait pu se contenter de dire qu'il bandait pas, qu'il l'avait toute petite, ou quelque chose de ce genre.

– Bref, puisque tu n'as pas réussi à le dégommer, tu veux que je le fasse à ta place. Je pousse Selena à le larguer, tu t'arranges pour que tout le monde le sache et il se retrouve ridiculisé, comme il a ridiculisé Joanne.

– En gros, c'est ça, oui, admet Gemma, imperturbable.

– D'accord. Je m'arrange pour qu'ils se séparent. Rapidement.

Comment va-t-elle s'y prendre ? Elle n'en a aucune idée.

– Mais, ajoute-t-elle, tu t'assures que toi et ta bande ne disiez à personne qu'il a été avec Selena. Vous pouvez raconter que Joanne l'a plaquée, si vous voulez lui mettre le nez dans son pipi. Mais pas une allusion à Selena. Jamais ! Pas d'histoire de blenno à la noix. On tope ?

Gemma réfléchit.

– Sinon, précise Julia, je raconte à Joanne que tu m'as assuré qu'elle était persuadée qu'elle allait se marier avec lui et avoir une ribambelle d'horribles moutards.

Gemma a une mimique amusée.

– D'accord. Topons là.

Julia se demande si elle va rester là, sans parler, avec son odeur de rouge à lèvres, jusqu'à ce qu'elles arrivent au collège.

Le bus s'arrête à un arrêt. Pas précipités, voix aiguës de filles excitées.

– P'tain, non, c'est pas vrai, tu lui as pas dit ça !

– À plus tard, murmure Gemma.

Elle se lève, cale son sac en bandoulière. À l'avant, les types de Colm l'observent tandis qu'elle se faufile dans l'allée et se dirige vers eux. Elle se retourne, sourit à Julia et lui fait un petit signe de la main.

23

Dans la salle d'arts plastiques, il commençait à faire frisquet. Conway avait tiré sa chaise près de la mienne. Le méchant flic était dans la place.

Cette fois, elle ne pivota pas à notre entrée. Holly non plus. Creusant avec ses ongles des courbes dans sa boule d'argile, elle paraissait songeuse. Ni l'une ni l'autre ne s'étaient adressé la parole pendant notre absence. Elles avaient fourbi leurs armes, s'étaient préparées à l'affrontement qui suivrait notre arrivée. Par la fenêtre, haut dans le ciel, nimbant la maquette de fils de cuivre d'une lueur froide, la lune semblait nous fixer.

Mackey alla se rasseoir sur sa table. Chaque fois qu'il remuait, je sursautais : que mitonnait-il ? À la fois ironique et glacée, son expression me prouva que mon inquiétude ne lui échappait pas.

Celle de Conway, lorsque je pris place à côté d'elle, était impérative : « On y va ! »

Elle ne revint pas à sa dernière adjuration sur les raisons de la haine que Holly vouait à Chris. Inutile. Mackey, sur ce point, lui avait cassé la baraque.

– Tu avais raison, commença-t-elle. Selon nous, une de vous huit a épinglé la carte. Une des sept autres sait qui a tué Chris.

Holly roula sa glaise sur la table, d'une main à l'autre.

– Du moins, c'est ce qu'elle prétend.

– Comment te sens-tu à ce sujet ?

Mimique incrédule.

– Comment je me sens ? Je suis où, là ? Chez la conseillère pédagogique ? Vous voulez que je vous dessine mes impressions au crayon de couleur ?

– Es-tu inquiète ?

– Si je l'étais, je ne vous aurais pas apporté la carte.

Mouvement de tête trop effronté. Elle jouait la comédie. Le matin, en me confiant cette carte, elle avait eu du cran. Depuis, il s'était passé quelque chose.

– Ce matin, dis-je, tu ne l'étais pas. Mais maintenant ?

– De quoi m'inquiéterais-je ?

– Qu'une de tes amies, rétorqua Conway, sache quelque chose qui pourrait la mettre en danger. Ou que l'une d'elles ait une information que tu préférerais nous cacher.

Holly se renversa sur sa chaise, agita les mains.

– P'tain, de quoi vous parlez ? Personne, au collège, ne sait ce qui est arrivé à Chris. Joanne a fabriqué la carte pour attirer l'attention. D'accord ?

Conway ne dissimula pas son scepticisme.

– Pourquoi ne l'as-tu pas dit à l'inspecteur Moran lorsque tu la lui as remise ? Pourquoi n'as-tu pas ajouté : « C'est du bidon, une fille nommée Joanne a tout inventé » ? Ou bien y a-t-il eu un élément nouveau depuis ce matin qui te pousse à l'impliquer ?

– Elle essaye de nous enfoncer, voilà ce qui s'est passé. Quand vous vous êtes pointés tous les deux, elle a paniqué. Elle ne s'attendait pas à voir de vrais flics, parce qu'elle est con comme un mulet ! Elle a donc passé la journée à tenter de vous orienter vers nous, pour que vous ne découvriez pas son petit jeu et qu'on ne l'accuse pas de vous avoir fait perdre votre temps. Autrement, pourquoi se serait-elle rongé les ongles ?

– Si elle cherchait à nous orienter vers toi et tes copines, dit Conway, elle a fait du bon boulot.

448

– Sûr ! Sinon, je ne serais pas là ! Il ne vous est même pas venu à l'esprit que c'était une menteuse de première ?

– J'en suis persuadée. Mais nous n'avons pas besoin de nous fier à ses allégations. Les rencontres entre Selena et Chris, par exemple : quand nous n'avions que la parole de Joanne, nous n'étions pas plus impressionnés que ça. Alors, elle nous a tendu la vidéo les montrant tous les deux ensemble.

Holly ne manifesta aucune surprise. C'était donc grâce à cette vidéo qu'elle avait appris la relation entre Chris et Selena. Elle répondit calmement :

– Quelle perverse… Ça ne m'étonne pas d'elle.

– Elle te l'a montrée ?

Elle ricana.

– Et puis quoi ? Joanne et moi, on ne partage rien.

– Je ne pensais pas à une complicité possible. Je pensais à du chantage.

– Quel genre ?

– Joanne est sortie quelque temps avec Chris. Avant Selena.

– Vraiment ? Dommage que ça n'ait pas duré. Ils sont faits l'un pour l'autre.

Toujours pas la moindre surprise. À mon tour d'intervenir.

– Tu crois qu'elle était ravie qu'il l'ait plaquée pour Selena ?

– J'en doute. J'espère qu'elle a eu un AVC.

– Presque. Tu la connais mieux que moi. Tu crois que ça l'a démolie au point qu'elle ait souhaité sa mort ?

– Certainement. Je peux m'en aller, maintenant, et lui laisser la place ?

– En fait, dis-je, nous sommes sûrs que Joanne n'a pas tué Chris. Nous nous demandons si elle n'en a pas chargé quelqu'un d'autre.

– Orla, lança-t-elle vivement. Dès que Joanne a un sale boulot à faire, elle le lui confie.

– Non, coupa Conway. Nous avons la preuve qu'il s'agissait d'une de vous quatre.

Mackey ne réagissait toujours pas. Il ne cessait de fixer Conway. Tout comme Holly, qui ne jouait plus avec sa boule d'argile. Elle savait : c'était le nœud du problème.

– Quelle preuve ? s'enquit-elle.

– Nous y viendrons. Selon nous, Joanne a peut-être montré cette vidéo à l'une de vous quatre. Elle lui a dit : « Débarrasse-moi de Chris, ou j'envoie ça à McKenna et vous serez toutes virées. »

Conway accentuait la pression. Je la laissai faire, plongeai le nez dans mon calepin. Holly réagit vertement.

– Et on aurait répondu : « Pas de problème, tout ce que vous voudrez » ? Sans blague ! Si on avait tellement la trouille d'être virées, on n'aurait jamais fait le mur. On serait restées bien au chaud dans notre chambre, comme de bonnes petites filles modèles.

– Il n'y avait pas que votre peur d'être exclues. Joanne a choisi avec soin une fille prête à tout pour protéger ses amies, révulsée par les dégâts causés par Chris, et qui le vomissait…

– Je suis pas débile ! cria Holly. Papa, laisse-moi parler ! Si je voulais tuer quelqu'un, ce qui ne m'est jamais arrivé, je monterais jamais un complot avec Joanne Heffernan ! Pour avoir cette épée de Damoclès au-dessus de ma tête jusqu'à la fin de mes jours ? Je suis pas une conne ! Je m'en branle, de sa vidéo !

– Pas de gros mots, grommela paresseusement Mackey, visiblement fier de la résistance de sa fille.

– Idem pour Julia, Selena ou Becca si vous les accusez ! hurla Holly. Vous les prenez aussi pour des connes ?

Mackey choisit ce moment pour intervenir.

– Sans vouloir me mêler de ce qui ne me regarde pas, vous considérez cette Joanne comme une demeurée. Elle veut qu'un meurtre soit commis et elle demande l'aide de la fille d'un flic qui l'enverra aussi sec en tôle ? Holly, cette Joanne a reçu un coup sur la tête ?

– Non. C'est une salope, mais elle n'est pas bête.

Mackey ouvrit les mains vers nous. « Mille excuses… »

– Nous ne nous braquons pas sur le chantage, rectifia Conway. Il y a d'autres possibilités.

Holly roula des yeux.

– Lesquelles ?

– Tu as avoué à l'inspecteur Moran que, comprenant pourquoi Selena allait mal, tu as plongé ta tête dans le sable dans l'espoir que ça passerait. Cela m'intrigue. Je ne t'imagine pas agissant comme une telle poule mouillée. Tu en es une ?

– Non. Mais je savais pas quoi faire. Désolée, je suis pas Einstein.

Conway la poussait dans ses retranchements. Mackey était toujours attentif.

– Donc, tu n'es pas une trouillarde. Tu n'aurais jamais peur de prendre une décision par toi-même. Tu n'es pas une gamine effarouchée, pas vrai ?

Ça marchait. Holly croisa les bras, maîtrisant mal sa colère.

– Je pense que tu as révélé à Selena que tu étais au courant à propos de Chris. Je pense qu'elle t'a répondu qu'elle envisageait de renouer avec lui. Et tu t'es dit : « Plutôt crever. » Tu as réussi à mettre la main sur son téléphone, tu as donné par texto rendez-vous à Chris. Sans doute voulais-tu seulement lui demander de la laisser tranquille. C'est ça ?

Holly se détourna, regarda par la fenêtre.

– Comment le convaincre ? insista Conway. Tu nous as dit qu'il était vexé parce qu'il te laissait de marbre. Que lui as-tu proposé en échange ? « Fous la paix à Selena et je te revaudrai ça » ?

Holly bondit presque de sa chaise.

– Je préférerais être écorchée vive plutôt que de faire quoi que ce soit avec lui ! Bordel !

Toujours pas de réaction de Mackey. Elle ne lui avait même pas jeté un regard, ce qu'elle aurait fait si elle s'était sentie coupable. Sa bonne foi était totale. Elle n'avait jamais flirté avec Chris.

– Alors, comment l'as-tu entrepris ?

Elle se mordit les lèvres, furieuse contre elle-même. Elle s'était fait avoir.

– Quoi qu'il en soit, enchaîna Conway, tes tentatives n'ont pas abouti. Finalement, tu lui as donné un ultime rendez-vous. Le 16 mai.

Holly se mordit plus profondément la lèvre, pour ne pas répondre. Mackey ne bougea pas. Mais on le sentait tendu comme un arc.

– Cette fois, tu n'envisageais plus de le convaincre. Tu es sortie tôt, ton arme était prête et quand il est apparu…

Holly pivota violemment vers Conway.

– Vous êtes débile ? Je ne l'ai pas tué ! On peut rester là toute la nuit, vous pouvez énumérer les milliers de raisons qui m'auraient poussée à l'assassiner, ça ne changera rien. Je ne l'ai pas fait ! Vous pensez vraiment pouvoir me déstabiliser jusqu'à ce que je lâche : « Oh mon Dieu, vous savez quoi, je suis peut-être montée dans un arbre et je lui ai jeté un piano sur la tête parce que j'aimais pas sa coiffure de gandin » ?

– Bien envoyé, lui lança Mackey avec un grand sourire.

Holly et Conway, tout à leur affrontement, ne l'entendirent même pas.

– Si ce n'est pas toi, alors tu connais la coupable. Pourquoi as-tu caché ce téléphone ?

– Je vous l'ai dit. Je voulais pas que Selena…

– Tu as affirmé qu'elle avait cessé tout contact avec Chris des semaines avant sa mort. Le téléphone l'aurait indiqué. Que contenait-il de compromettant ?

– Je n'ai pas dit que c'était compromettant ! J'ai dit que vous l'auriez harcelée. Et vous l'auriez fait.

– Tu es fille de flic, tu sais très bien ce qu'il en coûte de dissimuler une preuve dans une affaire de meurtre, mais tu le fais pour éviter à ta copine de se faire astico-ter ? Non, ça ne marche pas.

Holly tenta de répliquer. Conway se fit plus tran-chante.

– L'une de vous quatre a envoyé des textos à Chris depuis ce téléphone, après sa rupture avec Selena. Organisé des rencontres avec lui. L'une d'entre vous lui a fixé rendez-vous la nuit de sa mort ! Ça, c'est compro-mettant ! Et c'est ce que tu cherches à dissimuler.

– Minute, coupa Mackey en levant la main. C'est ça, votre preuve ? Des textos envoyés depuis le téléphone de quelqu'un d'autre ?

– Un téléphone caché auquel tu avais accès, poursui-vit Conway. Toi seule, hormis Selena ; et nous sommes convaincus qu'elle n'a pas envoyé ces messages.

– Un mobile planqué dans une chambre que partagent quatre filles, objecta Mackey. Les messages portent la signature manuscrite de Holly, ou ses empreintes ?

Je compris enfin pourquoi il m'avait débité la tou-chante petite histoire de Holly insistant pour devenir pen-sionnaire, sa tirade sur sa passion pour les trois autres. Voilà comment il comptait démolir tout ce que nous avions : « Holly protège ses amies. Prouvez le contraire. »

Peut-être avait-il une autre tactique en tête. Moi, en tout cas, j'avais une certitude : pour sauver sa fille, il aurait poussé sans remords une innocente de seize ans sous un bus ; et nous avec.

Continuant à l'ignorer, Conway ajouta à l'intention de Holly :

– Tu étais la seule à savoir qu'il fallait faire disparaître ce téléphone. Aucune des autres : toi seule. Et la coupable avait effacé les messages au fur et à mesure. Tu n'aurais

jamais dû connaître leur existence, sauf si tu les avais envoyés toi-même.

– À moins, releva Mackey, qu'une fille lui en ait parlé, ou qu'elle ait deviné, ou encore qu'elle ait extrapolé, en ait rajouté sur ce qu'elle savait déjà. Les adolescentes sont impulsives.

Conway se décida enfin à lui adresser la parole.

– Ce n'est pas vous que j'interroge. Si vous intervenez encore une fois, nous convoquerons un autre adulte agréé.

Il la toisa un instant avec, dans l'œil, une lueur qui m'inquiéta. Conway ne la remarqua pas, ou ne s'en soucia pas.

– Il me semble, déclara-t-il en se levant, que nous devrions tous les deux nous accorder une pause pour nous éclaircir les idées. Je vais en griller une. Vous devriez m'accompagner.

– Je ne fume pas.

– Je ne cherche pas une occasion de contester votre attitude, inspecteur. Je pourrais le faire ici. Je suggère simplement qu'un peu d'air frais nous ferait le plus grand bien et calmerait le jeu. Je vous promets qu'à notre retour, je ne répondrai plus à aucune question à la place de Holly. Ça vous va ?

Nous y étions. J'ignorais comment il allait s'y prendre, mais l'offensive avait commencé. Je regardai Conway, cherchant à la prévenir. *Méfiez-vous*. Elle fixa Mackey, son sourire à la fois franc, direct, et faussement contrit.

– Fumez vite, dit-elle.

– C'est vous la patronne.

Je les suivis jusqu'à la porte.

– Je vais attendre ici, annonçai-je à Mackey.

Son rictus insinuait : « Tu as raison de te protéger de la gamine apeurée. » Je ne réagis pas. Il rattrapa Conway dans le couloir, accorda sa démarche à la sienne. Leurs pas résonnèrent de concert, tels ceux d'une seule

personne. Épaule contre épaule, ils ressemblaient à des coéquipiers.

Holly ne les avait pas regardés s'en aller. Toujours aussi tendue, elle murmura :

– Vous croyez vraiment que j'ai tué Chris ?

– À ma place, répondis-je depuis l'encadrement de la porte, que penserais-tu ?

– J'espérerais connaître assez mon métier pour ne pas accuser une innocente. Voilà ce que je penserais, merde !

Elle était sur le point d'exploser. Si je l'avais touchée, la violence qu'elle réprimait m'aurait envoyé valser à l'autre bout de la pièce.

– Tu caches quelque chose. C'est tout ce que je sais. Comme je ne suis pas télépathe, je ne peux pas deviner quoi. Il faut que tu nous le dises.

Elle me considéra un instant avec une forme de dédain. Puis elle noua sa queue-de-cheval en un chignon serré à l'extrême, repoussa sa chaise et marcha vers la maquette du collège. Elle tira doucement sur un rouleau de fil de cuivre, en trancha un morceau avec une petite pince coupante.

Une hanche contre la table, elle extirpa doucement une pince à épiler d'une chambre vide, entortilla le fil au bout d'un petit crayon, l'ajusta d'un ongle pour l'empêcher de glisser. Ses doigts voletaient, tournoyaient, enveloppaient le crayon avec l'agilité d'une jeteuse de sort. Le rythme, la concentration l'apaisaient. Je l'observai, fasciné au point d'en oublier Mackey et Conway.

Enfin, elle me tendit le crayon. Perché au sommet : un chapeau à larges bords, minuscule, orné d'une rose de cuivre.

– C'est magnifique, chuchotai-je.

Avec un léger sourire, elle fixa le chapeau au crayon, comme un capuchon. Puis, sans hargne, comme si sa colère s'était dissipée :

– Je n'aurais jamais dû vous apporter cette maudite carte.

– Pourquoi ? Tu savais que ton geste provoquerait du grabuge. Tu devais t'y attendre. Qu'est-ce qui a changé ?

– Je n'ai pas le droit de vous parler avant le retour de mon père.

Elle retira le chapeau du crayon, le glissa entre les fils de la maquette, le déposa au-dessus d'une colonne de lit miniature. Puis elle alla se rasseoir, tira ses manches sur ses mains et contempla la lune.

Pas rapides dans l'escalier. Conway émergea en frissonnant de la pénombre du couloir : dehors, il devait faire froid.

– Mackey a allumé une autre clope, au cas où il n'en aurait pas l'occasion avant longtemps. Il te demande de le rejoindre. Tu ferais mieux d'obtempérer. Sinon, il ne reviendra pas.

J'eus un mauvais pressentiment. J'attendis un instant. Mais ses yeux fuyaient obstinément les miens. Holly nous scrutait tour à tour, aux aguets, cherchant à capter quelque chose. Je sortis.

Les arbres étaient devenus noirs, semblables à un vol d'oiseaux contre le ciel bleu sombre. Même si je ne les avais jamais vus ainsi, ils me semblèrent familiers. Je commençais à avoir l'impression d'avoir toujours vécu dans ce collège, de lui appartenir.

Mackey s'était adossé au mur, comme tout à l'heure. Il alluma sa cigarette, l'agita dans ma direction pour me dire : «Tu vois, j'en avais vraiment besoin.»

– Stratégie intéressante que la tienne, mon petit Stephen. Démente, prétendraient certains. Toutefois, je t'accorde le bénéfice du doute.

– Quelle stratégie ?

Ma réaction l'enchanta.

– Tu te souviens de moi ? On se connaît. On a même travaillé ensemble. Arrête ton numéro de ravi de la crèche.

– De quelle stratégie parlez-vous ? répétai-je.

– D'accord, soupira-t-il. J'en viens au fait. Pourquoi t'es-tu mis en équipe avec Conway. Tu as un plan ?

– Aucun. J'ai eu l'occasion d'enquêter sur un meurtre, je l'ai saisie.

– J'espère pour toi que tu joues toujours les innocents, camarade. Que sais-tu de Conway ?

– C'est un bon inspecteur. Elle travaille dur. Elle est vite montée en grade.

– C'est tout ?

Je haussai les épaules. Au bout de sept ans, je me sentais toujours devant lui comme un écolier à l'estomac noué avant un examen.

– Jusqu'à aujourd'hui, je n'ai guère pensé à elle.

– Il y a une rumeur. Il y en a toujours. Tu es au-dessus de ça ?

– Non. Mais je n'ai rien entendu à propos de Conway.

Il passa une main dans ses cheveux, secoua la tête.

– Mon mignon, énonça-t-il doucement, dans ce boulot, il te faut des amis. C'est indispensable. Sinon, tu ne fais pas long feu.

– Je m'en sors bien. Et j'ai des amis.

– Je ne parle pas de copains. Mais de vrais amis, qui te soutiennent, te révèlent ce que tu dois savoir ; qui ne te laisseront pas te fourvoyer sans te prévenir.

– Comme vous ?

– Je t'ai épaulé, jusqu'ici.

– Je vous ai remercié.

– J'espère que tu étais sincère. Mais je n'en sais rien, Stephen. Je ne sens pas chez toi une grande reconnaissance.

– Si vous êtes mon meilleur pote, allez jusqu'au bout et dites-moi ce qu'à votre avis, je dois savoir sur Conway.

– C'est une pestiférée, petit. Elle ne te l'a pas dit ?

– Le sujet n'est pas venu sur le tapis.

– Donc, elle ne geint pas. Un bon point pour elle. Tu t'es quand même rendu compte qu'elle ne remporterait jamais un prix d'amabilité. Ça ne t'a pas dérangé ?

– Je vous l'ai dit : je ne recherche pas de nouveaux amis.

– Je n'évoque pas ta vie privée. Écoute un peu : une semaine après avoir intégré la Criminelle, alors qu'elle se penche pour écrire quelque chose sur le tableau, un crétin nommé Roche lui caresse les fesses. Elle se retourne, attrape la main du gus et lui tord le doigt jusqu'à ce que les yeux lui sortent de la tête. La prochaine fois qu'il la touche, lui assène-t-elle, elle le lui brisera. Elle appuie un peu plus. Roche hurle. Conway le lâche et retourne au tableau.

– C'est lui qui aurait dû passer pour un pestiféré. Pas elle.

Mackey s'esclaffa.

– Tu m'as manqué, petit ! J'avais oublié ta naïveté. Tu n'as pas tort : dans une brigade idéale, c'est ce qui se serait produit. Et ce sera sans doute le cas, d'ici quelques années, dans d'autres unités. Mais la Criminelle n'est pas une pouponnière. Dans leur genre, ses membres ne sont pas de mauvais bougres : un peu lourds, sans plus. Si Conway avait balancé une vanne, ri ou mis la main au cul de Roche à la première occasion, tous l'auraient applaudie. Il lui aurait suffi de faire un petit effort pour s'adapter. Or, elle ne l'a pas fait ; et, aujourd'hui, tous les gars de la brigade la prennent pour une emmerdeuse, une casse boules sans humour.

– L'ambiance me paraît délicieuse, là-bas. Vous essayez de m'en dégoûter ?

– Je ne dis pas que j'approuve. Je te mets simplement en garde. Ton charmant couplet blâmant le harceleur et non la victime est tout à ton honneur. Mais dis-moi la

vérité. Admettons que tu intègres la brigade demain. Un type te traite de clodo, te demande de retourner du cloaque d'où tu viens. Tu vas lui casser un doigt ? Ou jouer le jeu, te gondoler et le traiter d'enculeur de moutons ? Ne te défile pas.

– Je jouerai le jeu, admis-je après un silence.

– Bien sûr. Mais ne le dis pas comme s'il s'agissait d'un péché, mon joli. Je ferais exactement la même chose. Le monde tourne grâce à ce genre de compromis. Un peu de souplesse et tout s'arrange. Lorsque quelqu'un comme Conway décide de ne pas en avoir, ses ennuis commencent.

Je me souvins des paroles de Joanne : « Elles se comportent comme si elles pouvaient faire tout ce qu'elles veulent. Ça ne se passe pas comme ça. » Je me demandai ce que Mackey pensait de Holly et ses amies faisant un bras d'honneur au monde entier.

– Leur patron n'est pas un imbécile, poursuivit-il. Quand l'atmosphère, dans la salle commune, est devenue irrespirable, il l'a remarqué. Il a interrogé les gars, leur a demandé quel était le problème. Ils lui ont répondu d'un air niais que tout allait bien, que les membres de l'équipe s'entendaient à merveille. Ils sont comme ça, à la Criminelle : des gamins. Pas un ne veut passer pour un mouchard. Le patron ne les a pas crus. Il est sûr de ne jamais obtenir le fin mot de l'histoire. Mais il sait que l'ambiance a tourné au vinaigre dès l'arrivée de Conway. Donc, à ses yeux, le problème, c'est elle.

– Et il va la virer à la première occasion.

– Non. Ils ne l'éjecteront pas de la brigade, parce qu'elle est du genre à porter plainte pour discrimination et qu'ils ne veulent pas de publicité. Mais ils la forceront à démissionner. Elle n'aura jamais de coéquipier. Elle n'aura jamais de promotion. Les autres ne l'inviteront jamais à boire une bière après le boulot. Elle n'aura plus jamais d'affaire intéressante. Elle ne s'occupera plus que de dealers minables. Ça vous mine, au bout d'un certain temps. Conway est costaud. Elle tiendra un peu plus longtemps que d'autres, mais elle finira par craquer.

– Sa carrière ne me concerne pas. Je suis là pour la mienne. Pour montrer à la Criminelle ce dont je suis capable.

– Non ! C'est de la roulette russe avec six balles dans le barillet. Si tu ne continues pas avec Conway, tu retournes aux Affaires classées. Salut, à un de ces quatre, tout le monde se souviendra que Moran n'a même pas passé vingt-quatre heures dans la cour des grands. Si tu continues avec elle, tu deviendras son larbin. Toute la brigade, y compris le patron, te tournera le dos. Sa poisse déteindra sur toi. Si tu n'as vraiment pas de stratégie, je te conseille d'en concocter une. Vite.

– Vous essayez de foutre la merde entre elle et moi pour qu'on foire et qu'on nous retire l'enquête.

– C'est fort possible. Interroge-toi quand même : cela signifie-t-il que je me trompe ?

L'air chargé d'électricité lorsque Conway avait pénétré dans la salle commune de la brigade, les sarcasmes chuchotés…

– Que lui avez-vous raconté sur moi ?

Il eut un grand sourire.

– La même chose qu'à toi, mon joli : la vérité. Toute la vérité, rien que la vérité. Que Dieu te vienne en aide.

Et voilà. Je me serais giflé pour avoir posé la question. Je me doutais bien de ce qu'il avait confié à Conway. Je n'avais nul besoin de l'apprendre par lui, ou par elle : « Stratégie intéressante que de faire équipe avec le jeune Moran. Certains la trouveraient suicidaire. Toutefois, je vous accorde le bénéfice du doute… »

Il s'étira avec un soupir d'aise, examina sa cigarette qu'il avait laissée se consumer entre ses doigts et qui n'était plus qu'une longe tige de cendres, l'écrasa sous son talon.

– On remonte ?

Conway s'appuyait contre l'encadrement de la porte, immobile, les mains dans les poches de son pantalon. Elle nous attendait. Alors, je sus.

Vous n'êtes pas stupide, inspecteur Conway. Je parie que vous connaissez l'histoire de notre rencontre, Holly et moi, avec Moran. Du moins en partie. Vous désirez entendre la suite ?

Elle se redressa à notre approche, me jeta un coup d'œil. Elle poussa la porte pour laisser entrer Mackey qui me gratifia, par-dessus son épaule, d'un sourire de vainqueur, la tira derrière lui.

– On se sépare là, me dit-elle.

Petit nouveau venu de la police en tenue, Moran travaillait comme stagiaire sur une affaire de meurtre. L'inspecteur chargé de l'enquête s'appelait Kennedy. Il l'a repéré, l'a pris sous son aile. Il l'a sorti du lot, lui a confié des responsabilités importantes…

À l'époque, je n'avais fait que ce que Mackey me demandait. Jamais je n'aurais cru qu'il pourrait un jour s'en servir contre moi.

Je murmurai très bas, certain qu'il tendait l'oreille :

– Il essaye de nous démolir.

– Il n'y a pas de «nous». Il y a moi et mon enquête. Et puis il y a un type qui m'a été utile aujourd'hui et qui ne l'est plus. Ne te bile pas : j'enverrai à ton patron un rapport élogieux sur ton compte.

Coup de poing en pleine poire. Elle avait raison : cela n'avait duré qu'une journée. J'en restai sonné.

Elle s'en aperçut, se sentit vaguement coupable.

– Je te déposerai au quartier général. Donne-moi ton numéro de mobile. Je t'expédierai un texto quand j'aurai fini. D'ici là, va te chercher un sandwich, promène-toi dans le parc. Le fantôme de Chris Harper te fera peut-être signe.

Dès que votre copain Moran a vu qu'il avait une chance à saisir, il a poignardé Kennedy dans le dos. Au diable la loyauté, la gratitude, l'honneur. Rien ne l'intéressait, hormis sa glorieuse carrière.

J'ajoutai avec véhémence, sans me soucier d'être entendu :

– Vous faites exactement ce que souhaite Mackey ! Il veut que je dégage parce qu'il a peur que Holly ne me parle. Vous ne devinez pas son manège ?

Elle resta impavide.

– Il a agi de la même façon avec moi. Il m'a raconté des saloperies sur vous, en espérant que je marcherais. Vous croyez que j'en ai tenu compte ?

– Bien sûr que non. Tout ce que tu cherches, c'est à frimer devant O'Kelly, quelle que soit l'affaire à laquelle tu auras collaboré. Moi, ici, j'ai quelque chose à perdre. Et je ne le perdrai pas à cause de toi.

Kennedy n'a rien vu venir. Vous, au moins, vous aurez été prévenue. Si, vraiment, vous n'avez pas de stratégie, concoctez-en une. Vite…

Je donnai à Conway mon numéro de mobile. Elle s'engouffra dans la pièce, me claqua la porte au nez.

24

Julia a depuis toujours un don singulier : elle dégueule à volonté. C'était plus marrant à l'école primaire, où gerber en public ne choquait personne et où les gosses la payaient pour qu'elle le fasse devant eux, mais cette faculté continue parfois à lui rendre service, même si elle la réserve pour des occasions exceptionnelles.

Lundi matin, 23 avril. Il reste à Chris Harper à peine trois semaines à vivre. Julia engloutit à toute allure un énorme petit déjeuner, car une artiste a sa fierté, puis attend le milieu du cours d'économie pour éclabousser le sol de la classe. Orla se trouve dans sa ligne de mire. Julia résiste à la tentation. Son plan ne prévoit pas qu'on expédie cette bécasse dans le bâtiment des internes pour aller se changer. Au moment où Mlle Rooney l'envoie à l'infirmerie, les mains crispées sur l'estomac, elle remarque l'air ahuri de Holly et de Becca, la placidité de Selena qui regarde par la fenêtre comme si elle ne s'était rendu compte de rien, le rictus de Joanne qui songe déjà à répandre le bruit que cette salope de Julia Harte est en cloque, et le clin d'œil complice de Gemma.

Elle fait semblant de flageoler et d'avoir des haut-le-cœur devant l'infirmière, répond aux questions habituelles sur ses dernières règles. Même si elle s'était cassé la jambe, l'infirmière aurait cherché à en connaître la date : un jour de retard lui vaudrait un inter-rogatoire en règle de la part des nonnes. Elle répond donc que tout va bien de ce côté-là et, quelques minutes plus tard, se retrouve au fond d'un lit, l'air misérable, avec un verre éventé de ginger ale. Et l'infirmière la laisse tranquille.

Julia travaille vite. Elle sait où fouiller. D'abord le tiroir de Selena dans l'armoire, puis son lit. Si elle ne trouve rien, elle explorera le fond de son casier de chevet, cachette dont toutes les quatre ont eu l'idée le trimestre dernier, lorsque Becca a perdu sa clé.

Elle n'a pas besoin de poursuivre aussi loin. En glissant une main le long du matelas de Selena, entre le lit et le mur, elle découvre une protubérance, une incision sur le flanc et, surprise, un téléphone. Un adorable mobile rose, identique à celui qu'Alison a acheté à Joanne. Chris a dû s'en procurer par poignées pour chacune des petites veinardes qu'il comptait honorer avec son zizi triomphant. Plus de doute : Gemma ne lui a pas menti.

Selena n'a pas mis de code, ce qui lui aurait peut-être donné des scrupules. Elle accède aux messages et commence à lire.

Je pense toujours au bal je voudrais te revoir… Elle émet un sifflement. Elle se demandait quand et comment Chris avait réussi à draguer Selena. Au Court, profitant d'un moment d'inattention des trois autres, alors qu'elles sont tellement soudées qu'elles ne vont même pas aux toilettes toutes seules ? Ce putain de bal de la Saint-Valentin, bien sûr… Pendant que Julia, dehors, se faisait conter fleurette par Finn, Selena menait sa vie…

Elle continue à lire, presque impressionnée par l'hypocrisie de Chris, ses longs textos sur les problèmes de sa sœur, ses relations difficiles avec ses parents, ses regrets de ne pas pouvoir montrer sa véritable personnalité à ses copains, si superficiels. Elle se sent heureuse d'avoir déjà vomi tout son soûl.

Pour quiconque a besoin d'elle, Selena est une sainte, attentive à toutes les confidences, toutes les douleurs. Jamais agacée ni agressive, toujours pleine de sollicitude. Une poire, quoi… Chris l'a bien senti. Lui aussi a fait mine de se confier à elle. C'est le moyen qu'il a trouvé pour accéder à son soutien-gorge.

Et Selena, elle aussi, s'est laissée aller. *Hier, quand mon père m'a déposée devant chez ma mère, j'ai voulu lui montrer le dessin que j'avais fait pour lui. Il a même pas voulu entrer. Il a attendu dans la voiture que j'aille le chercher. Parfois j'ai l'impression qu'ils aimeraient mieux que j'existe pas, comme ça ils seraient plus obligés de se voir.*

Elle n'a jamais rien dit de tel à Julia. Et Julia n'a jamais perçu sa détresse.

Selena et Chris se voient depuis plus d'un mois. Chaque message prouve qu'elle est de plus en plus dingue de lui, béate, stupide. Julia se demande qui sont les plus bêtes : l'amoureuse transie ou elles trois, qui n'ont rien vu.

Elle en arrive à ce matin. Pas étonnant que Selena ressemble à un fantôme. Elle vient de rompre avec cette ordure de Chris.

Julia pousse un énorme soupir de soulagement. Puis elle se ravise. Ça ne durera pas. Selena n'a même pas pu s'empêcher, dans son message d'adieu, d'affirmer à quel point elle l'aime ; et il lui a répondu aussi sec, exigeant de savoir ce qui se passe et quémandant un rendez-vous pour le soir même. Selena n'a pas répondu. Toutefois, dans quelques jours, après d'autres messages criant : « Je t'en prie, j'ai tellement besoin de toi », elle capitulera.

Julia pense aussitôt : *C'est maintenant ou jamais. À moi de jouer.*

Elle doit prendre sa décision. Il lui reste ces quelques jours avant que Selena ne renoue avec Chris.

Elle brûle de fracasser le téléphone contre le mur, d'aligner soigneusement les débris sur le lit de son amie. Elle songe à demander à la surveillante générale de changer de chambre pour la journée. Elle a envie de se blottir sous les couvertures et de pleurer. Finalement, elle reste là, sur le lit de Selena, dans le soleil, le téléphone à la main, guettant la cloche ou des pas qui l'obligeraient à se lever.

– Alors ? s'enquiert Holly en jetant son sac sur son lit. Qu'est-ce qui t'est arrivé ?

– T'as pas vu ? J'ai dégueulé.

– Pour de vrai ? On pensait que tu bluffais.

Selena entre à son tour. En uniforme, planant toujours autant, elle s'affale sur sa couette, se roule en boule et contemple le mur. Elle ne soupçonne rien. Visiblement, Julia est la dernière personne dont elle se soucie.

– Pourquoi j'aurais bluffé ? J'ai chopé un virus.

Becca chantonne en sortant des fringues de l'armoire.

– Tu veux qu'on reste avec toi ? demande-t-elle. On pensait aller au Court, parce qu'on croyait que tu nous accompagnerais.

– Allez-y. Je suis patraque.

– Je reste, affirme Selena, s'adressant au mur. J'ai envie d'aller nulle part.

Holly consulte silencieusement Julia : *Qu'est-ce qu'il lui prend ?* Julia hausse les épaules : *Va savoir*.

– J'oubliais ! lance Becca en retirant son pull d'uniforme en faisant voltiger ses cheveux. Cette nuit ?

– Tu rigoles, réplique Julia. Je t'ai dit que j'étais naze. Je veux dormir.

Je t'en supplie, a écrit Chris à Selena, *on peut se voir ce soir ? Même endroit, même heure, j'y serai*.

– Pas de souci, conclut Becca.

Il y a encore un an, le refus de Julia l'aurait mortifiée. *Elle a fait des progrès*, se dit Julia. *Au moins un bon point.*

– Demain, peut-être ?

– J'en suis, affirme Holly en fourrant son blazer dans l'armoire.

– Ça dépendra de mon état, tempère Julia.

Selena contemple toujours le mur.

Cette nuit-là, Julia ne s'endort pas. Couchée en chien de fusil, les yeux clos, respirant posément, elle écoute, la main contre la bouche, pour la mordre au cas où elle s'assoupirait.

Selena, elle non plus, ne dort pas. Julia lui tourne le dos. Pourtant, elle la sent remuer, se retourner sans cesse, hoqueter comme si elle allait pleurer.

Quelques heures plus tard, Selena, très lentement, s'assied dans son lit. Elle reste immobile, guettant le souffle des autres. Becca ronfle doucement.

Au bout d'un long moment, elle s'allonge de nouveau. Cette fois, elle pleure pour de bon.

Julia imagine Chris Harper poireautant dans leur clairière, donnant des coups de pied dans les cailloux ou pissant contre les cyprès. Elle prie pour qu'une branche se casse et lui fracasse le crâne, répandant dans l'herbe sa cervelle visqueuse. Mais elle sait que ça ne se passera pas comme ça.

Le mercredi après-midi, alors qu'elles préparent leurs livres pour l'étude, Julia annonce :

– Cette nuit.

– T'as liquidé ton virus ? ironise Holly, peu convaincue, en posant un cahier de brouillon sur sa pile.

– S'il revient, vous aurez droit à une belle gerbe sur les épaules.

– En tout cas, faudrait pas que tu dégobilles devant la chambre de la surgée pour qu'on se fasse choper.

– Ta sollicitude me touche. Becs, t'en es ?

– Bien sûr ! Tu me passes ton pull rouge ? J'ai de la confiote sur mon chandail noir et on va se geler.

– Pas de problème.

Il ne fait pas froid, mais Becca adore emprunter ou prêter des frusques, comme si ce rituel les rapprochait davantage. Si elle avait le choix, toutes les quatre passeraient leur vie à échanger leurs vêtements.

– Lenie, lance Julia. Cette nuit ?

Selena se détourne de son emploi du temps ; toujours pâle, émaciée, comme elle l'est depuis deux jours. Pourtant, cette perspective semble la revigorer.

– Oui ! J'en ai besoin.

– Alors, c'est bon pour moi, conclut Julia.

Encore une, se dit-elle. *Une dernière nuit.*

Elles courent. Julia a décollé dès que son pied a touché le gazon sous la fenêtre. Derrière elle, les autres se précipitent. Toutes les quatre dévalent la grande pelouse comme des oiseaux traversant le ciel. Devant elles, le pavillon du gardien est éclairé, mais elles ne risquent rien. La nuit, il ne lève jamais le nez de son ordinateur portable, sauf pour faire ses rondes, à minuit et à 2 h 30. De toute façon, elles sont invisibles, silencieuses. Elles pourraient s'approcher de la façade, plaquer leur visage contre les vitres et chantonner son nom, il ne sursauterait même pas. Elles l'ont déjà fait, pour voir ce qu'il trafiquait là-dedans. Il joue au poker en ligne.

Elles filent tout droit, de plus en plus vite, la poitrine brûlante, les côtes douloureuses, le long des sentiers et sous les arbres, comme si elles voulaient voler jusqu'à la lune presque pleine.

Enfin, elles s'affalent au fond de la clairière, contre un buisson, rient en reprenant haleine.

– P'tain, halète Holly, la main sur un point de côté. Vous êtes folles ou quoi ? Vous vous entraînez pour le cross-country de l'année prochaine ?

– J'ai cru que Sœur Cornelius nous poursuivait, s'esclaffe Julia, à peine essoufflée.

Elle se sent légère, aérienne.

– Mesdemoiselles ! tonne-t-elle, vous savez et je vous l'ai répété cent fois que vous n'avez pas le droit de piétiner la pelouse, les plantes herbacées et les espaces verts !

Elles hurlent de rire.

– La Bible nous dit que Notre Seigneur Jésus n'a jamais couru, n'a jamais fait de jogging, n'a jamais galopé !

Becca n'en peut plus. Holly lève un doigt.

– Qui êtes-vous pour vous croire meilleures que Notre Sauveur ? Eh bien ?

– Holly Mackey !

– Aucune sainte ne porte votre nom. À partir de maintenant, nous vous appellerons Bernadette. Bernadette Mackey, arrêtez de courir immédiatement ! Et dites-moi ce que Notre Seigneur penserait de vous ! Eh bien ?

Julia note que Selena ne partage pas leur hilarité. Assise, les bras autour des genoux, elle fixe le ciel. La lune l'enveloppe, lui donne l'apparence d'un fantôme, ou d'une sainte. On dirait qu'elle prie.

Holly la regarde elle aussi, et cesse de rire.

– Lenie…

Becca se dresse sur un coude.

Selena ne réagit pas.

– Qu'est-ce qu'il y a ? insiste Holly.

Tais-toi, lui intime silencieusement Julia. *C'est ma nuit, ma dernière nuit, t'avise pas de la gâcher.*

Selena tourne la tête. Un instant, fatigués et calmes, ses yeux rencontrent ceux de Julia.

– Quoi ? répond-elle à Holly.

– Il se passe quelque chose, non ?

Selena la dévisage tranquillement, comme si elle attendait qu'elle précise sa question. Julia plonge ses ongles dans le sol et murmure :

– T'as l'air d'avoir la migraine. C'est ça ?

– Oui, murmure Selena d'une voix lasse. Becs, tu me coiffes ?

Elle adore qu'on joue avec ses cheveux. Becca s'installe derrière elle, ôte son ruban avec précaution. La chevelure dorée de Selena roule le long de son dos. Becca l'aère doucement puis, sans hâte, y passe ses doigts. Selena soupire. Elle a oublié la question de Holly.

La main de Julia se referme sur un caillou lisse qu'elle a trouvé dans l'herbe, le débarrasse de la terre qui l'enrobe. L'air est tiède, empli de minuscules papillons de nuit, chargé du parfum de millions de jacinthes, de la senteur des cyprès, de l'odeur de l'humus sur ses doigts, de la pierre froide au creux de sa paume. Maintenant, elles ont un odorat de cerf. Si un intrus cherchait à s'approcher d'elles, il ne ferait pas vingt mètres.

Holly s'est allongée, un genou sur l'autre. Son pied libre s'agite sans cesse.

– Elle dure depuis quand, ta migraine ?

– Merde ! proteste Julia. Fous-lui la paix.

Becca les fixe par-dessus l'épaule de Selena, les yeux écarquillés, tel un petit enfant regardant ses parents se disputer.

– Désolée, rétorque Holly. Elle est comme ça depuis des jours. Quand on a une migraine qui dure aussi longtemps, on va chez le toubib !

– C'est toi qui me files mal au crâne.

Soudain, Becca gémit :

– J'ai la trouille de l'examen !

Elle parle du brevet, le *Junior Certificate*, l'épreuve dont les résultats détermineront le niveau, « normal » ou « supérieur », de l'enseignement qu'elles recevront avant le bac, le *Leaving Certificate*. Les filles se tournent vers elle.

– On a toutes la trouille, rétorque Holly.

Becca prend un air penaud, comme si elle avait mieux fait de se taire.

– Je sais. Mais j'ai vraiment les jetons.

– C'est le but ! On cherche à nous effrayer pour qu'on se tienne à carreau. Voilà pourquoi l'examen a lieu cette année, quand on commence à sortir et à faire des trucs, avec tout le baratin qui s'ensuit : si vous n'avez pas vingt sur vingt, vous vous retrouverez serveuse dans un Burger King jusqu'à la fin de vos jours. Les bonnes sœurs veulent qu'on ait tellement la pétoche qu'on n'osera plus rien faire : pas de flirt, pas de boîtes de nuit, pas d'escapades dans le parc.

– Je m'en tape, de ça, bredouille Becca. Mais admettons que je me plante en sciences et qu'on me refuse dans le niveau supérieur ?

Julia est tellement surprise qu'elle en oublie presque Holly et Selena. Becca n'a jamais évoqué ce qui se passerait pour elle après le collège. Selena a toujours voulu devenir artiste, Holly a envisagé la sociologie, Julia rêve de journalisme. Becca a assisté à leurs conversations comme si cela ne la concernait pas, comme s'il s'agissait d'une langue étrangère qu'elle s'obstinerait à ne pas comprendre. Ensuite, elle faisait la gueule pendant des heures.

Holly semble aussi étonnée que Julia.

– Et alors ? C'est pas comme si tu devais absolument intégrer le niveau supérieur pour devenir médecin ou un truc pointu de ce genre. Tu sais même pas ce que tu veux faire plus tard.

– C'est vrai. Ça m'est égal.

Tête basse, Becca remue les mains de plus en plus vite.

– Mais je veux pas, l'année prochaine, être séparée de vous trois ! Je veux pas me retrouver en niveau normal alors que vous serez toutes en niveau supérieur et que je serai obligée de me coltiner cette conne d'Orla du matin au soir. Je me flinguerai.

– Si tu te plantes en sciences, la rassure Holly, Lenie et moi, soit dit sans t'offenser, Lenie, on se plantera aussi. Parce qu'on t'arrive pas à la cheville. On se la coltinera toutes ensemble, cette conne d'Orla.

Selena acquiesce d'un signe de tête prudent, pour ne pas déranger sa chevelure. Becca a un geste fataliste.

– J'ai carrément foiré à l'examen blanc.

Elle a eu 12 sur 20, mais la question n'est pas là. Ce qui l'angoisse, c'est que toutes les quatre puissent se séparer. Julia sait ce qu'elle veut entendre. «On s'en fout des notes qu'on aura. On choisira nos matières ensemble. On optera pour celles où on se débrouille. Qu'est-ce qu'on en a à cirer, du collège? On a des millions d'années à vivre… »

D'ordinaire, Selena affirmerait la même chose. Pourtant elle se tait, toujours absente, les yeux au ciel, se balançant au rythme des doigts de Becca.

– Si tu foires en sciences, conclut Julia, on se retrouvera ensemble en niveau normal. Tant pis pour ma brillante carrière de neurochirurgienne mondialement célèbre.

Sidérée, Becca croit à une blague. Julia lui décoche un grand sourire. Rassérénée, elle le lui rend. Selena se balance toujours tandis qu'elle continue à démêler ses cheveux.

– Moi non plus, je veux pas du niveau supérieur, déclare Holly en s'étirant, les mains derrière la nuque. On vous fait disséquer des cœurs de mouton.

– Quelle horreur! s'exclament-elles, y compris Selena.

Julia fourre son caillou dans sa poche et se lève. Bras tendus, elle prend son élan puis saute par-dessus le buisson. Elle flotte un instant, la tête en arrière avant d'atterrir dans l'herbe, sur un pied, comme une danseuse.

Le jeudi, Julia vomit au début du cours de morale, au moment même où Sœur Cornelius termine un sermon délirant sur les night-clubs, le respect de soi et ce que penserait Jésus de l'ecstasy.

Le téléphone de Selena est toujours au même endroit. Chris lui a écrit les textos auxquels on pouvait s'attendre. Elle n'a répondu à aucun.

Julia expédie un SMS : *Cette nuit, 1 heure. Endroit habituel. SURTOUT me réponds pas. Viens, c'est tout.* Une fois le message parti, elle le supprime de la boîte d'envoi.

Elle s'étend sur son lit pour réviser l'examen, parce que le monde extérieur existe toujours et que, Chris et Selena ou pas, il faut bien en tenir compte. À peine allongée, elle s'endort comme une masse.

L'irruption des autres dans la chambre et des cris dans le couloir la réveillent en sursaut.

– Incroyable ! lance Holly en claquant la porte derrière elle. Tu sais pourquoi elles sont toutes en transes ? On a raconté à Rhona que la cousine d'une fille faisait la queue quelque part pour acheter Dieu sait quoi et qu'un type des One Direction, celui qui est coiffé comme l'as de pique, lui a touché la main. Il ne l'a pas demandée en mariage, non ! Il lui a juste frôlé la main ! J'hallucine ! Ça va ?

– J'ai eu une rechute, répond Julia en se redressant. Si tu veux la preuve, viens là.

– Je te la demande pas.

Elle ne s'intéresse qu'à Selena, qui farfouille dans l'armoire, baisse la tête pour que ses cheveux dissimulent son visage et fouille lentement son tiroir, comme si cette opération nécessitait une concentration exceptionnelle.

Holly n'est pas idiote.

– Hé, clame Julia en secouant un bras ankylosé, si vous allez au Court, vous pouvez me rapporter des écouteurs ? Si je dois rester coincée ici toute seule sans musique, je vais crever d'ennui.

– Sers-toi des miens, propose Becca.

Becca n'est pas idiote non plus. Mais tout ceci lui passe au-dessus de la tête, va au-delà de son horizon. Julia rêve de la mettre au lit et de la garder bien au chaud sous la couette jusqu'à ce que tout soit terminé.

Holly observe toujours Selena.

– J'en veux pas, réplique Julia, désolée de faire de la peine à Becca. Ils me font mal. Ils sont pas adaptés à mes oreilles. Holly, tu veux bien m'avancer ces dix euros, en fin de compte ?

– Sûr. Lesquels tu veux ?

– Les petits rouges que j'avais avant. Prends-moi aussi un Coca, d'accord ? J'en ai ma claque du ginger ale.

Ça devrait les occuper. Au Court, seule une boutique minuscule, au dernier étage, vend des écouteurs. Il leur faudra des plombes pour la trouver. Avec un peu de chance, elles ne rentreront qu'à temps pour rassembler leurs bouquins avant l'étude et Julia ne les verra qu'un bref instant.

Pleine de remords à l'idée de manipuler ses copines, elle s'assoupit, bercée par des bruits qui, peu à peu, s'estompent : la voix de Holly, Becca fermant son casier, Rhona dégoisant toujours, très loin, et une chanson qui se déverse dans le couloir, légère et douce : *I've got so far, I've got so far left to…* Elle sombre.

Elle se réveille bien après l'extinction des feux. Les trois autres, épuisées par la nuit précédente, sont HS.

– Lenie, chuchote-t-elle dans le noir.

Elle ignore ce qu'elle fera si Selena répond. Mais aucune des trois ne réagit.

Plus fort :

– Lenie.

Rien. Elles dorment à poings fermés. Julia peut faire ce qu'elle veut.

Elle se lève, s'habille. Short en jean, haut moulant, Converse, joli sweat rose. Elle suit des cours de théâtre, elle sait comment se déguiser.

La lumière du couloir teinte la vitre qui surplombe le vasistas d'une pâle lueur grise. Julia la fait flamboyer et regarde les trois autres. Holly est allongée sur le dos, Becca se pelotonne comme un chaton, les cheveux dorés de Selena s'étalent sur son oreiller. Leur souffle s'apaise de plus en plus. Au moment d'ouvrir la porte et de se glisser hors de la chambre, elle les hait.

Ce soir, la nuit est différente. L'air est chaud, orageux, la lune énorme et trop proche. Chaque son paraît aigu, menaçant, comme pour l'éprouver : les brindilles craquent pour la faire tressaillir, les feuilles bruissent derrière elle pour qu'elle se retourne. Les arbres gémissent, la mettent en garde. Contre quel danger ? Il y a si longtemps qu'elle a appris à maîtriser sa peur ! Pourtant, elle presse le pas, comme si on la suivait.

Une fois dans la clairière, le cœur battant, elle se laisse glisser contre le tronc d'un cyprès, reprend haleine. Elle est la première. Tout paraît calme. Mais la menace est là, invisible, furtive. Une ombre, qu'elle ne distingue pas.

Chris est en avance. Elle l'entend s'approcher. Du moins elle espère que c'est lui, et non un cerf piétinant lourdement le sentier sans se soucier d'être entendu. Terrorisée, elle mord l'écorce du cyprès, en sent le goût âcre, sauvage, dans sa bouche.

Alors, il apparaît. Grand, droit, aux aguets.

L'éclat de la lune le change. En plein jour, il n'est qu'un élève de Colm comme les autres, fruste, consommable si l'on apprécie les fast-foods, charmant si l'on aime les conversations stéréotypées. Là, pourtant, il a quelque chose en plus. Il est beau.

Normalement, il ne devrait pas être ici. Chris Harper, ce tombeur de gourdes, ce prédateur chassant la femelle comme un renard ou un matou en rut souillerait la clairière. Mais cet être-là, dressé sous la lune telle une statue de marbre, est redoutable.

Julia a envie de renoncer, de s'enfuir. Elle se ravise aussitôt. Ce qui l'a poussée à s'aventurer en pleine nuit à sa rencontre la taraude toujours. Si elle ne le fait pas cette nuit, Selena le fera demain, la semaine prochaine, ou la semaine d'après.

Elle s'avance dans l'herbe. La lune l'enrobe. Derrière elle, les cyprès s'immobilisent.

Chris bondit vers elle, les mains tendues, ivre de joie. Dès qu'il se rend compte qu'il n'a pas en face de lui celle qu'il espérait, il se fige, tel un personnage de dessin animé.

– Qu'est-ce que tu fais là ?

– Tu me flattes, répond Julia en battant des cils, minaudant comme le ferait Joanne. Tu t'attendais à qui ?

Il chasse une mèche de son visage.

– Personne. C'est pas tes oignons. T'as rendez-vous avec un gus ?

Il ne la regarde même pas. Tout ce qu'il espère, c'est qu'elle dégage avant l'arrivée de Selena.

– Avec toi, glousse Julia avec une mimique de sainte-nitouche. Bonsoir.

– De quoi tu parles ?

– C'est moi qui t'ai envoyé le texto.

– C'est quoi, ce bordel ?

Il recule, fait les cent pas dans la clairière. Il est furieux contre elle, parce qu'elle n'est pas Selena et qu'elle le découvre ainsi, transi, vulnérable. La voix de Julia se fait plaintive, geignarde, comme si elle était déjà soumise, prête à céder à tous ses caprices.

– Je te plais, non ?

– Arrête.

– Pardon de t'avoir… De t'avoir piégé. Je voulais juste… Je voulais te voir. En privé. Tu sais bien que ça signifie.

Aussitôt, Chris s'arrête de marcher. Plus de colère. À présent, il est intéressé.

– Tu aurais pu venir me parler. Au Court ou ailleurs… Avoir un comportement normal.

Julia fait la moue.

– Excuse, mais t'as tellement de succès ! Les filles font la queue pour t'approcher.

Il se détend, la gratifie d'un sourire fat. Julia a du mal à croire que ce soit si facile. Elle comprend pourquoi plein de filles le font. Elle s'étire, les nibards en avant.

– On pourrait s'asseoir, discuter ?

Tout à coup, il se montre soupçonneux.

– Comment t'as fait ? Ce téléphone d'où tu m'as envoyé le texto… Tu te l'es procuré comment ?

Il cherche à savoir si Selena est complice. Julia envisage un instant de le lui laisser croire. Mais il pourrait en vouloir à mort à son amie et cela compliquerait tout. Elle décide de lui dire la vérité, du moins en partie.

– Selena et moi, on partage une chambre. J'ai trouvé son mobile et j'ai lu tes messages.

Il recule à nouveau.

– Alors, t'es courant à propos de nous ?

– Je suis futée…

– P'tain ! crache-t-il sans dissimuler son dégoût. C'est pas ton amie ? Je sais que les filles sont des salopes, mais à ce point…

– T'as pas idée.

Sans lui laisser le temps de gamberger, elle sort un préservatif de la poche de son sweat et le brandit.

Ce geste achève Chris. Les yeux lui sortent de la tête. Il s'attendait à une séance de pelotage, à une lutte pour dégrafer un soutien-gorge, mais ça… Il reste coi, puis bredouille :

477

– Sérieux ? On a dû s'adresser trois fois la parole.

– Et alors ? James Gillen t'a parlé de moi, non ?

– Euh, oui. Mais il raconte un tas de salades. J'ai cru que tu l'avais envoyé paître.

Julia vacille. Et s'il aimait vraiment Selena ? Si ses messages étaient sincères ? S'il n'était pas le branleur qu'elle méprise, mais quelqu'un qu'elle pourrait estimer ? Non. Surtout ne pas fléchir. Sinon, elle tournera les talons et détalera à toutes jambes.

– James est un enfoiré. Mais il ne ment pas toujours. Hé, on est au XXIᵉ siècle. Les filles ont le droit, elles aussi, d'aimer le sexe. T'es canon et on m'a dit que t'embrassais comme un dieu. Ça me suffit. Je vais pas te demander en mariage.

S'il avait une passion dévorante pour Selena, serait-il hypnotisé par le préservatif ? Il se rapproche.

– On se calme, dit Julia, les mains à plat pour le repousser, tout en fronçant joliment le nez pour adoucir son geste. Une seule condition. Je partage pas un mec avec ma meilleure amie. Les autres, je m'en tape, mais à partir de maintenant, Selena ne figure plus sur ton menu. On est d'accord ?

– Mais… Tu m'as dit que ça t'était égal que je sois avec elle.

– Écoute-moi bien. Je suis sérieuse. Si t'essayes de passer de l'une à l'autre, je le saurai aussi sec. Je vais surveiller Selena et ce téléphone. Je vais continuer à t'envoyer des textos, pour que tu saches que je blague pas. Si tu essayes de me doubler, je raconte tout à Selena et tu pourras te brosser, aussi bien avec elle qu'avec moi. Mais si tu la laisses tranquille, je veux dire tranquille pour de bon, pas de messages, rien, alors, chaque fois qu'on aura une occasion…

Elle agite le préservatif. Aller se le procurer au Court, où toutes les toilettes ont des distributeurs couverts de graffiti et de mises en garde contre les grossesses non désirées a été un jeu d'enfant. Il lui a suffi de dire, en s'éloignant déjà de la fontaine, «Je vais aux gogues, j'en ai pour une minute», de disparaître avant que les autres n'aient eu le temps de se lever. Finalement, rien de plus facile que de s'échapper, quand on le veut.

Chris n'a pas bougé.

– T'as un problème ? demande-t-elle. Je vois qu'une seule raison pour qu'un mec refuse un marché comme celui-là : il est gay. J'ai rien contre, mais avoue-le-moi tout de suite. J'en trouverai un autre pour m'envoyer en l'air.

– Je sais pas si c'est une bonne idée, bafouille-t-il.

Il sent que quelque chose ne va pas. Mais quoi ?

– Qu'est-ce que t'as à perdre ? insiste Julia. Selena ne veut plus te voir. Sinon, elle aurait répondu à tes messages. De toute façon, même si tu refuses et que tu dégages, je lui raconterai qu'on l'a fait. Alors, autant le faire.

Avec un sourire enjôleur, elle baisse la fermeture Éclair de son sweat. Elle devine tout ce qui lui passe par la tête : le souvenir de Selena, l'espoir qu'elle serait là ce soir, la haine qu'il lui voue tout à coup, celle qu'il éprouve pour toutes les autres filles avec qui il est sorti et, par-dessus tout, pour elle, Julia. Elle perçoit le moment précis où il craque.

Il lui rend son sourire, s'empare du préservatif.

Elle sait à quoi s'attendre. Le vent rugissant dans les cyprès, la clameur du ciel noir, la clairière se soulevant puis roulant sous elle ; la lune assistant à son abandon, l'odeur du sang chaud coulant au tréfonds d'elle-même. Et la douleur, si vive qu'elle en restera marquée à jamais.

Rien de tout cela ne se produit. La clairière n'est qu'une étendue d'herbe coupée avec soin, les cyprès ne sont que des arbres qu'un jardinier a plantés jadis car on n'a aucun mal à les entretenir, le cri n'est que celui d'un oiseau qui s'égosille parce qu'il ne sait rien faire d'autre. Même la douleur semble insignifiante, bien plus supportable que ce caillou qui écorche ses reins et la fait grimacer au-dessus des épaules arc-boutées de Chris, sous la lune morne, aussi fade qu'un disque de papier collé contre le ciel.

25

Je restai dans le couloir, ahuri, sonné, hébété, jusqu'à ce que je prenne conscience que Mackey et Conway pourraient me trouver là, derrière la porte. Alors, je m'en allai, passai devant le panneau des secrets, descendis l'escalier, me déplaçant avec prudence comme si l'on m'avait frappé, comme si tous mes muscles me faisaient mal.

Le vestibule était sombre. Je tâtonnai dans le noir jusqu'à la porte d'entrée, la poussai avec peine. Je songeai à appeler un taxi pour rentrer chez moi. L'image de Conway et Mackey découvrant mon absence et m'imaginant pleurant contre mon oreiller provoqua en moi un sursaut de dignité. Je laissai mon mobile dans ma poche.

21 h 40. Les lumières extérieures blanchissaient la pelouse, éclairaient la base des arbres. Je descendis le perron, longeai la façade puis l'aile des pensionnaires, en criant :

– Que Conway aille se faire foutre !

Des rires me répondirent : des filles, là-bas, derrière le bâtiment, dans l'herbe, leurs yeux luisant dans l'ombre comme ceux de chats en goguette, ou de fantômes. À la lueur lointaine des projecteurs et celle, plus douce, de la lune, je distinguai une silhouette, puis une autre. Les pensionnaires. Conway avait demandé à McKenna de les autoriser à prendre l'air avant d'aller se coucher. La directrice avait eu la bonne idée de suivre son conseil.

Trois d'entre elles me faisaient signe, m'appelaient.

– Inspecteur Moran ! On est là !

Je me dirigeai vers elles. Elles surgirent des ténèbres, comme des Polaroïds. Gemma, Orla, Joanne. Appuyées sur les coudes, jambes étales, elles me souriaient. Je leur rendis leur sourire. Ça, je pouvais le faire, j'étais doué à ce jeu-là, plus que Conway. Voix de Gemma :

– On vous a manqué ?

– Par ici, dit Joanne en se serrant contre sa copine, tapotant l'herbe où elle avait été assise. Installez-vous près de nous.

J'aurais dû passer mon chemin. Mais elles voulaient de moi. Cette sensation était plaisante, telle de l'eau fraîche sur une brûlure.

– On a le droit de vous parler, inspecteur Moran ?

– Vous allez faire quoi ? Nous arrêter ?

– Tu aimerais ça. Les menottes…

– On peut, alors ? Votre carte dit Stephen Moran.

– On peut vous appeler inspecteur Steve ?

– Beurk, on dirait un nom d'acteur porno.

Je gardai le silence, sans cesser de sourire. Elles étaient différentes, ici, dans la nature et la nuit. Furtives, félines. Puissantes. Je savais que je n'avais aucune chance contre elles, comme lorsque trois types tournent au coin d'une rue et, d'une démarche agressive, se dirigent vers vous.

– On s'ennuie, se plaignit Joanne. Venez nous tenir compagnie.

Je m'assis. Des chauves-souris volaient au-dessus de nos têtes. L'herbe était douce, l'air sentait le printemps.

– Qu'est-ce que vous faites encore là ? s'enquit Gemma. Vous allez passer la nuit ici ?

– Il couchera où ? lança Joanne.

– Gems le veut dans son pieu, minauda Orla.

– Je t'ai demandé ton avis ? rétorqua Joanne, qui ne permettait à personne de se moquer de quelqu'un sans sa permission. Il n'ira pas dans le tien, en tout cas. Seul un nain pourrait se faufiler entre tes cuisses de mammouth.

Orla piqua un fard. Joanne s'esclaffa.

– Te bile pas, je blaguais.

– Il pourrait coucher avec Sœur Cornelius, ironisa Gemma, qui ignorait ses copines et me regardait avec un sourire en coin. L'emmener au septième ciel.

– Elle lui trancherait le zizi d'un coup de dent et irait l'offrir au petit Jésus.

Un mètre de plus au milieu des arbres et nous aurions été dans la pénombre. Ici, à la frontière, la lumière était mouvante, transformait leurs visages. Leur simplicité désinvolte qui m'avait touché tout à l'heure avait disparu. Ils semblaient désormais plus durs, figés comme de la cire.

– Nous partirons bientôt, dis-je. Encore quelques détails à régler.

– Il parle, ricana Gemma. Je croyais que vous nous faisiez la tête.

– Vous n'avez pas l'air d'avoir fini, renchérit Joanne.

– Je fais une pause.

Elle ajouta, perfide :

– Vous avez des problèmes avec la fée Carabosse ?

Pour elles, je n'étais plus un flic, mais un adulte un peu niais qu'elles pouvaient faire tourner en bourrique, avec qui elles pouvaient jouer, danser…

– Pas à ma connaissance, répondis-je.

– P'tain, quelle pimbêche ! Pour qui elle se prend ? La reine des neiges ?

– Vous êtes obligé de travailler tout le temps avec elle ? dit Gemma. Ou est-ce qu'on vous permet de souffler de temps en temps et de faire équipe avec un collègue qui bouffe pas les hamsters tout crus, juste pour le plaisir ?

Elles rirent, me défiant de rire en retour. Je revis Conway me claquer la porte au nez, regardai ces trois visages mouvants, étincelants. Je ris à mon tour.

– Ne soyez pas méchantes. Je ne suis pas son coéquipier. Je ne collabore avec elle que pour la journée.

– Tant mieux ! On se demandait comment vous surviviez, si vous carburiez pas au Prozac…

– Quelques jours de plus et ç'aurait été le cas. Voilà pourquoi je suis là. J'avais besoin de m'aérer la tête, de me détendre avec des filles comme vous.

Elles apprécièrent le compliment, firent le dos rond comme des chats. Toujours sur la défensive, habituée à se faire rembarrer, Orla déclara :

– On trouve que, comme inspecteur, vous êtes bien meilleur qu'elle.

– Lèche-cul ! s'insurgea Gemma.

– Pourtant, c'est vrai, approuva Joanne. Quelqu'un devrait dire à votre patron qu'une garce pareille ne peut pas faire du bon boulot. Quand elle pose une question, c'est comme si elle balançait de la viande pourrie à des hyènes.

– Même si elle menaçait de nous flinguer, on lui dirait pas quelle heure il est.

– En fait, ajouta Joanne avec un sourire charmeur, quand on nous interroge, on ne veut répondre qu'à vous.

La dernière fois que nous nous étions parlé, la conversation n'avait guère été amicale. Elle et ses amies voulaient quelque chose de moi. Mais quoi ?

– Ravi de l'entendre. Vous m'avez beaucoup aidé, depuis ce matin. Je ne sais pas ce que j'aurais fait sans vous.

– On a envie de vous aider.

– On pourrait être vos espionnes.

– Vos infiltrées.

– On a votre numéro de téléphone. On pourrait vous signaler par texto tout ce qui nous paraîtrait suspect.

– Si vous tenez vraiment à me donner un coup de main, vous n'avez qu'une chose à faire. À mon avis, vous savez toutes les trois qui a tué Chris. J'adorerais vous l'entendre dire.

– Qui est dans la salle d'arts plastiques ? s'écria soudain Orla, les yeux rivés sur la façade.

Une forme venait d'apparaître contre une des deux fenêtres encore éclairées, sous le balcon de pierre : Mackey, voûté, les bras croisés.

– Une autre inspecteur.

– Ha, ha ! se moqua Joanne. Je savais que vous aviez été viré !

– Parfois, nous nous relayons. Pour éviter d'avoir la tête comme un ballon.

– Ils interrogent qui ?

– Holly Mackey ?

– On vous avait bien dit qu'elles étaient bizarres.

Leur expression était gourmande, fascinée. Si Chris Harper avait assisté à la scène, il m'aurait envié. Conway, très droite, se profila dans l'encadrement de la fenêtre de la salle d'arts plastiques, puis disparut.

– Oui, reconnus-je, c'est Holly.

Conway m'aurait massacré. Je m'en foutais.

Murmures, sifflements, regards en coin. Orla respira profondément.

– Elle a assassiné Chris ?

– Oh mon Dieu !

– On croyait que c'était Zigounette, le gardien.

– Enfin, jusqu'à aujourd'hui.

– Mais quand vous avez posé toutes ces questions…

– En tout cas, on savait que c'était pas nous…

– Mais on aurait jamais pensé à…

– Holly Mackey !

Elles me dévisageaient avec passion, comme si j'avais été un magicien prêt à faire jaillir la vérité de mon chapeau. Malgré moi, je me sentis flatté, presque complice.

– Nous ne savons pas qui a tué Chris, dis-je. Mais nous faisons tout notre possible pour identifier le ou la coupable.

– Vous avez quand même une intime conviction, insinua Joanne.

Les yeux bleus de Holly murée dans son silence, préservant son secret. Mackey avait peut-être raison de l'empêcher de parler. Peut-être sentait-il qu'elle se serait confiée à moi.

Je secouai la tête.

– Ce n'est pas mon boulot. Je ne blague pas, précisai-je face à leur scepticisme. Je ne peux pas me fier à mon intuition sans avoir une preuve.

Joanne fit la moue.

– C'est pas juste. Vous cherchez à nous tirer les vers du nez et nous…

– Oh mon Dieu ! clama soudain Orla, une main devant la bouche. Vous soupçonnez quand même pas Alison !

– Vous l'avez coffrée ?

– Elle est en tôle ?

– Non. Elle est juste un peu secouée. Le fantôme de Chris l'a terrorisée.

– Normal, déclara froidement Joanne. Il nous a toutes déboussolées.

– Je n'en doute pas. Tu l'as vu ?

Elle n'oublia pas de frissonner.

– Bien sûr. Il est sans doute revenu pour me parler. Il me regardait droit dans les yeux.

Chaque fille à qui il était apparu aurait juré la même chose. Il la cherchait. Il voulait s'adresser à elle, à elle seule.

– Ainsi que je vous l'ai dit, reprit Joanne avec des trémolos de veuve, s'il n'était pas mort, on se serait remis ensemble. Il veut que je sache que je compte toujours pour lui.

– Ah ! cria Orla, la main crispée sur sa poitrine.

– Tu l'as vu, toi aussi ?

– Oh, oui ! J'ai failli avoir un infarct. Il était là, tout près. Je le jure.

– Gemma ?

Elle changea de position dans l'herbe.

– Je sais pas. Je crois pas trop aux fantômes.

Joanne éleva la voix.

– Désolée, je sais ce que j'ai vu.

– Je prétends pas le contraire. Je dis simplement que moi, je l'ai pas vu. J'ai perçu une tache contre la fenêtre, comme quand on a une poussière dans l'œil. C'est tout.

– Certaines filles sont plus sensibles que d'autres et étaient plus proches de Chris. Excuse-moi, mais on s'en tape, de ce que tu as vu.

Gemma haussa les épaules. Joanne se tourna vers moi. Elle tremblait.

– Il était là.

Mentait-elle ? Disait-elle la vérité ? Elle n'en savait rien elle-même, pas plus que ses amies.

– Voilà une autre raison pour que, quoi que vous sachiez, vous le révéliez. C'est ce que souhaite Chris.

– Pourquoi on saurait quoi que ce soit ? répliqua Joanne, impassible.

Elles ne lâcheraient rien jusqu'à ce que je le mérite.

Mais la réponse, je la connaissais. Après la rupture entre Selena et Chris, Joanne avait posté ses sentinelles la nuit, pour s'en assurer.

– Admettons, enchaînai-je, qu'une autre fille que Selena retrouvait Chris la nuit, au cours des deux semaines qui ont précédé sa mort. À votre avis, qui était-ce ?

Joanne ne broncha pas.

– Y en avait une ?

– Ce n'est qu'une supposition. Admettons quand même. Alors, qui ?

Elles se consultèrent très vite. Si elles avaient eu peur, leur crainte s'était envolée, laissant la place à un sentiment grisant : le pouvoir.

Joanne se fit leur porte-parole.

— Confirmez-nous qu'il retrouvait une fille et on vous racontera tout.

Et voilà. Surtout ne pas rater l'occasion.

— Oui. Nous avons leurs textos.

— Quel genre ? demanda Gemma.

— Des rendez-vous.

— Mais il n'y avait pas de noms ?

— Aucun. Était-ce l'une d'entre vous ?

— Non ! tonna Joanne.

Elle n'ajouta pas : « Elle aurait eu de gros ennuis », mais c'était tout comme.

— Vous savez quand même de qui il s'agit.

J'attendis, prêt à entendre : « Holly Mackey. »

Joanne se redressa, les bras derrière la nuque, la poitrine en avant.

— Donnez-nous votre opinion sur Rebecca O'Mara.

Ne pas paraître surpris par ce nom jeté en pâture. Rétorquer posément :

— Pour être franc, je n'ai guère pensé à elle.

Regards en coin, petits sourires.

— Parce qu'elle est si innocente, commenta Joanne.

— Si sage, appuya Orla.

— Si pure !

— Si timide !

— Je parie, enchaîna Joanne, qu'elle s'est comportée comme si vous lui foutiez une trouille épouvantable. Elle n'a jamais pris le moindre risque. Je suis sûre qu'elle n'a jamais bu une goutte d'alcool, n'a jamais regardé un mec.

Gemma gloussa, appuyée sur les coudes, ses cheveux balayant la pelouse.

— Tu rigoles, répondis-je, le cœur battant sourdement, comme si je touchais enfin au but.

– Je sais pas si elle a jamais picolé, dit Gemma. D'ailleurs, on s'en fout. Mais qu'elle ait jamais regardé un mec, ça…

Olga pouffa.

– Vous auriez dû la voir le dévorer des yeux. C'était pitoyable.

– Chris Harper, hasardai-je.

– Bingo ! asséna Joanne.

– Elle était dingue de lui, confirma Orla.

– Et vous pensez qu'ils sont sortis ensemble ?

Joanne retroussa les lèvres.

– Un laideron comme elle ? Impossible. Elle n'avait aucune chance. Chris pouvait avoir qui il voulait. Il ne se serait jamais intéressé à cette momie. S'ils s'étaient retrouvés sur une île déserte, il aurait préféré peloter une noix de coco.

– Donc, ce n'était pas elle qui le retrouvait. Ou alors… ?

Deuxième échange sournois.

– Pas pour l'amour, en tout cas. Ni pour la baise. Elle devait même pas savoir comment on fait.

– Alors, pourquoi ?

Silence. Elles me scrutaient, attendant que je prononce le mot.

– La came, murmurai-je enfin. Rebecca se droguait.

Orla eut un rire hystérique. Joanne me considéra avec indulgence, comme un benêt, puis ordonna aux autres :

– Racontez-lui.

Au bout d'un moment, Gemma se redressa, ôta des brins d'herbe de ses collants.

– Vous n'enregistrez rien, n'est-ce pas ?

– Non.

– Parce c'est confidentiel. Si vous le racontez à qui que ce soit en prétendant que ça vient de moi, je jurerai que c'est un bobard. Et mon père téléphonera à votre patron pour confirmer. Croyez-moi, ce sera mauvais pour votre matricule.

– Pas de problème.

– Vas-y, ordonna Joanne. Raconte-lui.

Gemma se concentra un instant en se léchant les lèvres.

– OK. Vous connaissez Ro, non ? Ronan, un des gardiens ?

– Vos collègues l'ont coffré, précisa Orla. Pour trafic de drogue.

– Je suis au courant.

– Il vendait un tas de trucs, reprit Gemma. Surtout du hasch et de l'ecstasy, mais si on voulait autre chose, il se le procurait.

Elle enlevait toujours des brins d'herbe incrustés dans ses collants. En dépit de la lumière mouvante, il me sembla qu'elle avait rougi.

Joanne lui donna un petit coup de coude méchant.

– Son régime ne marchait pas des masses, persifla-t-elle.

– Il me restait deux kilos à perdre. Où est le mal ? Donc, j'ai demandé à Ronan s'il pouvait me trouver un produit efficace.

Elle me jeta un regard craintif, quémandant mon indulgence.

– Ça a dû marcher, répondis-je. Tu es mince comme un fil.

Elle parut soulagée. Ces filles vivaient dans un autre monde. Pour Gemma comme pour les autres, admettre qu'elle avait besoin de maigrir était plus angoissant que d'avouer à un flic qu'elle avait acheté du speed.

– Bref. Ronan était le seul gardien de service le mercredi et le vendredi après-midi. Donc, on se rendait à la remise à outils après les cours et on poireautait jusqu'à ce qu'il s'amène. Ensuite, on le suivait et il sortait la came de son placard. On n'avait pas le droit d'entrer dans la

490

remise en son absence. Il disait que s'il nous chopait à l'intérieur, ce serait fini pour nous. Il avait la trouille qu'on lui barbote sa marchandise.

Joanne et Orla se rapprochèrent de moi en tortillant des hanches, bouche bée, les yeux écarquillés.

– Donc, ce mercredi, il pleut des cordes, je descends là-bas et je le vois pas. J'attends sous les arbres. Le temps passe et il se pointe toujours pas. Je vais pas rester là à me geler les miches, pas vrai ? Alors, je me glisse dans la remise. S'il me chope, Ronan en fera pas une maladie. Après tout, il me connaît. Il va pas me prendre pour une cambrioleuse.

Les deux autres tressaillirent, anticipant la suite.

– Et sur qui je tombe ? Rebecca O'Mara. La dernière personne que je m'attendais à trouver là. Elle a presque sauté au plafond. J'ai cru qu'elle allait tourner de l'œil. Je me marre. « Qu'est-ce que tu fais ici ? Tu viens chercher ta dose de crack ? »

Rires de la part des autres.

– Rebecca bredouille : « Je me suis abritée de la pluie. » Je réponds : « À d'autres. » Le collège est à deux pas, elle porte son imper et son chapeau, ce qui veut dire qu'elle est sortie délibérément sous les trombes. Et si elle est tellement timide, pourquoi se réfugier dans un endroit où elle pourrait se retrouver nez à nez avec un gardien pas commode ?

Gemma prenait de l'assurance. Elle parlait avec aisance et son histoire sonnait vrai.

– Alors, je lui dis : « Tu veux faire du jardinage ? » Il y avait un tas d'outils dans le coin où elle se blottissait. Elle en tenait un à la main, comme si elle l'avait saisi en m'entendant entrer, comme si j'étais un violeur contre qui elle aurait dû se défendre. Et elle répond : « Oui, enfin, je pensais… », jusqu'à ce que je décide de la mettre à l'aise. « Relax, t'as pas cru que j'étais sérieuse ? » Elle me fixe un moment, bafouille : « Faut que j'y aille», se précipite sous la pluie et court vers le collège.

Elle avait dû remettre la pelle à sa place avant de s'enfuir. La pelle, ou la bêche, ou la binette. Et la laisser là pour venir la reprendre, maintenant qu'elle savait ce qu'elle voulait.

Mon cœur battait la chamade. Je demandai, m'efforçant de rester impassible :

— Ronan l'a vue ?

— Je crois pas. Il est arrivé quelques minutes après. Il avait dû attendre quelque part la fin de l'averse. Il n'a pas été content de me voir dans la remise, mais il a passé l'éponge.

— Vendait-il autre chose que de la drogue ? De l'alcool ? Des clopes ?

«Parfois, on en grillait une», m'avait dit Holly. Je me souvins aussi du paquet caché dans l'armoire, sous les affaires de Julia... Rebecca pouvait encore avoir une raison innocente de s'être introduite dans la remise. Innocence coupable, mais innocence quand même.

— Exact, ricana Gemma. Et des sucettes.

— Des cartes de téléphone, dit Orla.

— Du mascara.

— Des collants.

— Des Tampax.

Elles s'esclaffèrent, Orla se renversant dans l'herbe en agitant les jambes. Joanne les coupa net.

— Il tenait pas un supermarché. Rebecca ne venait pas chercher des cookies.

Gemma se ressaisit.

— Il refilait que des choses interdites. J'aimerais bien savoir ce que qu'elle lui achetait.

— Pas des pilules amaigrissantes, en tout cas, dit Joanne. À moins qu'elle soit anorexique. Et même... Elle s'en bat l'œil, de son look. Elle se maquille même pas.

— Sans doute du hasch, conclut Orla d'un air entendu.

– Pour se shooter toute seule dans son coin ? Comme c'est triste.

– Elle aurait pu se fournir pour ses copines.

– Et elles l'auraient envoyée, elle ? Arrête. Si elles étaient toutes dans le coup, elles auraient envoyé Julia ou Holly. Rebecca était là parce qu'elle voulait quelque chose.

– Le corps torride de Ronan ?

– Son cerveau en gélatine ?

J'interrompis leurs sarcasmes.

– Quand était-ce ?

Elles se reprirent aussitôt, se regardèrent par en dessous.

– On se demandait quand vous poseriez la question, dit Joanne.

– Au printemps dernier ?

Nouveaux coups d'œil.

– La nuit suivante, asséna Gemma, Chris a été tué.

Silence.

– Vous voyez ? murmura Joanne.

Je voyais très bien.

– Vous avez affirmé qu'une fille retrouvait Chris, après sa rupture avec Selena. Comme je vous l'ai dit, s'il s'agissait de Rebecca, ce n'était pas parce qu'il était mordu. Mais si elle achetait quelque chose pour lui ? Elle se serait dévouée sans hésiter. Elle aurait fait n'importe quoi pour lui. Et il aurait accepté des rendez-vous pour récupérer le colis. Il a peut-être flirté avec elle par charité, pour lui donner de quoi rêver.

Orla pouffa.

– Avez-vous vu Rebecca sortir toute seule la nuit ? demandai-je.

– Non. On a arrêté de surveiller le couloir des semaines avant la mort de Chris.

Ses examens sanguins avaient été négatifs, m'avait appris Conway. Aucune trace de drogue.

– Et alors, continua Joanne en se rapprochant un peu plus de moi, ses jambes effleurant les miennes, elle a peut-être cru qu'ils étaient réellement ensemble. Et quand elle a compris que c'était pas vrai…

Des papillons de nuit voltigeaient au-dessus de la pelouse.

– Rebecca est toute menue. Chris, lui, était costaud. Vous croyez qu'elle aurait pu… ?

– Quand on la cherche, c'est une peau de vache, martela Gemma. S'il l'a vraiment vexée…

– Les journaux ont parlé de blessures à la tête, dit Joanne. S'il était assis, qu'est-ce que ça pouvait faire qu'elle soit plus petite que lui ?

– Elle a pu le frapper avec une pierre ! cria Orla.

– On n'en sait rien, contesta Joanne. Les journaux n'ont jamais dit ça.

Elle me fixa, guettant une confirmation de ma part. Gemma et Orla l'imitèrent. Elles ne jouaient pas la comédie. Aucune d'elles ne savait, pour la binette.

Mieux encore : elles évoquaient la mort de Chris d'une voix paisible, sans la moindre émotion, comme des antisèches à un examen. Jusque-là, j'avais envisagé qu'elles avaient peut-être inventé l'histoire de Rebecca pour détourner mon attention de l'une d'elles, mais non. Aucune n'avait jamais trempé dans un meurtre.

– Merci mille fois de m'avoir raconté tout cela, leur lançai-je avec un grand sourire.

– Je l'aurais jamais révélé à la fée Carabosse, répondit Gemma. Je serais sans doute en tôle, à l'heure qu'il est. Vous n'allez pas me créer de problèmes, hein ? Je vous ai averti…

– Ne t'inquiète pas. Il est possible que je te demande de faire une déposition à un moment ou à un autre. Non, attends ! Tu n'auras pas d'ennuis. Tu pourras simplement déclarer que tu as pénétré dans la remise pour t'abriter de la pluie, ce qui est vrai. Mais tu ne seras pas obligé d'expliquer pourquoi tu étais dehors. Ça te va ?

Elle ne sembla pas convaincue. Indifférente à son inquiétude, Joanne se rapprocha encore, tout excitée.

– Donc, vous pensez que Rebecca est coupable ? Vraiment ?

– J'aimerais savoir ce qu'elle faisait là-bas. C'est tout.

Je me redressai, époussetai mon pantalon ; sans hâte, réprimant mon désir de déguerpir. Je pouvais coincer Rebecca. Il me suffisait de marcher vers les cyprès, dans la pénombre, jusqu'à ce que je les trouve toutes les trois, elle, Julia et Selena. Je pouvais appeler la police locale, lui demander de m'envoyer une voiture et une assistante sociale, puis l'interroger au quartier général avant que Conway ait fini de planter ses crocs dans les mollets de Holly. Si je menais correctement l'interrogatoire et si je coupais mon téléphone, O'Kelly aurait des aveux complets sur son bureau avant que Conway n'ait retrouvé ma trace. Le lendemain matin, je serais l'as qui, en douze heures, avait élucidé l'énigme sur laquelle elle se cassait les dents depuis un an.

– Restez avec nous, quémanda Joanne. De toute façon, on devra bientôt rentrer. Vous pourrez parler à Rebecca à ce moment-là.

– Oui, acquiesça Orla. On est bien plus intéressantes qu'elle.

Je crus un instant qu'elles avaient encore peur, qu'elles comptaient sur moi, le mâle rassurant, pour les protéger. Mais elles paraissaient, dans l'herbe, aussi détendues que des marmottes prenant le soleil. Elles ne désiraient qu'une chose : me confier leurs petits secrets.

– Je n'en doute pas, répondis-je gaiement. Mais je préférerais régler le problème tout de suite.

– On vous a aidé, protesta Joanne. Maintenant que vous avez obtenu ce que vous vouliez, vous allez nous laisser tomber et vous tirer ?

– Typique des hommes, soupira Gemma.

– J'aime pas qu'ils me traitent par-dessus la jambe, ajouta Joanne. Je vous l'ai déjà dit.

Comment m'en sortir, leur échapper en douceur ?

– Je n'ai plus beaucoup de temps. Cela n'implique pas que je n'apprécie pas ce que vous avez fait pour moi. Parole d'honneur.

– Alors, restez, m'intima Joanne.

Elle posa un doigt sur mon genou. Je perçus la menace. Surtout ne pas me les mettre à dos.

– Ne soyez pas si terrifié, appuya Gemma.

Enjôleuses toutes les deux, amicales. Je mourais d'envie de repousser la main de Joanne qui remontait le long de ma cuisse, de détaler vers le collège, de pénétrer en trombe dans la salle d'arts plastiques en suppliant Conway de m'autoriser à y rester si je la bouclais. Je me contins et proposai :

– Réfléchissons un instant. D'accord ?

J'avais retrouvé mon ascendant : celui des profs, de McKenna ; tout ce qu'elles détestaient. Après tout, de quoi avais-je peur ? Je n'avais pas devant moi les trois sorcières de Macbeth, mais des gamines pas très futées qui me provoquaient.

– Gemma, il t'a fallu beaucoup de courage pour me livrer cette information. Quant à toi, Joanne, et à toi, Orla, je sais qu'elle n'aurait jamais osé le faire sans votre soutien. Qu'est-ce que vous imaginez ? Que je vais négliger un élément capital qui vous a tant coûté ? Si je n'ai pas l'occasion d'interroger Rebecca O'Mara avant qu'on vous ordonne à toutes de rentrer, je devrai me concerter avec l'inspecteur Conway et je n'aurai pas d'autre choix que de la mettre dans le coup. Je suis sûr que vous m'avez donné cette information pour que je l'utilise, et non parce que vous souhaitiez que tout le mérite lui revienne. Je me trompe ?

Silence.

– Orla ? Je me trompe ?

– Euh, non.

– Parfait. Gemma ?

Hochement de tête.

– Joanne ?

Elle hésita longtemps. Enfin, elle retira sa main.

– Si vous le dites…

Trois sourires, un pour chacune.

– Donc, nous sommes d'accord. L'essentiel, pour nous, c'est que je parle à Rebecca. Notre petite conversation devra attendre.

Aucune réaction. Je me levai lentement, rectifiai les plis de mon pantalon et de ma veste. Puis je pivotai et m'éloignai.

Autant tourner le dos à des panthères. Mais rien ne vint : ni hurlements ni morsures. Imitant ma voix, Joanne ânonna d'un ton pompeux : « Un élément capital qui vous a tant coûté. » Elles s'esclaffèrent toutes les trois. J'étais déjà hors de portée, sur la pelouse interminable.

Quelque part dans l'ombre, il y avait Rebecca. C'était maintenant ou jamais.

Ma vengeance.

Conway m'avait utilisé. Je lui avais apporté sur un plateau le moyen de résoudre l'affaire et de s'en glorifier. Elle s'était servi de moi, puis m'avait jeté comme une souris morte.

Mackey avait raison. C'était une garce. Tout le contraire du coéquipier dont j'avais rêvé, l'homme aux chiens de chasse et aux leçons de violon. Tout ce qu'il me fallait fuir.

Je sais saisir ma chance quand elle se présente.

Je sortis mon téléphone.

Texto. Pas d'appel. Si Conway voyait apparaître mon numéro, elle s'imaginerait que je me plaignais d'attendre trop longtemps. Et elle laisserait sonner.

Avant que j'aie pu taper sur mon clavier, l'icône « Nouveau message » s'inscrivit sur mon écran : Conway, quelques minutes plus tôt, alors que j'étais trop occupé pour y prêter attention. Elle, ou Mackey, avait dû se rendre aux toilettes.

T'as dégoté quelque chose ? J'essaye de gagner du temps avec lui autant que possible, mais extinction des feux à 22 h 45, faudra dégager.

Révélation, cri de joie, remords. Quel con j'avais été !

Va te chercher un sandwich, promène-toi dans le parc. Le fantôme de Chris Harper te fera peut-être signe, m'avait-elle dit devant la porte de la salle d'arts plastiques. J'aurais dû traduire : *Va parler à ces filles, cuisine-les, vois ce que tu peux en tirer.* Clair comme de l'eau de roche, si j'avais eu deux sous de jugeote. J'étais tellement obsédé par la perfidie de Mackey que je n'avais pas vu ce qu'elle agitait sous mon nez.

Elle m'avait fait confiance. Non seulement elle n'avait tenu aucun compte de ce que Mackey lui avait raconté sur moi, mais elle m'avait cru assez intelligent pour le comprendre.

Je lui répondis : *Retrouvez-moi devant l'entrée. Urgent. Empêchez Mackey de venir.*

26

Le printemps éclate à l'improviste, chaud et sec, annonçant l'été, et l'approche du *Junior Certificate* met les élèves de troisième sur des charbons ardents, les rend nerveuses, irascibles. La lune éclabousse le ciel de couleurs étranges, le teinte de vert ou de violet.

En ce 2 mai, il reste à Chris Harper deux semaines à vivre.

Holly n'arrive pas à dormir. Selena a toujours sa fausse migraine et Julia est insupportable. Lorsque Holly a essayé de lui parler de ce qui arrivait à Lenie, elle l'a rembarrée si violemment qu'elles ne s'adressent plus la parole. On étouffe dans la chambre, ce qui rend l'atmosphère plus irrespirable encore.

Holly se lève pour aller aux toilettes, non parce qu'elle en a besoin, mais parce qu'elle ne peut pas rester allongée une seconde de plus. Dans le couloir faiblement éclairé, il fait encore plus chaud que dans la chambre. Holly rêve de s'asperger le visage d'eau fraîche. Tout à coup, une ombre surgit de l'encadrement d'une porte : Alison Muldoon, qui pousse de petits cris puis s'enfonce à nouveau dans la pénombre.

– P'tain, siffle Holly. T'as failli me filer une crise cardiaque. C'est quoi, ton problème ?

– Oh mon Dieu, c'est toi ? J'ai cru que… Jo !

Et elle disparaît à nouveau.

Intriguée, Holly attend et écoute, immobile dans le couloir plongé dans le silence de la nuit.

Quelques instants plus tard, Joanne apparaît à l'entrée de la chambre, les cheveux en bataille, vêtue d'un pyjama rose pâle orné, sur la poitrine, du cri : « Oh Baby ! »

— C'est Holly Mackey, bougonne-t-elle. T'es débile ou quoi ? Je dormais, merde !

— J'ai vu que ses cheveux, bêle Alison. Et j'ai cru…

— Elles sont blondes toutes les deux. Et alors ? Holly lui ressemble pas. Elle est mince !

Le plus beau compliment que Joanne puisse faire à qui que ce soit. Elle décoche à Holly un sourire complice, pour qu'elles puissent rire toutes les deux de la bêtise d'Alison.

Le problème, avec Joanne, c'est qu'on ne sait jamais sur quel pied danser. Un jour, elle vous embrasse, le lendemain elle vous flingue. Holly se raidit et dit :

— Elle croyait que c'était qui ?

— Elle est sortie de la bonne chambre, miaule Alison.

— Mais elle allait pas dans la bonne direction, rétorque Joanne. Qu'est-ce qu'on en a à faire, qu'elle aille aux gogues ? On surveille celles qui vont dans l'autre sens, qui foutent le camp !

Alison se mord une phalange, baisse la tête.

— Tu pensais que c'était Selena ? s'enquiert Holly. Qu'elle se tirait ? Pourquoi elle le ferait ?

Alison se met à geindre. Joanne la rabroue brutalement.

— La ferme ! Tu veux qu'on se fasse choper ?

Puis, à Holly :

— T'aimerais pas le savoir ?

Holly murmure, le cœur battant :

— Selena ne fait pas le mur toute seule. Elle se tire qu'avec nous toutes.

— Ben voyons ! ricane Joanne. Vous êtes tellement attendrissantes ! Toutes les quatre comme les doigts de la main. Vous êtes devenues sœurs de sang, comme dans les westerns ? Ça me ferait pleurer.

Elle n'est pas de bon poil, ce soir. Quand elle montre les dents, il faut cogner d'abord.

– Ton opinion sur nous, je m'en bats l'œil.

– Tu devrais pas, réplique Joanne, une main sur la hanche. Si vous êtes tellement liées, comment ça se fait que tu saches pas où ta copine s'en va la nuit ?

– C'est pas mon problème, dit Holly en s'apprêtant à gagner les toilettes.

– Hé ! rétorque Joanne. Viens ici.

En temps normal, Holly aurait poursuivi son chemin. Mais Joanne peut être redoutable et retorse quand elle le veut. Et elle sait peut-être quelque chose.

Holly se retourne. D'un claquement de doigts, Joanne ordonne à Alison :

– Téléphone.

Alison se faufile dans la chambre. « Chut », fait-elle à une fille qui murmure dans son sommeil des mots incompréhensibles. Elle revient avec le mobile de Joanne qu'elle brandit à bout de bras, tel un enfant de chœur tendant aux fidèles le panier de la quête. Geste si grotesque que Holly a envie de rire. D'un autre côté, elle a un mauvais pressentiment.

En prenant son temps, Joanne presse les touches. Elle passe le téléphone à Holly, qui s'en empare sans tenir compte de son rictus. La vidéo a déjà commencé.

La fille, c'est Selena. Le garçon, c'est Chris Harper. La scène se passe dans la clairière : leur clairière, souillée, défigurée par ce qui s'y déroule.

Joanne se rapproche. Holly maîtrise son émotion et lâche, avec le petit sourire amusé qu'aurait son père :

– Une blondasse se fait peloter par un ado. Quel scoop !

– Te fais pas plus bête que t'es. Tu sais qui c'est.

Holly hausse les épaules.

– Ça pourrait être Selena et Chris Machin Chose, de Colm. Et après ?

– Ils ont l'air si amoureux ! Elle t'a bien caché son jeu, non ?

Lui renvoyer la balle aussi sec, la mordre tout de suite.

– En quoi ça te regarde ? T'as jamais été avec lui. C'est pas parce que tu l'as dans la peau qu'il est ta propriété.

– Si, elle aussi sortait avec ! bredouille Alison.

– Ta gueule ! siffle Joanne.

Le souffle coupé, Alison se fond dans les ténèbres. Joanne se tourne à nouveau vers Holly. Et, d'un ton glacial :

– C'est pas tes oignons.

Si Chris l'a vraiment plaquée pour Selena, elle lui tranchera la gorge.

– S'il t'a trompée, énonce prudemment Holly, c'est un salaud. Mais pourquoi en vouloir à Selena ? Elle était même pas au courant.

– T'inquiète. On lui fera sa fête, à ce fumier. Quant aux boudins comme ta copine, je leur en veux pas. Mais si elles se trouvent sur mon chemin, je m'en débarrasse.

Et avec cette vidéo, elle peut le faire n'importe quand.

– Le porno me donne de l'urticaire, dit Holly.

Elle appuie sur la touche « Supprimer ». Joanne se montre plus rapide et lui arrache le téléphone avant qu'elle ait pu confirmer la suppression. Ses ongles griffent le poignet de Holly.

– Pas touche.

– T'as besoin d'une séance de manucure, répond Holly en secouant sa main. Avec des cisailles.

Joanne plaque son mobile entre les doigts d'Alison.

– Un conseil. Tes copines et toi, arrêtez votre numéro d'amies à la vie à la mort. Si c'était vrai, cette dinde ne vous aurait pas menti sur son flirt avec Chris Harper. Et, de toute façon, vous l'auriez su par télépathie, ce qui n'a pas été le cas. En fait, vous êtes comme tout le monde.

Holly ne trouve rien à répondre. Elle ne sait qu'une chose : entre elles, c'est la guerre. Elle ne supporte plus l'expression triomphante de Joanne. La lumière du couloir clignote, puis saute. Indifférente aux criailleries sortant de la chambre de Joanne, elle retourne se coucher.

Elle ne dit rien. Ni à Becca qui s'affolerait ni à Julia qui ne la croirait pas ; et surtout pas à Selena. Quelques nuits plus tard, alors qu'elle ne parvient pas à dormir et que Selena se recroqueville autour d'un objet qui luit au creux de sa paume, elle ne chuchote pas : « Lenie, raconte-moi. » Lorsque, bien plus tard, Selena réprime un sanglot et remet le téléphone au fond de sa cachette, sur le flanc de son matelas, elle n'imagine aucun prétexte pour se retrouver, plus tard, seule dans la chambre. Elle laisse le mobile où il est, espérant ne jamais le revoir.

Elle se comporte comme si Selena allait bien, comme si tout se passait à merveille, comme si le bachotage qui décidera de leur avenir occupait toutes leurs pensées. Becca se déride enfin, retrouve sa gaieté. Julia est toujours insupportable, mais Holly décide que son irritation est liée à cet examen qui, de jour en jour, pense-t-elle, l'angoisse un peu plus. Elle passe une grande partie de son temps avec Becca. Elles rient beaucoup. Ensuite, Holly ne se rappelle pas à propos de quoi.

Parfois, elle a envie de fracasser à coups de poing le frêle visage de Selena, de frapper, frapper encore. Non parce qu'elle leur a caché son attirance pour Chris, ni parce qu'elle a trahi leur serment qui, en plus, venait d'elle. Mais parce que ce pacte impliquait qu'aucun amour ne serait jamais plus fort, plus indestructible que le leur, qui devait les protéger jusqu'à la fin des temps.

Becca n'est pas idiote et, quoi qu'en pense parfois son entourage, elle n'a pas douze ans. Elle s'est bien rendu compte, depuis des semaines, que quelque chose n'allait pas. Cette nuit dans la clairière, elle a mis l'agressivité de Holly envers Lenie sur le compte de la mauvaise humeur. Holly est comme ça : elle se braque sur un sujet et n'en démord pas ; mais si on lui parle d'autre chose, elle oublie et s'apaise. Cette fois, pourtant, Julia a fait de gros efforts pour la calmer. Alors, Becca a admis qu'il y avait un problème.

D'abord, elle a essayé de ne se mêler de rien. Mais l'ambiance a dégénéré. Julia et Holly semblaient obsédées par l'état de Selena. Elles devenaient désagréables. Holly prenait Becca à part, lui demandait, parlant trop fort : «Tu trouves pas que Selena est bizarre ?» Elle essayait de l'entraîner de son côté, loin de Julia et Selena. Cela n'a pas plu à Becca, qui n'y comprenait rien. Elle ne savait qu'une chose : elles n'étaient plus unies comme avant.

Un an plus tôt, elle aurait plongé la tête dans le sable, se serait enfermée en elle-même. Elle aurait été chercher des piles de livres à la bibliothèque, se serait plongée dans la lecture pour ne pas répondre aux autres, aurait fait semblant d'être malade, aurait fourré deux doigts dans sa gorge pour vomir, jusqu'à ce que sa mère vienne la chercher et la ramène à la maison.

À présent, c'est différent. Elle n'est plus une gamine qui se cache derrière ses amies lorsque se produit quelque chose de mal. Si les autres ne parviennent pas à régler le problème, elle doit essayer.

Elle commence à monter la garde.

Une nuit, elle observe Selena qui, assise dans son lit, envoie un texto sur un téléphone rose. Or, le sien est argenté.

Le lendemain, Becca revêt son kilt de l'année précédente qui, trop petit, dévoile ses jambes. On la renvoie dans sa chambre pour se changer. Il ne lui faut que trente secondes pour dénicher le téléphone rose.

Les messages qui lui sautent aux yeux la sidèrent. Elle reste là, sur le lit de Selena, incapable de bouger.

Enfin, elle reprend ses esprits. Un détail la frappe : les SMS ne sont pas signés.

De qui viennent-ils ? De qui ? De qui ?

À en juger par les allusions aux moqueries sur les profs et aux blagues graveleuses lancées dans les vestiaires après les matchs de rugby, il ne peut s'agir que d'un élève de Colm. D'un type assez fourbe pour se glisser entre elles quatre, assez cynique pour toucher la corde sensible de Selena, éveiller sa compassion, sa tendresse pour un pauvre enfant abandonné qui a tellement besoin d'elle.

Becca continue à surveiller.

Au Court, sous les néons, elle guette un garçon qui, empressé ou indifférent, ferait tressaillir Selena en passant devant elle. Marcus Wiley lorgne son haut. Même s'il n'était pas à gerber, elle ne le regarderait même pas ; pas après cette photo qu'il a envoyée à Julia. Andrew Moore, avec un rire débile, fait mine de lui dédier le bras de fer qui l'oppose à un de ses potes. «Pas ce minable», se dit Becca. Et pourtant… Et si Selena aimait les lavettes ?

Alors, Andrew Moore ? Ou Finn Carroll qui, devant le marchand de donuts, se détourne dès qu'elle le fixe ? Il est futé. Il aurait pu. Chris Harper les croisant sur l'escalator avec une rougeur sur la joue qui pourrait être autre chose qu'un coup de soleil tandis que Selena baisse vivement les yeux sur son sac de courses ? Becca en a un pincement au cœur. Pourquoi pas, après tout ? Seamus O'Flaherty ? Tout le monde affirme qu'il est homo. Mais peut-être a-t-il lui-même répandu la rumeur pour que les filles ne se méfient pas de lui ? François Lévy, le beau dédaigneux, Bryan Hynes, Oisín O'Donovan, Graham Quinn ? Lequel ? Lequel ?

La nuit aussi, Becca veille. Elle épie Selena. Pourtant, ce n'est pas elle qui se lève tout doucement, puis s'immobilise. Becca se tourne, marmonne comme dans un mauvais rêve, puis respire calmement. Au bout d'un long moment, elle entend Julia bouger de nouveau.

Elle la regarde se glisser dehors, se faufiler de nouveau dans la chambre une heure plus tard, se déshabiller, enfiler son pyjama à la hâte, fourrer ses vêtements au fond de l'armoire, disparaître dans la salle de bains, revenir longtemps après, charriant un parfum de fleurs, de citron et de désinfectant.

Le lendemain soir, alors que Becca a trouvé un prétexte pour quitter la seconde heure d'étude, ce n'est pas un téléphone qu'elle découvre sous le matelas de Julia, mais un paquet de préservatifs à moitié vide.

Elle en reste pétrifiée, anéantie. Julia n'est pas Selena. Personne ne pourrait la séduire avec des mots doux, des confidences larmoyantes. Cela a dû se passer de façon violente, cruelle. *Laisse-toi faire ou je balance Selena, je la fais virer, j'envoie les clichés de ses nibards à tous les mobiles du collège…* Celui qui a agi ainsi était plus que rusé : mauvais.

Agenouillée entre les lits, Becca se mord la paume pour ne pas hurler.

Qui, qui ?

Un être qui n'a pas pris la mesure des dégâts qu'il provoquait, pour qui cela ne représente rien. Faire des filles ses jouets, les forcer à devenir des marionnettes entre ses doigts, quoi de plus naturel ? De toute façon, elles servent à ça. Il a foulé aux pieds leurs moments dans la clairière, leur serment de ne jamais se perdre de vue, quoi qu'il arrive. D'abord Selena, puis Julia. Ensuite, tel un rapace, il s'attaquera à Holly.

Qui est ce fauve dont le parfum stagne dans la chambre, qui a profané de ses empreintes les endroits les plus secrets du corps de ses amies ?

Dehors, la lune n'est qu'une mince traînée émergeant des nuages.

Becca ouvre les mains.

Sauve-nous.

Les nuages vibrent, bouillonnent.

Julia a brisé le serment. Qu'elle y ait été obligée ne compte pas. Selena, elle aussi, a trahi, quoi qu'elle ait fait, ou non, avec ce monstre. Qu'elle lui ait cédé ou l'ait repoussé n'a pas d'importance. Le châtiment restera le même.

Pardonne-nous. Éloigne de nous cette souillure, rends-nous de nouveau pures. Chasse-le, aide-nous à redevenir ce que nous étions.

Le ciel s'embrase, tonne.

Il exige réparation.

Ce que vous voudrez. Si vous réclamez du sang, je m'ouvrirai les veines.

La lumière faiblit. Non, pas ça.

Becca songe à du vin répandu, à des poupées d'argile, au sacrifice d'un oiseau.

Quoi ? Dites-moi, quoi ?

Le ciel s'entrouvre, les nuages explosent. Et la réponse frappe Becca en plein cœur.

Lui.

Elle a réagi comme une gamine. Barboter une bouteille dans la cave de maman, égorger un poulet… De l'enfantillage.

Jadis, on suppliciait ceux qui violaient les jeunes filles liées par un vœu. Becca a lu des textes là-dessus. On les brûlait vif, on les écorchait, on les battait à mort…

Lui. Aucun autre sacrifice ne sera agréé, ne leur rendra leur pureté.

Becca manque de s'enfuir, de regagner la salle commune et son devoir de français. Alors, elle se rappelle : le regard de Selena quand elle lissait ses cheveux, l'air honteux de Julia lorsqu'elle est rentrée l'autre nuit, la voix désespérée de Holly ; tous les instants au cours desquels, ces dernières semaines, elle les a haïes. Bientôt, il sera trop tard, pour toujours.

Oui. Oui, je le ferai. Je trouverai un moyen.

Elle se sent déterminée, féroce, impitoyable.

Mais j'ignore qui je dois châtier.

Pas Chris Harper. Il n'avait nul besoin de se montrer gentil avec elle. Il ne l'a pas fait pour obtenir quelque chose. Elle sait très bien qu'un type comme lui ne s'intéressera jamais à une fille comme elle. Il a été gentil sans contrepartie, parce qu'il n'est pas mauvais. Donc, ce n'est pas lui. Restent Finn, Andrew, Seamus, François, n'importe qui… Comment savoir ?

Soudain, elle a une illumination. Elle n'a pas besoin de savoir qui. Mais où et quand. Cela, elle peut le décider elle-même, parce qu'elle est une fille et que les filles ont le pouvoir d'attirer les garçons au moment où elles le veulent.

Il va lui falloir être très prudente. Rien ne doit révéler son secret.

Alors, le ciel s'éclaire, l'illumine tout entière.

Le mardi matin, Becca arbore encore son kilt trop court. Cette fois, Sœur Cornelius pique une crise, cogne son bureau à coups de règle et ordonne à toute la classe de recopier cent fois « Je prierai la bienheureuse Vierge Marie de m'enseigner la pudeur ». Et enjoint Becca de retourner dans sa chambre pour aller se changer.

Pas moyen de savoir à quelle heure ce type et Selena se donnaient rendez-vous. Mais, au moins, Rebecca connaît un des endroits où ils se retrouvaient. *Cette nuit dans la clairière ?* dit un texto remontant au mois de mars. *Même heure ?*

Le dernier endroit au monde où elle aurait dû l'amener. En remontant la fermeture à glissière de son nouveau kilt trop grand, Becca craint que ce vautour n'ait des pouvoirs surnaturels qui lui permettent de transformer Selena en une pauvre idiote lobotomisée. Elle avise un morceau de papier sur le tapis, le soulève par la pensée et le fait tournoyer comme un papillon de nuit jusqu'à la lampe du plafond. Elle aussi a des pouvoirs.

Le téléphone, dans sa main, ne la révulse plus. Les touches s'activent avant même que son pouce ne les effleure. Elle réécrit le SMS quatre fois avant de l'envoyer. *On peut se voir ce soir ? Dans la clairière aux cyprès ?*

Elle n'a pas le temps d'attendre la réponse, mais ça ne fait rien. Il sera là. Julia a peut-être organisé une rencontre pour cette nuit : Becca ignore comment elle le joint. Mais il annulera le rendez-vous s'il croit que le message vient de Selena. Les siens, brûlants, ne trompent pas : il ne désire qu'elle.

Il ne l'aura pas.

Becca se lève peu après minuit, pour se donner le temps de se préparer. Dans la glace de l'armoire, elle ressemble à une cambrioleuse : jean et sweat bleu sombre, en harmonie avec les gants de cuir noirs que sa mère lui a offerts pour Noël et qu'elle n'a jamais portés. Sa capuche est si serrée qu'on ne distingue que ses yeux et son nez. Cela la fait sourire… «Tu ressembles à un braqueur de banque obèse.» Mais son sourire ne se voit pas. Elle a l'air d'un guerrier prêt pour le combat. Autour d'elle, les trois autres respirent paisiblement, telles des princesses de conte de fées.

La nuit scintille sous une demi-lune lourde et basse, entourée d'étoiles. Très loin au-delà du mur, une chanson s'étiole : une voix tendre rythmée par un solo de batterie. *Jamais je n'aurai cru que ce que nous avons perdu me semblerait si proche…* Le vent tourne et emporte la suite. Becca se met en marche.

La remise est sombre et sent la terre. Ne pas allumer. Becca avance dans le noir jusqu'aux outils plaqués contre le mur.

La binette est là où elle l'a laissée hier. Les pelles sont trop lourdes, trop encombrantes. Un outil plus court l'obligerait à s'approcher trop près, mais la lame d'une des binettes était si aiguisée qu'elle a failli se blesser. Gemma l'a surprise en train d'en choisir une autre. Elle s'en moque. Il ne s'agit pas de soutiens-gorge à balconnets ou de nourriture pauvre en glucides. Cela va bien au-delà de ce que cette gourde peut concevoir.

Becca écarte les branches qui, comme des portes battantes, lui barrent le passage. Au centre de la clairière, elle s'entraîne, brandissant puis abattant la binette. Elle s'habitue à son poids, à sa portée, à son sifflement. Ses gants l'obligent à serrer très fort le manche, pour qu'il ne glisse pas. Sous les arbres, des yeux lumineux l'observent, intrigués.

Un dernier essai, pour le plaisir. Puis elle s'arrête. Elle ne doit pas fatiguer son bras. En faisant tourner le manche entre ses paumes, elle prête l'oreille. Rien, hormis les bruits rassurants de la nuit : sa propre respiration, les froissements furtifs d'animaux nocturnes.

Il n'est pas là.

Il viendra du fond du parc. Les branches forment une voûte qui plonge le sentier dans des ténèbres aussi impénétrables que celles d'une grotte. De là surgira bientôt celui qu'elle guette : Andrew, Seamus, Graham. Méthodiquement, elle imagine ce qui va suivre.

Elle s'exerce une dernière fois. Puis elle attend.

Elle espère de tout cœur tomber sur James Gillen. Non. Jamais Selena ne se serait intéressée à lui. Alors, Andrew Moore ?

Elle a de la chance. Tellement de chance qu'elle a envie de faire un saut périlleux sous les étoiles. Elle a été choisie. La beauté de ce qui l'entoure la bouleverse. La clairière est là, comme jadis, immaculée, remplie d'une senteur de jacinthes et de lavande. Les chouettes s'interpellent. Les lièvres dansent, les cyprès frémissent, prêts pour le sacrifice.

Dans le lointain, des brindilles craquent. Un halètement. Il est là.

Soudain, Becca ressent la même terreur que celle qu'a dû éprouver Julia en s'allongeant sous lui, ou Selena au moment de lui dire : «Je t'aime.» Toutefois, elle sait que, le geste accompli, elle sera différente de toutes les autres, que l'irréparable la liera à jamais à cet inconnu qui s'avance.

Elle se mord la joue et, d'un geste large de la main, prend les cyprès à témoin. La clairière retrouvera bientôt sa pureté originelle. Il n'est plus temps d'avoir peur.

Elle recule dans l'ombre des arbres. Elle l'attend comme une amoureuse, le cœur battant, avide de découvrir enfin son visage.

27

Je revins devant la façade du collège, toujours suivi par des murmures et des rires, ce qui, cette fois, ne comptait pas, et me tapis dans un coin de l'aile des pensionnaires. Avec Mackey dans les parages, mieux valait rester sur mes gardes.

Conway arriva très vite, apparut sur le perron. Elle souriait, me cherchant des yeux. Pas de Mackey derrière elle. Je m'avançai, levai le bras. Jamais je n'aurais imaginé être aussi heureux de la voir.

Elle descendit les marches, me rejoignit, tapa sa main dans la mienne.

– On l'a eu, dit-elle.

– Vous êtes sûre ? Il a marché ?

– Je crois. Enfin, on ne sait jamais…

– Que lui avez-vous dit ?

– Maintenant ? Que je devais régler un détail qui ne me prendrait que quelques minutes. Surtout, qu'il ne bouge pas. À mon avis, il a dû en conclure que tu râlais parce que tu en avais ta claque de poireauter.

Elle jeta quand même un coup d'œil vers la porte, restée entrouverte. Je l'entraînai vers le bout de l'aile des pensionnaires, hors de vue.

– Vous avez abouti à quelque chose avec Holly ?

– Non. J'ai cherché des mobiles, mais je n'ai rien trouvé de concluant. J'ai insisté sur le fait qu'elle n'avait pas été là pour Selena, sur ce qu'elle aurait pu faire pour se racheter. Elle s'est foutue en rogne, mais ne m'a rien fourni de neuf. Je n'ai pas voulu la pousser trop loin. Mackey aurait mis le holà et je voulais te laisser du temps. Qu'est-ce que tu as appris ?

– Rebecca a fouillé la remise du gardien. La veille du meurtre.

– Qui te l'a dit ?

– Gemma. Elle cherchait des pilules amaigrissantes. Elle est tombée sur elle, au milieu des outils. Becca a sauté au plafond, puis s'est enfuie.

– Gemma. La boniche de Joanne.

– Je ne pense pas qu'elle m'ait mené en bateau. De toute façon, Joanne et elle ne se couvraient pas. Elles n'ont pas trouvé bizarre la présence de Becca près des outils. Ce qui les a simplement étonnées, c'est qu'elle se soit trouvée dans la remise. Elles en ont conclu qu'elle achetait de la drogue au gardien pour la donner à Chris parce qu'elle était amoureuse de lui, qu'il l'avait rejetée et qu'elle avait perdu la tête. J'ai objecté qu'elle était trop petite pour faire le travail. Elles m'ont répondu que Chris était assis, qu'elle n'aurait eu aucun mal à le frapper avec une pierre. Si elles avaient su que l'arme était une binette, elles n'auraient pas pu s'empêcher de le mentionner : elles n'ont pas assez de sang-froid. Donc, elles ne sont pas au courant.

– Ça ne colle pas. La drogue, d'accord. Rebecca aurait pu corrompre Chris pour l'éloigner de Selena. Mais souviens-toi du préservatif. Chris espérait s'envoyer en l'air. Tu imagines Rebecca couchant avec lui ? Ça te paraît vraisemblable ?

– À mon avis, les rendez-vous précédents concernaient une autre fille. Rappelez-vous les propos de Holly. Quand elle a compris qu'il se passait quelque chose avec Selena, elle a essayé d'en parler à Julia. Julia n'a rien voulu savoir. Elle lui a demandé d'oublier tout ça, l'a assurée que Selena, tôt ou tard, réglerait seule le problème. Est-ce que ça lui ressemble ? Une de ses amies souffre et elle se bouche les oreilles en espérant que ça passera ?

— Elle était déjà sur le coup.

— Oui. Elle ne voulait pas que Holly s'en mêle, ce qui n'aurait fait que compliquer les choses. Donc, elle lui a demandé de laisser tomber.

— Bien sûr ! Tu te souviens de ce que nous a dit Joanne ? La nuit, elle postait ses boniches en sentinelles, chargées de s'assurer que Selena avait cessé de faire le mur pour rejoindre Chris. Elles ne l'ont pas vue. Mais elles ont vu Julia. Elles ont cru qu'elle avait rendez-vous avec Finn Carroll. Et on a gobé ça !

— Impossible, dans une chambre aussi réduite, de garder longtemps un secret. Rebecca a tout découvert, soit à propos de Chris et de Selena, soit sur Chris et Julia.

— Oui. Et Holly nous a dit que même la perspective que l'une d'entre elles puisse aller mal la rendait folle.

— Elle n'a pas supporté que toutes les trois ne soient pas capables de régler le problème.

Je revis le poster, la calligraphie si soignée du poème de Katherine Philips : *Si un danger nous menace, notre amitié n'en aura cure.*

— Cela ne met pas Holly hors de cause, asséna Conway, comme un défi à Mackey.

— Sans doute, mais pas plus que Julia, ou toutes les trois : une pour trouver l'arme, l'autre pour attirer Chris dans la clairière, la troisième pour passer à l'acte. Sans compter Rebecca, qui est mouillée jusqu'au cou.

— Tu as appris autre chose ?

J'hésitai un instant avant de répondre :

— C'est tout.

— Mais encore ?

Elle me dévisagea avec insistance. Je faillis rougir.

– Joanne et ses copines n'ont pas apprécié que je les laisse en plan. Elles tentaient quelque chose. Quoi ? Je l'ignore. Flirter, me forcer à rester…

– Il y a eu un contact physique ?

– Joanne a posé son doigt sur ma jambe. Quand je leur ai parlé comme un adulte à de sales gosses, elle a enlevé sa main. Je me suis cassé vite fait.

– Tu insinues que je t'ai envoyé au casse-pipe ?

– Non. Je suis un grand garçon.

– Tant mieux. Parce que moi, avec elles, j'aurais foiré. Il fallait que ce soit toi.

Moi, la proie idéale, la chèvre de service…

– Te fais pas de bile, ajouta Conway. Elles ne diront rien. Avec tout ce que nous avons sur elles, il faudrait qu'elles soient cinglées pour essayer de nous démolir. Tu crois qu'elles aimeraient que McKenna soit au courant de leurs pilules amaigrissantes, de leurs escapades nocturnes ?

– Elles ne pensent peut-être pas aussi loin.

– Oh, si ! Elles ne font que ça. Mais elles ont la trouille et on les tient.

Son ton amical, presque affectueux, me surprit ; tout comme la maladresse bourrue avec laquelle elle me tapota l'épaule en murmurant :

– Tu as fait du bon travail.

– Ça ne suffit pas. Nous avons de quoi arrêter Rebecca. Toutefois, le procureur ne l'inculpera pas sans ses aveux.

Conway secoua la tête.

– Nous n'avons même pas de quoi la coffrer. Si c'était une gamine des bas quartiers, alors oui, on lui ferait cracher le morceau. Mais une élève de Sainte-Kilda ? Si on l'arrête, on doit avoir des preuves en béton ; pas de simples présomptions. Sinon, on plonge. O'Kelly et McKenna font un AVC, le chef de la police téléphone tous azimuts, les médias crient au scandale et nous deux, on partage un bureau aux Archives jusqu'à la retraite.

Elle eut un sourire amer.

– À moins que tu n'aies des amis haut placés.

– Je n'en ai jamais eu d'autres que lui, répondis-je en désignant la salle d'arts plastiques. Et j'ai l'impression que c'est râpé.

Elle ne put s'empêcher de rire.

– Alors, il nous en faut plus sur Rebecca. Et vite. Si on ne la place pas en garde à vue cette nuit, on est marron. Julia et Holly sont assez futées pour comprendre où tout cela peut mener, si elles ne le savent déjà.

– Holly le sait, dis-je.

– Exact. Si on les laisse toutes les quatre ensemble cette nuit, elles se concerteront. Et quand on reviendra demain matin, elles auront mis au point leur histoire. Elles sauront quand mentir, et quand se taire. On se heurtera à un mur.

– On en a déjà eu un avec Holly.

– Oublions-la. Oublions aussi Selena. Il nous faut Julia.

– Qu'est ce qu'on fait avec Holly et Mackey ? On les laisse où ils sont ?

– Oui. On pourrait en avoir besoin plus tard. Et pas question de leur permettre de nous mettre des bâtons dans les roues. Si ça ne leur plaît pas…

Soudain, nous avons frissonné. Quelques mètres derrière nous, des pieds avaient glissé sur des cailloux.

Conway remua les lèvres. *Mackey*.

D'un pas vif, silencieux, nous avons longé le bâtiment jusqu'à la façade. La grande allée était vide, l'herbe immaculée. Dans l'entrebâillement de la porte, rien ne bougeait.

Une main en visière pour se protéger des projecteurs, Conway scruta les arbres. Rien.

– Tu sais où est Julia ?

– Je ne les ai pas vues. Ses amies et elles ne sont pas sur la pelouse.

Elle recula dans l'ombre et chuchota, pour n'être entendue que de moi :

– On les trouvera dans leur clairière.

Nous pensions nous faufiler jusqu'à elles et tendre l'oreille, au cas où elles auraient parlé de binettes, de textos et de Chris. Espoir vain. Nous avions emprunté le même sentier que le matin. La voûte des arbres le plongeait dans les ténèbres. Nous marchions à tâtons. Les brindilles craquaient, les branches nous giflaient, les oiseaux s'affolaient.

– Bon Dieu, siffla Conway lorsque je m'enfonçai jusqu'aux genoux dans un buisson, t'as jamais été scout ? T'as jamais campé ?

– Jamais ! Là d'où je viens, on a d'autres marottes. Si vous voulez que je fasse démarrer une bagnole avec les fils de contact, pas de problème.

– Ça, je peux le faire. J'ai besoin d'un connaisseur de la forêt.

– D'un snobinard qui chasse le faisan tous les…

Je trébuchai sur une racine, manquai de m'étaler. Elle me rattrapa à temps par le coude. Nous nous sommes mis à pouffer comme deux gosses, une manche sur la bouche.

– Tais-toi ! chuchota-t-elle.

Son injonction ne fit qu'accentuer notre hilarité. Peut-être cherchions-nous à nous libérer du poids de ce qui nous restait à faire. Je m'attendais à voir Chris Harper sauter d'une branche tel un chat sauvage et se planter devant nous, les babines retroussées. Aurions-nous hurlé comme des adolescentes terrorisées ou sorti nos flingues pour le renvoyer en enfer ?

– Contrôle-toi.

– Parlez pour vous.

Le sentier dessinait une courbe et débouchait sur la lisière des arbres. Un parfum de jacinthes emplissait la nuit. En haut de la pente, la lune éclairait la clairière aux cyprès. Elles étaient là, toutes les trois, épaule contre épaule, assises au milieu des hautes herbes. Pâles, figées comme des statues de marbre, elles nous regardaient. Nous avions cessé de rire.

Aucune ne bougea. La senteur des jacinthes nous submergea comme une vague.

Rebecca se serrait contre Selena. La lune jouait dans ses cheveux dénoués, les zébrait de noir et de blanc. Elle paraissait irréelle. Il aurait suffi d'un souffle, semblait-il, pour qu'elle disparaisse.

Près de moi, Conway appela, assez fort pour qu'elles nous entendent :

– Julia !

Silence. Enfin, Julia se redressa, s'écarta de Selena, puis se leva. Elle descendit la pente vers nous, foulant les jacinthes, très droite, sans un regard pour les autres.

– Allons par là, lui dit Conway. Cela ne prendra que quelques minutes.

Elle longea le sentier, s'enfonça dans le parc. Julia la suivit. Selena et Rebecca nous observaient toujours, appuyées l'une sur l'autre. Je me détournai. Dans mon dos, les cyprès soupiraient.

Julia marchait avec assurance, sans son insolent balancement de hanches habituel. Elle se déplaçait dans le sentier avec l'agilité d'un cerf, comme si c'était son territoire. Elle aurait pu s'emparer en douceur d'un oiseau endormi, le prendre dans sa main sans l'éveiller.

– Je vais partir du principe, déclara Conway, que Selena vous a mises au courant. Nous savons que vous sortiez la nuit, nous savons qu'il y avait quelque chose entre elle et Chris, nous savons qu'ils ont rompu. Nous savons aussi que tu as eu des rendez-vous avec lui. Jusqu'à sa mort.

Rien. Le sentier s'élargissait, nous permettait, à tous les trois, de marcher côte à côte. Julia était plus petite que nous. Pourtant, elle ne pressa pas le pas, nous offrant le choix entre ralentir ou la laisser derrière nous. Nous avons ralenti.

– Nous avons tes textos. Sur le téléphone spécial super secret que Chris a offert à Selena.

Elle demeura murée dans son silence. Elle portait un pull rouge, sans veste. Or, l'air commençait à fraîchir. Elle semblait ne pas s'en apercevoir.

– C'est pour cette raison que Selena a rompu avec Chris ? poursuivit Conway. Elle savait que tu avais le béguin pour lui et ne voulait pas qu'il s'interpose entre vous ?

Cette fois, Julia réagit vivement.

– J'ai jamais eu le béguin pour lui. J'ai du goût !

– Alors, que faisais-tu ici avec lui à minuit ? De l'algèbre ?

Nouveau silence. Elle marchait toujours sans bruit. Le temps qui passait me rendait nerveux : Rebecca attendant derrière nous, Mackey et Holly attendant au-dessus de nous, McKenna attendant de sonner la cloche qui mettrait fin à la journée. Mais précipiter les choses n'aurait fait que retarder le dénouement de l'enquête.

– Combien de rendez-vous as-tu eus avec lui ? insista Conway.

Rien.

– Si ce n'était pas toi, c'était une de tes amies. Selena avait renoué avec lui ?

– Trois fois. Je l'ai vu trois fois, reconnut enfin Julia.

– Pourquoi as-tu arrêté ?

– On l'a tué, ricana-t-elle. Ça a refroidi notre relation.

– Relation ? dis-je. Quel genre ?

– Intellectuel. On parlait de politique mondiale.

519

Le sarcasme était assez explicite. Nous avions notre réponse.

– Si tu n'avais pas le béguin pour lui, reprit Conway, alors pourquoi ?

– Parce que. Vous n'avez jamais agi de façon stupide avec des garçons ?

– Des dizaines de fois. Crois-moi.

Le bref regard qu'elles échangèrent et le petit sourire de Conway me sidérèrent. Elles avaient presque l'air complice.

– Mais j'avais toujours une raison. Absurde, peut-être, mais une raison quand même.

– Ça m'a paru une bonne idée, à l'époque. Je devais être plus gourde que maintenant.

– Tu le tenais éloigné de Selena, dis-je. Tu connaissais son comportement. Tu avais appris ce qu'il avait fait à Joanne, tu savais que Selena n'était pas assez solide pour supporter la même chose. Elle avait rompu avec lui, mais tu as lu ses messages. Tu étais certaine qu'il n'avait qu'à claquer des doigts pour qu'elle accoure. Donc, tu devais l'en empêcher.

– Tu es plus solide qu'elle, dit Conway. Assez pour encaisser les coups d'un morveux comme Chris. Donc, tu as pris la balle à sa place.

Les mains dans les poches, Julia fixait la cime des arbres. Son expression me rappela Holly. Ce chagrin.

– Tu penses qu'elle a tué Chris, n'est-ce pas ? murmura Conway.

Julia se détourna avec violence, comme si Conway l'avait giflée. Alors, je compris. C'était ce qu'elle avait cru toute la journée ; toute l'année.

Dès lors, elle était hors de cause. Julia éliminée, Selena éliminée, incertitude à propos de Holly. Restait Rebecca.

– On te dit qu'on va interroger Selena. *Bang*, tu nous jettes un os à ronger en nous orientant vers Joanne. Je suggère qu'elle a peut-être renoué avec Chris. *Bang*, tu te mets soudain à nous parler, tu lâches le morceau sur tes rendez-vous avec lui. Tu n'éprouverais pas le besoin de la protéger si tu ne pensais pas qu'elle a quelque chose à cacher.

Nous avions pressé le pas. Julia marchait plus vite, sans se soucier d'écraser des brindilles ou de heurter des cailloux.

– Tu as cru, repris-je, que Selena avait découvert tes rapports avec Chris. C'est ça ? Elle était tellement en colère, tellement jalouse ou tellement écœurée qu'elle a perdu la tête et l'a tué. C'est de ta faute. Donc, c'est à toi de la protéger.

Elle nous avait dépassés. On ne distinguait plus, dans le noir, que la tache rouge de son pull.

Conway s'arrêta.

– Julia.

Elle s'arrêta elle aussi, à contrecœur, comme un chien tenu en laisse.

– Viens t'asseoir.

Enfin, elle se retourna. À notre droite, un joli petit banc de fer forgé surplombait une plate-bande bien entretenue dont les couleurs se fondaient dans la nuit. Julia tenta de s'installer à son extrémité. Conway la força à prendre place au milieu, entre nous deux.

– Écoute-moi. Nous ne soupçonnons pas Selena.

Aussitôt, Julia redevint sarcastique.

– Ben voyons… Je suis si rassurée que j'ai besoin de m'éventer.

– Toutes nos preuves indiquent que lorsque Chris a été tué, elle n'était plus en contact avec lui depuis des semaines.

– Bien sûr. Jusqu'à ce que vous changiez d'avis : « En fait, on a décidé que ces textos venaient d'elle et pas de toi. Mille excuses ! »

– Il est un peu tard pour ça, dis-je. Et nous avons une grande expérience des menteurs. Nous estimons que Selena nous a dit la vérité.

– Génial. Heureuse de l'entendre.

– Alors, si nous la croyons, pourquoi ne la crois-tu pas ? Elle est ton amie. Pourquoi la considères-tu comme une meurtrière ?

– Je ne l'accuse de rien. Le pire qu'elle puisse faire, c'est de bavarder pendant l'étude. D'accord ?

Son ton mal assuré, sur la défensive, me frappa. Elle avait eu le même l'après-midi, au cours de notre entretien dans la chambre. Je répondis :

– C'est toi qui m'as envoyé un texto.

Depuis le téléphone de Chris.

Elle se raidit, se détourna.

– Pour me révéler où Joanne cachait la clé de la porte donnant sur le bâtiment principal. C'était toi.

Rien.

– Tu nous as dit, cet après-midi : « Quand vous avez découvert la clé de Joanne, elle m'a mise en cause. Si une fille vous avait tout dévoilé à propos d'elle et de Chris, elle se serait vengée sur elle de la même façon. » Cela signifie qu'elle se vengeait de toi parce que tu nous avais révélé l'emplacement de la clé.

Un regard en coin qui disait : « Bien vu. Maintenant, prouvez-le. »

Conway pivota, lui fit face.

– Selena va mal. Tu le sais. Tu as cru que c'était parce qu'elle ne supportait pas l'idée d'être une tueuse qu'elle se réfugiait dans un monde de rêve où elle planait complètement. Ce n'est pas ça. Tu veux que je te le jure ? Je le jure sur tout ce que tu voudras. Ce n'est pas ça.

Elle s'exprimait d'une voix claire, chaleureuse, comme si elle s'adressait à une amie intime, à une sœur. Elle lui suggérait d'abandonner ses préjugés contre les adultes, de lui faire confiance. Julia hésita. Comment savoir ce qui se passerait ensuite, s'il ne s'agissait pas d'un piège ?

Je m'abstins d'intervenir. Cet instant ne concernait qu'elles. J'étais hors jeu.

Enfin, Julia prit une grande inspiration.

– Vous êtes sûre… Ce n'était pas elle ?

– Nous ne la soupçonnons pas. Tu as ma parole.

– Elle n'est pas zinzin, vous savez. Vous ne la connaissez pas ; moi, si. Elle n'était pas comme ça avant la mort de Chris.

– Je sais. Mais ce n'est pas le remords de l'avoir tué qui la perturbe à ce point. Simplement, elle sait quelque chose qu'elle ne supporte pas. Elle plane pour ne pas avoir à l'affronter.

Il faisait de plus en plus frais. Julia remonta son pull sur son cou.

– Comme quoi ?

– Si je le savais, nous n'aurions pas cette conversation. J'ai mon idée, mais pas de preuve. Je ne peux que t'affirmer ceci : me dire la vérité ne te compromettra en rien. Parole d'honneur. D'accord ?

Julia rabattit ses manches, y enfouissant ses mains. Elle énonça posément :

– D'accord. Je vous ai envoyé le texto à propos de la clé.

– Comment connaissais-tu l'endroit où Joanne et ses copines la dissimulaient ?

– C'est moi qui lui ai suggéré le livre.

– Et toi qui la lui as donnée, ajoutai-je.

– Vous semblez insinuer que je lui en ai fait cadeau. En fait, elles nous ont vues faire le mur une nuit. Joanne nous a menacées de nous dénoncer à McKenna si on ne lui refilait pas un double. Donc, je l'ai fait.

– Et tu lui as conseillé où la planquer ? s'étonna Conway. Tu es bien charitable.

– Quand je risque de me faire virer, oui. Elle voulait savoir où on mettait la nôtre. Cette salope pouvait se brosser.

– Pendant que nous y sommes, où était-ce ?

– Au fond de l'étui de mon téléphone. C'était commode, et je l'avais toujours sur moi. Mais je n'allais pas donner d'autres infos à cette truie. Donc, je lui ai dit que l'endroit le plus sûr était la salle commune. Si on la dénichait là, personne ne pourrait faire le lien avec elle. J'ai ajouté : « Choisis un bouquin que personne ne lit. Sur qui vas-tu faire ta dissert d'histoire religieuse ? » La salle commune est bourrée de biographies de saintes. Personne ne les ouvre, sauf une fois par an pour cette dissert, et on s'était déjà réparti les nôtres. Elle m'a répondu : « Thérèse de Lisieux : la petite fleur et l'humble chemin. » D'ailleurs, elle a toujours un air de sainte-nitouche, comme si elle se prenait pour Jeanne d'Arc.

Conway ne put s'empêcher de sourire.

– Bref, je lui dis : « Super. Personne ne va fourrer son nez dans ce bouquin avant l'année prochaine. Mets-y la clé et t'es peinarde. »

– Et tu as cru qu'elle te prendrait au mot ?

– Elle n'a aucune imagination, sauf pour elle-même. Jamais elle n'aurait dégoté un endroit. De toute façon, j'ai vérifié. Ça pourrait toujours servir.

– Ce qui a été le cas. Pourquoi as-tu décidé de tout nous raconter ?

Julia hésita. Autour de nous, la nuit reprenait ses droits. Les animaux en chasse faisaient frémir les feuilles. Les rires, sur la pelouse, s'étaient évanouis. Je me demandai combien de temps il nous restait. Je ne consultai pas ma montre.

– Nous vous avons interrogées, cet après-midi, dis-je. Selena est-elle sortie perturbée de son entretien avec nous ?

Elle réfléchit un moment.

– Elle n'aurait pas paru perturbée à la plupart des gens. Juste un peu plus éthérée que d'habitude. Mais pour elle, cela veut dire perturbée.

– Tu craignais que nous ne l'ayons assez secouée pour qu'elle lâche une information, peut-être même un aveu. Il fallait que nous regardions dans une autre direction, au moins jusqu'à ce que tu l'aides à se ressaisir. Donc, pour nous occuper, tu nous as balancé la clé de Joanne. Et ça a marché. Tu as un don pour ça, tu le sais ?

– Merci.

– Si tu nous as envoyé le texto, précisa Conway, cela implique que tu as le téléphone secret de Chris. Allons, ne fais pas cette tête. Les relevés indiquent qu'il provenait de ce téléphone. Inutile de perdre notre temps.

Julia acquiesça. Elle se renversa, extirpa un mobile de la poche de son jean : petit objet enveloppé dans un élégant étui orange.

– Ce n'était pas celui-là. Juste sa carte SIM.

Elle tira le bas du mobile de l'étui, fit glisser une carte SIM dans sa paume, la tendit à Conway, qui lui dit :

– Il va falloir nous raconter l'histoire.

– Il n'y a pas d'histoire.

– Où l'as-tu déniché ?

– N'ai-je pas droit à un avocat avant de vous dire comment je me suis procuré la carte SIM d'un mort ?

Elle avait raison.

– Tu as obtenu ce téléphone par l'intermédiaire de Selena, rectifiai-je. Tu l'as récupéré après le meurtre. Elle te l'a donné, ou tu l'as trouvé dans ses affaires. Voilà pourquoi tu penses qu'elle a tué Chris.

– Je te le répète, appuya Conway. Nous ne la soupçonnons pas. Et il est également évident que tu n'es pas non plus la meurtrière. Sinon, la pensée qu'elle puisse être coupable ne t'aurait pas fait grimper aux rideaux. Alors, laisse tomber la paranoïa et parle-moi.

Le chandail rouge de Julia luisait dans la nuit comme un feu sous la cendre, prêt à se rallumer.

– En fait, j'essayais de me débarrasser du téléphone de Selena, que nous avions toutes les deux utilisé pour envoyer des messages à Chris. Imaginez ma stupeur quand on a appris sa mort !

– Quand as-tu essayé ? dit Conway.

– Le lendemain du meurtre.

– À quelle heure ?

– P'tain ! J'ai commencé avant midi ! Il y a eu cette réunion grandiloquente où l'on nous a annoncé la tragédie. On nous a demandé de prier. Vous voyez le genre. Moi, je n'avais qu'une obsession : sortir le téléphone de Selena de notre chambre, avant que les flics ne la fouillent.

– Que comptais-tu en faire ?

– Aucune idée. Il fallait que je le fourgue, c'est tout. Mais pas moyen de s'isoler une seconde. McKenna devait avoir donné des ordres pour qu'aucune d'entre nous ne se retrouve seule au cas où un cinglé aurait erré dans les couloirs. J'ai raconté que j'avais oublié mon devoir de français dans ma chambre. Une cheftaine a été chargée de m'accompagner. J'ai dû faire croire que le choc m'avait fait perdre la boule. Oh, m'Dieu, le devoir était dans mon cartable ! Puis j'ai dit que j'avais mes règles, mais on m'a interdit de gagner ma chambre. On m'a expédié chez l'infirmière. Ensuite, à la fin des cours, McKenna a fait son discours : « Nous prions toutes les élèves de rejoindre immédiatement leur groupe d'activités. Restons calmes, dignes de l'esprit de notre établissement… »

Elle imitait à merveille la directrice, même si sa mimique était un peu outrée.

– Je suis membre du groupe d'art dramatique. On a dû faire semblant de répéter dans le grand hall. Un vrai bordel. Personne ne savait où se mettre, les profs essayaient de rassembler quatre groupes à la fois, des filles pleuraient toujours. Enfin, vous étiez là…

Conway hocha à la tête. Puis, à mon intention :

– Une maison de fous.

– Exactement. Donc, j'ai pensé que je pourrais m'éclipser et me faufiler jusqu'à ma chambre, vu que j'avais la clé sur moi. Des clous ! Les couloirs étaient bourrés de bonnes sœurs et on m'a renvoyée dans le hall. J'ai encore essayé pendant l'étude, en prétendant que j'avais besoin d'un livre. Et Sœur Patricia est venue avec moi ! C'était presque l'heure de l'extinction des feux, les flics inspectaient le parc et je ne m'étais toujours pas débarrassée de ce putain de téléphone !

Sa voix devint plus aiguë.

– Donc, Holly et Becca vont se laver les dents. J'espère que Selena en fera autant. Mais elle reste assise sur son lit, à contempler le vide. Holly et Becca seront de retour d'un instant à l'autre. Donc, je dis : «Lenie, il me faut ce téléphone.» Elle me regarde comme si je venais de débarquer d'un OVNI. J'ajoute : «Le mobile que Chris t'a donné. On n'a pas le temps de finasser. Donne-le-moi.» Elle ne réagit pas. Je passe derrière elle et je plaque ma main sur le flanc de son matelas, là où elle le planque : c'était un petit téléphone rose, identique à celui d'Alison. Je suppose que Chris devait trouver ça féminin. Je prie pour qu'elle ne l'ait pas déplacé, parce que j'aurai pas le temps de le chercher. Donc, je pousse un soupir de soulagement en le sentant sous mes doigts. Je le sors. Et là, la cata : il est rouge.

Elle se tut, se mordit la lèvre.

– Celui de Chris, asséna Conway au bout d'un moment.

– Oui. Je l'avais vu sur lui. Il était tombé une fois de sa poche, quand on était… Je m'écrie : «Lenie, c'est quoi, ce bazar ?» Œil vague. «Quoi ?» J'ai failli le lui balancer à la figure. Je lui demande : « Où t'as eu ça ? Et où est le tien ? » Elle examine le mobile, puis murmure : « Oh. » Juste ça. « Oh. » Rien que d'y penser, j'en suis encore malade.

– Tu en as conclu qu'elle avait tué Chris, dit Conway.

– Oui. Qu'est-ce que je pouvais penser d'autre ? J'ai cru qu'elle était allée le retrouver, qu'il lui avait tout raconté sur moi et que... Et qu'avant de rentrer en courant, elle avait pris le mauvais téléphone. S'ils avaient, je sais pas, ôté leurs vêtements, leurs téléphones s'étaient peut-être retrouvés par terre, l'un à côté de l'autre...

– Ou alors, intervins-je, elle l'a peut-être pris pour que nous ne puissions pas faire le lien entre elle et Chris.

– Selena ? Non. Ça ne lui serait jamais venu à l'esprit. Ce qui me terrifiait, c'était : où se trouvait son propre téléphone ? Est-ce qu'elle l'avait laissé près de Chris ? Mais je me suis dit que je devais pas me soucier de ça. J'ai pris le rouge et je suis sortie.

Cela concordait avec l'histoire de Holly, du moins en partie. Holly avait réfléchi plus vite, selon le précepte de son père : tout prévoir, ne rien laisser au hasard. Elle avait barboté le mobile de Selena tôt le matin, avant que McKenna ne prenne les choses en main et que le collège soit bouclé.

– Où l'as-tu mis ? s'enquit Conway.

– Je me suis enfermée dans les toilettes, j'ai effacé les messages, retiré la carte SIM et fourré le téléphone dans une cuvette. Je me disais que si vous le trouviez, vous ne feriez pas le lien avec nous et que, sans la carte SIM, vous ne pourriez pas non plus remonter jusqu'à Chris. Le week-end, en rentrant chez moi, je l'ai abandonné dans le bus. Si personne ne l'a volé, il est sans doute aux objets trouvés de la *Dublin Bus*.

Elle avait des tripes, Julia. Et une loyauté à toute épreuve. Je me demandai à quel point nous allions lui briser le cœur.

– Pourquoi garder la carte SIM ? dis-je.

– J'ai estimé qu'elle pourrait être utile. J'étais persuadée qu'on allait arrêter Selena. Même si, par miracle, elle n'avait pas laissé des tas d'indices sur la scène de crime, je pensais qu'elle s'effondrerait et passerait aux aveux. Vous vous souvenez dans quel état effroyable elle était ?

– Comme toutes les autres, répondit Conway. Elle n'a pas hurlé, ne s'est pas évanouie. Elle semblait mieux tenir le coup que la plupart des filles.

– Si seulement vous m'aviez dit ça à l'époque… Je m'attendais à ce que vous l'arrêtiez d'un instant à l'autre. J'ai pensé que s'il y avait au moins une chance de vous prouver que c'était elle qui avait largué Chris et qu'il se comportait comme un fumier avec les filles, elle écope-rait, je sais pas, d'une peine plus légère. Sinon, tout le monde aurait cru que c'était lui qui l'avait laissée tom-ber, qu'elle était devenue dingue. Et on l'aurait internée à vie dans un asile. J'avais pas les idées bien nettes. Je me disais que garder cette carte n'était pas dangereux et pourrait être utile.

Si Julia avait parlé aux autres, elle aurait su que l'his-toire avait plusieurs ramifications, que tout ne menait pas directement à Selena. Impossible de deviner ce qu'elles auraient fait ensuite. Mais elles l'auraient fait ensemble.

À présent, il était trop tard. Chris avait fissuré leur belle entente. Même après sa mort, la faille, en dépit des apparences, n'avait fait que s'élargir. Nous finissions simplement le travail qu'il avait commencé.

– Te souviens-tu, enchaînai-je, si quelqu'un, ce jour-là, a réussi à monter dans l'aile des pension-naires avant l'étude ? Nous vérifierons sur les registres. Toutefois, puisque nous t'avons sous la main…

– Quoi ? Vous pensez qu'une fille a placé ce téléphone derrière le lit de Selena ?

– Si elle ne l'a pas pris à Chris, une autre l'a fait. Et, d'une façon ou d'une autre, il s'est retrouvé là où tu l'as découvert.

Elle bondit presque et s'écria :

– Une fille aurait voulu la piéger ?

Par-dessus son épaule, Conway m'adressa un regard impératif : *Fais gaffe*. Je n'en tins pas compte.

– On ne peut encore l'affirmer. Je veux simplement savoir si quelqu'un en a eu l'occasion.

– Je crois pas. Bien sûr, j'aimerais vous répondre oui. Mais il n'y a aucune chance pour que quiconque ait pu monter là-bas sans un prétexte en béton. De toute façon, personne n'aurait eu l'autorisation de s'y rendre seule. Quand j'ai demandé si je pouvais aller chercher mon devoir de français, Houlihan a réagi comme si je lui avais demandé la permission de sortir acheter de l'héroïne.

Le violon sous le lit de Rebecca. La flûte de Selena dans l'armoire.

– Et pendant vos activités périscolaires ? Personne ne manquait ?

– Vous vous imaginez que je l'aurais remarqué ? Si vous aviez vu le foutoir ! En plus, je me concentrais sur le moyen de récupérer ce téléphone. Joanne et Orla font du théâtre elles aussi. Je sais qu'elles étaient là parce que Joanne essayait de fondre en larmes. À gerber. Et cette conne d'Orla qui la consolait…

– Nous demanderons à tes amies, dis-je d'un ton amical.

Le clair de lune me frappait en plein visage, m'enrobait, me donnait l'impression d'être nu. Je m'efforçai de ne pas me détourner.

– Font-elles du théâtre, elles aussi ? Ou pourraient-elles nous renseigner sur les autres groupes ?

– On est quand même pas des siamoises. Holly fait de la danse, Selena et Becca de la musique.

Donc, il leur aurait fallu regagner leur chambre afin de prendre leurs instruments. Toutes les deux ensemble, pour se protéger l'une l'autre du cinglé bouffeur de cerveau. On aurait pu leur donner l'autorisation.

– Bien. Combien de filles dans ces groupes-là ? Tu le sais ?

– Beaucoup font de la danse. Disons, quarante ? En musique, peut-être une dizaine.

À en croire les effectifs, les autres étaient externes. Nous vérifierions sur le registre. Mais si le nombre correspondait, Rebecca et Selena avaient été les seules à passer cette porte.

L'hébétude après les cris, l'affolement, ce silence de cimetière. Rebecca brandissant le téléphone dont elle venait de s'emparer pour que Selena ne risque plus rien, pour que personne ne puisse établir un lien entre elle et Chris. Le lui tendant comme un cadeau, l'instrument du salut.

Ou alors : Selena cherchant sa flûte dans l'armoire, sous le choc, accablée par le chagrin. Derrière son dos, Rebecca, tel un fantôme, se penchant au-dessus de son lit. C'était Selena qui avait commencé à faire des cachotteries. Elle avait laissé Chris se glisser entre elles, les séparer. Tout était de sa faute.

– Bon, dis-je. Tes amies auront peut-être remarqué une fille qui s'en allait.

– À mon avis, ajouta Conway, Selena était trop secouée pour remarquer quoi que ce soit.

Au lieu d'être soulagée, comme la plupart des gens à la fin d'un interrogatoire, Julia sembla abasourdie.

– C'est tout ?

– À moins que tu n'aies autre chose à nous dire.

Une seconde d'hésitation. Elle secoua la tête.

– Alors, oui, c'est tout. Merci beaucoup.

Je me levai à mon tour, pivotai vers le sentier.

– En quoi vous ai-je été utile ? demanda Julia.

– Difficile à dire pour l'instant. Nous le saurons plus tard.

Nous avons attendu qu'elle se lève. Elle ne bougea pas. Nous l'avons laissée là, contemplant ce qui, jadis, avait été son royaume. Cheveux sombres, visage pâle ; et cette tache rouge qui, comme des braises, tranchait sur l'herbe blanche répandue autour d'elle.

28

Elles prennent leur petit déjeuner lorsque Holly se rend compte que quelque chose ne va pas. Pas précipités dans un couloir, voix de nonnes trop aiguës dehors, aussitôt étouffées.

Les autres ne remarquent rien. Selena délaisse son muesli et triture un bouton lâche de son pyjama, Julia croque ses Cornflakes d'une main et rédige son devoir d'anglais de l'autre. Becca contemple sa tartine comme si elle s'était transformée en Vierge Marie ; à moins qu'elle n'essaie de soulever son assiette sans la toucher, ce qui serait complètement idiot, mais Holly n'a pas le temps de s'en préoccuper. Elle grignote son toast en cercle, tout en gardant un œil sur la fenêtre et l'autre sur la porte.

Son toast n'a plus que la taille d'un pouce quand elle aperçoit deux flics en uniforme courant vers le fond de la pelouse de derrière en tentant de passer inaperçus. Raté.

Tout à coup, à une autre table, une fille s'exclame :

– C'est dingue, c'étaient des policiers ?

Stupeur dans la cantine, suivie de piaillements, de cris.

La surveillante générale déboule et leur annonce que le petit déjeuner est terminé. Elles doivent regagner leurs chambres et se préparer pour le début des cours. Des filles protestent par habitude, même si elles ont fini. D'après l'expression de la surgée, sourde à toute contestation, Holly devine qu'il se passe quelque chose de grave.

Pendant qu'elles s'habillent, Holly se tourne vers la fenêtre. Et elle les voit : McKenna et le père Voldemort, sa soutane voltigeant autour de lui, dévalent à leur tour la pelouse au pas de course.

Il est arrivé quelque chose à un élève de Colm.

Une angoisse subite la submerge. Elle se souvient du visage de Joanne le soir où elle lui a tendu la vidéo, de sa langue retroussée, de sa jubilation et de ce qu'elle lui a susurré, prouvant qu'elle est capable de tout, surtout du pire.

T'inquiète. On va lui faire sa fête.

Le pire, Holly connaît. Elle l'a déjà affronté.

– C'est quoi, ce bazar ? demande Julia en tendant le cou contre son épaule. Il y a également des gens dans les buissons. Regarde.

Au-delà de la pelouse, dans la clairière, des taches blanches. Comme les combinaisons des membres de la police scientifique.

– On dirait qu'ils cherchent quelque chose, ajoute Selena en se penchant à côté de Holly.

Sa voix a le timbre pâteux, hésitant, qui la caractérise depuis plusieurs semaines et développe chez Holly ce sentiment de culpabilité qu'elle connaît bien.

– Ce sont aussi des flics ?

D'autres filles les ont remarqués. Des piaillements passent à travers les murs, des pas affolés résonnent dans le couloir.

– Un type courait peut-être pour échapper aux flics et a balancé un objet par-dessus le mur, hasarde Julia. De la came. Ou un couteau avec lequel il a poignardé quelqu'un. Ou un flingue. Si seulement on avait fait le mur hier soir ! On aurait vécu un événement intéressant !

Holly frissonne. Lenie boutonne son chemisier trop vite, Jules se dresse sur la pointe des pieds en s'appuyant à la fenêtre. Pourtant, elles ne devinent pas ce que cette fébrilité leur réserve : de gros ennuis.

«Fie-toi à ton instinct, lui a toujours dit son père. Si quelque chose te semble bizarre, si quelqu'un a un comportement étrange, réagis tout de suite. N'accorde à personne, par sympathie, le bénéfice du doute. N'attends pas. Ta sauvegarde d'abord. Une seconde d'hésitation et il sera trop tard.»

Tout le collège est en ébullition, comme envahi par des milliers de cigales. Mais un seul être obsède Holly : Joanne, prête à aller loin, très loin pour causer d'énormes problèmes à Selena.

«Quant aux boudins comme ta copine, je leur en veux pas. Mais si elles se trouvent sur mon chemin, je m'en débarrasse.»

La cloche sonne.

– Dépêchons, dit Becca.

Elle n'est pas venue à la fenêtre. Elle a calmement natté ses cheveux, comme si tout ce chambardement ne la concernait pas.

– Vous n'êtes même pas prêtes. On va être en retard.

Le cœur de Holly cogne de plus en plus. Selena est une proie si facile. Joanne le sait. Une phrase à un prof ou à un des inspecteurs qui investissent le collège, une mimique : un rien suffirait.

– Merde ! crie-t-elle, alors qu'elles atteignent le bas des marches, couvrant les interjections, les piaillements. J'ai oublié mon livre de poésie. Attendez-moi.

Elle remonte, jouant des coudes pour lutter contre le flot des filles qui déboulent dans un vacarme indescriptible, la main déjà prête à plonger vers le flanc du matelas de Selena.

Deux cent cinquante élèves s'engouffrent dans le grand hall. Elles se figent aussitôt, les mains jointes, bien sages, comme si elles n'avaient pas noté la présence des deux policiers en civil et à la triste figure postés au fond de la salle, comme si elles ne brûlaient pas de connaître les moindres détails du drame qui se joue.

Ronan, le jardinier, tu sais comment il, enfin tu sais, on parle de cocaïne, de truands qui étaient en cheville avec lui, il paraît qu'il y a dans le parc plein de flics avec des flingues, on m'a dit qu'ils l'avaient buté ! J'ai entendu les coups de feu, j'ai entendu, j'ai entendu…

Selena perçoit le sourire en coin de Julia. Toutes les filles évoquent le parc comme s'il s'agissait d'une jungle pleine de barons de la drogue et même d'extraterrestres. Elle trouve à peine la force de feindre de s'intéresser à l'événement qui met le collège en émoi. Elle aimerait pouvoir vomir à volonté comme Julia. Ainsi, elle pourrait regagner leur chambre, pour qu'on la laisse tranquille.

McKenna monte sur le podium. Elle a sa tête des grands jours : solennelle, triste, pénétrée. On ne lui a pas vu ce masque depuis que, quatre ans plus tôt, une fille de première est morte dans un accident de voiture pendant les vacances de Noël.

La rumeur enfle. Il ne s'agit pas de Ronan le jardinier. Les filles se tordent le cou pour voir s'il ne manque pas quelqu'un. *Lauren Mulvihill n'est pas là, oh lala, on m'a dit qu'elle allait foirer à son examen, on m'a dit qu'elle s'était fait plaquer, oh p'tain…*

– Mesdemoiselles ! tonne McKenna. Je dois vous faire part d'une nouvelle tragique qui va vous bouleverser. Toutefois, je compte sur vous pour vous comporter avec un sang-froid et une retenue dignes des traditions de Sainte-Kilda.

Silence de plomb.

– On a trouvé un préservatif usagé, chuchote Julia, assez bas pour n'être entendue que d'elles quatre.

– Chut, lui intime Holly sans la regarder.

Elle est assise très droite, fixant McKenna et enroulant un mouchoir autour de sa main. Selena a envie de lui demander si ça va, mais Holly pourrait lui balancer un coup de pied.

– J'ai le regret de vous apprendre que ce matin, un élève de Colm a été trouvé mort dans notre parc. Christopher Harper…

Selena reçoit le coup en pleine poitrine. Tout se brouille autour d'elle. McKenna n'existe plus. Le hall devient gris, brumeux, hanté par des bribes de musique éparses, discordantes, ultimes vestiges du bal de la Saint-Valentin.

Elle comprend soudain, mais trop tard, pourquoi elle n'a pas été punie après ce premier soir. Elle croyait encore s'en sortir comme ça, à l'époque, pensait que sa faute méritait l'indulgence.

On lui fait mal. Elle sursaute, baisse les yeux, aperçoit la main de Julia sur son avant-bras. N'importe qui y verrait un geste de consolation. Mais les ongles de Julia s'enfoncent dans sa chair. Et elle prononce très bas :

– P'tain, tombe pas dans les pommes.

La douleur lui fait du bien, la ramène à la réalité.

– D'accord.

– Craque pas et ferme-la. T'en es capable ?

Selena acquiesce, même si elle ne sait pas trop de quoi parle Julia. Il est bon de pouvoir se reposer sur quelqu'un. Derrière elle, une fille pleure bruyamment, forçant la note. Lorsque Julia retire sa main, la douleur lui manque.

Ce drame, elle aurait dû l'anticiper dès la première nuit. Elle aurait dû le voir, tapi dans l'ombre, assoiffé de sang, attendant ses ordres. Elle seule aurait dû être punie. Elle a laissé Chris revenir. Elle l'a supplié.

Les bribes de musique ne cesseront plus de la hanter.

Becca détaille l'assemblée avec un détachement dont elle ne serait jamais crue capable. Elle ne sait plus si elle a déjà pensé à ce moment, si elle s'attendait à ce que ce soit difficile. Elle seule paraît calme. Elle écoute McKenna conjurer les élèves de ne pas avoir peur parce que la police maîtrise la situation. La directrice leur demande de se montrer pleines de tact si elles appellent leurs parents, pour ne pas déclencher d'inquiétudes inutiles et des mouvements de panique. Un soutien psychologique va être mis en place. Il y aura des séances de groupe dans chaque classe et des entretiens individuels pour quiconque en fera la demande. Les filles pourront se confier à leur professeur principal ou à Sœur Ignatius quand elles le souhaiteront. Elle termine son allocution en leur enjoignant de regagner leurs salles de classe, où leur professeur principal les rejoindra pour répondre à toutes leurs questions.

Les filles quittent le grand hall et se pressent dans le vestibule. Les profs sont là, prêts à les rassembler et à les calmer. Mais les cris et les sanglots redoublent, se prolongent dans l'escalier. Impavide, Becca suit le mouvement, comme si ses pieds flottaient jusqu'à l'étage et dans les longs couloirs.

Dès que les filles pénètrent dans leur salle de classe, Holly saisit le poignet de Selena et attire ses trois amies près de la fenêtre. Elle feint de les étreindre et leur assène avec force :

– Ils vont interroger tout le monde. C'est comme ça qu'agissent les inspecteurs de la Criminelle. Ne leur racontez rien ! Ne tenez aucun compte de leurs questions. Ne leur dites surtout pas qu'on a fait le mur. Vous pigez ?

Julia ricane, comme si elle ne la prenait pas au sérieux. Holly lui siffle au visage :

– Je plaisante pas. C'est la réalité ! Quelqu'un va se retrouver en prison pour le restant de ses jours !

– Ah bon, tu crois ? Je ne suis pas débile, merci.

Becca intervient aussitôt, consciente de l'enjeu :

– On a compris. On leur dira rien. Croix de bois, croix de fer.

– C'est ce que vous croyez maintenant, poursuit Holly. Mais vous ne savez pas comment ça se passe. Ça n'a rien à voir avec Houlihan nous demandant en reniflant : « Oh, je sens une odeur de tabac, avez-vous fumé, mesdemoiselles ? » et nous prenant un air si innocent qu'elle nous croit. Ce sont des inspecteurs de police ! S'ils vous soupçonnent de savoir quoi que ce soit, ils deviennent de vrais pitbulls. Huit heures dans une salle d'interrogatoire à vous faire cuisiner pendant que vos parents se morfondent, ça vous plairait ? C'est ce qui se passera si vous hésitez une seconde avant de répondre à une question.

Son bras pèse comme de l'acier sur les épaules de Becca.

– Autre chose : ils mentent. Ils cherchent tout le temps à vous embobiner. Donc, s'ils vous affirment : « Nous savons que vous faites le mur la nuit, quelqu'un vous a vues », ne tombez pas dans le panneau ! Ils ne savent rien ! Ils espèrent simplement vous terroriser pour que vous balanciez une info. Vous devez jouer les Bécassine et répondre : « Cette personne a dû confondre, c'était pas nous. »

Derrière elles, une fille pleurniche :

– Il était si plein de vie !

Une vague de plaintes se propage dans la pièce.

– P'tain, éructe Julia, faites taire ces connasses !

Puis, écartant le bras de Holly de son épaule :

– Tu me fais mal, merde !

Holly remet son bras où il était, l'immobilise.

– Écoutez-moi bien ! Ils chercheront à vous déstabiliser. Ils vous assèneront : « Nous savons que tu sortais avec Chris, nous avons des preuves… »

Becca écarquille les yeux. Holly fixe Selena. Becca ne saurait dire si c'est uniquement parce qu'elles se font face ou parce qu'il y a autre chose, de bien plus compromettant. Selena vacille.

– Ils peuvent vraiment faire ça ? demande Julia.

– Bien sûr ! Ils peuvent raconter ce qu'ils veulent. Ils peuvent te jurer qu'ils ont la preuve que tu l'as tué, uniquement pour voir ta réaction.

– Il faut que j'aille parler à quelqu'un, dit Julia.

Elle repousse le bras de Holly et traverse la classe. Becca la suit des yeux. Un petit groupe s'est formé autour de Joanne Heffernan, qui s'alanguit artistiquement sur une chaise, la tête en arrière, les paupières mi-closes. Gemma Harding fait partie du groupe. Julia lui murmure quelque chose à l'oreille et l'entraîne à l'écart. Presque front contre front, remarque Becca, elles se parlent tout bas.

– Je vous en prie, insiste Holly, dites-moi que vous avez pigé.

Elle dévisage toujours Selena qui, restée à l'écart, recule et s'assied devant un pupitre. Becca est persuadée qu'elle n'a rien entendu. Elle aimerait la rassurer, lui promettre que tout ira bien. La tempête atteindra son paroxysme, puis s'apaisera. Il suffit d'attendre. Un matin, elles se lèveront sur un jour radieux et tout sera oublié.

Au lieu de cela, elle réplique fermement à Holly :

– Pigé.

– Lenie !

D'une voix lointaine, Lenie répond :

– D'accord.

– Non ! Écoute-moi bien. S'ils te crient : « Nous détenons la preuve irréfutable que tu sortais avec Chris ! »,

tu assènes simplement : « C'est faux » et tu la boucles.
S'ils te montrent une putain de vidéo, tu dis : « C'est pas
moi. » T'as compris ?

Selena la considère d'un air vague.

– Quoi ?

– Bordel ! gémit Holly, les yeux au plafond, plongeant
les mains dans ses cheveux. J'espère que ça marchera !
Il le faut !

Soudain, M. Smythe entre et se fige dans l'encadrement de la porte, squelettique, pétrifié par le chahut. Il
bêle en frappant dans ses mains. Peu à peu, les filles
se calment. Les sanglots se changent en reniflements.
Smythe respire un grand coup et commence à débiter
le speech que McKenna lui a fait apprendre par cœur.

Holly a sans doute raison. Grâce à son père, elle en
sait bien plus que n'importe qui. Becca se dit qu'elle
devrait vraiment trembler de terreur. L'effroi qui l'entoure lui semble intéressant. Pas assez, pourtant, pour
qu'elle se sente concernée. En fait, elle n'éprouve rien.
Rien du tout.

En milieu d'après-midi, les parents commencent à
affluer. La mère d'Alison arrive la première. Émergeant
d'un énorme SUV noir, elle se précipite vers le perron, se
dandinant comme un canard sur ses talons aiguilles. Elle
a subi d'innombrables opérations de chirurgie esthétique
et arbore des faux cils plus épais que des brosses à cheveux. Elle ressemble à un clone de femme fabriqué par
des extraterrestres qui n'auraient pas très bien compris
le mode d'emploi.

Holly l'observe depuis la fenêtre de la bibliothèque.
Derrière elle, le bois est désert. Les combinaisons blanches
de la police scientifique ont disparu. On a emporté Chris
loin du parc, dans un endroit où des experts aux mains
gantées examinent son corps sous toutes les coutures.

Les filles sont dans la bibliothèque parce que personne ne sait comment les gérer. Quelques profs plus autoritaires que les autres ont réussi à rassembler les bleusailles dans leurs classes pour leur faire des semblants de cours, mais les troisièmes ont passé l'âge d'obéir au doigt et à l'œil, et elles connaissaient Chris. Chaque fois qu'un enseignant a essayé de leur imposer des exercices de maths ou de grammaire, elles ont piqué une crise, éclatant en sanglots ou tournant de l'œil. Quatre d'entre elles se sont crêpé le chignon pour un stylo-bille. Lorsque Kerry-Anne Rice a vu les yeux du diable en ouvrant un classeur, la coupe était pleine. On a expédié les troisièmes à la bibliothèque, où les deux profs chargés de les surveiller ont passé un accord avec elles : elles se maîtriseraient et on ne les forcerait pas à faire semblant de travailler.

– T'as vu ? chuchote Joanne, assise non loin de Holly. Elle a les yeux globuleux et une grimace de travers. C'est normal ?

Elle parle de Selena, tassée de guingois sur sa chaise, les mains sur les genoux, les yeux rivés sur son pupitre.

– Elle va bien, dit Holly.

– T'es sûre ? Parce que ça me fend le cœur d'imaginer ce qu'elle est en train de traverser.

Joignant le geste à la parole, elle plaque une main sur sa poitrine.

– Ils ont rompu il y a une éternité, répond Holly. Merci quand même.

Joanne abandonne son air compatissant et ricane :

– T'es débile ou quoi ? Je m'en balance de ce que vous ressentez, toi et tes copines. Simplement, me dis pas que Selena va nous la jouer la pucelle qui a perdu son grand amour.

– Donne-moi ton numéro de portable. Dès que j'aurai besoin de ton avis sur son comportement, je t'enverrai un texto.

– T'es vraiment débile, ma pauvre. Si les flics découvrent ce qu'elle fricotait avec Chris, ils la soupçonneront en premier. Et si elle fait son numéro de veuve éplorée, alors ils le découvriront, d'une façon ou d'une autre.

Holly saisit tout de suite l'insinuation. Joanne ne peut pas endosser ce rôle qui la comblerait, car elle n'a aucune envie que la police s'intéresse à elle. Mais personne ne doit se substituer à elle. Si Selena affiche son chagrin, elle balancera la vidéo sur la Toile et s'arrangera pour que les flics aient le lien.

Holly sait que Selena n'a pas tué Chris. Un geste aussi irrémédiable laisse des traces, transforme à jamais un être humain. Or, elle connaît son amie. Elle l'a épiée toute la journée. Depuis hier, rien, dans son attitude, n'a trahi un tel bouleversement. Mais les inspecteurs, eux, ne la connaissent pas. Donc, elle est en danger.

À ses yeux, Joanne est coupable, qu'elle ait commis le meurtre elle-même ou en ait chargé quelqu'un d'autre. Toutefois, elle gardera cette certitude pour elle.

– Comme si tu savais comment ils travaillent, réplique-t-elle. Ils ne soupçonneront jamais Selena. À l'heure qu'il est, ils ont sans doute arrêté un suspect.

– Sûr. J'oubliais que t'as un papa poulet, crache Joanne avec mépris.

Comme s'il s'agissait d'un éboueur.

Le sien est banquier.

Quand on parle du loup… Son échange avec Joanne a distrait Holly de son observation de la fenêtre. Mais elle connaît les rites de l'apparition de son père : un coup à la porte et sa tête surgit. Un instant, elle tremble de joie. Il va tout régler. Puis elle en doute.

McKenna a dû harponner la mère d'Alison pour l'empêcher de paniquer. Mais le père de Holly, lui, n'est pas du genre à se laisser embobiner, sauf s'il est d'accord.

543

– Mlle Houlihan, susurre-t-il, je vous emprunte Holly un moment. Je la ramènerai saine et sauve. Parole de scout.

Il lui décoche un sourire dévastateur, comme à une star. Elle ne songe même pas à refuser.

Holly sort sous les murmures.

– Salut, mon lapin, lui dit-il dans le couloir.

Il l'étreint de façon machinale, ainsi qu'il le fait chaque week-end. Mais sa main qui, plaquée contre sa tête, la presse contre son épaule, semble plus nerveuse.

– Tu vas bien ?

– Ça va. T'avais pas besoin de venir.

– Bien sûr que si. Tu connaissais ce gandin ?

– Vaguement. Je lui ai parlé deux ou trois fois. C'était pas un ami ! Juste un élève de Colm.

Il la contemple, plonge ses yeux si bleus dans les siens comme s'il voulait lire dans ses pensées. Holly soupire, soutient son regard.

– Je ne suis pas bouleversée. Croix de bois, croix de fer. T'es satisfait ?

Il sourit.

– Sacrée petite gonzesse. Viens. On va marcher.

Il lui prend le bras et l'entraîne dans le couloir, comme s'ils partaient faire un pique-nique.

– Et tes amies ? Elles le connaissaient ?

– Pas plus que moi. On le croisait de temps en temps. On a vu les flics pendant la réunion. Tu les connais ?

– Costello, oui. C'est pas un génie, mais il fait bien son boulot. Quant à la femme, Conway, je ne la connais que par ouïe dire. Elle a l'air OK. Pas idiote, en tout cas.

– Tu leur as parlé ?

– J'ai échangé deux mots avec Costello en montant. Pour l'assurer que je ne lui marcherais pas sur les pieds. Je suis ici en tant que père, pas en tant qu'inspecteur.

– Qu'est-ce qu'il t'a répondu ?

D'un pas souple, il s'engage dans l'escalier.

– Tu connais la règle. Quoi qu'ils me disent, je n'ai pas le droit de te le raconter.

Papa peut-être, mais flic toujours.

– Pourquoi ? Je suis pas témoin.

– On n'en sait encore rien. Toi non plus.

– Si, je le sais.

Papa ne relève pas la remarque. Il lui ouvre la porte d'entrée. L'air est doux, le ciel bleu comme une promesse de vacances.

Ils descendent le perron, s'engagent dans l'allée de graviers.

– J'aimerais être sûr, avance papa, que si tu savais quelque chose, n'importe quoi, même un détail insignifiant, tu me le dirais.

Holly roule des yeux.

– Je suis pas stupide !

– Loin de là. Mais à ton âge, et compte tenu de ce qui s'est passé il y a des années, se taire devant un adulte est un réflexe. Bonne attitude. Il n'y a rien de mal à vouloir régler les problèmes soi-même. Cette fois, cependant, tu ne peux pas pousser le bouchon trop loin. Il s'agit d'un meurtre. Tes copines et toi, vous n'arriverez pas à l'élucider toutes seules. C'est le travail de la police.

Elle le sait déjà. Elle pense à Selena affalée sur sa chaise comme une poupée de chiffon. Il faut qu'elle agisse. Elle a envie de la soulever, de la jeter dans les bras de son père en lui disant : « Prends bien soin d'elle. »

Elle sent derrière elle la présence de Joanne, son regard acéré, menaçant.

– J'ai déjà vécu ça. Tu t'en souviens ?

Il accuse le coup. Elle et lui n'ont jamais parlé de ce qui s'est produit quand elle était enfant.

– Très bien, concède-t-il. J'en toucherai un mot à Costello. Je vais lui demander de t'interroger tout de suite, puis de te laisser partir. Ensuite, tu prépareras discrètement tes affaires et tu rentreras à la maison avec moi.

Holly s'y attendait. Elle rétorque en se raidissant :

– Non. Je ne rentre pas.

Il escomptait cette réponse. Il marche toujours posément.

– Je ne te le demande pas, je te l'ordonne. Ce n'est pas définitif. Seulement quelques jours, jusqu'à ce que mes collègues aient résolu l'affaire.

– Et s'ils échouent ?

– S'ils n'ont pas coffré leur homme lundi, nous réexaminerons la situation. Mais cela ne se prolongera pas jusque-là. D'après ce que j'ai entendu, le dénouement est proche.

Leur homme. Pas Joanne. Quoi que les enquêteurs aient contre ce type, tôt ou tard, cela s'écroulera. Et ils repartiront en chasse.

– D'accord, dit Holly, soudain docile. Mais Lenie et Becs viennent avec moi.

Il hésite, se gratte la tête.

– Je ne suis pas sûr que nous soyons équipés pour ça, mon cœur.

– Tu m'as assuré que cela ne durerait que quelques jours. Où est le problème ?

– On ne sait jamais. Et je n'ai pas l'accord de leurs parents. Je ne tiens pas à être accusé de kidnapping.

Cette blague ne la fait pas sourire.

– Si rester là est trop dangereux pour moi, ça l'est aussi pour elles.

– À mon sens, il n'y a aucun risque. Je crois que je deviens paranoïaque. Déformation professionnelle, comme on dit. Je veux que tu sois à la maison pour que, si je panique, je puisse te voir en face de moi et pousser un soupir de soulagement. Je ne pense pas à toi, mais à moi.

Son sourire, la pression de sa main sur sa tête… Holly est près de céder, de se blottir contre lui, de respirer son

546

parfum de cuir, de tabac et de savon, de répondre oui à tout ce qu'il lui demandera. Aussitôt, l'image de Selena lui revient. Son amie a besoin d'elle.

– Si tu me ramènes à la maison, dit-elle, tout le monde en déduira que tu sais quelque chose. Je ne laisserai pas Selena et Becca trembler à l'idée qu'un assassin pourrait s'en prendre à elles. Si elles sont coincées au collège, elles doivent se savoir en sécurité. Et elles ne seront rassurées que si tu décrètes que moi aussi, je ne risque rien.

Il ne peut s'empêcher de rire.

– J'adore tes raisonnements, mon poussin. Je ne demanderais pas mieux, pour te faire plaisir, que de jurer à tes amies que rien ne leur arrivera. Toutefois, malgré toute la sympathie que j'éprouve pour Selena et Becca, elles sont sous la responsabilité de leurs parents ; pas de la mienne.

Il est sincère. Pour lui, personne n'est en danger. Il veut que Holly rentre à la maison, non parce qu'elle risque d'être assassinée, mais parce qu'un autre meurtre pourrait la traumatiser.

Holly, elle, ne veut plus de câlin. Elle cherche l'affrontement.

Elle s'exclame :

– Elles sont sous ma responsabilité ! Elles sont ma famille !

Touché. Papa ne rit plus.

– Peut-être. J'aimerais, moi aussi, en faire partie.

Elle est sur le point de gagner. ça lui fait peur. Si elle s'écoutait, elle foncerait dans sa chambre, rassemblerait ses affaires. Elle se tait, cale son pas sur le sien. Le gravier crisse doucement.

– Parfois, dit-il, je pense que ta mère a raison : je t'ai voulue, je t'ai eue.

– Alors, je peux rester ?

– Ça ne me plaît pas.

– Ce qui se passe ne plaît à personne.

Il sourit à nouveau.

– On fait un pacte. Tu peux rester si tu me jures de nous rapporter, à moi ou aux inspecteurs, tout ce qui, au cours de l'enquête, te paraîtra utile, même si tu n'y vois aucun intérêt. Le moindre détail, la moindre piste. Promis ?

Elle subodore qu'il est venu pour ça ou, du moins, qu'il a un plan B. Il est pragmatique. S'il n'a pu obtenir ce qu'il souhaitait en tant que père, il l'obtiendra en tant que flic.

– Promis, assène-t-elle en le regardant droit dans les yeux.

Selena est dans la chambre et Becca lui donne le téléphone rouge. Elle le lui tend avec une longue explication à laquelle Selena ne comprend pas grand-chose, mais se montre tellement persuasive que Selena accepte.

– Merci, dit-elle.

Elle met le téléphone sur le flanc de son matelas, dans la cachette habituelle, sauf que le sien ne s'y trouve plus. Peut-être Chris est-il venu le prendre et a-t-il confié à Becca le mobile rouge pour communiquer avec elle plus tard, quand il en aura l'occasion, car, pour l'instant, il doit être très occupé ? Elle trouve ça bizarre. Mais elle ne peut pas s'interroger là-dessus car Becca la regarde comme si elle voulait lire au fond d'elle-même.

– Merci, répète-t-elle.

Elle a déjà oublié pourquoi elles sont venues là. Becca sort sa flûte de l'armoire, la pose dans sa main et demande :

– Tu veux quelle partition ?

La méticulosité, le calme, le sérieux avec lesquels elle fouille son porte-musique la fait presque rire. Becca ressemble à une infirmière. Selena a envie de lui dire :

«Voilà ce que tu devrais devenir après le collège : infirmière.»

– Telemann, répond-elle. Merci.

Becca déniche la partition.

– Voilà, dit-elle en refermant le porte-musique de Selena.

Puis elle se penche, presse sa joue contre la sienne. Ses cils papillonnent contre ses pommettes. Elle sent l'herbe coupée, les jacinthes. Selena brûle d'envie de la serrer contre elle, de se purifier en respirant ces senteurs d'autrefois, comme si rien ne s'était passé.

Ensuite, elle reste immobile, écoutant son cœur qui, peu à peu, s'apaise, comme il s'harmonisait avec celui de Chris. Il est sans doute mort, puisque tous l'affirment. Pourtant, il n'est pas parti. Le goût de sa peau, son odeur, son rire sont toujours là. Si elle se concentre de toutes ses forces, elle le rejoindra peut-être. Mais des gens ne cessent de s'interposer entre eux.

On l'interroge dans le bureau de McKenna. Elle se tait.

Ainsi que l'avait prévu Holly, on les convoque une par une dans le bureau de McKenna. Il y a là, outre la directrice, une femme aux cheveux noirs et un gros homme âgé, assis tous deux derrière elle, de chaque côté de sa grande table. Becca n'avait jamais remarqué auparavant que son fauteuil tournant était très haut, pour que ses interlocuteurs se sentent minuscules.

Elle est seule face à eux. Ils commencent avec les questions bateau qu'ils posent à tout le monde. Becca joue les timides, remue les pieds, répond en baissant le nez. L'inspecteur bâille en prenant des notes.

Alors, examinant un fil qui s'effiloche sur le revers de sa veste, la femme déclare d'un ton neutre, comme si cela n'avait aucune importance :

– Comment as-tu réagi en apprenant que ta copine Selena sortait avec Chris ?

Becca sursaute, sidérée.

– Lenie n'est jamais sortie avec lui. Ils se sont peut-être parlé deux ou trois fois au Court, mais c'était il y a une éternité.

– Ils étaient en couple. Tu l'ignorais ?

– On n'a pas d'amoureux, réplique Becca avec une mine outrée. Ma mère dit qu'on est trop jeunes.

Elle a bien joué. Pour une fois, son air de gamine a été utile.

La dame policière, son collègue et McKenna attendent. Ils la toisent du haut de leur splendeur, imposants, gigantesques, certains qu'elle va rentrer sous terre et déballer tout ce qu'elle sait.

Elle soutient leur regard : impavide, mille fois plus forte qu'eux. Vaincus, ils renoncent.

Cette nuit-là, Holly reste éveillée le plus longtemps possible, couvant les autres des yeux, comme si son seul regard pouvait les protéger. Assise dans son lit, les bras autour des genoux, elle se sent trop tendue pour s'allonger. Mais elle sait qu'aucune d'entre elles n'entamera une conversation. La journée a été assez longue comme ça.

Vautrée, Julia semble ailleurs. Becca rêvasse, les yeux dans le vague, comme un bébé. Selena fait semblant de dormir. Au-dessus du vasistas, la lampe zèbre son visage, le déforme, le boursoufle.

Holly se souvient de son enfance, de son désarroi, du drame qu'elle a vécu. Peu à peu, sa souffrance s'est estompée. Le temps arrange bien des choses. Elle se dit que Selena, elle aussi, oubliera.

Elle aimerait se retrouver dans la clairière. Les parfums, la lune, leur union, leur force. Bien sûr, sortir cette nuit serait de la folie. Pourtant, elle en rêve encore en s'endormant.

Quand la respiration de Holly s'apaise pour de bon, Becca se redresse, sort l'épingle et l'encre de son casier de chevet. À la faible lueur du couloir, la ligne des points bleus court le long de son ventre blanc, d'un côté à l'autre, en passant par son nombril. Il reste une place pour un autre point.

Selena attend que Becca s'endorme. Alors, elle cherche à savoir s'il y a un texto pour elle sur le téléphone rouge. Mais le mobile n'est plus là. Elle se retient pour ne pas hurler, ne pas se mordre les phalanges. Chris lui a-t-il envoyé un SMS ? Elle ne se rappelle pas comment le texto aurait pu lui parvenir. C'est trop compliqué.

Une seule chose compte : elle mourait d'envie qu'il lui fasse signe. De quelle façon ? Elle ne s'en souvient plus. Elle essaie de rester calme, comme lorsqu'elle accomplit ses tâches quotidiennes, prendre sa douche, faire ses devoirs, pour que personne ne l'embête. Et elle se concentre.

Elle comprend alors qu'une force inconnue a détruit Chris pour la sauver. À présent, cette force la domine. Et elle lui appartient. Elle doit lui obéir.

Elle se coupe les cheveux. Elle les offre en sacrifice, signe qu'elle a reçu le message. Elle les tranche dans la salle de bains, puis les brûle dans le lavabo. Dès que la flamme du briquet les touche, ils s'embrasent avec une férocité qu'elle n'avait pas prévue, comme des arbres attaqués par un feu de forêt. Elle retire vivement sa main. Pas assez vite. Une flamme lèche son poignet, y laisse une trace.

L'odeur de brûlé persiste pendant des semaines.

Parfois, son esprit se brouille. Au début, cela l'effraie. Puis elle s'y habitue, parce que cela ne la perturbe plus. La cicatrice, sur son poignet, devient rouge, puis blanche.

Quatre jours après la mort de Chris, Julia apprend que Finn a été renvoyé pour avoir neutralisé la porte de secours de Colm, et attend que les flics viennent l'interroger.

Ils les ont asticotées, elle et les autres, sur les relations supposées entre Chris et Selena. Mais, fortes de l'avertissement de Holly, elles ont tenu bon. Et ils n'ont pas insisté. Cela implique que Gemma n'a pas réussi à empêcher Joanne de geindre, mais qu'elle a réussi à lui fourrer dans le crâne que, même si ce drame était génial, il fallait que toute la bande ferme sa gueule.

Néanmoins, Julia n'a pas réussi à faire admettre ça à Finn.

Salut, c'est Jules! Tu te souviens que t'as cru que je me servais de toi pour me taper ton pote? N'en cause pas aux flics. À plus.

Il ne lui restait plus qu'à croiser les doigts pour qu'il la boucle. Des connards de Colm contre ces deux flics : aucune chance.

Elle n'a aucune idée de ce qu'elle leur dira quand ils viendront. Elle a deux possibilités : leur déballer qu'elle n'était pas la seule à se taper Chris, ou tout nier et espérer que ses parents lui trouveront un bon avocat. Un mois plus tôt, elle aurait juré préférer finir sa vie en tôle plutôt que de pousser Selena sous un bus. Mais la situation a changé. Maintenant, elle est dans le collimateur. La nuit, éveillée, elle envisage les deux possibilités. Comment choisir?

À la fin de la semaine, elle pense que les flics jouent avec elle au chat et à la souris, attendant qu'elle craque.

Ça marche. Lorsque, alors qu'elle se trouve dans la bibliothèque avec Becca, elle laisse tomber un des dossiers contenant d'anciennes copies de vieil irlandais sur lesquelles toute la classe va s'exercer, elle saute presque au plafond.

– Hé, dit Becca. C'est pas grave.

– Si, c'est grave, réplique-t-elle vertement en ramassant les feuillets étalés sur le tapis.

– Arrête, murmure Becca en lui posant la main sur l'épaule, comme pour calmer un animal apeuré. Tout va bien se passer. Je te le jure.

Julia se redresse. Becca l'observe. Ses yeux sombres, placides, son demi-sourire. Pour la première fois depuis des semaines, Julia la voit telle qu'elle est. Plus grande qu'elle. Immaculée, lumineuse, triomphante. Belle.

Cela ne fait que l'éloigner d'elle un peu plus. Elle n'a plus la force de réagir. Elle a envie de s'asseoir sur le tapis, de rester là longtemps. Elle se ressaisit, rassemble les dossiers entre ses bras.

– Allons-y, dit-elle.

Une semaine passe. Les inspecteurs ne l'interrogent pas. Finn ne leur a pas donné son nom. Il aurait pu s'en servir pour transformer son expulsion en renvoi temporaire, la jeter en pâture aux flics pour qu'ils lui fichent la paix. Il ne l'a pas fait.

Elle a envie de lui envoyer un texto. Impossible. Quoi qu'elle puisse lui dire, il le prendra pour une provocation : *Très drôle, t'es dans la merde, pas moi.* Elle songe à demander à ses amis comment il va. Mais, soit il leur a tout raconté et ils la méprisent, soit il n'a rien dit et les rumeurs iront bon train ; ou alors, ils lui auront tout déballé et il la haïra davantage. Et tout paraîtra plus ignoble encore.

Elle n'envoie pas le message. Elle attend que les autres soient endormies, puis pleurniche comme un bébé.

Au bout de deux semaines et demie, Chris Harper n'est plus le centre du monde. On l'a enterré. Le récit de ses obsèques ne fait plus recette : les photographes à la sortie de l'église, les filles en pleurs, Joanne qui, tombant dans les pommes au moment de la communion, a dû être évacuée, tout cela devient lassant. Les inspecteurs sont partis. Le nom de Chris ne fait plus la une. On ne le retrouve que dans des entrefilets de circonstance, dans des bas de page qu'il faut bien remplir. Le *Junior Cert* aura lieu d'ici quelques jours. Renonçant à leur sollicitude, les profs deviennent hargneux dès qu'une fille trouble le cours en fondant en larmes ou parce qu'elle vient de voir le fantôme de Chris.

Sur le chemin du Court, sous les arbres dont le vert éclate, annonciateur de l'été, Holly propose :

– Cette nuit ?

– Et puis quoi ? rétorque Julia. Pour tomber sur une dizaine de collègues de ton père attendant qu'on fasse la connerie du siècle ? C'est débile.

Becca joue à la marelle au-dessus des ornières. La réplique acerbe de Julia la fait sursauter. Selena marche en renversant la tête, admirant les feuilles dansant dans la brise. Holly lui tient le coude pour l'empêcher de se cogner contre un obstacle inattendu.

– Il n'y a pas assez de flics, répond-elle. Mon père se plaint toujours de ne jamais obtenir assez de personnel pour surveiller les truands et les dealers. Alors un collège de filles… Débile toi-même.

– Qu'est-ce que t'en sais ? Tu crois que ton père te raconte tout ?

Julia lui jette un regard noir. Holly s'en fout. Elle attend cette virée dans la clairière depuis des semaines. Seule cette escapade pourra tout remettre en place.

– J'ai pas besoin qu'il me raconte, rétorque-t-elle. J'ai quelque chose dans la tronche.

– Je veux y aller, affirme Becca. Il faut qu'on le fasse.

– Tu veux te faire coffrer ? Pas moi.

– On doit le faire, répète Becca, butée. Écoute-toi. Tu deviens méchante. Si on passait une nuit là-bas…

– Arrête ton char ! Je dis simplement que c'est une idée à la noix !

Selena se réveille.

– De quoi vous parlez ?

– T'occupe, dit Julia. Va jouer avec tes peluches.

– On y retourne ce soir, martèle Becca. Je veux y aller, Holly aussi. Mais pas Julia.

Selena considère Julia d'un air vague.

– Pourquoi tu veux pas ?

– Parce que même si les flics ne surveillent pas la clairière, c'est débile. Le *Junior Cert* commence cette semaine. T'as oublié ? Tu les as entendues ? « Il faut que vous dormiez. Sinon, vous ne pourrez pas vous concentrer et vous ne serez pas capables de réviser… »

Holly agite la main.

– P'tain, depuis quand tu t'intéresses à ce que dit Sœur Ignatius ?

– Je m'en tape, de ce qu'elle dit. Mais je veux pas me retrouver, l'année prochaine, en classe de couture parce que j'ai raté le…

– Parce que, si tu prends une heure de liberté, tu vas rater ta vie ?

– Je veux y aller, assène Selena.

Elle a arrêté de marcher. Les autres s'immobilisent elles aussi. Silencieusement, Holly consulte Julia. Pour la première fois depuis des semaines, Lenie vient d'exprimer une volonté.

Julia hésite, comme si elle avait un autre argument, imparable, à leur opposer. Enfin, après les avoir dévisagées toutes les trois, elle capitule.

– D'accord, admet-elle d'une voix sourde. Mais seulement si ça ne…

– Si quoi ? objecte Becca.

– Rien. On le fait.

– Génial ! crie Becca, sautant assez haut pour arracher une fleur à une branche.

Selena reprend sa marche, retourne à sa contemplation des feuilles. Holly lui reprend le coude.

Elles sont presque arrivées au Court. Sucré et chaud, le parfum des donuts leur donne l'eau à la bouche. Un instant, l'estomac de Holly se noue. Elle croit que c'est la faim. Puis elle comprend ce qu'elle éprouve : la perte.

Dehors, le croissant de lune émerge des nuages. Elles s'habillent aussi joyeusement qu'autrefois, aussi excitées que lorsqu'elles faisaient flotter une capsule de bouteille au-dessus de leur paume ou que la flamme d'un briquet transformait leur visage en masque d'or. Leur capuche sur la tête, les chaussures à la main, elles descendent l'escalier à pas de loup, avides de retrouver la magie de ce qui les attend dans le parc. Lenie sourit. Sur le palier, Becca soulève les paumes vers la lumière blanche de la fenêtre, comme une action de grâce. Même Julia, pourtant réticente, espère que, cette fois, elles se retrouveront.

La clé ne tourne pas.

Elles se regardent, hébétées.

– Laissez-moi essayer, chuchote Holly.

Julia recule. Leur cœur s'affole.

La clé ne tourne toujours pas.

– Ils ont changé la serrure, souffle Becca.

– Qu'est-ce qu'on fait ?

– On dégage.

– On rentre.

Holly n'arrive pas à retirer la clé.

– Vite, vite, vite…

La terreur les submerge. Selena presse sa bouche contre son avant-bras. La clé accroche la serrure. Julia écarte Holly.

– P'tain, tu l'as pétée ?

Elle la saisit à deux mains. Rien. Toutes hurlent presque.

Soudain, la clé jaillit, projette Julia contre Becca. Toutes les quatre s'enfuient en chaussettes, dérapant sur le carrelage. Une fois dans leur chambre, elles arrachent leurs vêtements, enfilent leur pyjama et se glissent dans leur lit. La cheftaine s'est réveillée. Elle longe le couloir, ouvre les portes une à une. Peu importe si les filles font semblant de dormir. L'essentiel, c'est qu'elle puisse retourner se coucher.

Aucune des quatre amies ne dit rien. Les yeux clos, elles sentent le monde réel se refermer sur elle. Elles rêvent de la liberté qui les attendait dehors, de tout ce qu'elles ont perdu.

29

La nuit s'approfondissait, éparpillait les parfums, accentuait l'éclat de la lune.

– Vous vous rendez compte de ce qu'elle nous a fourni ? dis-je à Conway.

Elle marchait vite le long du sentier, déjà concentrée sur Rebecca.

– Oui. Selena et Rebecca vont chercher leurs instruments dans leur chambre. Soit Rebecca en veut tellement à Selena qu'elle cache le téléphone de Chris pour la piéger, soit elle le lui donne. Le voilà, ce téléphone du mort que tu recherches désespérément. Et Selena le planque en attendant de savoir ce qu'elle va en faire.

Nous parlions bas : des filles se dissimulaient peut-être derrière les arbres, comme des chasseurs.

– Ça, dis-je, et Holly hors jeu. Rebecca agissait seule.

– Non. Holly aurait pu planquer le mobile de Chris lorsqu'elle a pris celui de Selena.

– Pourquoi ? Admettons qu'elle ait eu celui de Chris en sa possession, ou qu'elle ait su où il se trouvait. Pourquoi ne pas l'avoir jeté dans le coffre des objets trouvés avec celui de Selena si elle essayait d'écarter les soupçons de ses amies ? Ou alors, si elle cherchait à piéger Selena, pourquoi ne pas les avoir laissés tous les deux derrière son lit ? Il n'y a aucune raison pour qu'elle les ait traités de façon différente. Holly est hors de cause.

Deux heures trop tard. À présent, Mackey n'était plus notre allié, mais notre ennemi.

– Donc, conclut Conway en pressant le pas, Rebecca a agi seule.

Je songeai aux trois têtes réunies dans la clairière, immobiles, attentives. Rebecca seule… Pas si sûr.

– Nous n'avons toujours pas assez d'éléments sur elle, poursuivit Conway. Il ne s'agit que de présomptions, et le ministère public n'aime pas ça. Surtout quand il a affaire à une gamine. Et plus encore à une gosse de riche.

– Présomptions, peut-être, mais elles s'accumulent. Rebecca avait de multiples raisons de détester Chris. Elle pouvait faire le mur la nuit. On l'a vue tenant l'arme la veille du meurtre. Elle est une des deux seules filles susceptibles d'avoir placé le téléphone là où on l'a découvert…

– À supposer qu'on puisse se fier aux bobards que nous ont servis une dizaine d'adolescentes aussi menteuses les unes que les autres. Même l'avocat de la défense le plus ringard les balaierait d'un revers de manche. Des tas de filles avaient toutes les raisons de vomir ce salopard de Chris. Sept d'entre elles pouvaient faire le mur la nuit, et nous les connaissons toutes. Comment prouver qu'aucune n'a déniché l'endroit où Joanne planquait sa clé ? Quant au mobile de Chris, Rebecca ou Selena auraient pu le trouver là où l'assassin l'a laissé tomber et le cacher derrière le lit en attendant d'imaginer un moyen de s'en débarrasser.

– Alors, que faisait Rebecca avec l'arme du crime ?

– Gemma a inventé la scène. Ou Rebecca était là pour acheter de la drogue. Ou elle voulait vraiment faire du jardinage. Au choix.

Conway ralentit. Je la sentais frustrée.

– Ou encore, elle explorait les lieux pour le compte de Julia, de Selena ou de Holly. Nous les supposons hors de cause. Toutefois, nous n'avons rien de solide pour le prouver. Ce qui signifie que nous n'avons aucune preuve tangible contre Rebecca.

– Il nous faut des aveux, dis-je.

– Ce serait grandiose. Débrouille-toi pour les obtenir. Par la même occasion, va jouer au Loto.

J'ignorai son sarcasme.

– Voilà ce que j'ai remarqué à propos de Rebecca. Elle n'a pas peur. Dans sa situation, seule une idiote ne tremblerait pas d'effroi. Or, elle n'est pas idiote. Pourtant, elle ne nous craint pas.

– Donc ?

– Elle se croit hors d'atteinte.

– Et elle l'est ! asséna Conway en écartant une branche de son visage. Sauf si nous sortons un diable de sa boîte.

– Je vais vous décrire le moment où je l'ai sentie terrorisée. Dans la salle commune, alors que toutes les filles perdaient la tête à propos du fantôme de Chris. Nous étions si occupées avec Alison que nous n'avons prêté aucune attention à Rebecca. Pourtant, elle était terrifiée. Elle n'a pas peur de nous. Quoi que nous produisions contre elle, des indices, des témoins, elle restera de marbre. Mais le fantôme de Chris l'épouvante.

– Et alors ? Tu vas te couvrir d'un drap et agiter les bras en surgissant devant elle dans la forêt ?

– Je veux simplement lui parler de ce fantôme. Voir comment elle réagit.

Cela m'avait frappé alors que j'étais assis dans l'herbe avec la bande de Joanne : toutes les filles, dans la salle commune, étaient persuadées que Chris revenait spécialement pour chacune d'elles. Rebecca le savait.

– C'est limite, objecta Conway.

Si cette évocation du fantôme amenait Rebecca à se déballonner, nous risquions gros. La défense plaiderait la coercition, l'intimidation, l'absence d'adulte agréé, présenterait ses déclarations comme irrecevables. Nous invoquerions l'urgence. Cela marcherait peut-être. Ou non.

Si nous n'obtenions pas ce que nous voulions maintenant, nous ne l'obtiendrions jamais.

– Je ferai gaffe, dis-je.

– Bien, répondit Conway. De toute façon, on est dans le brouillard.

– Merci, murmurai-je.

À ce moment-là, je respirai dans le noir, au-delà de la courbe du sentier, une odeur de tabac : Mackey, mollement adossé à un arbre.

– Belle nuit pour une dernière clope, dit-il.

Nous nous sommes figés, Conway et moi, tels deux gamins surpris en train de flirter. Toujours cette voix ironique.

– Ravi de constater que vous vous êtes réconciliés. Ça roule ?

Derrière lui, les jacinthes d'un bleu blanchâtre, comme éclairées de l'intérieur. Au-delà, au sommet de la pente, Selena et Rebecca, tempe contre tempe. Mackey les surveillait.

Conway s'adressa à lui la première :

– Nous souhaiterions que vous rentriez et restiez près de votre fille. Nous vous rejoindrons dès que possible.

– La journée a été longue, dit-il en agitant sa cigarette qui rougeoya dans les ténèbres. Et ces filles ne sont que des gamines. Elles sont effondrées, angoissées. Sans vouloir vous apprendre votre métier, Dieu m'en garde, je vous conseille de ne pas les brusquer. Un jury vous le reprocherait.

– Nous ne soupçonnons pas Holly du meurtre, déclarai-je.

– Vraiment ? Heureux de l'apprendre.

Je devinai à son ton qu'il ne me croyait pas.

– Nous avons de nouvelles informations, ajouta Conway. Elles innocentent votre fille.

– Bravo. Vous pourrez donc poursuivre votre enquête demain matin. Pour l'heure, il est temps pour vous de rentrer, de vous arrêter en chemin dans un pub et de célébrer autour d'une pinte votre nouvelle amitié.

Derrière lui, une ombre se faufila, s'immobilisa près de Selena. Julia.

– Nous n'avons pas encore fini, contesta Conway.

– Si, inspecteur. Vous avez terminé.

Voix douce, mais implacable.

– J'ai, de mon côté, recueilli quelques renseignements. Trois charmantes jeunes filles m'ont vu errer à votre recherche. Et elles m'ont appelé. Inspecteur Moran, vous vous êtes mal conduit.

– Si une personne reproche quelque chose à l'inspecteur Moran, rétorqua Conway, elle doit se plaindre à son supérieur. Pas à vous.

– Pourtant, c'est à moi qu'elles se sont confiées. Je pourrais les convaincre que votre collègue, même ébloui par leur irrésistible beauté, n'a pas cherché à les séduire, que l'une d'entre elles, blonde, mince et aux sourcils épilés, n'a pas cru sa vertu en danger. Mais je vous demande, en échange, de vous écarter de mon chemin et de me laisser agir à ma guise. Est-ce clair ?

– Je suis assez grand pour me débrouiller tout seul, dis-je. Merci quand même.

– J'aimerais être de ton avis, petit. Vraiment.

– Si je me plante, ce n'est pas votre problème. Et à qui je parle ne vous regarde pas.

Ma réponse, ferme, définitive, me surprit. Je sentais contre moi l'épaule de Conway, solide, secourable.

– Tu fais des progrès, gloussa Mackey. Tu as trouvé ça tout seul, ou ta nouvelle copine te l'a soufflé ?

– Monsieur Mackey, énonça Conway, laissez-moi vous expliquer ce qui va se passer maintenant. L'inspecteur Moran va procéder à l'interrogatoire de ces filles. J'y assisterai en silence. Si vous estimez pouvoir vous taire vous aussi, vous êtes le bienvenu. Sinon, cassez-vous et laissez-nous travailler.

– Ne prétends pas que je ne t'aurai pas prévenu, me lança-t-il.

Sur Conway, sur Joanne, sur ce qu'il ferait : il avait raison sur toute la ligne. Et, bon prince, il me donnait une dernière chance, en souvenir du bon vieux temps.

– Message reçu, répliquai-je. Bonjour chez vous.

Petit rire de Conway. Lui tournant le dos, nous avons traversé les jacinthes, escaladé la pente jusqu'à la clairière.

Une fois sous les cyprès, Conway s'arrêta. Mackey, qui la suivait, s'arrêta lui aussi. Elle tendit le bras. Ni lui ni elle n'iraient plus loin.

Je débouchai dans la clairière et m'immobilisai devant les trois filles.

La lune leur révélait mes traits. Elles restaient presque invisibles. Seules leurs silhouettes se détachaient vaguement dans l'obscurité, bien plus dangereuses que Joanne et sa bande.

Je m'éclaircis la gorge. Elles ne bougèrent pas.

– N'êtes-vous pas censées regagner vos chambres avant l'extinction des feux ? demandai-je d'une voix mal assurée.

– On rentrera dans une minute, répondit l'une d'elles.

– Parfait. Je voulais juste dire... Merci pour votre aide. Elle nous a été très utile.

– Où est Holly ? s'enquit une voix.

– À l'intérieur.

– Pourquoi ?

– Elle est un peu secouée. Elle tient le coup, malgré ce qui s'est passé dans la salle commune avec le... Vous savez bien. Le fantôme de Chris.

– Il n'y a jamais eu de fantôme, répliqua Julia. Des filles ont simplement voulu faire les intéressantes.

– Je l'ai vu, murmura Selena.

Froissements dans l'herbe. Julia venait de lui donner un coup de coude, ou de pied.

– Et toi, Rebecca ? repris-je.

Silence. Puis, dans le noir :

– Je l'ai vu.

– Que faisait-il ?

Nouveaux froissements, comme si toutes les trois se consultaient.

– Il parlait. À toute allure, sans reprendre son souffle. Maintenant, il n'a plus besoin de respirer.

– Que disait-il ?

– Je sais pas. J'ai essayé de lire sur ses lèvres, mais elles remuaient trop vite. À un moment, ajouta-t-elle d'une voix tremblante, il a ri.

– À qui parlait-il ?

Silence. Enfin, tout bas :

– À moi.

Je perçus, à côté d'elle, comme un sanglot.

– Pourquoi toi ?

– Je vous l'ai dit. J'entendais rien.

– Ce matin, tu as affirmé que Chris et toi n'étiez pas proches.

– On l'était pas.

– Donc, ce n'est pas comme si tu lui manquais au point qu'il ait souhaité venir te l'avouer.

Rien.

– Rebecca…

– Sans doute pas. Du moins, je suppose. J'en sais rien.

– Pas comme s'il était secrètement amoureux de toi ?

– Non !

– Tu sais de quoi tu avais l'air, dans la salle commune ? D'une fille terrorisée.

– J'ai vu un fantôme ! Vous aussi, vous auriez claqué des dents.

Elle me défiait. Elle n'avait plus rien de mystérieux, ou de dangereux. Elle n'était plus qu'une gamine, une ado. Son pouvoir se diluait, laissait place à la peur.

– Ne lui réponds plus, lui ordonna Julia.

– Tu croyais qu'il allait s'en prendre à toi ? insistai-je.

– Comment je l'aurais su ?

– Becs, ta gueule !

Impossible de déterminer si Julia était simplement sur la défensive, ou si elle commençait à comprendre.

– Pourtant, poursuivis-je, je croyais que tu l'appréciais. Tu nous as dit qu'il était sympa. Tu mentais ? C'était un salaud ?

– Non. Il était gentil !

Toujours ce défi dans la voix. Cela comptait pour elle.

Je haussai les épaules.

– D'après tout ce que nous avons appris, c'était un voyou. Il utilisait les filles pour obtenir d'elles ce qu'il voulait, puis les plaquait une fois arrivé à ses fins. Un vrai champion.

– Non ! Colm est plein de ces ordures. Ils se foutent des dégâts qu'ils provoquent, feraient n'importe quoi pour satisfaire leurs pulsions. Je suis capable de faire la différence. Chris n'avait rien de commun avec eux.

Brusques mouvements à ses côtés.

– Je sais ce qu'il a fait, rectifia-t-elle. Bien sûr, il n'était pas parfait. Mais il n'était pas comme les autres.

Rire cynique de Julia.

– Lenie, qu'est-ce que t'en penses ? Il était différent ?

Selena remua et répondit :

– Il était beaucoup de choses.

– Lenie !

Elles m'avaient oublié.

– Il souhaitait ne pas leur ressembler. Il a fait de gros efforts. Je sais pas si ça a marché.

– Oui ! clama Rebecca, proche de la panique. Ça a marché !

De nouveau ce rire déplaisant de Julia.

– Ça a marché, ça a marché ! scanda Rebecca.

Un craquement retentit derrière moi, une branche siffla. Il se passait quelque chose. Impossible de me retourner pour vérifier. Je devais faire confiance à Conway et continuer.

– Pourquoi, repris-je, avais-tu peur de ce fantôme ? Pourquoi s'en serait-il pris à toi, alors que Chris ne t'avait jamais agressée ?

– Il n'existe pas ! coupa Julia. Becca, tu m'entends ? Tu as tout imaginé ! C'est du bidon !

– Bidon toi-même ! Je l'ai vu !

– Rebecca… Pourquoi chercherait-il à s'en prendre à toi ?

– Parce que les fantômes sont en colère. Vous et votre collègue nous l'avez dit cet après-midi. Vous vous rappelez ?

Sa panique augmentait. Elle cria :

– De toute façon, il m'a rien fait de mal !

– Pas cette fois. Mais la prochaine ?

– Qui vous dit qu'il y aura une prochaine fois ?

– Moi. Chris avait un message pour toi. Il voulait quelque chose de toi. Mais il n'a pas réussi. Il reviendra. Encore et encore, jusqu'à ce qu'il obtienne ce qu'il désire.

– Il reviendra pas. Il est apparu parce que vous étiez là. Vous l'avez tous…

– Selena, dis-je. Tu sais qu'il était là. Tu crois, toi, qu'il reviendra ?

Je perçus soudain, venus du bas de la pente, des murmures. Un homme. Une jeune fille. Puis, plus près, au milieu des cyprès, un cri étouffé. Conway se déplaça entre les branches pour couvrir les voix.

– Selena, répétai-je. Chris va-t-il revenir ?

– Il est là tout le temps. Je ne le vois pas, mais je le sens. Et je l'entends, comme le bourdonnement dans mes oreilles quand on coupe le son de la télévision. Sans arrêt.

Je la croyais. Je croyais chaque mot qu'elle prononçait.

– Que veut-il ?

– Au début, j'étais persuadée qu'il me cherchait. Oh, mon Dieu, j'ai essayé si fort ! Il ne m'a jamais regardée, jamais entendue. Je l'ai supplié. *Chris, je suis là, je suis là.* Il passait devant moi sans me voir et faisait ce qu'il avait à faire. J'ai tenté de le retenir. Mais il disparaissait avant même que...

Rebecca poussa une plainte lugubre.

– J'ai cru que c'était parce que tout nous était interdit, comme un châtiment, qu'on nous avait condamnés à nous chercher sans cesse sans pouvoir nous rejoindre, parce qu'on n'avait pas le droit... En fait, c'était pas moi qu'il voulait. Pendant tout ce temps...

– La ferme ! martela Julia.

– Pendant tout ce temps, c'était jamais moi qu'il...

– P'tain, tu vas la boucler ?

Un sanglot s'étrangla dans la gorge de Selena. Ensuite, plus rien. Le cri poussé au milieu des cyprès s'évanouit, tout comme les voix venues du bas de la pente.

– Lenie, s'enquit enfin Rebecca, qu'est-ce qu'il veut ?

– Bordel, éructa Julia, on pourrait pas en discuter plus tard ?

– Pourquoi ? J'en ai pas peur.

– Écoute-moi bien. On ne doit avoir peur de rien d'autre que de ce fantôme à la con ! Donc, on n'a rien à craindre !

– Lenie, mais qu'est-ce qu'il veut ?

– P'tain, il existe pas ! Combien de fois...

Elles se disputaient comme des gosses, avec des voix agressives, criardes. Où étaient les fées qui m'avaient ébloui le matin même ? L'hydre à trois têtes que j'avais vue tout à l'heure dans la clairière n'était que le dernier vestige d'une union brisée depuis longtemps, la lumière d'une étoile morte.

– Lenie, Lenie, c'est à moi qu'il en veut ?

– J'aurais tant aimé que ce soit moi, gémit Selena.

À ce moment-là, une mince silhouette se détacha du groupe, s'agenouilla dans l'herbe. Et me dit :

– Je pensais pas que ce serait Chris.

– Le fantôme ?

Rebecca secoua la tête.

– Non, répondit-elle posément. Non. Quand je lui ai donné rendez-vous par texto ici. J'ignorais qui viendrait. J'aurais parié n'importe quoi que ce ne serait pas Chris.

– Oh, Becs, geignit Julia, comme si elle venait de recevoir un coup de poing dans le ventre. Oh, Becs…

Derrière moi, depuis l'ombre des cyprès, Conway déclara :

– Tu n'es pas obligée de poursuivre si tu ne le souhaites pas. Mais tout ce que tu diras sera noté et pourra être retenu contre toi. Tu comprends ?

Rebecca acquiesça. Elle semblait gelée jusqu'aux os, pétrifiée au point de ne pas pouvoir trembler.

– Donc, en te rendant ici cette nuit-là, tu comptais tomber sur un des autres crétins.

– Oui. Andrew Moore, peut-être.

– Quand tu as vu Chris, tu n'as pas changé d'avis ?

– Vous ne comprenez pas. C'était pas comme ça. Je me disais pas : « J'ai raison, j'ai tort, qu'est-ce que je fais ? » Je savais !

Nous y étions. Voilà pourquoi elle n'avait pas eu peur de Conway et de Costello, ni, ensuite, de nous deux. Pendant toute cette longue période, depuis cette nuit jusqu'à ce soir, elle était persuadée qu'elle ne risquait rien, parce qu'elle était convaincue d'avoir raison.

– Même quand tu t'es rendu compte qu'il s'agissait de Chris ? Tu étais toujours décidée ?

– Surtout à ce moment-là ! C'est là que j'ai eu la révélation. Avant, j'avais tout compris de travers. Tous ces minables, James Gillen ou Marcus Wiley, ça n'aurait jamais pu être eux. Ils sont rien : ils n'ont aucune valeur.

On ne peut pas sacrifier un être sans valeur. Il faut que celui qu'on immole vaille le coup.

Je vis, dans la nuit, Julia vaciller. Et le sourire triste, si triste de Selena.

– Comme Chris, dis-je.

– Oui. Il n'était pas sans valeur. Je m'en moque, de ce que vous dites, ajouta-t-elle férocement à l'intention de Julia et de Selena ! Il était spécial. Alors, quand je l'ai vu, c'est là que j'ai vraiment compris : il fallait le faire.

De nouveau ces voix au bas de la pente.

Je repris la parole, haussant un peu le ton :

– Ça ne t'a pas fait hésiter ? Un connard qui le méritait, c'est envisageable. Mais un type que tu appréciais, un garçon bien ? Ça ne t'a pas bouleversée ?

– Bien sûr. Si j'avais eu le choix, j'en aurais désigné un autre. Mais je me serais trompée.

Si elle avait été plus âgée, ou plus rusée, je l'aurais soupçonnée de plaider la démence. Si nous nous étions trouvés à l'intérieur, j'aurais cru à de la folie pure, sans arrière-pensée. Mais là, au centre de son univers, sous les étoiles et au milieu des parfums, je me mis presque à sa place. Et je dus me faire violence pour retrouver ma lucidité.

– Voilà pourquoi j'ai mis les fleurs, précisa Rebecca.

– Ah oui, les fleurs, dis-je d'un ton neutre, comme si je respirais leur senteur autour de moi.

– Celles-là.

Elle tendit brusquement le bras, désigna les jacinthes.

– J'en ai cueilli quatre ; une pour chacune d'entre nous. Je les ai déposées sur sa poitrine. Pas pour lui demander pardon. Mais comme un adieu. Pour lui dire qu'il n'était pas sans valeur.

Seule la meurtrière connaissait l'existence de ce bouquet. Je sentis, plus que je ne l'entendis, Conway soupirer.

– Rebecca, annonçai-je doucement. Nous devons t'arrêter. Tu le sais ?

Elle écarquilla les yeux.

– Comment ça va se passer ?

– Ne t'inquiète pas. Nous t'accompagnerons pendant toute la procédure. Quelqu'un prendra soin de toi jusqu'à l'arrivée de tes parents.

– Je pensais pas que ça finirait de cette façon.

– Je sais. Pour l'instant, il faut que tu nous suives. On va rentrer.

– Je peux pas.

– Laissez-nous d'abord une minute, supplia Selena. Juste une.

Je perçus le souffle de Conway. *Non.*

– D'accord, répondis-je. Juste une.

– Becs, chuchota Selena. Viens là.

Rebecca pivota, s'effondra dans ses bras. Elles s'étreignirent en pleurant, se bercèrent comme si, enfin, rien, plus jamais, ne les séparerait.

Des pas précipités derrière moi. Cette fois, je pus me retourner. Holly, sa queue-de-cheval défaite, gravissait la pente en courant.

Mackey la suivait sans se presser. Il l'avait vue débouler dans le sentier, lui avait barré le chemin aussi longtemps que possible, nous laissant, moi et Conway, faire notre travail. Au bout du compte, pour des raisons qu'il était seul à connaître, il avait décidé de me faire confiance.

Holly dépassa Conway comme si elle n'existait pas, atteignit la lisière de la clairière, aperçut ses trois amies. Elle se figea, comme si elle s'était cognée à un mur de pierre.

– Qu'est-ce qui se passe ?

Conway garda le silence. À moi de jouer.

– Rebecca, annonçai-je posément, a avoué le meurtre de Chris Harper.

– N'importe qui peut avouer n'importe quoi ! cria Holly. Elle l'a fait parce qu'elle avait peur que vous m'arrêtiez !

– Tu savais déjà que c'était elle, dis-je.

Elle ne le nia pas. Elle ne me demanda pas ce qui allait arriver à Rebecca. Elle le savait. Elle ne se précipita pas vers les autres, ne tomba pas dans les bras de son père, qui se fit violence pour ne pas s'avancer vers elle. Elle resta là, fixant ses amies figées dans l'herbe, une main plaquée contre un arbre, pour ne pas s'effondrer.

– Si tu l'avais su ce matin, lui dis-je, tu ne m'aurais pas apporté cette carte. À qui pensais-tu ?

D'une voix sombre et lasse, elle répondit :

– J'ai toujours cru que c'était Joanne. Peut-être pas elle en personne. Peut-être avait-elle confié le travail à une autre : Orla, par exemple, qui fait toujours le sale boulot pour elle. Mais j'étais sûre que l'idée venait d'elle. Parce que Chris l'avait plaquée.

– Ensuite, tu as pensé qu'Alison ou Gemma avaient tout découvert, ne supportaient pas la pression, et avaient épinglé la carte.

– Sans doute. Oui. Pourquoi pas ? Pas cette gourde de Gemma. Mais Alison, oui.

– Pourquoi, intervint Conway, n'as-tu pas simplement tout raconté directement à l'inspecteur Moran ? Pourquoi nous avoir forcés à patauger toute la journée ?

Holly la toisa avec un dédain incommensurable. Elle se laissa glisser le long du tronc, ferma les yeux.

– Tu ne voulais pas être une balance, lui dis-je.

Mouvement derrière elle. Mackey approchait.

– Une nouvelle fois, répondit-elle, les yeux toujours clos. Une nouvelle fois… Non, je voulais pas être encore une balance.

– Si tu m'avais révélé tout ce que tu savais, tu aurais sans doute témoigné devant un tribunal, et tout le collège aurait découvert que tu avais vendu la mèche. Mais tu tenais quand même à ce que la coupable soit confondue. Cette carte représentait une occasion unique. Tu n'étais pas obligée de me dire quoi que ce soit. Il te suffisait de m'orienter dans la bonne direction et de croiser les doigts.

– La dernière fois, vous vous êtes bien comporté. J'ai cru que si je vous impliquais dans l'affaire…

– Tu as bien fait, approuva Conway.

– Oui, soupira-t-elle, le visage vers le ciel.

Son chagrin me brisa le cœur. Je n'osai pas regarder Mackey.

– Comment en as-tu conclu que Joanne n'était pas coupable ? Quand nous t'avons emmenée dans la salle d'arts plastiques, tu le savais. Que s'est-il passé ?

Silence. Puis :

– Lorsque le plafonnier de la salle commune a explosé, murmura-t-elle. C'est à ce moment-là que j'ai compris.

– Pourquoi ?

Elle ne répondit pas. Elle avait fini.

Alors, Mackey s'adressa à elle avec une tendresse dont je ne l'aurais jamais cru capable.

– Mon poussin, tu as eu une longue, longue journée. Il est temps de rentrer à la maison.

Elle ouvrit les yeux. Et elle lui jeta, comme si personne d'autre n'existait :

– Tu as cru que c'était moi ! Tu as cru que j'avais tué Chris !

Mackey se ferma.

– Nous en parlerons dans la voiture.

– Qu'est-ce qui t'a fait penser que j'aurais pu tuer quelqu'un ? Tu as été témoin de toute ma vie ! Comment as-tu pu croire ça ?

– La voiture, mon ange. Maintenant.

– Tu t'es imaginé, poursuivit Holly, que si un garçon me harcelait, je lui fracasserais le crâne parce que je suis ta fille et qu'on a ça dans le sang. Je ne suis pas

572

uniquement ta fille ! Je suis un être humain ! Une personne !

— Je le sais.

— Et tu m'as empêchée d'intervenir pour qu'ils
puissent pousser Becca à avouer. Tu savais que si j'étais
arrivée jusqu'à la clairière, je l'aurais fait taire. Tu m'as
forcée à rester en bas jusqu'à ce que…

Sa voix s'étrangla.

— Je te le demande comme une faveur, plaida Mackey.
Rentrons à la maison. S'il te plaît.

— Je n'irai nulle part avec toi !

Elle se redressa, s'écarta du cyprès. Mackey fit mine
de s'avancer vers elle, se ravisa.

Au centre de la clairière, elle tomba à genoux. Un
instant, je redoutai que les autres ne lui tournent le dos.

Elles ouvrirent les bras, l'accueillirent, la serrèrent
contre elles.

Un oiseau de nuit s'époumona au-dessus de nos têtes.
Au loin, la cloche sonna l'extinction des feux. Les filles
ne bougèrent pas. Nous les avons laissées là, enlacées,
le plus longtemps possible.

Nous avons attendu dans le bureau de McKenna que
l'assistante sociale vienne emmener Rebecca. Pour un
crime différent, nous l'aurions laissée à la garde de la
directrice, lui permettant de passer une dernière nuit à
Sainte-Kilda. Pas pour celui-là. Elle coucherait dans un
établissement pour jeunes délinquants. Murmures autour
de la nouvelle, regards acérés la jaugeant, draps rêches,
odeur de désinfectant : elle ne serait pas trop dépaysée.

McKenna et Rebecca se faisaient face de chaque
côté du bureau. Conway et moi avions pris place un
peu à l'écart. Personne ne parlait. Conway et moi par
obligation, au cas où certains de nos propos auraient pu
ressembler à un interrogatoire ; McKenna et Rebecca par

prudence ou parce qu'elles n'avaient rien à nous dire. Les mains jointes, comme une nonne, Rebecca regardait par la fenêtre, plongée si profondément dans ses pensées qu'elle cessait parfois de respirer. À un moment, un frisson la secoua tout entière.

Ne sachant quelle attitude adopter vis-à-vis de chacun de nous, McKenna fixait ses doigts croisés sur la table. Elle s'était remaquillée, recoiffée. Pourtant, elle semblait toujours avoir dix ans de plus que ce matin. Le bureau, lui aussi, avait changé d'aspect. Alors que, quelques heures plus tôt, le soleil le nimbait d'un charme chargé de souvenirs et de secrets, il paraissait, dans la lumière blafarde du plafonnier, usé, suranné.

L'assistante sociale n'était pas la même que le matin. Grasse, flasque, ses bourrelets évoquant une pile de crêpes, elle ne posa pas de questions. Les regards sournois qu'elle jeta alentour indiquaient que son travail l'avait davantage habituée à des immeubles pisseux qu'à des endroits comme celui-là.

– Bien ! lança-t-elle. Il est temps pour nous d'aller dormir. Allons-y.

– Ne m'appelez pas « nous » ! s'écria Rebecca.

Elle se leva et gagna la porte, sans un regard pour l'assistante sociale, qui faisait claquer sa langue et tressauter son triple menton.

Avant de sortir, elle se retourna.

– Ça fera la une des nouvelles, n'est-ce pas ? demanda-t-elle à Conway.

– Je ne vous ai pas entendue lui lire ses droits, ergota l'assistante sociale en agitant un index vers Conway. Rien de ce qu'elle ne dit ne peut être utilisé.

Puis, à Rebecca :

– Nous devons garder le silence, maintenant. Bien sagement, comme deux petites souris.

– Les médias ne dévoileront pas ton nom, répondit Conway. Tu es mineure.

Rebecca sourit comme si nous étions nous-mêmes des enfants.

– Sur Internet, ils se ficheront pas mal de mon âge. Et Joanne encore plus, dès qu'elle sera en ligne.

McKenna réagit aussitôt.

– Tous les élèves et le personnel de ce collège recevront l'ordre impératif de ne rien révéler des événements d'aujourd'hui. Que ce soit sur Internet ou ailleurs.

– Si, dans cent ans, dit Rebecca, quelqu'un cherche mon nom, il le trouvera accolé à celui de Chris. Pour toujours.

De nouveau ce frisson, tel un spasme.

Conway tenta de la rassurer.

– Cela fera les gros titres pendant quelques jours, puis quelques jours encore, après…

Elle ne prononça pas le mot «procès».

– Ensuite, cela s'estompera. Sur la Toile, cela disparaîtra encore plus vite. Une célébrité surprise en flagrant délit d'adultère et ton histoire sera passée de mode.

– Ça ne fait rien. Je me moque de ce pensent les gens.

– Alors, quoi ?

– Rebecca, intervint McKenna, tu pourras parler aux inspecteurs demain. Lorsque tes parents t'auront trouvé un avocat.

Frêle dans l'encadrement de la porte, Rebecca murmura :

– J'ai cru que je l'éloignerais de nous. De Lenie, pour qu'elle ne soit pas liée à lui pour toujours. Et c'est moi qui le suis. Quand je l'ai vu, dans la salle commune…

– Je l'ai prévenue, lâcha l'assistante sociale d'un air pincé. Vous m'avez tous entendue.

– Donc, cela veut forcément dire que j'ai mal agi. Pourtant, j'étais tellement sûre de moi, tellement…

– Je ne peux pas la forcer à se taire ! beugla l'assistante sociale. Je ne peux quand même pas la bâillonner ! C'est pas mon boulot !

– Mais que j'aie eu raison ou tort, reprit Rebecca, ne fait aucune différence. De toute façon, il faut que je sois punie.

Le sang colora ses joues, dissipant sa pâleur.

– Est-ce équitable, à votre avis ?

Conway leva les mains.

– Cela dépasse ma compétence.

Si des nuages nous menacent / Notre amitié n'en aura cure. Cet après-midi, j'avais lu ces deux vers avec les yeux de Becca. Ensuite, leur sens s'était modifié.

– Oui, dis-je. C'est dans l'ordre des choses.

Le visage de Rebecca se tourna vers moi. J'eus l'impression d'avoir allumé en elle une lueur, une forme de délivrance.

– Vous croyez ?

– Oui. Ce poème que tu as accroché à ton mur ne signifie pas que rien de mal ne peut arriver si l'on a de vrais amis. Il signifie simplement que tu peux affronter ce mal tant que tu les as. Ils comptent plus que tout.

Elle réfléchit un instant, indifférente à la hâte de l'assistante sociale.

– Je ne pensais pas cela l'année dernière, chuchota-t-elle. Je n'étais sans doute qu'une petite fille.

– Le referais-tu, en ayant compris ?

Elle eut un rire clair, triomphant. Elle ne doutait plus. De nous tous, elle était l'être le plus solide, le plus sûr de son bon droit.

– Bien sûr que je l'aurais fait ! Bien sûr !

– Ça suffit ! tonna l'assistante sociale. Nous vous souhaitons le bonsoir !

Elle referma ses doigts boudinés sur le bras de Rebecca, qui ne broncha pas, l'entraîna dans le couloir. Son pas excédé couvrit le chuintement à peine audible des *runners* de Rebecca, puis mourut peu à peu.

– Nous allons lever le camp nous aussi, annonça Conway. Nous reviendrons demain.

McKenna pivota lentement vers nous, comme si son cou lui faisait mal.

– Je n'en doute pas.

– Si ses parents s'adressent à vous, vous avez nos numéros de téléphone. Si Holly, Julia et Selena demandent quoi que ce soit d'autre depuis leur chambre, vous avez la clé. Si l'une d'elles a quelque chose à nous dire, même au milieu de la nuit, assurez-vous qu'elle soit en mesure de le faire.

– Vous avez été très clairs. Vous pouvez partir tranquilles.

Conway s'en allait déjà. Quant à moi, je pris mon temps. McKenna n'était plus qu'une femme ordinaire, telle une des copines de ma mère accablée par un mari poivrot ou un gosse en cavale, cherchant son chemin dans la nuit.

– Vous nous l'avez affirmé ce matin, lui dis-je. Ce collège a survécu à bien des épreuves.

– Certes.

Elle eut un ultime sursaut de vigueur, me décocha une dernière pique en me considérant de cet œil implacable qui transformait des adolescentes insolentes en petites filles soumises.

– Bien que j'apprécie votre tardive sollicitude, inspecteur, je suis persuadée qu'il peut même survivre à la terrible menace que vous représentez, votre collègue et vous.

– « Restez à votre place, ironisa Conway une fois que je l'eus rejointe dans le couloir, et léchez-moi les bottes. »

Son visage et sa voix se perdirent dans le noir. Impossible de savoir si elle plaisantait.

Nous, quittant Sainte-Kilda. La rampe d'escalier, tiède sous ma paume. Le vestibule, son carrelage en damier à peine éclairé par l'imposte. Nos pas, le cliquetis des clés de voiture entre les doigts de Conway. Très loin, une horloge sonna minuit. Un instant, cet endroit que j'avais découvert le matin se matérialisa pour moi seul, tel un palais de nacre émergeant de la brume : magnifique ; inaccessible.

Le trajet jusqu'à la voiture dura une éternité. La nuit s'ouvrit devant nous, chargée de senteurs, de bruits d'eau, de courses d'animaux. Le parc semblait hostile, tout comme les arbres entourant le parking. Chaque son me faisait sursauter. Mais il n'y avait rien à voir. Je ne percevais qu'une présence lourde, ricanante.

En refermant la portière, je transpirais. Je crus que Conway ne s'en était pas aperçu, jusqu'à ce qu'elle me dise :

– Je suis ravie de me tirer d'ici.

– Moi aussi.

Nous aurions dû triompher, rire, applaudir. Je n'y parvenais pas. Des images me hantaient : la tristesse de Holly et de Julia contemplant le dernier vestige d'une union brisée ; les yeux bleus de Selena perdus dans un monde auquel je n'avais pas accès ; le rire de Rebecca, trop clair, presque inhumain. La voiture était froide.

Conway mit le contact, recula brutalement, s'engagea dans l'allée en soulevant des gerbes de gravier.

– Je commencerai l'interrogatoire à 9 heures, précisa-t-elle. À la Criminelle. Je préférerais t'avoir comme assistant plutôt qu'un des connards de la brigade.

King et les autres allaient inventer de nouveaux sarcasmes. Elle venait enfin de résoudre une grosse affaire. Ils auraient dû la féliciter, lui offrir des bières à gogo. Bravo, bienvenue au club. Cela ne se passerait pas comme ça. Si je voulais m'intégrer un jour à l'équipe, devenir pote avec toutes ces hyènes, le meilleur moyen consistait à me défiler en douce, à regagner les Affaires classées en attendant des jours meilleurs.

– Je serai là, répondis-je.

– Tu l'as mérité. Du moins à mon avis.

– Merci mille fois.

– Tu as réussi à tenir une journée entière sans foirer dans les grandes largeurs. Tu veux quoi ? Une médaille ?

– Je vous ai dit merci. Qu'est-ce que voulez ? Des fleurs ?

Le portail était fermé. Le gardien de nuit n'avait pas remarqué le faisceau de nos phares descendant l'allée. Lorsque Conway klaxonna, il leva brusquement les yeux de son ordinateur portable.

– Glandeur ! avons-nous crié en chœur.

Le portail s'ouvrit avec lenteur. Dès qu'elle eut assez d'espace pour le franchir, Conway fonça, au risque d'arracher le rétroviseur de la MG. Adieu Sainte-Kilda.

Elle fouilla la poche de sa veste, déposa quelque chose sur mes genoux. La photo de la carte. Chris souriant, arbres verts. *Je sais qui l'a tué.*

– Tu mises sur qui ?

Même dans la pénombre, il débordait de gaieté, de vie. Je dirigeai le cliché vers l'éclairage du tableau de bord, tentai de déchiffrer son visage. De voir si ce sourire répondait à celui de la fille qu'il regardait ; s'il exprimait un amour neuf, passionné. Il garda son secret.

– Selena, dis-je.

– Idem pour moi.

– Depuis que Rebecca avait exhibé le téléphone de Chris, elle la savait coupable. Elle a réussi à garder cette certitude pour elle pendant un an. Pourtant, à la fin, cela la traumatisait tellement qu'elle ne l'a plus supporté. Il fallait que ça sorte.

– Exact. Mais elle refusait de dénoncer son amie. Le tableau des secrets était le lieu idéal où se libérer de son angoisse sans rien révéler d'important à quiconque. Toutefois, évaporée comme elle l'est, elle n'a jamais imaginé que cela provoquerait notre intervention. Elle pensait que la carte alimenterait la rumeur une journée, puis qu'on n'en parlerait plus.

À intervalles réguliers, les réverbères ressuscitaient Chris, puis le replongeaient dans les ténèbres.

– Maintenant, elle cessera peut-être de le voir, dis-je.

Je voulais entendre Conway le confirmer. *Il est parti. Nous l'avons chassé de son esprit. Laissons-les tous les deux en paix. Et libres.*

– Non, objecta-t-elle, une main plaquée sur l'autre contre le volant, s'engageant en souplesse sur un rond-point. Elle est liée à lui pour toujours.

Les jardins que nous avions longés le matin étaient déserts, plongés dans le silence. Nous approchions de la voie rapide. Pourtant, rien ne bougeait, sauf nous. Le moteur de la MG semblait vulgaire, incongru.

– Costello, murmura Conway.

Un projecteur illuminait la statue de béton en forme d'anse de mug. Ses propriétaires tenaient peut-être à ce qu'on puisse l'admirer vingt-quatre heures sur vingt-quatre. Ou alors, ils craignaient qu'un ivrogne ou un fou ne la vole.

– Ils ne l'ont pas encore remplacé, ajouta Conway.

– Je sais.

– O'Kelly a parlé de juillet, après le budget du semestre. À moins que notre affaire ne finisse en eau de boudin, je devrais, à ce moment-là, être encore en odeur de sainteté. Si tu as l'intention de postuler, je pourrais t'appuyer.

Cela voulait dire : « coéquipier ». Conway et moi…

Aussitôt, la suite m'apparut avec une netteté effarante. Les ricanements des hyènes, les quolibets, les insinuations. Les dossiers introuvables, les témoins nous contactant trop tard, les pots entre collègues dont nous n'entendrions parler que le lendemain. Moi essayant de me montrer sympa et me ridiculisant un peu plus. Conway n'essayant rien.

– Ce serait l'enfer, dis-je. Merci bien.

Elle eut un petit sourire : le même que celui qui l'avait humanisée lorsqu'elle avait téléphoné à Sophie, à la brigade.

– En tout cas, on rigolerait.

– Vous avez une drôle d'idée de la rigolade.

– Te plains pas. Sinon, tu végéteras aux Affaires classées jusqu'au Jugement dernier, en priant pour qu'une autre ado t'apporte un nouveau bon de sortie.

– Je ne me plains pas, rétorquai-je, souriant à mon tour.

– T'as intérêt.

Elle engagea la MG sur la voie rapide, appuya sur le champignon. Un automobiliste qui avait failli l'emboutir protesta à coups d'avertisseur. Elle lui répliqua de la même façon, lui fit un doigt d'honneur. Et le feu d'artifice de la ville explosa autour de nous : néons des enseignes, lumières rouges et or, vacarme des motos et de la stéréo entrant par nos fenêtres ouvertes. Tandis que la route s'étirait devant le capot, elle nous communiquait sa vigueur, sa vitalité, avec assez de force pour nous permettre de résister à tout jusqu'à la fin des temps.

30

La rentrée en seconde se déroule sous une pluie battante. L'été a été bizarre, décousu. Une fille était toujours en vacances avec ses parents, une autre avait un barbecue en famille ou rendez-vous chez le dentiste. Résultat : les quatre se sont à peine vues depuis juin. La mère de Selena l'a emmenée chez son coiffeur pour affiner les cheveux courts qu'elle avait coupés elle-même, ce qui la vieillit et la rend sophistiquée, jusqu'à ce que, la scrutant avec attention, on se rende compte que ses traits n'ont pas changé. Julia a un suçon dans le cou. Elle n'en parle pas et personne ne l'interroge là-dessus. Becca a grandi d'au moins sept centimètres et a enlevé son appareil dentaire. Holly a l'impression d'être la seule à être restée la même : un peu plus grande, peut-être, les jambes moins grêles. Rien de plus. Un instant, son sac sur l'épaule, devant la porte de la chambre qu'elles partageront cette année, elle se sent presque intimidée.

Aucune ne fait allusion à leur serment. Aucune ne rappelle leurs virées nocturnes, à quel point c'était chouette, ni ne suggère qu'elles pourraient recommencer. Holly se demande si, pour ses amies, ce n'était pas une vaste blague, une façon de pimenter la routine du collège, si elle s'est raconté des histoires en s'imaginant que ces escapades comptaient vraiment.

Chris Harper est mort depuis trois mois et demi. Aucune ne prononce son nom; ni elles ni aucune autre élève. Aucune ne veut être la première. Et, au bout de quelques jours, il est trop tard.

Deux semaines après le début du trimestre, la pluie se calme. Un après-midi, ne supportant plus le chahut du Court, les quatre affichent leur air innocent et contournent l'hypermarché, vers le Pré.

Les mauvaises herbes sont plus hautes, plus drues que l'année dernière. Les piles de parpaing se sont effondrées. Il n'y a personne. Pas même les «émos». Julia se faufile entre les broussailles et s'installe, le dos contre un tas de gravats. Les autres la suivent.

Julia sort son téléphone, envoie un texto. Becca dispose des cailloux en cercle sur une parcelle de terre nue. Selena contemple le ciel, comme hypnotisée. Une goutte d'eau s'écrase sur sa pommette. Elle ne cille pas.

Il fait froid. Holly plonge les mains dans les poches de sa veste. Sa peau la démange quelque part, elle ne sait où.

– C'était quoi, cette chanson? Elle passait sans arrêt à la radio, l'année dernière. Une chanteuse…

– Elle commence comment? demande Becca.

Holly essaie de la chanter, mais il y a des mois qu'elle l'a entendue et les paroles se sont envolées. Elle ne retrouve que *Remember oh remember back when…* Elle tente de fredonner la mélodie. Sans la batterie et la guitare, c'est nul. Julia hausse les épaules.

– Lana Del Rey? hasarde Becca.

– Non. Lenie, tu sais de qui je parle.

Selena a un sourire vague.

– Quoi?

– Cette chanson que tu fredonnais dans notre chambre. Je sortais de la douche et je t'ai demandé ce que c'était, mais t'en savais rien…

Selena se concentre un instant. Puis elle oublie et pense à autre chose.

– P'tain ! s'exclame Julia. Ils sont où tous ? Ici, c'était marrant, autrefois !

– C'est à cause de la météo, répond Holly.

Sa peau la démange de plus en plus. Elle dégote un emballage de *Crunchie* dans sa poche, le roule en boule.

– Ça me dérange pas, dit Becca. Y avait que des cons cherchant une fille à harceler.

– Au moins, on s'emmerdait pas. On aurait dû rester à l'intérieur.

Holly comprend pourquoi elle a envie de se gratter : elle se sent seule.

– On rentre, dit-elle.

Tout à coup, elle a envie de l'hypermarché, d'une musique à vous faire péter les tympans, de sucre rose.

– Je veux pas y retourner ! Pour quoi faire ? On doit regagner le collège dans cinq minutes.

Holly a vraiment envie d'aller au Court. Mais elle sait que les autres ne la suivront pas. Et la perspective de courir seule sous le ciel pluvieux ne la réjouit guère. Elle se sent de plus en plus seule. Alors, elle jette en l'air la boule qu'elle vient de fabriquer, la fait tournoyer un instant, puis l'immobilise.

Aucune des autres ne réagit. Holly dirige la boule vers Julia, qui la repousse d'un geste excédé.

– Arrête !

– Hé, Lenie !

Elle fait rebondir la boule contre le front de Selena. Selena sursaute. Puis elle cueille doucement la boule, la fourre dans sa poche et déclare :

– On le fera plus.

– Rends-moi ça ! s'écrie Holly. C'est moi qui l'ai fait !

Elles ne répondent pas. Pour la première fois, Holly pense qu'elle croira un jour, comme tous les gens raisonnables, qu'elles ont tout imaginé.

Julia envoie un nouveau texto. Selena s'est replongée dans ses rêves. Holly les aime toutes les trois avec une telle violence qu'elle pourrait hurler.

Becca capte son regard et baisse la tête vers le sol. Lorsque Holly s'incline elle aussi, Becca fait jaillir un caillou des mauvaises herbes, le dépose au bout de son soulier. Et elle lui sourit, avec la tendresse d'un adulte offrant un bonbon à un enfant.

La seconde est une « année de transition », consacrée à des activités extrascolaires et professionnelles. Les quatre suivent leurs semaines de travaux pratiques dans des ateliers et selon des horaires différents. Quand les profs divisent la classe en groupes se consacrant aux dangers d'Internet ou au bénévolat sur les enfants handicapés, ils séparent les bandes d'amies, parce que l'année de transition doit permettre à chaque élève de vivre une expérience nouvelle. C'est ce que se dit Holly, les jours où elle entend Julia éclater de rire à l'autre bout de la classe, ou lorsqu'elles se retrouvent brièvement toutes les quatre après l'extinction des feux et qu'elles ont à peine le temps d'échanger un mot : c'est l'année de transition. Il faut en passer par là. L'année prochaine, tout redeviendra normal.

Cette année, quand Becca affirme qu'elle ne se rendra pas au bal de la Saint-Valentin, personne n'essaie de lui faire changer d'avis. Lorsque Sœur Cornelius surprend Julia en train de bécoter François Lévy au beau milieu de la piste de danse, Holly et Selena ne s'offusquent pas. Holly est persuadée que Selena, qui se balance en s'entourant de ses bras, n'a rien remarqué.

Ensuite, quand elles ont regagné leur chambre, Becca leur tourne le dos, lovée sur son lit, les écouteurs sur les oreilles. Sa lampe de chevet éclaire son œil ouvert. Mais elle ne dit rien, et les autres non plus.

La semaine suivante, lorsque Mlle Graham leur enjoint de se rassembler en groupes de quatre pour le grand projet artistique, Holly pince si violemment les trois autres qu'elles en tombent presque de leur chaise.

– Hé, s'écrie Julia en retirant son bras. Qu'est-ce que t'as ?

– Relax. Simplement, je veux pas me retrouver avec des demeurées qui voudront faire un portrait de Kanye avec des baisers de rouge à lèvres.

– Calmos, répond gaiement Julia. On fera un portrait de Lady Gaga avec des tampons hygiéniques. Ce sera un manifeste sur la place de la femme dans la société.

Toutes les trois éclatent de rire. Même Selena sourit. Et, pour la première fois depuis des lustres, Holly se sent détendue.

– Salut ! crie-t-elle en claquant la porte derrière elle.

– Je suis là, lui répond son père depuis la cuisine.

Holly laisse tomber son sac de week-end sur le sol et s'avance vers lui en secouant la tête, chassant un reste de pluie de ses cheveux.

Il épluche des pommes de terre sur le plan de travail, les manches retroussées jusqu'aux coudes. Vu de dos, avec ses cheveux rêches encore presque entièrement noirs, ses épaules carrées et ses bras musclés, il a presque l'air d'un jeune homme. Le four allumé chauffe la pièce. La bruine de février dépose sur la fenêtre une brume presque invisible.

Chris Harper est mort depuis neuf mois, une semaine et cinq jours.

Les mains toujours occupées, papa se penche vers elle pour qu'elle puisse l'embrasser sur la joue : barbe de trois jours, odeur de cigarette.

– Montre-moi, dit-il.

– Papa !

– Montre-moi.

– T'es tellement parano !

Il agite les doigts vers elle. Elle roule des yeux et lui tend son porte-clés. Son alarme personnelle est une jolie petite larme noire ornée de fleurs blanches. Papa en a longtemps cherché une ressemblant à un porte-clés ordinaire, afin qu'elle puisse la décrocher facilement, mais il la vérifie quand même chaque week-end.

– J'aime ma parano, répond-il, retournant aux pommes de terre.

– Aucune autre fille n'est obligée d'avoir une alarme.

– Donc, tu seras la seule à échapper aux prochains enlèvements de masse des extraterrestres. Félicitations. Tu veux casser la croûte ?

– Ça va.

Le vendredi, avec le reste de leur argent de poche, les quatre achètent du chocolat qu'elles croquent à l'arrêt du bus.

– Parfait. Alors, donne-moi un coup de main.

D'habitude, sa mère prépare toujours le dîner.

– Où est maman ?

Elle jette un bref regard de côté à son père. Quand elle était petite, ses parents se sont séparés. Papa est revenu quand elle avait onze ans, mais Holly guette toujours le moindre signe inhabituel.

– Elle a rendez-vous avec une ancienne copine de classe. Attrape.

Il lui lance une tête d'ail.

– La recette dit : « Trois gousses finement hachées. »

– Quelle copine ?

– Une certaine Deirdre.

«Une certaine Deirdre… » Avec papa, on ne peut jamais dire ce qu'il sait vraiment.

– Hache finement.

Holly dégotte un couteau et s'installe sur un tabouret, devant la table du petit déjeuner

– Elle va rentrer ?

– Bien sûr. Mais à quelle heure… ? Elle veut que nous commencions à dîner sans elle. Si elle revient à temps, tant mieux. Sinon, on ne mourra pas de faim.

– Si on se tapait une pizza ? suggère Holly avec un petit sourire.

Quand elle lui rendait visite, le week-end, dans son appartement sinistre, ils commandaient des pizzas qu'ils dégustaient sur son minuscule balcon donnant sur la Liffey, les jambes pendant entre les barreaux de la balustrade, car il n'y avait pas de place pour des chaises. L'œil gai de papa lui prouve qu'il s'en souvient lui aussi.

– Je m'efforce de concocter un chef-d'œuvre gastronomique et tu réclames de la pizza ? Ingrate ! De toute façon, ta mère a dit qu'il fallait cuisiner le poulet.

– Qu'est-ce qu'on prépare ?

– Poulet à la cocotte. Elle a écrit la recette.

Il désigne une feuille de papier coincée sous la planche à hacher

– Comment s'est déroulée ta semaine ?

– La routine. Sœur Ignatius nous a débité un grand laïus sur la nécessité de décider de ce que nous devrions faire à la fac, de l'importance vitale de notre choix. À la fin, elle était tellement hystérique qu'elle nous a entraînées dans la chapelle pour prier nos saintes patronnes.

Cela provoque le rire qu'elle attendait.

– Et que t'a répondu ta sainte patronne ?

– Elle m'a conjurée de ne jamais rater mes examens si je ne tenais pas à passer une année supplémentaire avec Sœur Ignatius. Et elle s'est marrée.

– Une chouette sainte.

Papa jette les épluchures dans le baquet à compost et commence à hacher les pommes de terre.

– Tu n'en as pas un peu ta claque des bonnes sœurs ? Tu peux quitter l'internat n'importe quand. Tu n'as qu'un mot à dire.

– Je veux pas, réplique Holly.

Elle ignore toujours pourquoi papa la laisse être pensionnaire, surtout après ce qui est arrivé à Chris, et elle redoute toujours qu'il change brusquement d'avis.

– Sœur Ignatius est sympa. On se moque d'elle, c'est tout.

Julia imite sa voix. Une fois, elle l'a singée pendant toute une séance d'orientation. Sœur Ignatius ne s'en est même pas rendu compte et s'est demandé pourquoi on se gondolait.

– Petite chipie ! s'exclame papa avec un grand sourire.

Il aime beaucoup Julia.

– La sœur a quand même marqué un point, ajoute-t-il. Tu as réfléchi à ce que tu voulais faire plus tard ?

Depuis deux mois, chaque adulte tanne Holly avec cette question.

– Peut-être sociologie. Un sociologue est venu nous faire une conférence la semaine dernière. Ça a l'air pas mal… Ou alors du droit.

Elle se concentre sur l'ail. Maman est avocate, papa inspecteur de police. Elle n'a pas de frère ou de sœur pour reprendre le flambeau de papa.

– Ah, bon, dit-il, très intéressé. Notaire, avocate ?

– Plutôt avocate. Mais j'ai pas encore décidé.

– En tout cas, tu as assez de répartie pour te lancer là-dedans. Avocat général ou avocat de la défense ?

– Plutôt la défense.

– Pourquoi ?

En dépit de son ton guilleret, Holly sent que ça ne lui plaît pas. Elle a un geste vague.

– Ça semble intéressant. J'ai haché assez menu ?

Elle essaie de se rappeler quand elle s'est opposée à son père. Le seul moment dont elle se souvienne est lorsqu'elle a décidé d'être pensionnaire. La plupart du temps, il refuse et c'est sans réplique. Parfois, son silence suffit à la faire changer d'avis.

– C'est bon pour moi, dit-il. Là.

Elle se rapproche de lui, jette l'ail dans la cocotte.

– Hache le poireau. Pourquoi la défense ?

Elle fourre le poireau sous son hachoir.

– Parce que. Des tas de gens choisissent l'accusation. Les flics, la police scientifique, le ministère public… La défense ne groupe que deux personnes : l'avocat et son client. Et l'accusé est seul.

Papa examine les pommes de terre, soupèse sa réponse.

– Ma chérie, ça n'est pas aussi injuste que ça. Tout le système penche vers la défense. L'accusation doit prouver ce qu'elle avance. La défense n'a qu'à instiller le doute. Je te jure, la main sur le cœur, qu'il y a plus de coupables acquittés que d'innocents en prison.

Ce n'est pas ce que Holly voulait dire. Papa n'a rien compris. Elle ne sait pas si ça l'exaspère ou la soulage.

– Oui, admet-elle. Sans doute.

Papa jette les pommes de terre dans la cocotte.

– Prends ton temps. Ne te lance pas dans une carrière à moins d'être sûre à cent pour cent. D'accord ?

– Pourquoi tu veux pas que je devienne avocat de la défense ? demande-t-elle.

– J'en serais ravi. Tu te feras du blé. Et je pourrai, grâce à toi, continuer à mener le train de vie auquel je me suis habitué.

Il se défile, ce qui exaspère Holly.

– Papa, je te pose une question !

– Les avocats de la défense me haïssent. Tu me hais, toi aussi ?

Il ouvre le frigo.

– Selon ta mère, il faut ajouter des carottes. Combien, à ton avis ?

– Papa !

Il s'appuie contre le réfrigérateur, la contemple.

– Admettons qu'un client se présente à ton cabinet, te demande de le défendre. Plus tu lui parles, plus tu es convaincue de sa culpabilité. Mais il est riche. Et tu as besoin d'un appareil dentaire pour ta fille, de fournitures scolaires pour ton fils. Qu'est-ce que tu fais ?

Elle hausse les épaules.

– Je ferai mes comptes ce moment-là.

Inutile d'aller plus loin. Ce qu'elle veut, c'est lutter contre l'ordre établi, aider les humbles. Papa ne comprendrait pas.

Il plonge les mains dans un sac de carottes.

– Une ? Deux ?

– Mets-en deux.

– Et tes copines ? Qu'est-ce qu'elles veulent faire ?

– Julia souhaite devenir journaliste. Becca ne sait pas. Selena voudrait faire les beaux-arts.

– Bonne idée. Elle est douée. Elle va bien ?

Tout en épluchant une carotte, Holly regarde par la fenêtre, pour voir si maman va rentrer.

– Qu'est-ce que tu veux dire ?

– Je m'interrogeais, c'est tout. La dernière fois que tu l'as invitée, elle semblait… comment dire ? Planer.

– Elle est comme ça. Il suffit de faire l'effort de la connaître.

– Je la connais depuis un bon bout de temps. Elle ne planait pas autant. Elle a des ennuis ?

Holly hausse les épaules.

– Des problèmes liés au collège, je suppose. Rien de grave.

Papa se tait un instant, mais elle sait qu'il n'a pas fini. Elle laisse tomber les morceaux de poireau dans la cocotte.

– Je fais quoi, maintenant ?

– Tiens.

Il lui jette un oignon.

– Je sais que tes amies et toi êtes intimes avec Selena. Parfois, pourtant, les meilleurs amis d'une personne sont les derniers à deviner que quelque chose ne va pas chez elle. De nombreuses difficultés peuvent surgir à votre âge : dépression, tendances maniaco-dépressives, schizophrénie. Je n'insinue pas que Selena souffre de telles pathologies, précise-t-il en levant la main au moment où Holly s'apprête à ouvrir la bouche, mais si elle a un problème, même mineur, il est temps de l'identifier.

Holly laisse éclater son irritation.

– Elle n'est pas schizophrène ! Elle vit dans son monde ! Ce n'est pas parce qu'elle ne correspond pas à l'image débile qu'on se fait d'une ado hurlant aux concerts de Jedward qu'elle est anormale !

Les yeux de papa sont très bleus et très calmes. Cette placidité lui fait peur. Parce qu'il devient sérieux.

– Tu m'as mal compris, mon ange. Je ne prétends pas qu'elle doit se comporter comme une pom-pom girl déjantée. Je dis simplement qu'elle semble beaucoup moins équilibrée que l'année dernière. Si elle a un problème et si on ne le traite pas rapidement, cela risque de compromettre gravement son avenir. Vous allez affronter le monde extérieur bien plus tôt que vous ne l'imaginez. Si l'une d'entre vous traîne une maladie mentale non soignée, elle ne s'en sortira pas.

Holly discerne autour d'elle une réalité nouvelle, une pression étouffante.

– Selena va bien ! s'emporte-t-elle. Tout ce qu'elle demande, c'est qu'on la laisse tranquille. D'accord ? Tu peux faire ça, s'il te plaît ?

Au bout d'un moment, il répond :

– Entendu. Ainsi que je l'ai dit, tu la connais mieux que moi. Et, toutes les quatre, vous vous entraidez. Garde un œil sur elle. Je n'exige rien d'autre.

Une clé impatiente tournant dans la serrure, une bouffée d'air frais chargé de pluie.

– Frank ? Holly ?

– On est là ! crient Holly et papa.

La porte claque. Maman entre en coup de vent dans la cuisine.

– Mon Dieu ! soupire-t-elle en s'adossant au mur.

Ses cheveux blonds dépassent de son chignon. Elle semble différente, émue, éberluée. Rien à voir avec l'image de la jeune femme maîtresse d'elle-même qu'elle affiche d'habitude.

– C'était tellement étrange !

– Tu es bourrée ? lui demande papa avec un grand sourire. Et moi qui, à la maison, m'occupe de ta fille en préparant le dîner…

– Non. Peut-être un peu éméchée, mais ce n'est pas ça. Tu te rends compte que je n'avais pas vu Deirdre depuis presque trente ans ?

– Donc, tout s'est bien passé ?

Maman rit de bon cœur. Son manteau s'entrouvre. En dessous, elle porte sa robe bleu marine striée de blanc, le collier en or que papa lui a offert pour Noël. Elle est toujours plaquée contre le mur, son sac à ses pieds. Son attitude déconcerte Holly. D'ordinaire, maman l'embrasse dès qu'elle apparaît.

– C'était merveilleux ! En arrivant, j'étais terrorisée. À la porte du pub, j'ai failli tourner les talons et rentrer à la maison. Et s'il ne se passait rien, si nous restions assises là, à papoter dans le vide ? Je ne l'aurais pas supporté. Holly, au collège, Dee, notre copine Miriam et moi, nous étions aussi inséparables que toi et tes amies.

Un pied sur l'autre, elle se tient de guingois sur ses chaussures à hauts talons de cuir bleu sombre. Une posture d'adolescente.

– Trente ans ! s'exclame Holly. Nous, on n'aurait jamais, jamais…

– Les parents de Deirdre ont émigré en Amérique quand nous avons quitté le collège. Elle a fait ses études universitaires là-bas. Ça n'était pas comme aujourd'hui. Il n'y avait pas Internet, les coups de téléphone coûtaient les yeux de la tête et le courrier mettait des semaines à arriver. Nous avons essayé de garder le contact. Tu te rends compte qu'elle a toujours mes lettres ! Elle les a apportées. J'ai revécu tout ce que j'avais oublié, les garçons, les escapades nocturnes, les disputes avec nos parents et… Je sais que j'ai les siennes quelque part ; dans le grenier de papa et maman, peut-être. Il faudra que je vérifie. Il est impossible que je les aie jetées. Mais nous étions à la fac, nous avions nos vies. Et nous nous sommes perdues de vue.

Le ravissant visage diaphane de maman se colore subitement. Elle ne ressemble plus à la mère de Holly qui la regarde avec un œil neuf et, pour la première fois, l'appelle intérieurement par son prénom : *Olivia.*

– Mais aujourd'hui ! Nous avions l'impression de nous être quittées un mois plus tôt ! Nous avons tellement ri, comme autrefois ! Nous nous sommes souvenues de tout, des fausses paroles que nous avions inventées pour l'hymne du collège ; des vers obscènes que nous avons chantés ensemble, dans le pub. Nous nous rappelions chaque mot, alors que je n'y avais pas pensé depuis trente ans. Un seul regard à Dee et tout m'est revenu.

– Beugler des chants de corps de garde dans un pub ! À ton âge ! rit papa. Tu seras radiée du barreau.

Son sourire le fait, lui aussi, paraître plus jeune. Il est enchanté de voir maman dans cet état.

– Tout le monde a dû nous entendre ! Je ne l'ai même pas remarqué. À la fin, Dee m'a demandé : «Tu veux peut-être rentrer chez toi ? » J'ai répondu : «Pourquoi ? » Quand elle a dit : «Chez toi », j'ai imaginé la maison de mes parents, la chambre de mes dix-sept ans. J'ai pensé : «Pourquoi me dépêcherais-je de retourner là-bas ? » Je m'étais tellement replongée en 1982 que j'avais oublié que tout le reste existait !

Une main plaquée devant la bouche, elle semble à la fois honteuse et ravie.

– Abandon d'enfant, dit papa à Holly. Prends-en note, au cas où tu voudrais porter plainte contre elle.

Tout à coup, Holly revoit une image : Julia dans la clairière il y a longtemps, son sourire tendre : *Ce n'est pas pour toujours.* Elle se trompait. Elles sont liées à jamais, même par-delà la mort.

– Elle m'a donné ça, dit maman en fouillant dans son sac.

Elle extirpe une photo aux bords jaunis, la pose sur le plan de travail.

– Regarde. C'est nous : Deirdre, Miriam et moi. C'est nous !

Sa voix se brise. Un instant, Holly craint qu'elle ne fonde en larmes. Mais maman se mord la lèvre et sourit.

Le cliché les représente toutes les trois, un peu plus âgées que Holly. Uniforme de collégiennes, le blason de Sainte-Kilda sur le revers de la veste. La jupe un peu plus longue, le blazer raide et moche, la coiffure touffue. Sans ces détails, on croirait des filles de seconde ou de première, juste au-dessus de Holly. Enlacées, elles posent contre une grille de fer forgé. Holly reconnaît le portail qui ferme la pelouse du fond. Deirdre est au milieu, secouant ses mèches frisées et noires. Petite et blonde, les cheveux duveteux, Miriam claque des doigts et, dans un grand sourire, exhibe son appareil dentaire.

À droite, Olivia, longues jambes, la tête en arrière et les mains dans sa tignasse, telle un mannequin qui se foutrait du monde, arbore le rouge à lèvres rose bonbon qui, aujourd'hui, la fait grimacer lorsque Holly s'en enduit la bouche. Elle est superbe.

– On se prenait pour les *Bananarama*, poursuit maman. Ou un groupe du même genre. Ce trimestre-là, nous avons formé un orchestre.

– Un orchestre ? s'exclame papa. Je suis un groupie ?

– On s'appelait les *Aigres douces*, rit maman. Je jouais du clavier électrique. Comme je prenais des leçons de piano, on a cru que je ferais l'affaire, mais c'était affreux. Quant à Dee, elle s'escrimait sur la guitare. Comme on n'avait aucune oreille, ça a été un désastre. Mais ce fut une époque merveilleuse.

Holly ne peut détourner ses yeux de la photo. Cette fille sur le cliché n'est pas la personne solide, déterminée qu'elle connaît. Devant elle, le monde s'ouvre, toutes les folies sont possibles. Elle n'est pas cette avocate mariée à Frank Mackey, mère d'une fille unique, maison à Dalkey, couleurs discrètes, cachemire, Chanel N° 5. Tout cela était déjà inscrit en elle. Pourtant, des centaines d'autres vies attendaient d'éclore, qu'elle n'a pas choisies et qui se sont évanouies.

– Qu'est devenue Miriam ?

– Je l'ignore. Sans Dee, ce n'était plus pareil. Lors de nos années d'université, nos chemins ont divergé. J'étais très sérieuse, à l'époque, très ambitieuse, plongée dans mes bouquins. Miriam, elle, passait son temps à boire et à flirter. Nous n'avions plus rien en commun. Quelqu'un m'a appris qu'elle s'était mariée et était partie pour Belfast, peu après la fac. C'est la dernière fois que j'ai entendu parler d'elle.

– Si tu veux, propose Holly, je ferai une recherche sur Internet. Elle est sans doute sur Facebook.

– Oh, ma chérie, c'est très gentil de ta part. Mais je ne sais pas… Je ne sais pas si je le supporterais. Tu peux le comprendre ?

– Oui.

Papa pose une main sur le dos de maman, très doucement, entre les omoplates.

– Tu veux un autre verre de vin ?

– Oh, non ! Oh, oui. Peut-être.

Il lui caresse la nuque, se dirige vers le frigo.

– Il y a si longtemps, murmure maman en effleurant la photo, d'une voix apaisée. Est-il possible que tant d'années aient passé ?

Holly retourne à son travail, découpe de petits bouts d'oignons.

– Frank, ajoute maman, Dee n'est pas heureuse. Autrefois, elle était la meneuse. Comme ta Julia, Holly. Elle avait toujours réponse à tout. Elle voulait faire de la politique, ou devenir une journaliste de télévision qui pousserait les politiciens à avouer leurs turpitudes. Mais elle s'est mariée jeune. Son mari a refusé qu'elle travaille jusqu'à ce que leurs enfants aient achevé leurs études. Aujourd'hui, tout ce qu'elle a réussi à obtenir, c'est un peu de secrétariat. Lui est un horrible bonhomme. Je ne lui ai pas dit, bien sûr. Elle songe à le quitter, mais elle vit avec depuis si longtemps qu'elle ne sait pas comment survivre sans lui…

Papa lui tend un verre. Elle s'en empare automatiquement, sans même le regarder.

– Sa vie, Frank, ne ressemble en rien à ce qu'elle imaginait. Nous rêvions de conquérir le monde, de saisir l'existence à bras-le-corps… Jamais elle n'aurait imaginé un tel destin.

D'ordinaire, maman ne parle jamais ainsi devant sa fille. Une main contre la joue, elle regarde dans le vide, tout à ses souvenirs. Elle a oublié la présence de Holly.

– Tu vas la revoir ? s'enquiert papa.

Holly devine qu'il a envie de la prendre dans ses bras, de la bercer. Elle ressent la même chose. Mais elle se retient, parce que papa se domine.

– Peut-être. Je ne sais pas. Elle rentre en Amérique la semaine prochaine. Elle va retrouver son mari et son travail à mi-temps. Elle ne peut pas rester plus longtemps. Et elle doit voir tous ses cousins avant son départ. Nous avons juré de nous envoyer des courriels.

Maman passe ses doigts le long de son visage, comme si elle explorait pour la première fois les rides autour de sa bouche.

– L'été prochain, suggère papa, nous pourrions passer des vacances là-bas. Si tu le souhaites.

– Oh, Frank. Comme c'est gentil à toi. Mais elle n'habite pas New York ou San Francisco…

Elle fixe son verre, le repose sur le plan de travail.

– Elle vit dans une petite ville du Minnesota, d'où son mari est originaire. J'ignore si…

– Si nous séjournons à New York, elle pourrait venir nous rejoindre. Réfléchis-y.

– Je le ferai. Merci.

Elle prend une grande inspiration, ramasse son sac, y replace la photo.

– Holly, dit-elle en souriant et en tendant le bras. Viens là, ma chérie. Embrasse-moi. Comment s'est passée ta semaine ?

Cette nuit-là, Holly n'arrive pas à dormir. Dans la maison, il fait chaud. Pourtant, quand elle repousse sa couette, elle frissonne. Elle écoute maman et papa aller au lit. La voix de maman résonne, précipitée, joyeuse, sauf lorsqu'elle baisse subitement le ton, se souvenant de la présence de sa fille. Papa parle bas, très doucement, mais la fait rire aux éclats. Une fois que leurs voix se sont tues, Holly reste allongée dans le noir, s'efforçant de ne pas bouger. Elle songe à envoyer un texto à l'une des trois autres pour voir si elle est réveillée, mais ne sait à laquelle s'adresser, ni ce qu'elle a envie de lui dire.

– Lenie, chuchote Holly.

Une éternité s'écoule avant que Selena, plongée dans le livre de chevet, ne lève les yeux.

– Oui… ?

– Pour l'année prochaine… Comment on décide qui partagera sa chambre avec qui ?

– Pardon ?

– Ta chambre de première. Tu sais avec qui tu voudrais y vivre ?

Les trombes les cloîtrent à l'intérieur. Dans la salle commune, les filles jouent à une version des années 90 de *Trivial Pursuit*, testent des produits de maquillage, envoient des textos. L'odeur du ragoût préparé pour le dîner monte de la cafétéria. Holly la trouve légèrement écœurante.

– Bordel ! s'exclame Julia en tournant une page. On est en février ! On a le temps de s'interroger là-dessus !

– Lenie ?

Les chambres de première obsèdent toutes les élèves de seconde. Un mauvais choix peut briser une amitié, aboutir à des crises de larmes. Les pensionnaires passent donc la plus grande partie de l'année à peser le pour et le contre avant de désigner leur coturne de l'année suivante.

Selena fixe Holly, bouché bée, comme si elle venait de lui proposer un voyage en navette spatiale.

– L'une d'entre vous, répond-elle enfin.

Une peur subite étreint Holly.

– D'accord. Mais laquelle ?

Silence. Sentant de la tension dans l'air, Becca a ôté ses écouteurs.

– Tu veux savoir avec qui je partageai ma piaule ? lance Julia. En tout cas, si tu commences à devenir hystérique à propos d'un truc qui n'est même pas d'actualité, tu peux être sûre que ce sera pas avec toi.

– Je t'ai rien demandé, rétorque Holly. Qu'est-ce qu'on fait, Lenie ?

Elle conjure Selena de s'asseoir dans son lit et d'y réfléchir, de proposer une idée qui ne blesserait personne, ce qu'elle a toujours su faire : tirer au sort les noms dans un chapeau, peut-être… *Je t'en prie, Lenie, je t'en prie…*

– Lenie ?

– À toi de voir, murmure Selena. Ça m'est égal. Je lis.

Holly se surprend à hausser le ton.

– On doit décider toutes ensemble ! Tu ne peux pas nous laisser le faire sans toi !

Selena plonge son nez dans son livre. Becca l'observe, en suçant le fil de ses écouteurs.

– Hol, intervient Julia avec un petit sourire qui n'augure rien de bon. Il faut que j'aille chercher quelque chose dans la salle commune. Viens avec moi.

Holly n'a aucune envie de se faire mener à la baguette par elle.

– T'as besoin de quoi ?

– Viens, lui intime Julia en glissant à bas de son lit.

– C'est trop lourd pour que tu le portes toute seule ?

– Quelle comédienne ! Allez, viens.

Holly se résigne. Peut-être trouveront-elles toutes les deux une solution acceptable. Becca les regarde quitter la pièce. Pas Selena.

La grisaille du dehors atténue la lumière pisseuse du couloir. Julia s'adosse au mur, croise les bras.

– P'tain, tu fais quoi, là ?

Elle parle fort, sans se soucier d'être entendue. Le fracas de la pluie couvre sa voix.

– Je lui posais simplement la question, se justifie Holly. Où est le problème ?

– Tu l'as harcelée ! Il faut pas !

– Relax ! Je la harcèle pas. On doit décider.

– Si, c'est du harcèlement ! Si tu continues, ça va la déprimer. On prend la décision à trois, on lui en fait part et elle sera contente de s'en remettre à nous.

Holly singe Julia : bras croisés, regard mauvais.

– Et si, moi, je pense qu'elle a aussi son mot à dire ?

– Arrête !

– Pourquoi ne donnerait-elle pas son avis ?

– On t'a lobotomisée, ou quoi ? Tu sais très bien pourquoi.

– Parce qu'elle va pas bien ? C'est ça ?

– Elle va très bien. Elle doit simplement se libérer de ce qui la traumatise. Comme nous toutes.

– C'est pas pareil ! Lenie n'en a pas la force ! Même chose pour la vie courante : elle n'arrive pas à l'assumer. Qu'est-ce qui lui arrivera quand on ne sera plus là pour la soutenir ?

– Tu veux dire quand on sera à la fac ? Dans des années ? Excuse-moi si j'en fais pas une maladie. D'ici là, elle ira bien.

– Elle guérit pas. Tu le sais.

Toutes les deux se comprennent à demi-mot : son état ne s'est pas amélioré depuis... depuis tu sais quoi.

– À mon avis, reprend Holly, on devrait la pousser à aller voir quelqu'un.

Julia s'esclaffe bruyamment.

– Qui ? Sœur Ignatius ? C'est sûr qu'elle va tout arranger ! Elle serait même pas foutue de réparer un lacet cassé...

– Non. Pas Sœur Ignatius. Quelqu'un de compétent. Un médecin, par exemple.

– Nom de Dieu ! tonne Julia en montrant le poing à Holly. N'y pense même pas ! Je suis sérieuse !

Holly lui gifle presque le bras. Cette agressivité la galvanise.

– Depuis quand tu me donnes des ordres ? Ne fais plus jamais ça !

Depuis qu'elles se connaissent, elles n'ont jamais eu de vraies disputes. Pourtant, elles sont près d'en venir aux mains. Enfin, Julia recule, hausse les épaules et s'affale contre le mur.

– Écoute. Si tu t'inquiètes vraiment pour Lenie, n'essaye pas de l'envoyer chez un psy. Ce serait le plus mauvais service à lui rendre. Le pire ! Tu dois me croire !

Son ton est devenu suppliant. Pourquoi ? se demande Holly. Que sait-elle ? Ou qu'a-t-elle deviné ?

– Je te le demande comme une faveur, insiste Julia. Crois-moi. Je t'en prie.

Holly hésite. Puis elle murmure :

– D'accord.

Julia la dévisage. Son air soupçonneux donne envie à Holly de hurler : « Oui, d'accord ! », ou, au contraire, de tourner les talons et de s'enfuir pour ne jamais revenir.

– Juré ? dit Julia. Tu ne l'emmèneras pas parler à qui que ce soit ?

– Si tu es sûre que…

– Oh, oui, j'en suis sûre.

– Alors, entendu. Je ne le ferai pas.

– Bien, conclut Julia. Allons chercher n'importe quoi dans la salle commune avant que Becca se pointe.

Elles s'enfoncent dans le couloir, marchant côte à côte, en silence, butées, toujours furieuses l'une contre l'autre.

Holly n'a pas abandonné son idée à cause de l'opposition de Julia. Elle y a renoncé parce qu'elle a une idée.

C'est la perspective du psy qui la lui a donnée. La dernière fois, on l'a envoyée chez un psychologue ; un abruti dont le nez coulait et qui n'arrêtait pas de se mêler de ce qui ne le regardait pas. Holly faisait semblant de jouer le jeu mais se gardait bien de lui répondre. Cela ne l'a pas empêché de jacter et il a fini par dire quelque chose d'intelligent. Selon lui, tout serait plus simple lorsque le procès serait terminé et qu'elle saurait exactement ce qui était arrivé. En d'autres termes, sa connaissance des faits l'aiderait à oublier et à se concentrer sur autre chose. Ce qui s'est produit.

Plusieurs jours se passent avant que Julia ne cesse de surveiller Holly et Selena et les laisse toutes les deux ensemble. Holly doit quand même ruser. Un après-midi, au Court, Julia cherche une carte d'anniversaire pour son père et Becca se rappelle qu'elle doit s'en procurer une pour remercier sa grand-mère d'un cadeau. Selena prend son sac, quitte la boutique d'art et marche nonchalamment vers la fontaine. Holly la suit aussitôt, sans laisser le temps à Julia de se raviser.

Selena étale en éventail des tubes de peinture neufs sur le marbre noir, en caresse les couleurs d'un doigt. De l'autre côté de la fontaine, des gus de Colm se tournent vers elles, mais restent où ils sont. Ils savent à quoi s'en tenir.

– Lenie…, murmure Holly.

Elle patiente jusqu'à ce que Selena consente à réagir.

– Oui ?

– Tu sais ce qui te ferait aller mieux ?

Selena la contemple comme si elle était un arc-en-ciel dans un ciel vide.

– Pardon ?

– Si tu découvrais ce qui s'est passé l'année dernière… Et si on arrêtait la coupable… Tu crois que ça t'aiderait ?

– Chut, fait Lenie.

Elle prend la main de Holly. La sienne est froide et lisse, comme insensible. Elle la laisse dans celle de Holly et retourne à ses couleurs.

Il y a longtemps, Holly a appris de son père que, pour ne pas se faire choper, il faut agir par étapes, sans se presser. Elle achète d'abord le bouquin un samedi, en plein centre-ville, dans une grande librairie de livres d'occasion bourrée de monde. Dans deux mois, maman ne se souviendra pas qu'elle lui a dit : « Il me faut ce volume pour le collège, peux-tu me donner dix euros, j'en ai pour une seconde. » Personne, à la caisse, n'aura gardé le moindre souvenir de cette gamine blonde tenant à la main un traité moisi de mythologie et un cahier à dessins qu'elle agite en direction de sa mère. Elle déniche un cliché qui, pris par un téléphone portable, représente Chris en arrière-fond, l'imprime quelques semaines plus tard au cours d'une ruée de dernière minute dans la salle d'informatique, juste avant le déjeuner. Dans moins d'une heure, les autres auront oublié qu'elle s'est attardée quelques minutes dans les toilettes. Le week-end suivant, elle découpe et colle sur le plancher de sa chambre, portant des gants qu'elle a volés au labo de chimie, sa couette prête à tout recouvrir si papa ou maman frappent à la porte. De toute façon, ils auront bientôt oublié l'odeur de la colle à papier. Elle jette le traité dans la poubelle d'un jardin public proche de la maison. D'ici une semaine ou deux, il aura disparu. Ensuite, elle glisse la carte dans une fente de la doublure de son manteau d'hiver et attend le moment propice.

Elle guette un signe qui lui indiquerait le jour où elle devra passer à l'acte. Surtout ne pas le rater. Car il ne reviendra peut-être plus.

Lorsqu'elle entend les Daleks dégoiser sur cet interminable projet qui doit être bouclé pour le mardi soir, elle déclare, à la fin du cours d'arts plastique :

– On remet ça mardi, pendant l'étude ?

Les autres acquiescent tout en jetant de la poudre de craie et des bouts de fils de cuivre dans la corbeille.

Elle agit avec méthode, sans rien laisser au hasard. Elle interpelle les autres quand elles passent devant le panneau des secrets en gagnant la salle d'arts plastique puis au moment où elles la quittent, pour qu'elles ne le consultent pas. Elle fourre son mobile hors de vue, sur une chaise qu'elle pousse sous une table, pour que personne ne le remarque. Après l'extinction des feux, elle s'exclame : « Oh, merde, mon téléphone ! » Le lendemain matin, très tôt, elle court le long du couloir désert. Elle épingle la carte sur le panneau des secrets, la scrute, mime un cri de surprise comme si quelqu'un l'espionnait. Ensuite, elle prend la pochette transparente et le cutter, retire la punaise aussi délicatement que si l'on pouvait y relever des empreintes, la fait glisser dans la pochette, avec la carte. Puis elle regagne sa chambre en courant, le cœur battant.

Les autres la croient lorsqu'elle leur affirme qu'elle a la migraine. Elle a feint d'en avoir trois au cours des deux derniers mois, singeant les symptômes de sa mère. Julia lui prête son iPod pour qu'elle ne s'ennuie pas. Elle se couche et regarde les autres s'en aller en cours, comme si elle les voyait pour la dernière fois : Becca tirant sur une chaussette, Selena lui souriant par-dessus son épaule avec un petit geste de la main. Lorsque la porte claque derrière elles, elle se sent si lourde qu'elle craint de ne pouvoir se relever.

L'infirmière lui apporte des pilules contre le mal de tête, la borde puis la laisse, lui conseillant de dormir. Holly se dépêche. Elle sait à quelle heure part le prochain bus pour le centre-ville.

Le chauffeur toise son uniforme. La peur au ventre, elle grimpe à l'étage tandis que le bus démarre. Vautrés sur la banquette arrière, des connards en sweat la déshabillent des yeux. Elle ne redescendra pas. Elle prend place sur le siège avant, fixe la chaussée qui défile sous les roues tout en écoutant les rires graveleux derrière elle. Si les marlous l'agressent, elle appuiera sur l'alarme. Le chauffeur s'arrêtera et l'aidera à descendre l'escalier. Elle pourra prendre le prochain bus pour le collège et se remettre au lit. Son cœur cogne si fort qu'elle en a des nausées. Soudain, son père lui manque. Et sa mère.

Tout d'abord, la chanson lui parvient assourdie, comme venue de très loin, avant de la frapper en pleine poitrine.

Remember oh remember back when we were young so young… Souviens-toi, oh souviens-toi, nous étions si jeunes…

Chaque mot tinte tel du cristal, dissipe le grondement du moteur, les sarcasmes des enfoirés. Les paroles l'accompagnent au-dessus du canal et jusqu'en ville. Feux rouges, feux verts, deux-roues, piétons se bousculant sur les trottoirs. *Never thought I'd lose you and I never thought I'find you here, never thought that everything we'd lost could feel so near…* Jamais je n'aurais cru que je te perdrais et jamais je n'aurais cru te retrouver ici, jamais je n'aurais cru que tout ce que ce que nous avions perdu serait si proche…

Holly se pénètre de chaque mot. Le refrain, le refrain encore. Elle s'attend à ce que la chanson s'estompe. Mais elle continue. *I've got so far, I've got so far left to travel…* Il me reste tant de chemin, tant de chemin à parcourir…

Le bus dérape en freinant devant son arrêt. Holly agite les doigts vers les demeurés de la banquette arrière qui, la lippe pendante, cherchent une insulte à lui balancer. Trop tard. Elle a déjà dévalé l'escalier.

Sur le trottoir, la chanson la poursuit toujours, de plus en plus ténue à mesure qu'elle se fraie un chemin à travers la foule. À présent, contournant les passants en costard, les réverbères et les mendiantes en jupes longues, elle sait ce qu'elle doit entendre : sa propre voix, qui la conforte et l'encourage tandis qu'elle s'engage dans la rue menant au bureau de Stephen.

Remerciements

Comme chaque fois, je dois d'innombrables remerciements à une multitude de personnes : Ciara Considine, de Hachette Books Ireland, Sue Fletcher et Nick Sayers de Hodder & Stouhton, ainsi que Clare Ferraro et Caitlin O'Shaughnessy, de Viking, pour le temps et la compétence qu'ils ont consacrés à l'amélioration de ce livre ; Breda Purdue, Ruth Shern, Ciara Doorley et toute l'équipe de Hachette Books Ireland ; Swati Gamble, Kerry Hood et tous ceux de Hodder & Stoughton ; Ben Petrone, Carolyn Coleburn, Angie Messina et toute l'équipe de Viking ; Suzanne Halbleib et toute l'équipe de Fischer Verlage ; Rachel Burd, pour sa préparation, toujours aussi pointue, du manuscrit ; l'extraordinaire Darley Anderson et ses brillants collaborateurs de l'agence, en particulier Clare, Mary, Rosanna, Andrea et Jill ; Steve Fisher de l'APA ; David Walsh, qui a non seulement répondu à toutes mes questions sur la police criminelle, mais même à celles qui ne m'étaient pas venues à l'esprit ; le docteur Fearghas Ó Cochláin, comme d'habitude, pour m'avoir aidée à tuer ma victime de la façon la plus plausible possible ; Oonagh Montague qui m'a, entre mille autres choses, fait rire aux moments où j'en avais le plus besoin ; Ann-Marie Hardiman, Catherine Farrell, Kendra Harpster, Jessica Ryan, Karen Gillece, Jessica Bramham, Kristina Johanse, Alex French et Susan Collins, pour leur humour et leur soutien ; David Ryan, sans qui je ne serais jamais arrivée au bout de ma tâche ; ma mère, Elena Lombardi, pour sa présence de chaque jour ; mon père, David French ; et, par-dessus tout, mon mari, Anthony Breatnach, à qui aucun mot de ma part ne pourra exprimer tout ce qu'il m'a apporté.

Écorces de sang
Tana French

Trois enfants ne ressortent pas des bois où ils ont passé l'après-midi. La police retrouve un seul garçon. Il ne se rappelle rien : les deux autres ne réapparaîtront jamais. Vingt ans plus tard, Rob, l'unique rescapé, est devenu inspecteur de police. Quand une fillette est tuée dans ces mêmes bois, il est chargé de l'enquête et doit affronter les secrets d'un passé qui le hante.

« Happé par un meurtre sordide et une plume implacable, même le plus blasé des amateurs de thriller adorera ces bois ténébreux. »

The New York Times

Les Visages
Jesse Kellerman

La plus grande œuvre d'art jamais créée dort dans les cartons d'un appartement miteux. Ethan Muller, un galeriste new-yorkais, décide aussitôt d'exposer ces étranges tableaux, qui mêlent à un décor torturé d'innocents portraits d'enfants. Le succès est immédiat, le monde crie au génie. Mais un policier à la retraite croit reconnaître certains visages : ceux d'enfants victimes de meurtres irrésolus…

Grand Prix des lectrices de ELLE

« *Si vous n'avez pas encore lu Jesse Kellerman, ne perdez pas une seconde.* »

Harlan Coben

Un sur deux
Steve Mosby

Vaut-il mieux mourir ou condamner l'autre à la mort ? Avant d'en tuer un sur deux, un serial killer torture les couples qu'il séquestre : à eux de décider. Jodie vient de tromper Scott et se sent coupable ; de son côté, il recense cinq cents raisons de l'aimer. Ils sont enlevés. L'inspecteur Mercer n'a que quelques heures pour les retrouver avant qu'ils ne craquent. Et vous, que feriez-vous ?

« Excellent ! Thomas Harris et Harlan Coben ont désormais un sérieux concurrent ! »

Le Figaro

Les cendres froides
Valentin Musso

Dix jeunes femmes enceintes, grandes et blondes, sourient à la caméra. Elles attendent les enfants illégitimes de la guerre, conçus avec un officier allemand. Aurélien découvre ce film lors du décès de son grand-père médecin, qui y apparaît. Quand le jeune prof cherche à en savoir plus, il reçoit aussitôt des menaces. Et une octogénaire est tuée chez elle, tout près de la maison dudit grand-père...

« Absolument passionnant. »
Gérard Collard

Out
Natsuo Kirino

Dans une usine de Tôkyô, quatre femmes travaillent de nuit. Leurs maris sont tous infidèles ou violents, et détestés. Lorsque Yayoi finit par étrangler son conjoint, c'est une véritable descente aux enfers qui commencent pour elle et ses complices. Leur route croise celle de Mitsuyoshi, un ancien homme de main hanté par le supplice qu'il a fait subir à... une femme. S'engage très vite une terrifiante lutte à mort.

« Retournements, vigueur du récit et conclusion, voilà qui ravirait Hannibal Lecter. »

Muze

Origine
Diana Abu-Jaber

Enfant trouvée dans de mystérieuses circonstances, Lena ignore tout de ses origines. Elle n'a gardé aucun souvenir de son enfance, si ce n'est un don étrange, une sensibilité quasi animale... Lena, qui travaille pour la police scientifique de Syracuse, New York, refuse d'exercer ce don sur le terrain. Une série de décès de bébés va l'y contraindre : elle seule peut pressentir l'existence d'un assassin d'enfants.

« Aucun doute : les lecteurs qui aiment les thrillers différents, à la fois littéraires et intelligents, vont adorer Origine. *»*

Booklist

RÉALISATION : IGS-CP À L'ISLE-D'ESPAGNAC
IMPRESSION : CPI FRANCE
DÉPÔT LÉGAL : AVRIL 2016. N° 129855-2 (3017693)
IMPRIMÉ EN FRANCE